TRIERER THEOLOGISCHE STUDIEN

BAND 41

TRIERER THEOLOGISCHE STUDIEN

Herausgegeben von der Theologischen Fakultät Trier

BAND 41

RENATE BRANDSCHEIDT

Gotteszorn und Menschenleid

Die Gerichtsklage des leidenden Gerechten in Klgl 3

PAULINUS-VERLAG TRIER

1983

RENATE BRANDSCHEIDT

Gotteszorn und Menschenleid

Die Gerichtsklage des leidenden Gerechten in Klgl 3

PAULINUS-VERLAG TRIER

1983

CIP-Kurztitelaufnahme der Deutschen Bibliothek

Brandscheidt, Renate:

Gotteszorn und Menschenleid: d. Gerichtsklage d.
leidenden Gerechten in Klgl 3 / Renate Brandscheid.
—Trier: Paulinus-Verlag, 1983.

(Trierer Theologische Studien; Bd. 41)
ISBN 3-7902-0043-3

Alle Rechte vorbehalten
© Paulinus Verlag, Trier 1983
Gesamtherstellung: Paulinus Druckerei GmbH, Trier
Umschlag: Hugo Ritter
ISBN: 3-7902-0043-3

VORWORT

Die vorliegende Arbeit wurde im WS 1981/82 von der
Theologischen Fakultät Trier als Doktordissertation
angenommen und fand Aufnahme in die Reihe der "Trierer Theologischen Studien"; dafür weiß ich mich der
Theologischen Fakultät Trier zu aufrichtigem Dank
verpflichtet.

Besonderen Dank aber schulde ich meinem Lehrer, Herrn
Prof. Dr. Ernst HAAG, für die Anregung zur Disserta-
tion, die zahlreichen Hilfen bei der Durchführung und
die vorbildliche Wegweisung in der Theologie des Alten
Testamentes.

Herr Prof. Dr. Dr. Werner DOMMERSHAUSEN erstellte das
Korreferat. Frau Irmgard APEL schrieb mit schneller
und kundiger Hand das Manuskript. Auch hierfür möchte
ich danken.

Trier, im Juli 1983

                    Renate Brandscheidt

INHALTSVERZEICHNIS

I. EINLEITUNG

Das Buch der Klagelieder, dessen Mitte und Höhepunkt das dritte
Klagelied bildet, gehört nicht zu den bevorzugten Büchern der
neueren Exegese. Bis auf wenige Ausnahmen[1] ist es ein Werk der
Kommentarauslegung geblieben. Diesen aber ist die Heftigkeit,
mit der vom Ende des vorigen Jahrhunderts bis in die dreißiger
Jahre dieses Jahrhunderts die Auseinandersetzung um das Verständnis des dritten Klageliedes geführt wurde, nicht mehr
eigen - erstaunlich, wenn man bedenkt, daß die mit Klgl 3 verbundenen Schwierigkeiten keineswegs zu einer allgemeinen Zu-
friedenheit gelöst worden sind. Die Fragen nach der Gattung,
dem "Ich", das sich in diesem Lied zu Wort meldet, dem Aufbau
und der Absicht des Dichters bleiben nach wie vor die Rätsel,
die der Text aufgibt. Vor allem was die formale Seite von Klgl 3
angeht, sind resignierende Äußerungen die Regel. Angesichts der
zunehmenden Minimalisierung an Forschungsergebnissen darf es
auch nicht verwundern, wenn die Darstellung des Buches der Klagelieder in den jüngeren Einführungen in die Geschichte der
alttestamentlichen Bücher keinen großen Raum mehr beansprucht[2].
In theologiegeschichtlichen Abhandlungen über das Exil, in dessen frühen Zeitraum das Buch der Klagelieder zumeist datiert ist,
wird die Bedeutung des Buches, das lediglich in kurzen Notizen

---

1   N.K.GOTTWALD, Studies in the Book of Lamentations, London
    1954; B.ALBREKTSON, Studies in the Text and Theology of
    the Book of Lamentations with a Critical Edition of the
    Peshitta Text, Lund 1963; G.BRUNET, Les Lamentations
    contre Jérémie. Réinterprétation des quatre premières
    Lamentations, Paris 1968; Vgl. auch einige Aufsätze zu
    speziellen Problemen der Klgl: W.F.LANAHAN, The Speaking
    Voice in the Book of Lamentations: JBL 93 (1974) 41-49;
    L.KATZOFF, Who is afraid of Edom. Reflections on a Theme
    in Lamentations: Dor le Dor V/4 (1977) 178-182; S.BERGLER,
    Threni V - Nur ein alphabetisierendes Lied? Versuch einer
    Deutung: VT XXVII (1978) 304-320.
2   R.SMEND, Die Entstehung des AT, Stuttgart 1978, 220;
    W.H.SCHMIDT, Einführung in das AT, Berlin, New York 1979,
    312-314.

und Anmerkungen erscheint, ebenfalls gering eingeschätzt[3].

Demgegenüber läßt die ältere Forschungsgeschichte eine
äußerst engagierte Bemühung um das Verständnis der Klagelieder erkennen. Ein triftiger Grund für die hier anzutref-
fende Fülle an Literatur muß wohl in jener alten Überlieferung gesehen werden, die dem Buch der Klagelieder einen
Ursprung zuschrieb, der eine Beschäftigung mit ihm zu gebieten schien. Der sich anschließende Forschungsüberblick
wird daher das dortige Verständnis des Buches der Klageli-
der als "Problem" zutage fördern und im Hinblick auf eine
weitere Beschäftigung insbesondere mit Klgl 3 neu formulieren.

A. Schwerpunkte der Forschungsgeschichte

"Und es geschah, nachdem Israel gefangen weggeführt und Jerusalem verwüstet war, da setzte sich Jeremia weinend hin
und klagte über Jerusalem und sprach..." - unter dieser
Einleitung folgt in G[4] die Sammlung der fünf Klagelieder[5]

---

3   G.FOHRER, Geschichte der israelitischen Religion, Berlin
    1969, weist in kurzen Notizen auf die Elendsschilderungen
    der Klgl hin (163f.314-316.342). G.VON RAD, Theologie des
    AT I, München [7]1978; II, München [6]1975 führt lediglich
    einzelne Stellen der Klgl an. Ebenso P.R.ACKROYD, Exile
    and Restoration. A Study of Hebrew Thought of the Sixth
    Century B.C., Philadelphia 1968; W.EICHRODT, Theologie
    des AT 2/3, Göttingen [6]1974; W.ZIMMERLI, Grundriß der
    alttestamentlichen Theologie, Stuttgart 1972, erwähnt
    die Klgl nicht einmal.

4   Καὶ ἐγένετο μετὰ τὸ αἰχμαλωτισθῆναι τὸν Ισραηλ καὶ
    Ιερουσαλημ ἐρημωθῆναι ἐκάθισεν Ιερεμιας κλαιων καὶ
    ἐθρήνησεν τὸν θρῆνον τοῦτον ἐπὶ Ιερουσαλημ καὶ ειπεν.
    Eine ähnliche Einleitung findet sich in der Vulgata und
    bei den lateinischen Versionen nach der Überschrift:
    "Threni i.e. lamentationes Jeremiae prophetae: Et factum
    est, postquam in captivitatem redactus est Israel et Je-
    rusalem deserta est, sedit Jeremias propheta flens et
    planxit lamentatione hac in Jerusalem et amaro animo sus-
    pirans et eiulans dixit". Das Targum beginnt mit אֲמַר יְ"
    נְבִיָּא וְכֹהֲנָא רַבָּא   und der Syrer überschreibt den
    Text: Buch der Klagelieder des Propheten Jeremias.

5   In den hebräischen Handschriften führt das Buch den Namen
    אֵיכָה   , weil es mit diesem Wort beginnt. Im Talmud (Baba

unmittelbar dem Buch des oben genannten Propheten[6]. Obwohl eine
entsprechende Notiz im masoretischen Text fehlt, wurde die jeremianische Verfasserschaft zunächst nicht in Zweifel gezogen.
Schließlich ist auch in 2 Chr 35,25 von Jeremia als dem Verfasser von Klagegesängen die Rede[7], und wenn dieser schon den
Untergang Judas bis zu seinem bitteren Ende miterlebt hat, wer
anders als er könnte als der Augenzeuge der in Klgl geschilderten Not in Frage kommen? Deshalb wurde in der Exegese um die
Jahrhundertwende, der die Prophetie als das geistige Zentrum
Israels schlechthin galt[8], die Auslegung der Klgl maßgeblich

---

Bathra 14b/15a) und bei den Rabbinen steht mit Rücksicht
auf den Inhalt קינות. Dem entspricht θρῆνοι in G,
lamentationes (neben threni und lamentationes) in der
Vulgata. In der jüdischen Überlieferung führt das Buch
den Namen מגלת קינות oder ספר קינות.

6 Nach der Überlieferung des babylonischen Talmud (Baba
Bathra 14b) standen die קינות innerhalb des Kanon-
teiles der כתובים an der siebten Stelle zwischen Hld
und Dan. In der Anordnung der Masora stehen die Lieder
unter den Megilloth bald an dritter Stelle (gemäß der
Reihenfolge der Festlesungen), bald an vierter Stelle
(gemäß einer vermeintlichen Chronologie).

7 In 2 Chr 35,25 wird neben der Tatsache, daß Jeremia den
Tod des Königs Joschija (+ 609) beklagt habe, eine Sammlung von Klageliedern erwähnt, die K.BUDDE mit dem Buch
der Klagelieder identifiziert (Die Klagelieder, Freiburg,
Leipzig, Tübingen, 1898,72). Dann ergibt sich aber folgende Schwierigkeit: Der Chronist müßte Lieder, die auf
den Fall Jerusalems gedichtet waren (Klgl), auf Joschija,
mit dem dann auch der in Klgl 4,20 genannte König zu
identifizieren wäre, bezogen haben.

8 Vgl. hierzu H.J.KRAUS, Geschichte der historisch-kritischen Erforschung des AT, Neukirchen [2]1970, 205-208.

im Schatten der autoritativen Prophetenpersönlichkeit be-
trieben[9]. Dies ging so weit, daß man sogar die Entstehungs-
situation der Lieder aus den Daten des prophetischen Buches
herausgelesen hat[10].

---

9   H.WIESMANN, "Was war denn ein Prophet? Ein Herold und An-
    walt Jahwes, sowie ein Lehrer, Mahner, Warner und Tröster
    des Volkes. Das aber ist der Dichter unserer Lieder" (Wi-
    dersprechen die Klagelieder dem Geist Jeremias: ThPQ 81
    (1928) 328-337.334); DERS.: "Zunächst wüßten wir keine
    Persönlichkeit, die hier eher in Betracht kommen könnte
    als Jeremias. Ja, wenn ein einzelner auftritt, erwarten
    wir gerade ihn am ersten" (Das dritte Kapitel der Klage-
    lieder: ZKTh 50 (1926) 515-543.520); DERS.: "Endlich war
    er der Träger der Zeitgeschichte, der Prophet des unter-
    gehenden Reiches, der seiner Stellung nach am ersten be-
    rufen war, die große Aufgabe, welche sich das Büchlein
    stellt, zu erfüllen: die leidenden Volksgenossen vor der
    Verzweiflung zu bewahren, mit der rechten Lebensgesinnung
    zu erfüllen und ihrem Bundesgott, dessen Herold und Anwalt
    walt er immer gewesen, wieder zuzuführen. Wenn irgend-
    einer es wagen durfte, dem Volk ungeschminkt, wenn auch
    taktvoll, die Wahrheit zu sagen, die Notwendigkeit der
    inneren Umkehr und der erforderlichen Leidenshaltung zu
    predigen, wenn irgend jemand geeignet war, den schier
    Verzweifelnden Mut und Vertrauen einzuflößen, dann war
    es der Prophet von Anatot, der sich in seinem schweren
    Lebenskampfe so stark bewährt und die Erfüllung seiner
    Voraussagen so offensichtlich erlebt hatte" (Die Klage-
    lieder, Frankfurt/Main 1954, 60). So hatte 1872 schon
    C.F.KEIL geurteilt (Die Klagelieder, Leipzig 1872, 556).
10 E.GERLACH zufolge hat Jeremia die Lieder kurz nach dem
    Fall Jerusalems in Mizpa (Jer 40,6) geschrieben (Die Kla-
    gelieder Jeremias, Berlin 1868, 12), was ihm nach W.W.
    CANNON sicherlich Trost und Erleichterung bedeutete (The
    Authorship of Lamentations: Bibliotheca Sacra LXXXI (1924)
    42-58.47). Nach O.THENIUS ist nur Klgl 2 in Mizpa entstan-
    den, klgl 4 dagegen in Ägypten (Die Klagelieder, Leipzig
    1855, 123), wo H.EWALD den Entstehungsort aller Lieder
    sieht (Die Dichter des Alten Bundes I/2, Göttingen [3]1866,
    321-348). Zur Diskussion um den Ort der Klgl in der älte-
    ren Exegese vgl. WIESMANN, Klagelieder, 85-87.

Unter Würdigung der prophetischen Autorität konnte von vielen
Erklärern auch die für eine Klage ungewohnte alphabetische Einkleidung der Lieder als Beleg der literarischen Fähigkeiten des
Propheten verstanden[11] und Wiederholungen im Text als ein Über-
fließen seiner Klage hingenommen werden[12], wobei Jeremia, wie
es sich für einen Jahweboten verstand, nicht nur den persönlichen Schmerz im Auge hatte, sondern auch auf Leid und Fragen
seiner Zeitgenossen Antwort gab[13]. Über den dichterischen sowie
theologischen Wert der Klagelieder bestand daher kein Zweifel[14].
Von den fünf Liedern aber gebührt zweifelsohne Klgl 3 der Vorzug.
Während in Klgl 1; 2 und 4 über Jerusalem geklagt oder dieses
auch selbst als Klagende eingeführt wird, in Klgl 5 aber die Gemeinde zu Wort kommt, bringt in Klgl 3 ein leidgeprüfter Mann
seine persönliche Klage vor Gott. Da aber Jeremia wie kein anderer Prophet unter seinem Auftrag gelitten hat, wurde selbstverständlich der klagende "Mann" (גבר) von Klgl 3 mit dem
Propheten identifiziert, der mit dem Beispiel seiner Person auf
das von Jahwe gerichtete Volk einwirken will. Allein aus diesem

---

11 WIESMANN beschreibt Jeremia als einen Künstler und Dichter,
    einen Meister in der Handhabung der poetischen Darstellungs-
    mittel und der literarischen Gattungen, so daß ihm, auch
    wenn sich in seinem Buch keine vergleichbare Form findet,
    ruhig das so kunstvoll in die alphabetische Akrostichie ge-
    kleidete Buch der Klagelieder zugetraut werden darf (Wider-
    sprechen die Klagelieder, 509f.); vgl. auch TH.PAFFRATH, Die
    Klagelieder des Jeremias, Bonn 1932, 7.
12 WIESMANN, Der dichterische Wert der Klagelieder des Jeremia:
    ThG 19 (1927) 365-403.
13 KEIL, 556; WIESMANN, Der Zweck der Klagelieder des Jeremias:
    Bibl 7 (1926) 412-428.
14 Nach WIESMANN handelt es sich bei den Klgl, denen neben ih-
    rer Eigenschaft als geschichtliche Urkunde und ihrer Bedeu-
    tung als ein patriotischer und nationaler Sang vor allem
    eine religiöse Bestimmung zukomme, nämlich den Untergang Je-
    rusalems als Gericht Jahwes zu rechtfertigen und mit dieser
    Erklärung das widerspenstige Volk zur Einsicht zu führen
    (Die Bedeutung der Klagelieder des Jeremias: Pastor Bonus
    38 (1927) 167-182), um das kunstvollste Erzeugnis des alt-
    testamentlichen Schrifttums (Widersprechen die Klagelie-
    der, 510).

Grunde folgen in Klgl 3 nach Schilderungen der Klage und Anklage Äußerungen des Vertrauens, lösen Einheiten, die auf die
Situation eines Einzelnen hinweisen, und Abschnitte, die sich
mit der Lage des Volkes befassen, einander ab[15]. Als Predigt
im Munde des Propheten erweist sich somit Klgl 3 für viele
Erklärer als eine folgerichtige Einheit.

Von einem Problem der Klagelieder und insbesondere des dritten
Klageliedes kann im Zuge dieser Interpretation aber nicht die
Rede sein. Was an ungewohnten und teilweise unstimmigen Sach-
verhalten in Form und Inhalt hie und da beobachtet wurde, ließ
sich im Blick auf die Prophetenpersönlichkeit leicht harmonisieren. Charakteristisch hierfür sind die Arbeiten von WIES-
MANN[16], der die Einheit von Redner, Dichter, Schriftsteller
und Prophet in Jeremia nicht hoch genug einschätzen kann.
Sein Kommentar zu den Klageliedern aus dem Jahre 1954 ist der
letzte groß angelegte Versuch, anhand inhaltlicher und wort-
statistischer Parallelen zwischen Klgl und Jer die jeremia-

---

15 So bestimmt WIESMANN Klgl 3 als ein Wechselgespräch zwischen dem Propheten Jeremias (V.1-33.39-41.52-58), den
Ältesten des Volkes (V.34-38.42-47) und der Tochter Sion
(V.48-51.59-66) (Das dritte Kapitel, 524-528). Aber nicht
nur wegen dieser reichen Entfaltung der dramatischen Form
sowie seiner Stellung in der Mitte des Buches und dem Auftreten Jeremias, sondern vor allem wegen seines inneren
Gehaltes bilde Klgl 3 den Höhepunkt der Dichtung: Die
religiös sittliche Einwirkung auf die Leidenden wird hier
ausdrücklich, planmäßig und zielgerecht beschrieben (WIES-
MANN, Klagelieder, 36).

16 WIESMANN selbst macht auf Mängel in Form und Inhalt der
Lieder aufmerksam. Bezüglich Klgl 3 kritisiert er schwache
Stellen in der Durchführung der Akrostichie, die Häufung
der Bilder in V.4-18, Entlehnungen aus anderen biblischen
Büchern, den raschen Aufstieg aus der Verzweiflung und
die wenig gehaltvolle Rede in V.59-63. Dies hindert ihn
aber dennoch nicht daran, die Lieder als großes Kunstwerk zu preisen (Der dichterische Wert, 365-403).

nische Verfasserschaft der Klagelieder zu erhärten[17].

Auf den Gang der Forschungsgeschichte aber konnten die Arbeiten von WIESMANN nicht mehr verändernd einwirken. Die von ihm
so hart bekämpfte kritische Richtung in der Auslegung des Buches ist längst sententia communis. Ohne jede weitere Ausführung schreibt daher BRUNET in der Einleitung seiner Untersuchung über Klgl 1-4 aus dem Jahr 1966: Daß die Klgl nicht von
Jeremia stammen, braucht nicht mehr bewiesen zu werden[18]. Wie
kam es dazu? Wohl als erster Erklärer hatte H.VON DER HARDT
in einem zu Helmstedt herausgegebenen Programm aus dem Jahr
1712 die jeremianische Abstammung der Lieder geleugnet[19].
Sein Zweifel fand aber erst nach geraumer Zeit einen größeren
Widerhall. Es ist THENIUS, mit dessen Einwand aus dem Jahr
1855 die eigentlich kritische Phase der Betrachtung der Klgl

---

17 WIESMANN zufolge erweist sich rückschließend vom Duktus
    der Klagelieder der Verfasser als Kleriker (wahrschein-
    lich), wahrer Patriot, tief religiöser Mann, ein Mann
    prophetischer Ader, wahrer Dichter, Augenzeuge der Er-
    eignisse. Neben äußeren Gründen (Tradition) kommt Jere-
    mia auch aufgrund inhaltlicher und sprachlicher Paral-
    lelen am ehesten in Frage (Klagelieder, 54f.). "Allein
    wenn nicht stichhaltige Gegenbeweise vorgebracht werden,
    ist es doch natürlicher, an ihm (Jeremia) festzuhalten
    als einen Nachahmer aufzustellen. Schüler wird der stark
    Angefeindete auch wohl nicht in größerer Anzahl gehabt
    haben (...). So steht denn die Herkunft der Klagelieder
    von Jeremias aus äußeren und inneren Gründen so fest,
    wie bei einem Buche, das uns im Urtext ohne Verfas-
    serangabe und ohne gleichzeitiges Zeugnis überliefert
    ist, nur sein kann" (Klagelieder, 68). So lautete schon
    1872 die entsprechende Schlußfolgerung bei KEIL (555).
    Zu einer ausführlichen Verteidigung der jeremianischen
    Verfasserschaft der Klgl vgl. neben der Untersuchung
    von CANNON auch den Aufsatz von WIESMANN aus dem Jahr
    1928, Widersprechen die Klagelieder dem Geist Jeremias,
    328-337.498-510.717-726.
18 BRUNET, L'auteur des "Lamentations". Une recherche "dia-
    lectique": Cahiers du Cercle Ernest Renan 12,50 (1966)
    26-33.26.
19 Seine abenteuerliche These, daß die Klgl fünf verschie-
    nen Verfassern zu verdanken seien, nämlich König Jojachin,
    Daniel, Schadrach, Meschach und Abed-Nego fand allerdings
    kein Echo (Threnos, quos vulgus Jeremiae tribuit, in aca-
    demia Julia in gemini jubilaei celebritate in utriusque ho-
    norem et memoriam publice recensendos indicit a. MDCCXII
    pridie calend. Novembris, Helmstadii 1712).

beginnt. Ihm zufolge beweist schon das Fehlen einer diesbezüglichen Notiz in M, daß eine Unklarheit über die jeremianische Verfasserschaft bestand[20]. Bar der sie aufwertenden
prophetischen Autorität erschienen die Lieder ihrer stili-
stischen und sprachlichen Mängel wegen deshalb bald eines
Jeremia unwürdig, sogar unprophetisch in ihrem Geist, matt
in ihrer Aussage[21]. Wäre wirklich Jeremia der Verfasser, so
hätte man die Lieder mit Sicherheit seinem Buch eingegliedert[22]. Zunächst wurden noch, je nach der Überzeugung des
jeweiligen Erklärers von dem dichterischen Wert und von dem
prophetischen Geist, dieses oder jenes Lied dem Jeremia zugeschrieben[23], die übrigen Klagen aber als Werk eines Zeitgenossen und Augenzeugen angesehen, der sie in der Gefolg-
schaft und unter dem Einfluß des großen Propheten geschrieben
habe[24]. Mit zunehmender Zeit fiel auch der Widerspruch in den
Aussagen der Lieder zu der Situation Jeremias stärker ins Gewicht als bisher[25]. Wie hätte dieser überrascht sein können

20 THENIUS, 118.
21 B.STADE, Geschichte des Volkes Israel I, Berlin 1887, 701;
   H.MERKEL, Über das alttestamentliche Buch der Klagelieder,
   Halle 1889, 41f.; H.STEINTHAL, Zu Bibel und Religionsphilosophie, Berlin 1890, 20; H.GUNKEL, Klagelieder Jeremiae,
   in: RGG III, Tübingen 2 1929, 1047-1052.1052.
22 L.AUBERT, Le Livre des Lamentations de Jérémie, Montpellier 1932, 95-126.124.
23 Zu einem Überblick über die verschiedenen Auffassungen
   vgl. WIESMANN, Klagelieder, 68-84.
24 Vgl. die Diskussion der verschiedenen Ansichten bei WIES-
   MANN, Der Verfasser des Büchleins der Klagelieder - ein
   Augenzeuge der behandelten Ereignisse?: Bibl 17 (1936)
   71-84.
25 Gewöhnlich werden folgende, mit der Situation Jeremias
   nicht übereinstimmende Stellen in Klgl genannt: 1,9c.11c;
   2,9c.20c; 3,1-16; 4,17.20; 5,7f.; GOTTWALD (Lamentations:
   Interpretation 9 (1955) 320-338.328), A.WEISER (Klagelieder, Göttingen 1958, 39f.) und O.EISSFELDT (Einleitung in
   das AT, Tübingen 3 1964, 684) gelten diese Stellen als Beweis dafür, daß Jeremia nicht der Verfasser sein kann.
   W.RUDOLPH macht aber darauf aufmerksam, daß diese Stellen
   zum Erweis oder zur Ablehnung der jeremianischen Herkunft
   der Klgl wenig aussagen, da eine auf sie begründete Auffassung weitgehend vom persönlichen Urteil des jeweiligen
   Erklärers abhängt (Die Klagelieder, Gütersloh 1962, 196f.).

von dem Untergang Jerusalems? Sollte Jeremia wirklich sein
Leben als unter dem Zorn Jahwes stehend verstanden haben,
wie es der Klagende in Klgl 3 tut? Heute verteidigt kein
Interpret mehr die Historizität der jeremianischen Verfasserschaft. Die diesbezüglichen Hinweise in den verschiedenen Textzeugen werden mit der exilischen Gewohnheit einer
Autorisierung biblischer Schriften erklärt, die sich in
diesem Falle auf die Tatsache stützen kann, daß Jeremia
als Klagelieddichter bekannt war[26].

Mögen nun Klgl 1-2; 4-5 dadurch, daß Jeremia nicht als ihr
Verfasser gelten kann, wenig berührt werden, in bezug auf das
Buch der Klgl als eine beabsichtigte Einheit und in bezug auf
das Verständnis von Klgl 3 entläßt diese Erkenntnis jedoch
einige Fragen. Wenn nicht Jeremia, wer ist dann der Klagende
in Klgl 3, der sich seinem Volk so als Vorbild und Lehrer
hinstellen kann? Sollte dieses Lied nicht doch viel enger
an das prophetische Erleben geknüpft sein als die es umgebenden Stücke Klgl 1-2.4-5? Könnte die alte Überlieferung
nicht vielleicht doch ein Körnchen Wahrheit bergen? So modifiziert RUDOLPH in Anlehnung an LÖHR die These von der jeremianischen Verfasserschaft dahingehend, daß der Dichter
von Klgl 3 seine eigenen Worte dem Jeremia in den Mund legt
und diesen dem Volk als Vorbild hinstellt, weil er denkt,
daß der Prophet in dieser Lage so geredet hätte[27]. Dieser

---

26 M.LÖHR, Die Klagelieder des Jeremias, Göttingen [2]1906,
   XIII; AUBERT, 123; TH.J.MEEK, The Book of Lamentations,
   New York 1956, 4; C.WESTERMANN, Die Klagelieder, Stuttgart 1956, 90; RUDOLPH, 198; D.R.HILLERS, Lamentations,
   New York 1972, XXf.
27 LÖHR, Klagelieder, XV; DERS., Threni III und die jeremianische Autorschaft: BZAW 24 (1904) 1-16.5; ebenso MEEK,
   23; RUDOLPH, 235. In diesem Zusammenhang ist darauf
   hinzuweisen, daß man auch in früherer Zeit die Aussagen
   von Klgl 3 in bezug auf die Situation Jeremias nicht
   gänzlich individuell verstand. Daß Jeremia das geistige
   Leid der Frommen seiner Zeit klage, betonen KEIL, 556.
   590; L.A.SCHNEEDORFER, Das Buch Jeremias, des Propheten
   Klagelieder und das Buch Baruch. Wissenschaftlicher
   Commentar zu den Schriften des AT, hrsg. von B.SCHÄFER,
   Wien 1903, 411; WIESMANN, Das dritte Kapitel, 528.
   PAFFRATH, 9.31.

Erklärung ist zumeist widersprochen worden, weil sie eine
unnötige Komplizierung eines viel einfacheren Sachverhal-
tes darstelle. Nach Meinung der meisten Ausleger klagt in
Klgl 3 der Dichter selber, und zwar in der Sprache und mit
der Autorität eines Psalmensängers[28]. Der Bezug auf Jeremia, mit dem das Buch der Klgl nach Ausweis der Tradition
·nun einmal verbunden ist, kann diesen Erklärern nur noch
in einem rein demonstrativen Sinne etwas aussagen, dergestalt, daß auch Jeremia sich in das Urbild des leidenden
und verfolgten Menschen, das Klgl 3 zugrundeliege, ein-
reihe[29]. Inhaltliche Konsequenzen werden aus der alten
Überlieferung nicht mehr gezogen; sie erscheint nur noch
im Verlauf der Auslegungsgeschichte interessant.

Nachdem aber einmal unter dem Übergewicht der Gegengründe
Jeremia als Verfasser der Klgl ausgeschieden war, schien
auch der geschichtliche Hintergrund der Lieder nicht mehr
so eindeutig. Da den Liedern historische Daten fehlen und
es, abgesehen von dem Untergang Judas im Jahre 586 v. Chr.,
auch in der Folgezeit schwierige Situationen gab, die zu
einer Klage wie derjenigen in Klgl veranlassen konnten,
gilt der Entstehungszeitraum für die fünf Lieder einigen
Erklärern als äußerst dehnbar. Schon LÖHR hatte die Lieder
in verschiedene Jahrhunderte versetzt[30], und viele Ausleger

---

28 So WEISER, 74; H.J.KRAUS, Klagelieder, Neukirchen
    3 1968, 57.
29 KRAUS, Klagelieder, 57.
30 LÖHR: Den um 580 entstandenen Liedern Klgl 1 und 2
    folgten in der Zeit zwischen 550 und 540 Klgl 1 und 5.
    Erst gegen Ende der Perserzeit, um 325, entstand Klgl 3
    (Klagelieder, XV).

sind ihm gefolgt[31]. In diesem Zusammenhang wurde auch immer
wieder versucht, die Identität des Sprechers und Dichters von
Klgl 3 zu lüften. GUREWICZ, nach dessen Auffassung das Lied
in die Zeit vor dem Untergang Jerusalems gehört, sieht den
von den Babyloniern gefangenen König Jojachin als den Klagenden von Klgl 3 an[32]. Für TREVES, der dieses Lied in die
makkabäische Zeit hineinverlegt, steht hinter dem Leidenden
von Klgl 3 der Hohepriester Onias[33], wohingegen für BRUNET,
der die Lieder wieder auf dem Hintergrund der Ereignisse von
586 versteht, nur ein Verfasser für Klgl 3 in Frage kommt,
nämlich der Hohepriester Seraja[34]. Weil aber alle diese Versuche, das Buch der Klgl als ein Werk mehrerer Verfasser aus
verschiedenen Zeiten zu erklären, die schwerwiegende Frage
aufwerfen, warum man dann diese Lieder in einem einzigen Buch
vereint hat, wird der Gedanke an mehrere Verfasser des Buches
in der oben dargestellten Weise heute aufgegeben.

---

31 Nach FRIES entstanden in der Zeit nach 586 klgl 1-3, Klgl
    4 und 5 dagegen in der Makkabäerzeit (Parallele zwischen
    den Klageliedern IV, V und der Makkabäerzeit: ZAW 13
    (1893) 110-124). Für Klgl 5 nimmt S.S.LACHS ebenfalls
    makkabäische Zeit an (The Date of Lamentations V: JQR 47
    (1966) 46-56). Nach M.TREVES entstand in den Jahren 571-
    539 Klgl 2, aber noch vor dem Tod Jojachins im babylo-
    nischen Exil, weil in Klgl 2,6 und 9 ein König erwähnt
    ist, Klgl 1.3-5 wurden in der Makkabäerzeit geschrieben
    (Conjectures sur les Dates et les Sujets des Lamenta-
    tions: Bulletin du Cercle Ernest Renan 95 (1963) 1-4).
    O.KAISER zufolge entstammt Klgl 2 der ersten Hälfte
    des fünften Jahrhunderts, Klgl 1 und 5 der zweiten
    Hälfte. Klgl 4 entstand gegen Ende des fünften Jahr-
    hunderts, und Klgl 3 wurde im vierten Jahrhundert ge-
    schrieben (Klagelieder, ATD 16, Göttingen 1981).
32 S.B.GUREWICZ, The Problem of Lamentation 3: Australian
    Biblical Review 8 (1960) 19-23.
33 TREVES, Conjectures, 1.
34 BRUNET, L'auteur, 33; DERS., Les Lamentations contre
    Jérémie, 140-145.

Die Frage nach einer der vorliegenden Anordnung der Klgl zugrundeliegenden Absicht hat die Auslegung des Buches von Anfang an beschäftigt. Lange Zeit diskutierte man engagiert
einen vom Propheten selbst den Liedern unterlegten Plan dergestalt, daß sich hier die Klage intensiviere, also auf-
steige bis zum Höhepunkt in Klgl 3 und von da an sich ab-
schwäche bis zu Klgl 5[35]. Die Auseinandersetzung mit dieser
Problematik brach jedoch schlagartig ab, als sowohl der Verfasser wie auch der Entstehungszeitraum der einzelnen Lieder
nicht mehr eindeutig zu bestimmen waren. Heute wird die Rede
von einem der Sammlung zugrundeliegenden Plan mangels ein-
sichtiger Kriterien rundweg abgelehnt. Viele Ausleger begnü-
gen sich mit der Erkenntnis, daß das Buch fünf abgeschlossene
und voneinander unabhängige Lieder vereinige[36]. Wird heute
nach der Absicht der Klgl gefragt, so ist in den meisten
Fällen an die Art der Darstellung in den einzelnen Stücken
gedacht.

Mit der Bestimmung der Klgl als lyrisch-elegische Gesänge[37]
und der Auffassung von einem spontanen prophetischen Auftreten war dem Sitz im Leben dieser Lieder keine große Aufmerksamkeit geschenkt worden. Der Prophet erhebe im Namen
der Gemeinde seine Stimme und erst sekundär seien seine
Lieder in den Gottesdienst gewandert, lautete die gängige
Auffassung[38]. Nachdem aber die prophetische Herkunft der
Lieder ausgeschieden war, sorgte das Aufkommen der form-
geschichtlichen Methode für eine stärkere Berücksichtigung

---

35 Vgl. die Diskussion bei WIESMANN, Der planmäßige Aufbau
    der Klagelieder des Jeremia: Bibl 7 (1926) 146-161.
36 AUBERT, 96; F.NÖTSCHER, Die Klagelieder, Würzburg 1957,
    397; GOTTWALD, Lamentations, 329; MEEK, 5; RUDOLPH, 196;
    E.SELLIN - G.FOHRER, Einleitung in das AT, Heidelberg
    12 1979, 322. In den meisten Fällen wird der offenkun-
    dige Anschluß von Klgl 3 an Klgl 2 nicht berücksichtigt.
37 SCHNEEDORFER spricht von "lyrischer Poesie, die das in-
    nere Gefühlsleben darstelle" (384), PAFFRATH von "Her-
    zensergüssen" (6) und WIESMANN von "dramatisierter Lyrik"
    (Klagelieder, 40).
38 GERLACH, 13; CANNON, 45.

der in Klgl vertretenen Gattung und ihres Sitzes im Leben. War
dieser bisher nur recht vage, eben als gottesdienstliche Situation bestimmt worden, so wurde jetzt nach dem in den Klageliе-
dern dargestellten Verlauf einer solchen Kultfeier gefragt.
Daß kultische Klagefeiern über die Zerstörung Jerusalems
stattgefunden haben, geht aus Sach 7,1ff. und 8,18f. hervor.
So bereitet es WIESMANN keine Schwierigkeiten, die Klgl als
dramaähnliche Stücke zu bezeichnen, gedacht für eine Aufführung mit mehreren Sprecherrollen[39]. Sind aber die Klgl wirklich ein Spiegel offizieller Klagefeiern? Es muß auffallen,
daß sich die Lieder in die bekannten Gattungen der Klage des
Volkes und der Klage des Einzelnen nicht einreihen lassen.
Am ehesten entspricht noch Klgl 5 einer Klage des Volkes.
Klgl 1; 2 und 4 dagegen werden aufgrund ihrer Vermischung
mit Elementen der Totenklage und wegen ihrer Thematik, der
Zerstörung Zions, oft als politische Leichenlieder bezeichnet[40]. In Klgl 3 reicht das Auftreten eines Einzelnen aus,
um es als Einzelklage zu führen[41]. Aber alle diese Bezeichnungen sind mehr oder weniger Notlösungen, um die in den Liedern beobachtete Gattungsmischung hinsichtlich einer Tendenz,
die mehr inhaltlich als formal begründet ist, in den Griff zu
bekommen. Der Mangel an diesbezüglicher Erkenntnis wirkte sich
für die Bewertung von Klgl 3 besonders negativ aus. Die Tatsache,
daß hier der Charakter einer Komposition aus Formen der Klage
des Einzelnen, des Dankliedes des Einzelnen, der Volksklage
und der Weisheit derart stark in den Vordergrund tritt, hatte
schon BUDDE veranlaßt, in bezug auf das dritte Klagelied nur
noch von "ganz sekundärer Epigonenarbeit" zu sprechen[42].

---

39 WIESMANN beschreibt daher die Form aller Lieder als ein
    Wechselgespräch zwischen dem Propheten oder einem Sprecher,
    dem Volk und seinen Vertretern und der Tochter Zion (Kla-
    gelieder, 132.167.209.242.271).
40 BUDDE, 71; GUNKEL, 1051; NÖTSCHER, 397; WEISER, 41;
    H.JAHNOW, Das hebräische Leichenlied im Rahmen der Völ-
    kerdichtung, Giessen 1923, 168f.
41 AUBERT, 96; WESTERMANN, 95.
42 BUDDE, 92.

Neuere Ausleger formulieren den Sachverhalt zwar nicht so
streng, aber dennoch nicht weniger hilflos, wenn sie von
einer "Form sui generis"[43] oder einem "Mischgedicht"[44] reden und dem Vorrang der gedanklichen Inhalte, denen sich die
Form zu fügen habe[45]. Daher verzichten sie zumeist nicht nur
auf eine Bestimmung der Gattung, sondern auch auf eine Beschreibung der Form. Allenfalls wird noch im Hinblick auf
die Stilkritik die kunstvolle Anlage der alphabetischen
Akrostichie lobend erwähnt[46].

Da es sich somit auch als ziemlich aussichtslos erwiesen hat,
die Lieder in formaler Hinsicht zu erklären, bewegt sich die
jüngere Exegese in allem was den Ursprung und die Gestalt der
Klgl angeht, wieder in recht konservativen Bahnen. Die Diskussion um eine Vielheit der Verfasser und einen dementsprechend verschiedenen Entstehungszeitraum der einzelnen Lieder
wird aufgrund von einigen sprachlichen und sachlichen Querverbindungen[47] zugunsten der Annahme von einem einzigen Verfasser und einem relativ kurzen Entstehungszeitraum entschieden[48]. Abgesehen von der These einer jeremianischen Herkunft
der Lieder ist das genau die Auffassung der älteren Exegese[49].

---

43 GOTTWALD, Studies in the Book, 41.55f.; O.PLÖGER, Die Kla-
    gelieder, Tübingen [2]1969, 129.
44 GUNKEL, 1049; RUDOLPH, 192; EISSFELDT, 679. Ebenso KAISER,
    der außerdem die Bezeichnung "geistliche Dichtungen" zur
    Kennzeichnung der Eigenart der fünf Lieder einführt (298).
45 GOTTWALD, Studies in the Book, 41-55; R.LAURIN, Lamenta-
    tions, Nashville 1971, 205; SELLIN-FOHRER, 322. Auf den
    Versuch von KRAUS, die Gattung der Klgl als "Klage um das
    zerstörte Heiligtum" zu bestimmen (Klagelieder, 8-13),
    soll im Zusammenhang mit der Formanalyse der einzelnen
    Lieder eingegangen werden.
46 H.L.LAMPARTER, Die Klagelieder, Stuttgart 1962, 135f.
47 So RUDOLPH, 193f. Vgl. LÖHR, der aufgrund seiner Untersu-
    chung zu einer gegenteiligen Auffassung kommt, nämlich
    daß mehrere Verfasser an der Entstehung des Buches be-
    teiligt gewesen sein müssen (Der Sprachgebrauch des Bu-
    ches der Klagelieder: ZAW 14 (1894) 31-50). Ebenso KAI-
    SER, 302.
48 NÖTSCHER, 397; GOTTWALD, Lamentations, 329; WEISER, 43;
    RUDOLPH, 193; LAURIN, 204. Vorsichtiger, aber auch nur
    auf der Basis von Vermutungen, sprechen KRAUS (Klagelie-
    der, 15), PLÖGER (130) und HILLERS (XXII) von mehreren
    Verfassern des Buches der Klgl.
49 WIESMANN, Klagelieder, 47 und A2.

Der Grund für die Sammlung der Lieder in einem Buch wird in
der Tatsache ihrer kultischen Verwendung, wie sie sich in der
jüdischen Überlieferung nachweisen läßt, gesehen[50]. Auch das
dritte Klagelied bildet kein besonderes Problem mehr. Die
Diskussion um die ursprüngliche Zugehörigkeit dieses Liedes
zu den übrigen Klagen wird von KRAUS mit folgenden Argumenten beigelegt: Der Stimmenwechsel, den Klgl 3 mit den anderen Liedern teile, das kollektive Klagelied in V. 42ff., das
auf die Situation von Klgl 1; 2; 4; 5 hinweise, und die älteste Kommentierung, die es im Zusammenhang mit diesen erfuhr, deuteten auf den gleichen Zeitraum der Entstehung hin.
Klgl 3 sei, weil es von den persönlichen Erfahrungen des
Dichters[51] spreche, sogar das Herzstück einer Dichtung, die
es mit dem Untergang Jerusalems im Jahre 586 v.Chr. und dessen Auswirkungen zu tun habe[52]. Deshalb ist es nicht verwunderlich, wenn für GOTTWALD und ALBREKTSON in ihren Monographien
über die Klgl das Buch als solches zur Debatte steht, und es
vornehmlich darum geht, den geistigen Hintergrund der Lieder
zu erhellen[53]. Fragen der Form und der Redaktion der Lieder

---

50 Aubert, 125; MEEK, 5; WEISER, 42. Über die Frage, ob die
   Klgl in erster Linie Kultdichtungen oder literarische Pro-
   dukte sind, ist damit noch nicht entschieden.
51 Ob es sich um persönliche Erfahrungen des Dichters oder
   um für den Kult produzierte Dichtung und damit um kollektive Erfahrung handelt, ist heute eindeutig zugunsten der
   ersteren Auffassung entschieden.
52 So KRAUS, Klagelieder, 13; vgl. WEISER, 77 und auch WIES-
   MANN, Zur Charakteristik der Klagelieder des Jeremias:
   Bonner Zeitschr. 5 (1928) 97-118, der einen Überblick
   über die verschiedene Bewertung des dichterischen und
   theologischen Gehaltes in der älteren Forschung gibt.
53 GOTTWALD nennt als den Schlüssel zum Verständnis der
   Klgl die dtn Vergeltungslehre und sieht in den Liedern
   eine Spannung zwischen dem Versuch einer Reform im Sinne
   des Dtn und der dennoch eingetretenen Katastrophe als dem
   Grund der Klage (Studies in the Book, 51). ALBREKTSON geht
   aus von der Klage um den zerstörten Zion und sieht die Klgl
   der Spannung zwischen den religiösen Konzeptionen der Zionstheologie und dem historischen Phänomen des Untergangs der
   Stadt entwachsen (Studies in the Text, 219).

werden weitgehend ausgeklammert. Die Lieder werden lediglich
hinsichtlich eines thematischen Schwerpunktes unterschieden[54].
Ein straffer Aufbau wird heute wie schon damals, trotz der
strengen Form ihrer alphabetischen Einkleidung, auf die die
Erklärer immer wieder hinweisen, von den Liedern nicht erwartet[55]. In puncto einer literarischen Erklärung der Klgl
scheinen die Ausleger resigniert zu haben. Kein Wunder, daß
über das von WIESMANN als Kunstwerk des Alten Testamentes
gepriesene Buch[56] heute eine andere Auffassung herrscht.
Es sind fünf Klagen, die, wenn sie auch die prophetische
Gerichtspredigt aufgreifen, im Grunde doch nur eine Untermalung der aus anderen biblischen Büchern bekannten bösen
und verworrenen Situation nach dem Untergang Jerusalems im
Jahre 586 v.Chr. bieten. So gesehen erscheint die Beschäftigung mit dem Buch der Klgl heute in der Tat als ein exe-
getisch reizloses und forschungsgeschichtlich undankbares
Unterfangen. Das Betrübliche dabei ist aber nicht nur die
allgemein zu beobachtende Kapitulation vor den vom Text
selbst gestellten Fragen, sondern vor allem die Tatsache,
daß hier ein alttestamentliches Buch mit seiner tieferen
Aussage und Wirkungsgeschichte ins Abseits gedrängt wird.

Die folgende Untersuchung will sich den im Forschungsüberblick erkannten Schwierigkeiten stellen und nach neuen Kriterien zur Bestimmung der Form und der Eigenart der einzelnen Lieder suchen. Da sich aber die Dichtung, wie sich noch
zeigen wird, mit den Folgen des Unterganges von Juda im Jahr
586 v.Chr. befaßt, also in den Zeitraum der großen theologischen Umwälzungen in Israel fällt, gedenkt die folgende Untersuchung der Lieder nicht nur ein akademisches Versäumnis
aufzuarbeiten, sondern befragt die fünf Klagen vor allem auf
ihren Beitrag für eine alttestamentliche Gotteslehre. Daß dabei der Schwerpunkt der Arbeit auf dem dritten Klagelied liegt,

---

54 Vgl. die Überschriften der einzelnen Lieder in den ver-
    schiedenen Kommentaren.
55 PAFFRATH, 6; WIESMANN, Der planmäßige Aufbau, 161. DERS.,
    Klagelieder, 128; RUDOLPH, 215; KRAUS, Klagelieder, 27.
56 WIESMANN, Widersprechen die Klagelieder, 510.

hat, wie die Auslegungsgeschichte des Buches beweist, zumindest einen guten Grund: Klgl 3 gilt hier als die Mitte der
Dichtung Klgl 1-5. Daß aber darüber hinaus vom Verständnis
von Klgl 3 das Gesamtverständnis des Buches der Klgl abhängt, wird ein Ergebnis der folgenden Untersuchung sein.

B. Fragestellung, Methode und Aufbau der Arbeit

Der älteren Forschung bereitete es keine Schwierigkeiten,
Klgl 3 als Klage eines Einzelnen zu bezeichnen. Allerdings
war mit dieser Charakteristik auch mehr der Klagevorgang,
nämlich das Ausbreiten der Not, gemeint. Erst die Besinnung
auf die formale Gestalt einer Klage, der Einblick in die
sie konstituierenden Elemente, ließ das Unbehagen an der gewählten Bezeichnung wachsen. Nach WESTERMANN handelt es sich
bei jeder Klage um ein Geschehen, das von vorneherein drei
Komponenten hat: die Du-Klage (Anklage Jahwes), die Ich-
Klage und die Feindklage. Was eine Klage ist, zeigt das Verhältnis dieser drei Faktoren zueinander. Weil aber die Klage
diese Struktur besitzt, hat sie auch eine Geschichte; denn
das Verhältnis dieser drei Faktoren wandelt sich in mancher-
lei Hinsicht. Nach WESTERMANN verläuft die Geschichte der
Klage in drei Phasen: Die Klage hat eine Frühzeit, die sich
auf die Zeit vor dem Beginn des Königtums und des Tempel-
kultes beschränkt; die Klage hat eine mittlere Zeit, die in
etwa mit der Zeit des Königtums identisch ist; und die Klage
hat eine Spätzeit, die sich besonders deutlich in den Apo-
kryphen und den Pseudepigraphen fassen läßt. In einem gewissen Gleichgewicht stehen Du-Klage, Ich-Klage und Feindklage in der mittleren Zeit der Geschichte der Klage. Die
Klage wird hier zum Teil eines Klagepsalms, der im Grobriß
folgenden Aufbau hat: Anrede (und einleitende Bitte) - Klage -
Hinwendung zu Gott - Bitte - Lobgelübde. In der Frühzeit dagegen ist die Klage meist eingliedrig und wesentlich Anklage
Jahwes. Auch in der Spätzeit wird die Struktur des Klagepsalms nicht durchgehalten. Die Anklage kommt hier zunächst
zum Schweigen. Die Notklage verselbständigt sich und tritt

merklich hinter Buß- und Bittgebeten zurück[57].

Dieser grobe Überblick zeigt, daß Klgl 3 am ehesten der im
Psalm gefaßten Klage entspricht und daß die im Vergleich hierzu gewählte Bezeichnung für Klgl 3 als Klage eines Einzelnen
nicht ohne eine gewisse Berechtigung geschieht. Wenn trotzdem bei allen Erklärern das schon eingangs festgestellte Unbehagen angesichts dieser Bezeichnung bleibt, so liegt das
daran, daß wesentliche Teile des Liedes, wie der anfängliche
Bericht über die von Gott gewirkten Leiden des Klagenden
(V.1-16) sowie die ausführliche Belehrung (V.25-38) und die
Aufforderung zur Umkehr (V.39-41), in der Gattung einer Ein-
zelklage nicht unterzubringen sind. Darüber hinaus sprengt
das Nebeneinander verschiedenartiger Elemente vollends den
Rahmen einer Einzelklage: Was suchen die Klage des Volkes
(V.42-47) sowie weitere Hinweise auf dessen Situation (V.34-
36) in einer Einzelklage? Was bedeutet der Wechsel von einer
Anklage Jahwes (V.17-20) zu einem Danklied über die göttliche
Errettung (V.52-66), was die Einzelklage über die sonst im
Lied nicht angesprochene Zerstörung der Stadt (V.48-51)?
Zwar stehen die genannten Elemente und Klageformen, wie
GERSTENBERGER in einer allgemeinen Betrachtung der verschiedenen Formen der Klage im AT herausstellt, als solche nicht
beziehungslos nebeneinander, sondern lassen im Hinblick auf
ihre Intention gegenseitige Anknüpfungen zu[58]. Sollte unter
dieser Hinsicht dann die Bezeichnung "Mischgedicht" doch die
letzte Erkenntnis über die formale Eigenart von Klgl 3 sein?
Erschwerend kommt noch hinzu, daß längst nicht alle Erklärer
gleiche Teilabschnitte in Klgl 3 unterscheiden[59]. Sollte
letztlich auch hier das mehr von subjektiven Empfindungen
als von sachlichen Erwägungen herrührende Verständnis des
jeweiligen Auslegers maßgebend bleiben?

---

57 WESTERMANN, Struktur und Geschichte der Klage im Alten
    Testament: ZAW 66 (1954) 44-80.
58 E.GERSTENBERGER, Der klagende Mensch, in: FS G.VON
    RAD, München 1971, 64-72.
59 Vgl. die Analyse der Form bei Klgl 3.

Es wird somit eine der Hauptaufgaben der vorliegenden Untersuchung sein, die bekannten Gattungsbezeichnungen an der Gestalt von Klgl 3 kritisch zu überprüfen, um auf diese Weise einen Blick für die Eigenart des Textes zu gewinnen und gleichzeitig Kriterien für eine Gliederung in literarisch abgrenzbare Einheiten zu erstellen. Die Erhellung der Struktur des Liedes soll eine Beschreibung der Formmerkmale und damit der Gattung des Textes ermöglichen, die, und das sei hier vorweggenommen, als die Klage des leidenden Gerechten beschrieben wird.

Da Klgl 3 sich nicht als eine völlig isolierte literarische Größe darbietet, sondern in mehrfacher Hinsicht mit Klgl 1-5 verbunden ist, empfiehlt es sich, nach einer exegetischen Analyse von Klgl 3 Text, Form und Semantik[60] auch der übrigen Lieder zu untersuchen, um auf dieser Grundlage die literarische Eigenart von Klgl 3 im Blick auf den Kontext Klgl 1-5 zu vertiefen und darüber hinaus einen Einblick in die Entstehungsgeschichte des Buches zu erhalten. In einem weiteren Abschnitt der Arbeit soll dann anhand von parallelen Darstellungen aus der alttestamentlichen Überlieferung festgestellt werden, ob sich die aus der exegetischen Analyse erschlossene literarische und theologische Eigenart von Klgl 3 in einem größeren offenbarungsgeschichtlichen Horizont noch präziser erfassen läßt. Schließlich soll auf der Grundlage der hier gewonnenen Einsichten der traditionsgeschichtliche Ort und die theologische Bedeutung von Klgl 3 zusammenfassend dargestellt werden.

---

60 Nach H.SCHWEIZER geht die Semantik "das gleiche Untersuchungsobjekt, die sprachliche Äußerung, an wie die Syntax, aber mit anderer Methode, anderem Ziel und von einer anderen Basis her: Die Methode kann sich nicht mehr auf die Phänomene der Ausdrucksseite beschränken, sondern operiert mit dem, was an Inhalten mit den Ausdrücken verbunden ist" (Metaphorische Grammatik, St. Ottilien 1981, 80).

II. DIE GERICHTSKLAGE DES LEIDENDEN GERECHTEN IN KLGL 3 UND IM KONTEXT DES BUCHES DER KLAGELIEDER

A. Die Gerichtsklage des leidenden Gerechten in Klgl 3 Formkritische und semantische Analyse

1. Die Gerichtsklage des leidenden Gerechten in Klgl 3

a. Text

  V. 1 Ich bin der Mann, der Leid erlitt
      durch die Rute seines Zorns.

  V. 2 Er führte und trieb mich
      in Dunkelheit und nicht zum Licht.

  V. 3 Nur gegen mich kehrte er immerzu
      seine Hand Tag für Tag.

  V. 4 Schwinden ließ er mein Fleisch und meine Haut,
      er zerbrach meine Knochen.

  V. 5 Er umbaute und umgab mich
      mit Bitternis und Mühsal[1].

  V. 6 In Finsternis ließ er mich wohnen
      wie die von Urzeit her Toten.

  V. 7 Er hat mich ummauert ohne Ausweg,
      legte eherne Fesseln mir an.

---

1 Nach RUDOLPH ist רֹאשׁ ("Gift-(pflanze)"), das häufig mit לַעֲנָה ("Wermut") zusammen genannt wird (vgl. Klgl 3,19; Dtn 29,17; Jer 9,14; 23,14; Am 6,12), hier in Verbindung mit תְּלָאָה durchaus als Bild für Bitterkeit möglich (230). Es erübrigt sich daher die von F.PRÄTORIUS vorgeschlagene (Threni III, 5.16: ZAW (1895), 326) und von RUDOLPH als möglich angesehene Textänderung וַיָּקֶף רֹאשִׁי תְּלָאָה ("er umgab mein Haupt mit Mühsal").

V. 8   Ob ich auch schrie und rief,

er nahm mein Gebet nicht an[2].

V. 9   Er sperrte meinen Weg ab mit Quadern,

ließ in die Irre gehen meine Pfade.

V. 10   Ein lauernder Bär war er mir,

ein Löwe im Versteck.

V. 11   Er hat meine Wege verwirrt[3] und mich
gelähmt[4],

er ließ mich erstarren.

V. 12   Er spannte den Bogen und stellte mich hin

als Ziel für den Pfeil.

---

2 Das hap. leg. שׂתם hat nach KBL die Bedeutung: "einer
   Sache den Weg verschließen" (vgl.סתם). KRAUS versteht
   daher die Aussage so, daß dem Gebet der Weg zu Jahwe verschlossen ist, und verweist hierbei auf V.44 (Klagelieder,
   52). Im Unterschied zu dieser auch von G (ἀπέφραξεν   )
   angenommenen Bedeutung leiten DRIVER (Notes, 139), ALBREKT-
   SON (132) und GOTTLIEB (40) die fragliche Verbform von einer
   auch im Arabischen belegten Wurzel (stm) ab und übersetzen
   שׂתם   mit "verweigern, vereiteln" im Sinn von "nicht annehmen".
3 RUDOLPH meint, daß dann, wenn man סרר von סור ableitet,
   ("er machte meine Wege abweichen"), V.11a eine bloße Wiederholung von V.9b sei. Deshalb versteht er סרר als verbum denominativum von סיר ("Dornen") und übersetzt: "er
   sperrte meine Wege mit Dornen" (230). Doch ist ein solches
   verbum denominativum von סיר sonst nicht belegt. Am besten versteht man סרר als Pilel von סור mit der Bedeutung "durcheinander machen" (KBL, KRAUS, Klagelieder, 52),
   "unsicher machen" (PLÖGER, 146). Eine Wiederholung von
   V.9b liegt dann nicht vor.
4 So KRAUS, der für das Verständnis des hap. leg. פשׁח
   einen Anhaltspunkt in der Wiedergabe des Aquila durch
   χωλαινειν   sieht. Danach ist hier das Piel von פסח
   ("lähmen") zu lesen. Gleichzeitig ist damit eine sinngemäße Annäherung an   שׂמם im Parallelismus nembrorum gegeben (Klagelieder, 52).

V. 13   In meine Nieren ließ er dringen
die Geschosse seines Köchers.

V. 14   Ich ward zum Gelächter meinem ganzen Volk[5],
ihr Spottlied den ganzen Tag.

V. 15   Er sättigte mich mit Bitterkräutern
und tränkte mich mit Wermut.

V. 16   Meine Zähne ließ er auf Kiesel beißen,
er trat mich[6] in den Staub.

V. 17   Du verstießest mich aus dem Frieden[7],
ich vergaß, was Glück heißt.

V. 18   Ich sprach: Dahin ist mein Glanz
und mein Hoffen auf Jahwe.

V. 19   Meiner Not und Unrast zu gedenken[8],
ist Wermut und Gift.

---

5 Die pluralische Lesart von עמים , die sich in einigen Handschriften findet (vgl. BHS), ist vermutlich durch das Pluralsuffix in נגינתם veranlaßt worden; die Lesart bezieht das
Klagelied des Individuums auf ein Kollektivum und hat offensichtlich dabei die Situation Israels unter den Völkern im
Auge (so KRAUS, Klagelieder, 53; PLÖGER, 147).

6 Das hap. leg. כפש ist wohl mit כבש ("unter die Füße treten, unterjochen") verwandt (so RUDOLPH, 231).

7 McDANIEL zieht das מ vor שלום als ein enklitisches מ zum
Verb und liest ותנחם שלום נפשי ("and my soul rejected
peace") (Phil. Studies II, 201). Doch besteht zu einer solchen Änderung kein Anlaß. Die direkte Anrede an Jahwe entspricht durchaus dem Stil der Klagelieder und bereitet in
diesem Fall V.18 vor, wo Jahwe zum ersten Male genannt wird
(so PLÖGER, 147; GOTTLIEB, 42; ähnlich KRAUS, Klagelieder, 53
und RUDOLPH, 231.

8 זכר am Anfang von V. 19 kann Imperativ oder Infinitiv sein.
Versteht man die Form als Imperativ (ALBREKTSON, 139f.; KEIL
555; LÖHR, Klagelieder, 19), wo wäre nach RUDOLPH ein solcher
Übergang von der Hoffnungslosigkeit (V.18) zur Bitte (V.19)
zwar denkbar; da jedoch erst V.21f. den Umschwung bringt,
kommt hier die Bitte um Hilfe zu früh; zudem legt das Fehlen
eines Suffixes bei לענה und ראש die Annahme nahe, daß diese
Worte nicht weitere Objekte zu זכר sind (231). Man braucht
jedoch nicht soweit wie RUDOLPH zu gehen und זְכָר zu punktieren; auch der Infinitiv gibt einen guten Sinn.

V. 20   Doch stets denkt[9] daran
         und ist gebeugt[10] in mir meine Seele.

V. 21   Aber dies will ich mir zu Herzen nehmen,
         darum will ich harren:

V. 22   Die Gnadenerweise Jahwes, fürwahr, sie sind
         nicht zu Ende[11],
         ja, nicht vorüber ist sein Erbarmen.

V. 23   Neu (sind sie)[12] jeden Morgen,
         groß (ist) deine Treue.

V. 24   Mein Anteil ist Jahwe, spricht meine Seele,
         darum harre ich auf ihn.

V. 25   Gut ist Jahwe dem, der auf ihn hofft[13],
         der Seele, die ihn sucht.

---

9 Mit Recht bemerkt RUDOLPH, daß dann, wenn in V.19 זכר kein
  Imperativ, sondern Infinitiv ist, hier in V.20 kein Grund
  vorliegt, תזכור als 2.P. masc. zu verstehen; es liegt
  die 3.P.fem. vor (vgl. auch G: μνησθήσεται), weil נפשי
  das Subjekt des ganzen Verses ist (231).
10 Das sachlich zutreffende Qéré ותשוח ist von שׁחח ("ge-
  beugt sein") abzuleiten (so RUDOLPH, 231; KRAUS, Klagelieder, 53; PLÖGER, 147). Die vom Ketib nahegelegte Ableitung von שׁיח ("nachsinnen") ist unwahrscheinlich,
  weil dieses Verb mit der Präposition ב und niemals mit
  על konstruiert wird. Daß נפשי ein Tiqqun sopherim für
  נפשך ("du selbst") sei (so GOTTWALD, Studies in the
  Book, 13; ALBREKTSON, 142), ist nach RUDOLPH dadurch ausgeschlossen, daß dann שׁחח hier die Bedeutung "sich (freundlich) niederbeugen" haben müßte, was jedoch nie der Fall ist
  (231).
11 Anstelle von תמנו ist mit S und T parallel zu כלו die
  Form תמו zu lesen (so RUDOLPH, 231; KRAUS, Klagelieder,
  53).
12 Nach RUDOLPH ist zur Verbesserung der Konstruktion hinter
  חדשׁים das Pronomen הם einzufügen, das verlorenging,
  weil das Auge des Schreibers vom ersten auf das zweite מ
  abglitt (231). KRAUS hält dies jedoch für unwahrscheinlich
  (Klagelieder, 53).
13 Der Parallelismus membrorum erfordert das Ketib לקוו
  (so KRAUS, Klagelieder, 53; ALBREKTSON, 146; GOTTLIEB, 46).

- 24 -

V. 26 Gut ist es, zu harren und still zu
warren[14] auf die Hilfe Jahwes.

V. 27 Gut ist es für den Mann, daß er trage
ein Joch in seiner Jugendzeit.

V. 28 Er sitze einsam und schweige,
wenn er es auf ihn legt.

V. 29 Er beuge in den Staub seinen Mund,
vielleicht ist noch Hoffnung.

V.30 Er biete die Wange dem, der ihn schlägt,
er lasse sich sättigen mit Schmach.

V. 31 Denn nicht für immer
verwirft der Herr[15].

V. 32 Denn wenn er betrübt hat, so übt er Erbarmen
nach der Fülle seiner Gnade.

V. 33 Denn nicht freudigen Herzens demütigt
und betrübt er die Menschenkinder.

---

14 GOTTLIEB hält Jahwe für das Subjekt von טוב und ויחיל
ודומם für einen syndetischen Umstandssatz (vgl. BROCKEL-
MANN, § 159a): "gut ist Jahwe, wenn man in Ruhe wartet" (47).
Gegen diese Annahme spricht jedoch der stilisierte Aufbau
der V.25-27. RUDOLPH punktiert וְיָחִיל (vgl. V.21.24), da
es ein חיל im Sinn von יחל nicht gibt und liest hier
eine Beiordnung mit ו statt der Unterordnung (231; ähnlich
KRAUS, Klagelieder, 53). Eine Streichung des ו vor דומם
("und zwar schweigend") ist nicht nötig (gegen RUDOLPH, 231).
15 Weil in der zweiten Vershälfte allem Anschein nach ein Wort
fehlt, möchte RUDOLPH vor oder hinter אדני das Objekt אדם
einfügen, dessen Ausfall sich in Verbindung mit אדני leicht
erklärt (231f.; so schon BUDDE, 95). KRAUS hält jedoch, wohl
mit Recht, jede Ergänzung für gewagt (Klagelieder, 53).

V. 34   Daß man mit Füßen tritt
         alle Gefangenen des Landes,

V. 35   daß man das Recht des Mannes beugt
         vor dem Angesicht des Höchsten,

V. 36   daß man im Rechtsstreit den Menschen
         unterdrückt,
         sollte der Herr das nicht sehen?

V. 37   Wer ist es, der sprach, und es geschah?
         Der Herr, hat nicht er befohlen?

V. 38   Geht nicht hervor aus dem Mund des Höchsten
         das Unheil und das Gute?

V. 39   Was klagt[16] der Mensch, der (da) lebt,
         (warum klagt) der Mann (nicht vielmehr)
         über die eigene Sünde[17]?

V. 40   Prüfen wir unsere Wege und erforschen
         wir sie,
         und kehren um zu Jahwe!

---

16 Das Hitpoel von אנן ("murren, klagen") das nur noch
    Num 11,1 vorkommt, paßt hier vorzüglich (gegen RUDOLPH,
    232). Es handelt sich nach KRAUS um den Menschen, der
    von dem großen Unglück, das ihn getroffen hat, nicht ge-
    tötet worden ist; weil er das Leben noch schauen darf,
    soll er nicht klagen (Klagelieder, 53).
17 RUDOLPH meint, daß V.39b auf keinen Fall die Frage V.39a
    fortsetzen könne, da חטא sonst "Sündenstrafe" bedeuten
    müßte, was in diesem Zusammenhang schwierig sei (232).
    Der Einwand erledigt sich jedoch, wenn man in dem Frage-
    satz von V.39a חי als einen asyndetischen Relativsatz
    und V.39b als einen Wunschsatz begreift, der im Zusammen-
    hang sinngemäß und daher ohne ausdrückliche Wiederholung
    das gleiche Prädikat wie V.39a verwendet.

V. 41 Tragen wir unser Herz auf den Händen[18]
       zu Gott im Himmel!

V. 42 Wir haben gesündigt und sind widerspenstig
       gewesen,
       du hast deshalb nicht verziehen.

V. 43 Du hast dich in Zorn gehüllt[19] und uns
       verfolgt,
       du hast getötet und nicht geschont.

V. 44 Du hast dich in Gewölk eingehüllt,
       so daß kein Gebet hindurchdrang.

V. 45 Zu Unrat und Auswurf hast du uns gemacht
       inmitten der Völker.

V. 46 Ihr Maul rissen über uns auf
       all unsere Feinde.

V. 47 Grauen und Grube ward uns zuteil,
       Verwüstung und Verderben.

---

18 RUDOLPH meint, in der Wendung כ"" א נשא לבבנו אל stünde
    אל wie oft für על ("auf"). Man könne aber durch die Lesung
    אל den überlieferten Konsonantenbestand beibehalten: "Laßt
    uns das Herz, nicht die Hände erheben..." (229.232). M bedarf
    jedoch keiner Verbesserung, weil die fragliche Wendung die
    Gebetshaltung des Händeaufhebens oder -ausbreitens beschreibt
    (vgl. G:ἀναλάβωμεν καρδίας ἡμῶν ἐπὶ χειρῶν ...   ). Damit
    dieser Gestus nicht zu einer bloßen Äußerlichkeit wird, soll
    nach V.41 zum Zeichen der echten Umkehr das Herz auf den Hän-
    den Gott dargebracht werden (vgl. ALBREKTSON, 154; HILLERS,
    59; GOTTLIEB, 52f.).
19 Das Suffix von ותרדפנו bezieht sich schwerlich auch auf
    סכתה (gegen GOTTWALD, Studies in the Book, 14; KEIL, 602),
    da in V.44 das gleiche Verb nicht mit dem Akkusativ, sondern
    mit ל und dem Dativ konstruiert wird (wie in Ps 140,8). In
    V.43 ist das Objekt לן wohl wegen der sonst eintretenden
    Überfüllung des Verses ausgefallen.

V. 48   Wasserbäche vergießt mein Auge
         über den Zusammenbruch der Tochter meines
         Volkes.

V. 49   Mein Auge fließt und ruht nicht -
         ein Aufhören gibt es nicht;

V. 50   bis herabschaut und sieht
         Jahwe vom Himmel.

V. 51   Mein Auge macht mir Schmerz,
         mehr als allen Töchtern meiner Stadt[20].

V. 52   Mich jagten, ja jagten wie einen Vogel
         meine Feinde ohne Grund.

V. 53   Sie stürzten in die Grube mein Leben
         und warfen Steine auf mich.

V. 54   Wasser strömten über mein Haupt,
         ich sprach: Ich bin verloren!

V. 55   Ich rief deinen Namen, Jahwe,
         aus der Grube tief unten.

---

20 Der Vers bedarf nicht der Versetzung hinter V.48, weil man
    dann angeblich besser erkennt, daß עירי eine verdorbene
    Doppelschreibung des in V.49 folgenden עיני ist, die
    eine Verschlimmbesserung im ursprünglichen כבות in בנות
    nach sich gezogen habe (so RUDOLPH, 232). Ähnlich urteilen,
    wenn auch ohne Versetzung des Verses hinter V.48, KRAUS
    (Klagelieder, 53) und WEISER (69). Bei genauem Zusehen er-
    gibt jedoch M in V.51 durchaus einen guten Sinn, insofern
    nämlich der Sprecher in einer elliptischen Ausdrucksweise
    behauptet, daß er mehr weint als alle Frauen in seiner
    Stadt, die den Verlust ihres Ehemannes und ihrer Kinder
    beklagen.

V. 56   Du hast meine Stimme gehört; verschließ
(daher) nicht
dein Ohr vor meinem Schreien[21]!

V. 57   Du warst nahe am Tag, als ich dich rief;
du sprachst: Fürchte dich nicht!

V. 58   Du machtest dich, Herr, zum Anwalt für mich,
erlöstest mein Leben.

V. 59   Du, Jahwe, hast meine Bedrängnis gesehen:
Tritt ein[22] für mein Recht!

V. 60   Du hast ihre ganze Rachsucht gesehen,
all ihre Pläne gegen mich.

V. 61   Du hast ihr Schmähen gehört, Jahwe,
all ihre Pläne gegen mich.

V. 62   Das Reden meiner Widersacher und ihr Sinnen
ist gegen mich den ganzen Tag.

V. 63   Ihr Sitzen und ihr Aufstehen: Schau hin!
Ein Spottlied bin ich für sie.

V. 64   Du wirst ihnen vergelten, Jahwe,
nach dem Tun ihrer Hände.

---

21 In V.56a ist לְרַוְחָתִי ("zu meiner Erleichterung") als
deutende Glosse zu streichen.

22 Manche Erklärer lesen aus sachlichen Gründen, nämlich als
Ausdruck der Rückschau auf eine vergangene Bedrängnis, statt
des Imperativs שָׁפְטָה mit G das Perfekt שָׁפַטְתָּ , das vermutlich einmal שָׁפַטָּה geschrieben worden ist (vgl. RUDOLPH,
232, KRAUS, Klagelieder 53; WEISER, 70). Der Zusammenhang
läßt jedoch im Hinblick auf die folgenden Bitten an Jahwe
(V.63.66) auch an dieser Stelle schon eine direkte Anrede
Gottes zu.

V. 65   Du wirst ihre Herzen verblenden!
Dein Fluch über·sie!

V. 66   Du wirst (sie) verfolgen im Zorn und sie
vernichten
weg unter dem Himmel, Jahwe[23].

b. Formkritische Analyse

Jede der zweiundzwanzig nach der Alphabet-Akrostichie geordneten Strophen in Klgl 3 umfaßt drei Zeilen; auffällig dabei
ist, daß jede der drei Zeilen mit dem betreffenden Buchstaben
beginnt. In der Folge des Alphabetes selber ist zu beachten,
daß die פ -Strophe der ע -Strophe voraufgeht. Durch das Stilmittel der alphabetischen Akrostichie erhält das Lied eine
äußerlich straffe Ordnung, die die Strophen sicher abzugrenzen vermag, und die von vorneherein sowohl auf die literarische Einheit des Kapitels wie auch auf ein und denselben Verfasser schließen läßt.

Weil die alphabetische Struktur in allen Liedern des Buches
der Klgl anzutreffen ist, soll an dieser Stelle auf die Bedeutung dieses Stilmittels eingegangen werden.

Das Phänomen der vollständigen Alphabet-Akrostichie läßt sich
innerhalb des alttestamentlichen Kanons noch an weiteren neun
Stellen beobachten: in den Lehrgedichten Ps 37; 112; 119, den
Dankliedern Ps 34 und 111, dem Hymnus Ps 145, den Klageliedern
Ps 9-10; 25 sowie dem "Lob der tüchtigen Hausfrau" in Spr 31,
10-31. Doch ist die Frage nach ihrer Herkunft und ihrem Sinn
weitgehend ungeklärt.

---

23   Weil M: "weg unter dem Himmel Jahwes" in der Anrede an
Jahwe stilistisch hart wirkt, lesen RUDOLPH (234), KRAUS
(Klagelieder, 53) und GOTTWALD (Studies in the Book, 15)
mit S: "weg unter deinem Himmel, Jahwe". Man darf dieser
Verbesserung zustimmen, zumal die Redeweise vom "Himmel
Jahwes" sonst im AT nicht bekannt ist.

Die akrostichische Form wurde nicht erst in Israel geschaffen,
sondern ist bereits in Mesopotamien anhand von Texten nachweis-
bar, die etwa um 1000 v.Chr. zu datieren sind[24]. Die hier nach-
weisbaren Akrosticha unterscheiden sich jedoch maßgeblich von
den Alphabet-Akrosticha der alttestamentlichen Belege: Es handelt sich um Silben- bzw. Wortakrosticha, bei denen die Anfänge
der Zeilen ein Wort oder einen Satz ergeben, der zum Inhalt des
jeweiligen Liedes eine Beziehung hat.

In seinen Studien über die Vorstellungen babylonischer Magie
hat JEREMIAS nachgewiesen, daß die Verwendung des Alphabetes
dem Altorientalen stets mehr gegolten hat als eine bloße Kunstfertigkeit. Zwischen den göttlichen, kosmischen Kräften und den
Buchstaben sah er einen Zusammenhang, aufgrund dessen es ihm
möglich war, das Alphabet zum Zweck der Dämonenbeschwörung zu
verwenden[25]. Magische Vorstellungen sind natürlich auch in
Israel vorhanden gewesen[26]; vor einer direkten Übertragung jenes Zusammenhangs auf die Klgl und die übrigen alttestamentlichen Akrosticha ist jedoch zu warnen, weil die religiöse Einstellung der Verfasser keine solche Annahme zuläßt.

---

24 Vgl. A.FALKENSTEIN - W.SODEN (Hg.),Sumerische und akkadische
    Hymnen und Gebete, Zürich, Stuttgart 1953, 42; vgl. auch W.G.
    LAMBERT, Babylonian Wisdom Literature, Oxford 1960, 63ff.
25 A.JEREMIAS, Das Alte Testament im Lichte des Alten Orients,
    Leipzig [4]1930, 665; vgl. A.DIETERICH, ABC-Denkmäler: Rhein.
    Museum f. Phil. (1901) 77-105; F. DORNSEIFF, Das Alphabet
    in Mystik und Magie, Leipzig [2]1925; A.BERTHOLET, Die Macht
    der Schrift in Glauben und Aberglauben, Berlin 1949.
26 In Israel legte man, wie bei allen Völkern des Altertums,
    dem Wort im Namen, dem Segens- und Fluchspruch eine magi-
    sche Wirkung bei. So wird man auch der Buchstabenreihe be-
    sondere Kräfte zugeschrieben haben; vgl. LÖHR, Klagelieder,
    VII; M. HALLER, Klagelieder, Tübingen 1940, 93.

Eine weitere Bemerkung bei JEREMIAS über die Bedeutung des
Alphabets trifft da schon eher zu: "Wenn einer die Buchstaben
sagt, so hat er damit alle Möglichkeiten der Worte umfaßt[27].
In Anlehnung an diese Vollkommenheitsfunktion des Alphabetes
interpretiert daher eine Vielzahl der Ausleger den Gebrauch
der Akrostichie in Klgl: Die Dichter der fünf Stücke wollten
in dieser äußeren Form die Gesamtheit der Klage zum Ausdruck
bringen, die in diese Lieder gefaßt sein sollte[28]. BERGLER
vermutet nun, daß der Gedanke einer derartigen Wirksamkeit
des Alphabets im Zusammenhang mit dem weisheitlichen Denken
geprägt wurde; denn auffallenderweise zeigt die Mehrzahl der
akrostichischen Stücke inhaltlich eine starke Tendenz zum
Lehrhaften: Ps 9-10; 34; 37; 111; 112; 119; Spr 31; Klgl 3.
Das Ordnungsdenken der Weisheit, Einzelphänomene durch gegenseitige Zuordnung in den Griff zu bekommen, habe die Intention der Alphabet-Verwendung dahingehend beeinflußt, daß die
Aneinanderreihung einzelner Klagemomente im Alphabetismus die
Aussage schuf, daß hier alle Nöte vor Gott gebracht seien[29].
Wenn auch der Gedanke der Vollständigkeit bei der Verwendung
des Alphabets mitschwingen mag, so sollte diese Erkenntnis
jedoch nicht überbewertet werden, da sie sich nicht auf alle
akrostichischen Texte anwenden läßt und innerhalb der Klgl zumindest für Klgl 3 schon fraglich ist. Deshalb erscheint es
sinnvoller, das Phänomen der Alphabet-Akrostichie allein unter
dem Gesichtspunkt der Kunstform und ihres Nutzens zu befragen.
In diesem Zusammenhang ist der Gedanke, daß die Klgl dem Schul-
unterricht[30] entstammen, geschrieben als Musterstücke einer

---

27 JEREMIAS, 665.
28 KEIL, 556; GOTTWALD, Studies in the Book, 30; WESTERMANN,
    Klagelieder, 91; PLÖGER, 128.
29 BERGLER, 306f.; vgl. LÖHR, Alphabetische und alphabetisie-
    rende Lieder im AT: ZAW (1905), 173-198.197; DORNSEIFF, 146.
30 Vgl. zu diesem Gebrauch des Alphabetes in Ugarit W.F.AL-
    BRIGHT, Alphabetic Origins and the Idrimi Statue: BASOR 118
    (1950) 11-20; DERS., The Origins of the Alphabet and the
    Ugaritic ABC again: BASOR 119 (1950), 23-24; E.A.SPEISER,
    A Note on Alphabetic Origins: BASOR 121 (1951), 17-20.

Leichenklage und zum Erlernen der Schreibfertigkeit[31], völlig
abwegig. Man kann allenfalls die Vermutung äußern, daß unter
die in den Weisheitsschulen benutzten Texte, die ja auch dem
Erlernen eines rechten Verhaltens dienlich sein sollten, Stücke
aufgenommen wurden, die durch den Alphabetismus zu einer für
Lehr- und Lernzwecke bestimmten Sammlung verbunden wurden.
BERGLER nennt in diesem Zusammenhang Ps 37; 112; 145; Sir
51,13ff. und Klgl 3[32]. An dieser Beobachtung ist folgendes er-
wägenswert: Wenn es sich beim Alphabetismus auch um ein forma-
les, nur für das Auge erkennbares Stilmittel handelt, so darf
doch mit Sicherheit angenommen werden, daß die Klgl aufgrund
ihres Themas, dem Untergang Jerusalems, im Kult eine Verwendung
fanden. Im Hinblick auf den öffentlichen Vortrag versuchen daher einige Erklärer die Funktion der alphabetischen Ordnung der
Klgl im Sinn einer Gedächtnisstütze zu erklären[33]. Es muß allerdings bedacht werden, daß schon für die komplizierteren Akrosticha ein mnemotechnischer Nutzen des Alphabetismus kaum mehr in
Frage kommt.

Als Kunstform hat sich die Akrostichie innerhalb der Auslegungsgeschichte alle Stufen der Beurteilung von "hoher Kunst" über

---

31 So P.A. MUNCH, Die alphabetische Akrostichie in der jüdischen
    Psalmendichtung: ZDMG 90 (1936) 703-710.710; dagegen mit
    Recht RUDOLPH, 191.
32 BERGLER, 307. Weil diese Lieder aber keine reinen Gattungen
    darstellen, regt F.CRÜSEMANN an, nach der Wesensbestimmung
    solcher Mischformen zu fragen, aus der sich möglicherweise
    die künstliche Gattung einer "alphabetischen Akrostichie"
    ergäbe (Studien zur Formgeschichte von Hymnus und Danklied
    in Israel, Neukirchen 1969, 196). Da jedoch bei einer solcher
    Bestimmung der Zusammenhang von Inhalt und Form in ungebühr-
    licher Weise gesprengt würde, ergibt diese Bezeichnung keiner
    brauchbaren Oberbegriff für die trotz der gemeinsamen Alpha-
    bet-Akrostichie formal und inhaltlich so verschiedenartigen
    Texte.
33 S. OETTLI, Die Klagelieder, Nördlingen 1889, 199; KEIL, 546;
    AUBERT, 99; MEEK, 3; RUDOLPH, 191; KRAUS, Klagelieder, 6;
    PLÖGER, 128.

"künstlich" und "gekünstelt" bis zu "Spielerei", "Tändelei"
und "Ausgeburt eines späteren entarteten Geschmacks" gefallen
lassen müssen[34]. Oftmals begegnet man auch der Rede von einer
"Fessel der alphabetischen Regel", an die sich die alttestamentlichen Dichter nur solange·banden, als diese sich ohne
Schwierigkeiten dem Gedankengang anpaßte[35]. Dazu ist zu·sa-
gen, daß die alttestamentlichen Dichter sich wohl kaum einem
Formzwang unterwarfen, den sie nicht beherrschten, zumal eine
Abweichung von der Akrostichie diese ja in ihrem Sinn aufhob.
In Klgl 1 ist überdies der durch die Alphabet-Akrostichie auferlegte vermeintliche Formzwang schon dadurch gemildert, daß
jeweils nur die erste Zeile der dreigliedrigen Strophen der
alphabetischen Ordnung folgt.

Die alphabetische Einkleidung von Texten verlangte sicherlich
eine besondere Kunstfertigkeit von dem jeweiligen Dichter.
Die Häufung von Perioden mit gleichem Anfangsbuchstaben war
deshalb für LÖHR das Kriterium, um von einem fortschreitenden
"Künstlicherwerden" des Akrostichons zu sprechen bis hin zu
Ps 119, der jeden Buchstaben achtmal wiederholt[36]. Es geht
jedoch nicht an, diese stilistische Gegebenheit zum alleinigen Maßstab einer Chronologie der verschiedenen Akrosticha
zu machen.

Dieser Überblick über die verschiedenen Stellungnahmen zu
dem Phänomen des Alphabetismus hat gezeigt, daß seine Beurtei-

---

34 EWALD, 139. Auch WIESMANN spricht von einer Tendenz alpha-
    betakrostichischer Texte, die mangelnde schöpferische Kraft
    durch äußere Künsteleien zu ersetzen (Klagelieder, 31);
    vgl. JAHNOW, 169.
35 So KEIL, der diese Behauptung darauf stützt, daß in Ps
    145 der ‎נ‎ -Vers fehlt, in Ps 24 und Ps 34 der ‎ו‎ -Vers,
    wobei hinter ‎ח‎ noch ein Vers mit ‎פ‎ folgt; ebenso in Ps
    25, wo außerdem der ‎ב‎ -Vers und der ‎ק‎ -Vers fehlt; in Ps
    37 dagegen fehlt der ‎ע‎ -Vers (547). Entsprechend hatte
    sich schon EWALD geäußert: "Es versteht sich leicht, daß
    unter diesem Zwange alphabetischer Anordnung der leichte
    Fluß und schöne Zusammenhang der Gedanken mehr oder weni-
    ger leidet" (143).
36 LÖHR, Klagelieder VII; DERS., Alphabetische und alphabe-
    tisierende Lieder, 185,192ff.

lung nur im Zusammenhang mit dem Inhalt des jeweiligen Textes
sinnvoll ist.

Nun hat der Aufbau von Klgl 3 in der Forschung eine recht unterschiedliche Bewertung erfahren. Während BUDDE meint, es handele
sich in Klgl 3 um "ganz sekundäre Epigonenarbeit"[37], glaubt
WIESMANN, in Klgl 3 "eine Reihe großer Vorzüge" zu finden; dar-
unter versteht er den wohlgeordneten, zielstrebigen Aufbau, die
abwechslungsvolle und farbenreiche Darstellung, aber auch den
reichen religiösen und theologischen Gehalt[38]. Sagt BUDDE vom
Dichter des dritten Liedes: "Unklar in seinen Gedanken (...)
windet er sich mühsam bis zum Ende durch"[39], so bemerkt WIES-
MANN: "Die Abgrenzungen der Teile sind scharf und klar"[40].

Schon diese beiden gegensätzlichen Beurteilungen von Klgl 3 weisen auf eine grundlegende Schwierigkeit bei der Erkenntnis des
Aufbaus dieses Klageliedes hin: Klgl 3 ist nämlich eine Komposition, die Elemente verschiedener Gattungen in sich schließt, und
in der sowohl ein "Ich" wie auch ein "Wir" zu Wort kommt. Das
Lied wird zwar oft als Klage eines Einzelnen verstanden oder
diese zumindest als die Hauptgattung in Klgl 3 angesehen[41]; die
meisten Erklärer sprechen mit Bezug auf das dritte Lied jedoch
von einer Mischgattung[42]. So stellt sich die Frage, wie man in
Klgl 3 das auffällige Nebeneinander verschiedener Gattungsele-
mente innerhalb einer durch die Alphabet-Akrostichie ausgewiese-
nen Komposition zu verstehen hat und welchem Sprecher die formal
verschiedenen Teile jeweils zuzuweisen sind. Klar ist jedenfalls
nur, daß das Schicksal einer Einzelperson, die von schwerem Leiden getroffen worden ist, deutlich im Vordergrund steht. Das
schließt jedoch nicht aus, daß auch andere Stimmen zu Wort kommen, deren Äußerungen in einer noch näher zu bestimmenden Weise
auf das Schicksal dieser Einzelperson bezogen sind.

---

37 BUDDE, Klagelieder, 92.
38 WIESMANN, Klagelieder, 215.
39 BUDDE, Klagelieder 92.
40 WIESMANN, Klagelieder, 201.
41 WESTERMANN, Klagelieder, 95; SELLIN-FOHRER, 322.
42 GUNKEL-BEGRICH, 400-401; HALLER, 104; LAMPARTER 159; RUDOLPH,
    192. KAISER: Das dritte Klagelied "sperrt sich als Komposition
    eigener Art gegen jede Verrechnung auf das Konto einer bestimm-
    ten Gattung" (Klagelieder, 347).

Manche Erklärer versuchen, die aufgrund des Subjektwechsels
gefährdete Einheit von Klgl 3 dadurch zu retten, daß sie das
"Ich", das dort in so beherrschender Weise zu Wort kommt, kollektiv deuten und mit der Klage des personifizierten Zion in
den Klageliedern 1, 2, 4 und 5 verbinden[43]. Doch spricht gegen dieses Verständnis allein schon der Anfang des Liedes:
"Ich bin der Mann..." (V.1). Auch die Bemerkung, daß es gut
ist für den "Mann", ein Joch zu tragen in seiner Jugend (V.27),
sowie die klare Absetzung des Redenden von der Gesamtheit des
Volkes (V.14.48), zeigen, daß es sich bei dem Sprecher von
Klgl 3 um eine Einzelperson handelt. Zudem wäre es wenig sinnvoll, in V.42f. die eigene Schuld einzugestehen und in V.52f.
auf die grundlose Verfolgung hinzuweisen, wenn es sich bei
dem "Ich" und dem "Wir" um denselben Personenkreis handelte.

Das Verständnis der Einheit und des Aufbaus von Klgl 3 hängt
somit in entscheidender Weise mit der Frage nach dem Verfasser
bzw. Sprecher in Klgl 3 zusammen. Vor allem die ältere Auslegung sah eine Lösung der Schwierigkeiten darin, in dem redenden Ich von Klgl 3 den Vertreter einer Gemeinschaft zu erkennen, der nach dem Zeugnis der Tradition der Prophet Jeremia
gewesen sein soll (2 Chr 35,25). Strittig ist unter diesen
Erklärern lediglich die Frage, ob das Schicksal des Volkes
oder die Leiden des Propheten im Vordergrund stehen. So betonen eine Reihe Ausleger, daß die persönliche Anfechtung
des Propheten im Strafgericht Gottes das Thema des dritten
Liedes ist: Der Sieg Jeremias über die eigene Verzweiflung
soll das Volk zur rechten Leidenshaltung bringen[44]. Für andere Ausleger dagegen steht stärker die seelsorgerische Absicht des Propheten im Vordergrund, der hier nicht sein eigenes Schicksal darlegt, sondern sich in die Lage der Frommen
nach der Katastrophe von 586 versetzt, um seiner prophetischen

---

43 EISSFELDT, 681; W.BECKER, Israel deutet seine Psalmen,
    Stuttgart 1966, 30-31; I.BETTAN, The Five Scrolls, Cin-
    cinnati 1950, 100; das gleiche Verständnis liegt bei
    GORDIS vor, wenn er von einer "fluid personality" in
    Klgl 3 spricht (139).
44 PAFFRATH, 31; WIESMANN, Klagelieder, 201; DERS., Das
    dritte Kapitel der Klagelieder, 533f.

Aufgabe gemäß einen Weg aus der Verzweiflung zu weisen[45]. Der
Aufbau des Liedes gestaltet sich bei diesen Erklärern demnach
folgendermaßen: Klgl 3 besteht aus vier Teilen: In V.1-18 erfolgt die Schilderung der geistigen Leiden der Frommen, in
V. 19-39 wird die göttliche Barmherzigkeit erwogen, in V.40-54
die göttliche Strafgerechtigkeit erkannt, und in V.55-66 kommt
die Zuversicht auf die Hilfe Jahwes zum Ausdruck[46].

WIESMANN, der noch 1954 die traditionelle These von Jeremia als
dem Verfasser und Sprecher von Klgl 3 verteidigt hat, stellt in
seiner Gliederung stärker die Verbundenheit von Volksschicksal
und Einzelerfahrung heraus. Er bestimmt Klgl 3 als eine Art
Wechselgespräch zwischen Jeremia, der Tochter Zion und den Ältesten. Das Lied zerfällt nach ihm in einen monologischen Teil
(V.1-33), der die Leidensgeschichte Jeremias und seine Überwindung der Leidensnot zum Thema hat, und in einen dialogischen
Teil (V.34-66), in dem der Prophet sich mit verschiedenen Ein-
wänden von seiten des Volkes auseinandersetzt[47].

Nachdem man aber in neuerer Zeit von der These der jeremianischen
Verfasserschaft der Lieder mit guten Gründen Abstand genommen
hat[48], versuchen einige Erklärer, die Einheit von Klgl 3 unab-
hängig von der Verfasserfrage neu zu bestimmen.

So unterscheidet GOTTWALD zwar zwischen individuellen und kollektiven Teilen in Klgl 3 und damit zwischen verschiedenen Sprechern; mit dem Hinweis auf die dem hebräischen Denken geläufige

---

45 EWALD, 324; GERLACH, 91; KEIL, 590; OETTLI, 200, SCHNEE-
    DORFER, 411.
46 SCHNEEDORFER, 411; KEIL, 590.
47 WIESMANN, Klagelieder, 200; DERS., Das dritte Kapitel,
    523ff.
48 Neben verschiedenen Stellen in den Liedern selbst (Klgl
    1,9c; 11c; 2,9; 3,1ff; 4,17-20; 5,4f.) die aber nach RU-
    DOLPH allein nicht ausreichen, um eine Entscheidung für
    oder gegen die jeremianische Verfasserschaft der Lieder
    zu fällen (196), weist KRAUS auf den gänzlich anderen Le-
    benskreis hin, der die Klgl maßgeblich von der Situation
    des Propheten Jeremia abhebt (Klagelieder, 14-15).

Kategorie der "corporate personality"[49] aber bringt er das
"Ich" und das "Wir" im dritten Lied wiederum in Einklang. Seiner Auffassung nach hatte der Dichter von Klgl 3 gar nicht die
Absicht, das Schicksal des Einzelnen von dem des Volkes zu
trennen: Jeremia ist zwar die Leidensgestalt, die uns in dem
Klagenden von Klgl 3 begegnet, aber indem der "Prophet" vor
dem Volk klagt und predigt, ist er ebenso "Israel"[50]. Eine
solche Auffassung verschleiert jedoch den ohnehin komplizier-
ten Aufbau von Klgl 3 noch mehr, zumal, wie sich zeigen wird,
form- und gattungsgeschichtliche Beobachtungen gegen ein solches Verstehen sprechen.

Bei RUDOLPH hingegen erscheint die Jeremia-These der älteren
Exegese in einem neuen Gewand. Auch seiner Meinung nach ist
der Sprecher von Klgl 3 der Prophet Jeremia. Es ist aber der
Dichter von Klgl 3, der diesem seine Worte in den Mund gelegt hat, weil er denkt, daß der Prophet in dieser Lage so
geredet hätte. Die Art, wie Jeremia aus den Nöten herausfand,
in die Jahwes Zorn ihn während seiner prophetischen Wirksamkeit gebracht hatte, soll dem Volk, auf dem jetzt Jahwes Zorn
liegt, als Beispiel dienen[51]. Mit dieser These erhält RUDOLPH,
wie schon die ältere Auslegung vor ihm, einen einheitlichen
Grundzug des Liedes, der in der Person des Sprechers begründet
ist. Formale Gesichtspunkte zum Beweis dieser These bleiben
weitgehend außer acht.

Deshalb hat WEISER recht, wenn er hierzu bemerkt, daß der
Vorschlag von RUDOLPH zwar das autoritative Gewicht der seel-
sorgerlichen Grundtendenz des Kapitels zu verstärken vermag,
jedoch die eigenartige formale und inhaltliche Struktur und
deren Herkunft und Bedeutung, die auf das Konto des Dichters
gehen, nach wie vor das eigentliche Problem bleiben, solange

---

49 H.W.ROBINSON, The Hebrew Conception, 49ff.; vgl. J.DE
    FRAINE, Adam und seine Nachkommen, Köln 1962.
50 GOTTWALD, Studies in the Book, 39f.
51 RUDOLPH, 235. Die Auffassung vertreten auch LÖHR, Klage-
    lieder, 16; DERS., Threni III, 5; HALLER, 107.

nicht der Nachweis erbracht ist, daß eben keine andere Quelle
dafür in Frage kommen kann als Jeremia. WEISER zufolge spricht
daher in Klgl 3 der Dichter selbst, und zwar von seinen persönlichen Leiderfahrungen, die er aber zur Belehrung der Gemeinde
erzählt. Um seinen Gedanken einen entsprechenden Ausdruck zu
verleihen, benutzt der Dichter die Redeformen, die vor allem
in der gottesdienstlichen Tradition gebräuchlich und die der
Gemeinde bekannt waren. Auch für WEISER findet also die formale
Verschiedenheit der Teile von Klgl 3 ihre Einheit in der Person
des Sprechers[52].

Anders als für die Erklärer vor ihm, steht für KRAUS die gat-
tungsmäßige Verschiedenheit der einzelnen Abschnitte des dritten Klageliedes, die er deshalb auch mehreren Sprechern zuweist, im Vordergrund: In V.1ff. und V.52ff. ergreifen zwei
verschiedene Sänger das Wort und berichten von ihren persönlichen Erfahrungen. In V.34ff. tritt ein weiterer Sprecher auf,
der nach einer Belehrung die Gemeinde in V.42ff. zu einem Klagelied aufruft. Auch in der Klage um die Stadt in V.48ff. meldet sich ein neuer Sprecher zu Wort. Diese verschiedenen Sprecherrollen finden, so KRAUS, ihre Erklärung, wenn man den Sitz
im Leben von Klgl 3 berücksichtigt. Durch die gottesdienstliche
Situation, die KRAUS in Analogie zu Klgl 1 und 2 als die "Klage
um das zerstörte Heiligtum" bestimmt, erhält die Verteilung der
Stimmen eine gewisse Gesetzmäßigkeit[53].

Hier läßt sich jedoch mit Recht die Frage stellen, wie der gottesdienstliche Hintergrund des Liedes mit der Strenge der alphabetischen Akrostichie zu vereinbaren ist. Auch wenn KRAUS in
diesem Zusammenhang die Vermutung äußert, es handele sich bei
der Komposition von Klgl 3 möglicherweise um eine sekundäre Zusammenstellung gottesdienstlicher Vorträge und Lieder[54], so ist
diese Antwort zur Erklärung der durch die geschlossene alphabetische Form erwiesenen Einheit von Klgl 3 nicht befriedigend.

---

52   WEISER, 74.
53   KRAUS, 56ff.; vgl. LAMPARTER, 159.
54   KRAUS, Klagelieder, 59.

In der Analyse von KRAUS zeigen sich deutlich die Grenzen
einer rein gattungsgeschichtlichen Methode. PLÖGER hat recht,
wenn er zu bedenken gibt, daß es zur Erklärung der Form von
Klgl 3 nicht genügt, nur den bekannten Gattungen nachzuspüren;
denn in der Auflösung alter Formen entsteht hier etwas Neues:
Bestandteile verschiedener, meist kultischer Begehungen früherer Zeiten scheinen hier im Munde eines einzigen Sprechers
vereinigt worden zu sein. Dieser bedient sich der alten Gattungen entsprechend seiner Absicht und schafft dadurch eine
neue Form belehrenden und aufmunternden Charakters, um ein
aktuelles Glaubensthema wirksam zu entfalten[55].

Für den methodengerechten Einstieg in Klgl 3 ist neben dieser
grundsätzlichen Überlegung von PLÖGER eine Bemerkung von KRAUS
aufzugreifen: "Auf jeden Fall sollte man von Anfang an versuchen müssen, den formalen Aufbau im Zusammenhang mit der inhaltlichen Gedankenführung darzulegen, um von diesen ersten
Beobachtungen aus einen Einstieg in die Fragen nach der Gattung, dem "Sitz im Leben" und vor allem in die exegetischen
Einzelprobleme zu finden"[56]. Demnach empfiehlt es sich, als
Struktursignal für den Aufbau literarkritisch klar abgrenzbare Sinneinheiten zu nehmen. Dann mag die Frage nach dem
Verhältnis der gattungsmäßig verschiedenen Teile in Klgl 3
neu gestellt werden. Es wird sich zeigen, ob die übliche Alternative, es handele sich in Klgl 3 entweder vordringlich um
die persönlichen Erfahrungen eines Einzelnen[57] oder in erster
Linie um das Schicksal des Volkes[58], das Problem des Liedes
in einem richtigen Licht sieht. Im Folgenden geht es zunächst
darum, ob sich das "Neue", das PLÖGER in Klgl 3 vermutet,
nicht in der Analyse der Form erkennen und beschreiben läßt.

---

55 PLÖGER, 154.
56 KRAUS, Klagelieder, 54; vgl. auch WEISER: "Das Nächstlie-
    gende bleibt immer noch, von der vorliegenden einheitli-
    chen Konzeption des Kapitels auszugehen und von da aus un-
    ter ständiger Betrachtung der Beziehungen der einzelnen
    Aussagen und ihrer besonderen Formen zur Grundtendenz des
    Ganzen, den Aufbau des Kapitels aus der Situation zu ver-
    stehen, die den gemeinsamen Hintergrund der Klagelieder
    bildet" (72).
57 GORDIS, 139; SELLIN-FOHRER, 322.
58 WIESMANN, Das dritte Kapitel 528; RUDOLPH, 235.

V.1-16

KRAUS bezeichnet die Verse 1-24 als ein individuelles Klagelied, bzw. individuelles Danklied, für das, wie in anderen
Liedern dieser Art, das Gedenken der Not und ihrer Überwindung charakteristisch ist[59]. Aufgrund der gleichen Überlegung,
der Parallelität von Klgl 3 zu den Klagen im Psalter, hatte
schon LÖHR vermutet, der Dichter habe mit V.1-24 sowie V.52-
66 zwei ursprünglich selbständige Psalmen aufgegriffen, akro-
stichisch umgearbeitet und den Zusammenhang von Klgl 3 einver-
leibt[60]. WEISER und RUDOLPH dagegen betonen mit Nachdruck, daß
Klgl 3 nicht im Stil eines herkömmlichen Klageliedes beginnt:
Die eröffnende Anrede an Jahwe und die an ihn gerichtete Bitte
fehlen, wie überhaupt in V.1ff. von Jahwe durchweg nur in der
3. P. die Rede ist[61]. Aus der durchgängigen Erzählung von V.1-
24 folgert WEISER daher, daß nicht, wie bei einer KE, Jahwe,
sondern die versammelte Gemeinde angesprochen ist. Formal hat
der Abschnitt V.1-24 sein Vorbild in den Psalmen da, wo die
Gattungen des Klageliedes und des Dankliedes in einem und demselben Psalm vereinigt sind[62].

---

59 KRAUS, Klagelieder 55; vgl. LAMPARTER, 159; ebenso HALLER,
    der jedoch zugibt, daß die Form des Klageliedes hier nur
    "gelockert" vorhanden ist. Allerdings sieht er die fehlen-
    den Elemente an anderer Stelle in Klgl 3 (V.22.24f.42f.55f.)
    nachgeholt (103).
60 LÖHR, Klagelieder 15f.; DERS., Threni III, 7. Zur Kritik
    an LÖHR vgl. WIESMANN, Das dritte Kapitel der Klagelieder,
    536-542. WIESMANN kritisiert hier die überaus kühne Schluß-
    folgerung, die LÖHR aus der Tatsache der Übereinstimmung
    von Klgl 3,6 und Ps 143,3 zieht, wenn er lediglich aufgrund
    dessen die Existenz eines selbständigen Psalmes annimmt,
    aus dem Ps 143,3 sowie die akrostichisch überarbeiteten
    Verse Klgl 3,1.24 herrühren. Da LÖHR dasselbe Phänomen der
    akrostichischen Überarbeitung eines ursprünglich selbstän-
    digen Psalmes auch in Klgl 3,52-66 annimmt, fragt WIESMANN
    mit Recht, warum der Dichter von Klgl 3 zwei fremde und so
    verschiedene Stücke über die Leiden eines Einzelnen wie
    Klgl 3,1-24 und Klgl 3,52-66 zusammengestellt habe, wenn
    es doch seine Absicht ist, die Leiden eines dritten Indi-
    viduums zu schildern?
61 WEISER, 78; RUDOLPH, 238.
62 Zum Aufbau eines Klageliedes vgl. WESTERMANN, Struktur, 48;
    KRAUS, Psalmen, 49ff.

Wenn somit die Verse 1-24 nicht eindeutig als KE oder DE zu
bestimmen sind, ist es zunächst einmal ratsam, die oben genannte Abgrenzung dieses ersten Abschnittes von Klgl 3 zu
überprüfen. Inhaltlich betrachtet ergibt sich sinngemäß ein
erster Einschnitt nach V.16. Hier ist nämlich der Notbericht
des Klagenden zu Ende; denn V.17f. leitet mit der Anrede
Jahwes einen neuen Sinnabschnitt ein.

Wie aber soll dieser Bericht formal bestimmt werden? Die Inkongruenz der Noterzählung V.1-16 zu dem Ausbreiten der Not
vor Jahwe in der KE hat eine Reihe der Ausleger gespürt. So
warnt LAMPARTER davor, den Abschnitt V.1ff. als einen ganz
persönlichen Erlebnisbericht oder eine Art Herzensbeichte
des Verfassers zu verstehen; denn wie das Lied im ganzen
zeigt, sind in dem redenden "Ich" alle in ähnlicher Weise
Leidenden eingeschlossen[63]. Daß sich eine solche Noterzählung nicht mit dem Sinn einer Leidklage deckt, die Gott in
persönlicher Anrede um Gehör bittet, hebt auch WEISER hervor[64]. V.1-16 ist vielmehr der Bericht eines Einzelnen, der
vor anderen Menschen seine Leiderfahrungen vergegenwärtigt
und damit ein bestimmtes Ziel verfolgt. Die Charakterisierung von V.1-16 in diesem Sinn erinnert an eine Literaturgat-
tung, die in vorwiegend weisheitlich orientierten Texten anzutreffen ist: die "autobiographische Stilisierung". Danach
werden Erkenntnisse so dargeboten, daß sie als eine ganz
persönliche Erfahrung des Weisheitslehrers erscheinen (Ps 73;
Spr 24,30-34; Sir 33,16-19; 51,13-16). Weil es sich dabei jedoch in erster Linie um einen literarischen Kunstgriff handelt, um in der Sprache der Erlebnisschilderung ein Ereignis
von allgemeingültigem Charakter zum Ausdruck zu bringen[65],
ist auch in Klgl 3,1-16 über die persönliche Erlebniskompo-
nente hinaus diese Absicht der Darlegung im Auge zu behalten.

---

63 LAMPARTER, 160.
64 WEISER, 78.
65 Zur autobiographischen Stilisierung vgl. VON RAD, Weis-
    heit in Israel, 1970, 56; KRAUS, Psalmen, 666.

V.17-20

Nach dem Notbericht V.1-16 beginnt der folgende Abschnitt in
V.17 mit einer Anrede Jahwes. Dies weist auf eine gegenüber
V.1-16 neue Situation hin. So wird auch keine Einzelheit mehr
im Stil des Berichtes V.1-16 geboten, sondern eine Stellungnahme zu dem Erlebten. Der Dichter beschreibt dabei die Intention des göttlichen Handelns, das sich nach seiner Erfahrung
offenbar gegen ihn gerichtet hat.

Die Verse 17-20 zeigen eine deutliche Ähnlichkeit mit der dreigliedrigen Struktur einer KE:

Anklage Jahwes   V.17-18
Ich-Klage   V.19-20

Das dritte Element, die Feindklage, ist mit in die Anklage Jahwes
V.17f. geflossen; denn dort wird Jahwe als Gegner des Klagenden
vorgestellt. Mit der Schilderung des Klagens in V.19-20 findet
die Klage des Leidenden ein Ende. In V.21ff. beginnt ein neues
Thema.

V.21-24

Es handelt sich bei diesen Versen um eine Ich-Rede, die in V.25
durch eine Reflektion abgelöst wird. Ihr Thema ist das Harren
auf Jahwe.

Die literarische Art der Verse 21-24 bestimmt KRAUS als Vertrauensäußerungen, wie sie für ein Klage- und Danklied üblich sind[66].
Zwei Dinge sind allerdings auffällig: der plötzliche Umschwung
von der Anklage Jahwes zu den Äußerungen des Vertrauens auf Gott
sowie die Tatsache, daß hier kein unmittelbarer Zuspruch Jahwes
vorliegt, aufgrund dessen der Klagende seine Haltung ändert, sondern eher ein Faktum, das für diesen auch durch die furchtbaren
Ereignisse nicht umgestoßen werden kann. KRAUS weist in diesem
Zusammenhang auf den weisheitlichen Psalm 73 hin, wo in V.23 ein

---

66 KRAUS, Klagelieder, 55. Vgl. auch WEISER, der von einem
    "hymnischen Dankbekenntnis" spricht (75.81).

ähnlicher Umschwung von der Verzweiflung zu einer neuen Hoffnung stattfindet[67]. Dieser Hinweis macht deutlich, daß hier, wie schon im ersten Teil von Klgl 3, eine weisheitliche Literaturform vorliegt. Ähnlich wie in Ps 73 der Bericht von "Erlebnissen" zum Nachdenken und dann zu einer "Lösung" geführt hat, so kommt auch der Dichter von Klgl 3 in V.24 zu einem ersten Abschluß. Das haben alle jene Ausleger gespürt, die in V.1-24 eine größere Einheit sehen[68]. Aber nicht die Gebetssituation einer KE oder eines DE liegt hier vor, sondern die weisheitliche Verwendung der für die KE und das DE charakteristischen Momente.

V.25-33

Die in V.25 beginnende Reflexion kommt in V.33 thematisch zu ihrem Ende. In V.34ff. beginnt ein neuer Abschnitt, in dem konkrete Fragen zur Situation des Volkes das Thema bilden.

V.25-33 ist eine Fortsetzung des persönlich gefaßten Bekenntnisses von V.21f. Dies zeigt die Tatsache, daß aus den Versen 21-24 das Thema "Hoffen auf Jahwe" in V.25.26 und der Hinweis auf die "nicht endenden Gnaden Gottes" (V.32) aufgegriffen, und in einer Reflexion über das Verhalten des Menschen im Leid weitergeführt werden. Wie KRAUS richtig festgestellt hat, handelt es sich hier um didaktisch-paränetische Sätze[69], die gut zu der bisher festgestellten weisheitlich orientierten Komposition passen.

V.34-39

Hier begegnen in Frageform gekleidete Reflexionen, die in V.39 offenbar ihr Ende haben; denn mit dem Ruf zur Umkehr in V.40f. beginnt deutlich erkennbar eine neue Sinneinheit.

---

67 KRAUS, Klagelieder, 62.
68 KRAUS, Klagelieder, 56; WEISER, 75.
69 KRAUS, Klagelieder, 55. Ähnlich WEISER, 75; LAMPARTER, 166; PLÖGER, 149.

Auch die eindringlichen Nachfragen der Verse 34-38 gehören,
wie KRAUS bemerkt, in den Bereich der Weisheitslehre und sind
eine Konkretisierung der Reflexionen von V.25-33 im Hinblick
auf die Katastrophe Jerusalems[70]. Eine Entsprechung zu den Gedanken von V.25-33 läßt sich nicht übersehen: V.39, der die
Klage des sündigen Menschen abweist, lenkt mit dieser Aussage
zurück auf die Gedanken von V.33, wo auf den Grund des göttlichen Gerichtes verwiesen wird. Daher ist es unsachgemäß, von
einer abrupt in V.34ff. einsetzenden Überlegung zu reden, und
diese Verse deshalb einem neuen Sprecher zuzuweisen[71].

V.40-47

In V.40 wechselt das Subjekt von der 3. P. Sg. zur 1. P. Pl.,
die bis V.47 geht und so V.40-47 zu einem weiteren Abschnitt
von Klgl 3 zusammenschließt.

KRAUS sieht in diesen Versen einen Aufruf (V.40-41) zu einem
kollektiven Klagelied (V.42-47)[72]. Zu dieser Erklärung aber
paßt weder die Aussage der Verse 40-41, die deutlich zur Umkehr
ermahnen, noch die Tatsache, daß in V.42 das gerechte Strafgericht Jahwes festgestellt wird. Nicht eine Volksklage, sondern
ein Bußlied, das aus V.39 das Stichwort "Sünde" aufgreift,
liegt daher in V.40-47 vor. Von V.42-47 als einem Bußlied
spricht auch WIESMANN. Seiner Meinung nach tritt hier jedoch
das Schuldbewußtsein des Volkes hinter dem Empfinden der Ungeheuerlichkeit des Unglückes zurück. Das Volk gestehe zwar seine
Schuld ein, lasse sich aber von seiner Ansicht, daß Gott aus

---

70 KRAUS, Klagelieder, 55f.
71 WIESMANN, Klagelieder, 191; RUDOLPH, 241; KRAUS, Klagelie-
    der, 59.
72 KRAUS, Klagelieder, 56.65. An anderer Stelle spricht KRAUS
    jedoch von einem "eindringlichen Appell zur Buße" in V.40-
    43, dem in V.43-47 das "Bußlied" folgt, in dem die Gemein-
    schaft des großen Zusammenbruchs gedenkt, den sie selbst
    erlebt hat (Klagelieder, 54). Von einem Klagelied in 3,40-
    47 spricht auch LAMPARTER, 159.

reiner Lust am Quälen so furchbare Heimsuchungen über es verhängt habe, nicht abbringen[73]. Dagegen wendet RUDOLPH mit Recht
ein, daß dies ein seltsames Sündenbekenntnis wäre, das sich auf
die Worte "Wir haben gesündigt und sind ungehorsam gewesen"
(V.42a) beschränke, um sich von V.42b an wieder in leiden-
schaftlichen Klagen zu verlieren[74]. Dieser Einwand kann durch
das richtige Verständnis von V. 39 nur bestätigt werden: Wenn
der Sprecher dort die Klage des sündigen Menschen abweist, ist
es wenig sinnvoll, diesem in V.40f. den Aufruf zu einer eben-
solchen Klage in den Mund zu legen[75].

Die Einstellung des Verfassers von Klgl 3, der, aufgrund seiner Überlegungen zur Barmherzigkeit Jahwes in V.21-24, in
V.40f. zu einem Bußlied aufruft, entspricht, wie GORDIS herausstellt, einer grundlegenden Überzeugung im AT, nämlich,
daß es nicht genügt, über das Leid zu klagen, ohne nach einer
Versöhnung mit Gott Ausschau zu halten. Diese Gedanken werden
mit besonderem Nachdruck in der späteren Weisheit betont (vgl.
Ijob 4-5)[76],liegen aber auch schon den dtr beeinflußten Buß-
liedern zugrunde (Jer 3,22ff.; Esra 9; Neh 9).

V.48-51

Gegenüber V.40-47 ist V.48-51 als Ich-Rede durch den Subjekt-
wechsel abgegrenzt.Thematisch ist in V.51 ein Ende erreicht,
da in der mit V.52 beginnenden Einzelklage ein neuer Gedankengang anhebt.
WIESMANN schreibt V.48f. der Tochter Zion als Sprecherin
zu[77]. Das ist jedoch kaum möglich, weil in diesem Fall die

---

73 WIESMANN, Klagelieder, 211; DERS., Das dritte Kapitel der
    Klagelieder, 518.522.524.534; vgl. auch KRAUS: "Es fällt
    auf, daß in dem ganzen kollektiven Klagelied, das mit 47
    abgeschlossen ist, besonders auf Jahwes unbegreifliches
    Handeln hingewiesen wird" (Klagelieder, 66).
74 RUDOLPH, 242.
75 So auch PLÖGER, 151.
76 Auf diese Parallele macht auch GORDIS aufmerksam (140).
77 WIESMANN, Das dritte Kapitel, 530; DERS., Klagelieder,
    193.

"Tochter meines Volkes", über deren Untergang sie weint (V.48),
mit der Sprecherin identisch wäre. Aber auch die Auffassung
von KRAUS, der von diesen Versen her seine Einordnung von Klgl 3
in die Gattung der "Klage über das zerstörte Heiligtum"[78], begründet, trifft nicht das Problem von V.48ff., da es hier nicht
um den zerstörten Tempel, sondern um den Untergang des Volkes
geht. Deutlich wird deshalb auch an das Bußlied des Volkes in
V.42ff. angeknüpft und aus V.47 das Stichwort שׁבר aufgegriffen (V.48). In der Diktion der Klage selbst fällt die Parallele
zu den Klagen des Jeremia über Jahwes Gericht an Zion auf (vgl.
Jer 8,20-23; 9,9-10.16-21; 10,17-21; 13, 15-17; 14,17-18).

V.52-66

Nach KRAUS handelt es sich hier um die Not eines Mannes, der
ein individuelles Leiden durchgemacht hat, wobei der Bericht
V.52-66 dem in V.1-19 entspricht. Folglich liegt eine Einzelklage vor[79].

PLÖGER dagegen versteht die Verse 52ff. von der Struktur des
Dankliedes her, wo zunächst in V.52-54 ein Bericht über die
Not erfolgt, dem sich die Anrufung Jahwes in V.55 und der Bericht über die Rettung in V.56-61 anschließen. Weil dieses
Danklied aber eine Situation in der Vergangenheit beschreibt,
und weil mit den an Jahwe gerichteten Bitten von V.63-66 wieder die gegenwärtige Not in den Vordergrund tritt, gibt PLÖ-
GER zu bedenken, daß es nicht förderlich sei, sich zu starr
an die überlieferte Form des Dankliedes zu klammern. Vielmehr
wird in V.52-66 eine Situation geschildert, nach der ein Ein-
treten Jahwes in Umrissen und Teilen schon erkennbar ist
(V.57f.), die endgültige Restitution aber noch aussteht (v.63
ff.)[80]. Auch RUDOLPH hält den Abschnitt V.52-66 in dieser Form

---

78 KRAUS, Klagelieder, 59. Zur Auseinandersetzung mit dieser
   Auffassung vgl. 96ff.
79 KRAUS, Klagelieder, 56.66.
80 PLÖGER, 153; vgl. WESTERMANN, Klagelieder, 95.

nicht für eine Toda. Weil es für ein Danklied ungewöhnlich
ist, mit einer derartigen Häufung von Bitten zu schließen,
ändert er die Imperativ- und Imperfektformen von V.63ff. in
Perfektaussagen, und erhält so einen umfangreichen Bericht
des Sprechers über seine Errettung durch Jahwe[81]. WEISER
wendet hier jedoch ein, daß es durchaus gattungsgeschichtliche Analogien gibt, wie z.B. Ps 40 und Ps 86, wo ebenfalls die abschließenden Bitten eine andere Not im Auge haben als das vorangehende Danklied[82].

Zur Erklärung der formalen Eigenart des Abschnittes V.52-66
ist daher sehr wohl von der Struktur eines Dankliedes auszugehen. Daneben aber ist die Funktion desselben zu berücksichtigen. Gerade der Toda ist die Tendenz eigen, mit ihrer
rückblickenden Notschilderung und dem Ereignis der Wende
lehrhafte Mitteilungen zu verbinden[83]. So hat man auch in
Klgl 3 den Eindruck, als wollten die bekräftigenden Äußerungen über die Errettung in V.58-61 in einer paradigmatischen
Weise unterstreichen, daß die in V.34-39 geführten Überlegungen über die Souveränität Jahwes richtig sind. Die beiden Abschnitten gemeinsamen Stichworte ריב (V.36.58) und
משפט (V.35.59) bestätigen diesen Zusammenhang. Weil der
Sprecher somit zwischen dem vergangenen und gegenwärtigen
Handeln Jahwes eine Verbindung sieht, kann er auf eine bereits geschehene Errettung Bezug nehmen, um auf sie seine
Bitten um ein Eingreifen Jahwes auch in dem jetzigen Elend
zu gründen. Die Art des Bezuges von V.52-66 auf die Gattung
der Toda entspricht somit der im ganzen Lied zum Ausdruck
kommenden weisheitlichen Verwendung bekannter Formen.

---

81 RUDOLPH, 233.237.
82 WEISER, 90 A1.
83 KRAUS, Psalmen, 54.65. Als Beispiel vgl. Ps 40 und hier-
    zu die Untersuchung von G.BRAULIK, Ps 40 und der Gottes-
    knecht, Würzburg 1975.

Versucht man jetzt, die abgegrenzten Einheiten in Klgl 3 in
ein System zu bringen und dabei die festgestellten formalen
Entsprechungen zu beachten, dann ergibt sich ein Aufbau, der
dem Stilgesetz der konzentrischen Symmetrie folgt:

Bericht eines Einzelnen	V. 1-16
Klage eines Einzelnen	V.17-20
Aufforderung zum Vertrauen	V.21-24
Belehrung	V.25-33
Belehrung	V.34-39
Aufforderung zur Umkehr	V.40-47
Klage eines Einzelnen	V.48-51
Bericht eines Einzelnen	V.52-66

Im Mittelpunkt des Liedes stehen die belehrenden Teile (V.25-
33.34-39), die gerahmt werden von einer Aufforderung zu Vertrauen (V.21-24) und Umkehr (V.40-47), sowie der Klage eines
Einzelnen (V.17-20.48-51) und der Darstellung einer Gerichtssituation (V.1-16.52-66). Mit dem Hinweis auf das Gericht
Jahwes knüpft Klgl 3 deutlich an Klgl 2 an. Thematisch gesehen hat die Schilderung vom "Zorn" Jahwes in Klgl 2,22 das
Stichwort gegeben, an das Klgl 3,1 anschließt (עברתו).
Deshalb ist es falsch, wenn HILLERS sagt, daß sich Klgl 3 formal und inhaltlich vollkommen von den anderen Klageliedern abhebt[84].

Dadurch, daß hier ein klagender Mann als Sprecher eingeführt
ist, zeigt der Verfasser von Klgl 3 an, daß er das Einzelschicksal im großen Gottesgericht im Auge hat. Wenn die Not dieses
Mannes also nicht irgend ein Leiden ist, sondern die Erfahrung
der Gottesferne im Zorngericht, so muß die Einführung dieser
Einzelgestalt, die zudem mit dem Anspruch eines גבר vorgestellt wird, die Frage nach entsprechenden formalen Vorbildern
in der Geschichte der alttestamentlichen Klage wachrufen.

---

84 HILLERS, 61; vgl. auch GORDIS: "Chapter three differs mar-
kedly in structure, theme, and mood from the two preceed-
ding elegies" (139).

Dieses Vorbild sehen viele Erklärer in den Klagen des Einzelnen im Psalter und bestimmen Klgl 3 daher als ein wichtiges Dokument persönlicher Frömmigkeit in der Zeit des erniedrigten Gottesvolkes. Das Überwiegen persönlicher Frömmigkeit in Klgl 3 wird von ALBERTZ damit erklärt, daß die persönliche Hingabe an Gott auf anderen religiösen Erfahrungen aufbauen kann als die Religion des Volkes. Die das Volk tragenden Heilstraditionen waren 586 dahin, die persönlichen Erfahrungen aber, die ein Beter mit Gott gemacht hatte, konnten auch die Katastrophe des Reichsunterganges überdauern und darum tragend werden für die Überwindung der hoffnungslosen Lage des Volkes. Der in Klgl 3 Redende will, so ALBERTZ, folgendes sagen: Solange ich und wir alle in unseren persönlichen Nöten unser Vertrauen und unsere Hoffnung auf Jahwe richten und tatsächlich immer wieder gerettet werden, können wir hoffen, daß Jahwe sich auch unserem Volk und unserer Stadt zuwenden wird. Dann hat es auch Sinn, Jahwe nicht aufzugeben, sondern ihn weiter mit unseren Volksklagen anzugehen. Unsere persönliche Frömmigkeit gibt uns den langen Atem durchzuhalten[85]. So richtig hier gesehen ist, daß die persönliche Beziehung des einzelnen Menschen zu Gott anderen Gesetzen unterworfen und für eine Zerstörung nicht derart anfällig ist wie die geschichtlich konstituierte offizielle Religion, so muß doch gefragt werden, ob eine solche Trennung sich derart strikt durchführen läßt; denn worauf sollte sich der Mut des Einzelnen zum Durchhalten gründen, wenn Jahwe der "Feind" des Volkes ist? Die Situation des Propheten Ezechiel zeigt überdeutlich, wie sehr die von dem nationalen Unglück Betroffenen zu Verzweiflung und Skepsis hinneigten und wie der Prophet über den Gegensatz von Kollektivismus und Individualismus hinaus zu einer neuen Begegnung mit Gott führen und dadurch eine neue Gemeinde schaffen wollte (Ez 18). Auch das dritte Klagelied widersetzt sich einer rein individualistischen Engführung. Die Tatsache, daß die Klagen des Einzelnen

---

85 R.ALBERTZ, Persönliche Frömmigkeit und offizielle Religion, Stuttgart 1978, 178-185.

in Klgl 3,1-16 und 3,52-66 weisheitlich verwendet sind, hat
sich als ein erster Hinweis darauf erwiesen, daß hier ein
Problem zugrundeliegt und somit überindividuelle Gegebenheiten eine Rolle spielen. Weiterhin ist zu bedenken, daß die
Not des Einzelnen in Klgl 3 mit der Gerichtssituation des Volkes verbunden ist. Als Vorbild für Klgl 3 kann daher nicht der
Horizont der Notklagen eines Einzelnen dienen, wie sie uns im
Psalter überliefert sind. Diese reden zwar auch von dem Leiden
und der Hoffnung des Einzelnen, tun dies aber auf dem Hintergrund der Vorstellung von einem rettenden und nicht von einem
zornigen Gott, wie es in Klgl 3 geschieht.

Unter dieser Hinsicht geht es in Klgl 3 nicht um die Darstellung individueller Leiden, sondern, wie der weisheitliche
Grundzug des ganzen Liedes es nahelegt, um die Aufarbeitung
einer den gläubigen Vollzug als solchen in Frage stellenden
Leidsituation und im Ringen mit ihr um ein ihr angemessenes
Verhalten. Im Blick auf die sich mit dieser Situation ausein-
andersetzende Person des גבר wird zur Bestimmung der Form
von Klgl 3 die Bezeichnung "Gerichtsklage des leidenden Gerechten" gewählt.

c. Semantische Analyse

U.1-16

Das Lied beginnt nicht mit der in den Klagepsalmen üblichen Anrufung Jahwes (vgl. Ps 13,2; 22,2 u.ä.) sondern mit einer Feststellung: "Ich bin der Mann, der Leid erlitt, durch die Rute
seines Zornes". Diese "demonstrative Selbstvorstellung"[86] des
Sprechers von Klgl 3 ist aber nicht, wie PLÖGER meint, in Analogie zu der göttlichen Selbstvorstellungsformel (Ex 20,2) zu

---

86 So KRAUS, Klagelieder 59.

verstehen[87]; sondern: wie der Weisheitslehrer mittels der
autobiographischen Stilisierung ein Ereignis im Gewand der
persönlichen Erfahrung darstellt, so schildert der "Mann",
der sich in Klgl 3 sein bitteres Los vergegenwärtigt, sein
Schicksal aus der Perspektive eines leidenden Menschen, der
nicht mehr ein noch aus weiß. Wenn der Verfasser von Klgl 3
in diesem Zusammenhang einen גבר als Sprecher einführt, so
ist damit ein Schlüssel zum Verständnis des Leidens gegeben.
Dieser Begriff, der nicht mit איש identisch ist[88], hat
nämlich in der Gebetssprache des AT eine bestimmte Prägung
erhalten. Ein גבר wird der Mensch genannt, der Gottesfurcht
besitzt, auf Gott vertraut und tut, was dieser von ihm erwartet (Ps 34,9f.; 40,5.9-12; 94,12-13; vgl. Jer 17,7). Der
Gerechte mag zwar in Not geraten, aber weil er zu Jahwe hält,
kann er der Hilfe Gottes gewiß sein (Ps 37,23f.; 94,13;
128,1.4)[89]. Mit der Erwähnung des Begriffes גבר berührt der
Verfasser von Klgl 3 also die Thematik des rechten und gott-
wohlgefälligen Verhaltens. Wenn er in V.1-16 den גבר als einen von Gott gequälten Menschen darstellt, der keinen Ausweg
mehr aus seinem Leiden sieht, so will der Verfasser mit dieser Schilderung die Frage, worin sich ein Gerechter als solcher erweist, für die Zeit des Gottesgerichtes neu stellen.
Daß diese Überlegungen für die exilisch-nachexilische Zeit
von immer größerer Bedeutung werden, zeigt vor allem die
Auseinandersetzung um das Leiden des Gerechten im Buch Ijob.
Der Begriff גבר spielt demzufolge dort eine große Rolle und
erscheint im ganzen fünfzehnmal (3,3.23; 4,17; 10,5; 14,10.14;
16,21; 22,2; 33,17.29; 34,7.9.34; 38,3; 40,7).

Klgl 3,1-16 beschreibt in den verschiedenartigsten Bildern
den "Grimm" Jahwes, den der klagende Mann als eine furchtbare Realität, nämlich die Vernichtung seines Lebens, erfährt.

---

87 PLÖGER, 149.
88 So KRAUS, Klagelieder, 59.
89 Zur Begriffsgeschichte vgl. H.KOSMALA Art. גבר, in
    ThWBAT I, 901-919.

Wenn V.1 in diesem Zusammenhang von der "Rute seines Zornes"
(שֵׁבֶט עֶבְרָתוֹ) spricht, so ist damit nicht in erster Linie
das von den Propheten angekündigte Elend durch die Babylonier
gemeint. שֵׁבֶט עֶבְרָתוֹ ist, da Jahwe selbst als Bedränger des
Klagenden genannt wird, eine bildhafte Wendung für die von
ihm vollzogene Züchtigung (vgl. Spr 13,24; Ijob 9,34; 21,9;
37,13), die der Verfasser von Klgl 3 aber auf dem Hintergrund
des göttlichen Zorngerichtes an Zion verstanden wissen will.
Deshalb knüpft er in dem Suffix von עֶבְרָתוֹ deutlich an Klgl
2,22 an.

V.2 beschreibt das Ziel des göttlichen Handelns: In seinem
Zorn treibt Jahwe den Leidenden in die lichtlose Finsternis.
"Dunkelheit und Licht" sind Vorstellungen, die in den Aussagen zum "Tag Jahwe" eine Rolle spielen. In diesem Zusammenhang sind Dunkel und Finsternis Chiffren für die Verhülltheit
Gottes im Zorngericht (Jes 5,30; Nah 1,8; Am 5,18-20). Wie in
anderen Texten des AT (Jes 8,22; 47,5; 59,9; Jer 23,12; Mi 7,8)
wird auch in Klgl 3,2 mit diesem Bild ein Zustand des Versto-
ßenseins von Jahwe beschrieben. Deutlich erkennbar stehen hinter diesen Aussagen Vertrauensäußerungen der Frommen Israels,
die aber hier in ihr Gegenteil verkehrt sind. "Der Herr ist
mein Licht und mein Heil: Vor wem sollte ich mich fürchten?"
bekennt der Beter in Ps 27,1 (vgl. Ps 18,29). Der Leidende in
Klgl 3 kann dagegen nur feststellen, daß Jahwes Führung der
Weg in das Unheil ist. Das Verbum נָהַג ("führen, leiten")
erinnert in diesem Zusammenhang an die Vorstellung von Jahwe
als dem Hirten des Volkes und des Einzelnen (Ps 77,21; 78,52-
53; 80,2.23; Jes 40,11; 63,13-14). Der Hirte aber, der sonst
mit seinem Stab (שֵׁבֶט) für die Sicherheit des Weges bürgt
(Ps 23,4), und zu dem der Beter seine Zuflucht sucht, treibt
jetzt den Sprecher von Klgl 3 mit der "Rute seines Zornes"
in alle erdenkliche Not.

Zum dritten Mal wird in V.3 die Person des Klagenden mit
Nachdruck hervorgehoben (אַךְ בִּי), um deutlich zu ma-
chen, wie sehr dieser sich für den vorzugsweise von Gott
Geschlagenen hält: "Nur gegen mich kehrte er immerzu seine
Hand Tag für Tag". Gilt die Hand Jahwes[90] in der Erfahrung
Israels sonst als ein Bild seiner helfenden Zuwendung (Ex
13,9; Dtn 6,21; Ps 136,12), so wird sie hier als drohendes
Instrument gesehen, von dem alles Übel für den Menschen
ausgeht (vgl. Klgl 2,3.4; Ps 32,4; Ijob 30,21).

Die aggressive Maßlosigkeit des göttlichen Zornes wird in
den folgenden Versen in konventionellen Bildern ausgemalt,
wie sie vornehmlich aus den Psalmen und dem Buch Ijob bekannt sind. Die Anhäufung verschiedener, sich teilweise
widersprechender Darstellungen weist darauf hin, daß hier
nicht konkrete Situationen im Hintergrund stehen, sondern
die seelische Verfassung des Leidenden geschildert wird.
Damit soll aber nicht gesagt sein, daß die Aussagen der
Verse 4-16 eine Reihe mehr oder weniger voneinander unab-
hängiger Bilder darstellen, wie es HILLERS behauptet[91].
Wie die Analyse zeigen wird, sind diese Vorstellungen dadurch miteinander verbunden, daß sie alle die Ausweglosig-
keit der Situation sowie das Schwinden der Lebenskraft beschreiben. Außerdem läßt sich beobachten, daß sie in ihrer
Aneinanderreihung mit Bedacht gewählt sind: Mit einer sich
steigernden Ausdruckskraft der einzelnen Aussagen versucht
nämlich der Dichter, in der Bildfolge V.4-16, die unerbitt-
liche Vernichtungsabsicht Jahwes umfassend zu schildern.

V.4 berichtet in diesem Zusammenhang von einem physischen
Zusammenbruch des Leidenden, wobei in V.4a von einer schweren Krankheit und in V.4b von einem gewaltsamen Zerbrechen
der Knochen durch Jahwe (Ps 22,18; 38,4; 51,10; 109,23f.;

---

90 יָד ist Bezeichnung für die unwiderstehliche Macht Jah-
    wes und die sich daraus ergebenden Taten Gottes. Vgl.
    A.S.VAN DER WOUDE, Art. יָד , in: ThAT I, 667-674,672f.
91 HILLERS, 65.

Ijob 7,5; 19,20; 30,30; Jes 38,13) die Rede ist. Die Vorstellung der Krankheit als eine der Grundnöte des Menschen ist hier gebraucht, um die Versehrtheit der Existenz im ganzen anzuzeigen.

Jahwe hat darüber hinaus die Lebenskraft des Klagenden gebrochen, indem er den "Kranken" mit "Bitternis und Mühsal" umgab (v.5), gleich einem anstürmenden Feind, der eine Stadt so lange umlagert, bis ihr Widerstand gebrochen ist (Dtn 20,20; Ez 4,2; Koh 9,14).

Deshalb fühlt sich der גבר von Jahwe an den "Ort der Finsternis" versetzt gleich den Toten, denen kein Licht mehr scheint und die nicht mehr in dieses Leben zurückkehren können (Ps 88,7; 143,3).

Mit dieser Vorstellung beschreibt der Verfasser in V.6 die Todesgefahr, aus welcher der Leidende keinen Ausweg mehr sieht[92]. Die "Finsternis" der Gottferne wird zum Ort der Gefangenschaft (vgl. Jes 42,6-7.16; 49,9; 58,10; 107,10-16).

Zu diesem Zustand veranschaulicht V.7: Jahwe hat den Leidenden eingekerkert wie einen Gefangenen und ihm darüber hinaus eiserne Fesseln angelegt. Jede Möglichkeit zur Flucht ist diesem dadurch genommen.

Mit V.7 sind die Bilder, welche in erster Linie die Bedrohung der physischen Existenz umschreiben, abgeschlossen. Die Vorstellungen der Verse 8ff. haben demgegenüber in besonderer Weise die Zielstrebigkeit des göttlichen Tuns bei der Vernichtung des Menschen zum Thema.

Eine Rettung erwartet der גבר vergebens, Jahwe, der sonst das Flehen der Seinen hört (Ps 94,9; 116,1f.) hat sein Ohr gegenüber dem Schreien und Rufen seines "Gefangenen" verschlossen (V.8).

---

92 Zu dieser, besonders in Dankliedern (Ps 9,14; 18,5f.; 30,4) belegten Vorstellung vgl. CH.BARTH, Die Errettung vom Tode in den individuellen Klage- und Dankliedern des AT, 1947, 76ff.

Die Glaubensanfechtung des unerhörten Gebetes ist ein ver-
breitetes Motiv in den Klagepsalmen (Ps 22,2; 77,1; 88,2f.;
Ijob 30,20) und beschreibt die quälende Tatsache, daß der
Fromme keine Hilfe von Gott erhält. Daher empfiehlt es sich
nicht, hier mit KEIL und RUDOLPH allein in dem Verbot der
Fürbitte des Jeremia (Jer 7,16; 11,14; 14,11f.) das Vorbild
für V.8 zu suchen[93].

Aus V.7 greift V.9 das Stichwort גדר ("umzäunen, ummau-
ern") auf. Jahwe versperrt dem Leidenden die Wege mit Qua-
dersteinen, so daß sie unübersichtlich werden und dieser
irregeleitet wird. Mit דרך ist hier im übertragenen Sinn
der Lebensweg des Menschen gemeint (Spr 1,15), der seine
Orientierung verloren hat[94]. Im Hintergrund der Aussage von
V.9 stehen wiederum Vertrauensäußerungen der alttestamentlichen Frommen. Jahwe, der sonst gepriesen wird als ein
Gott, der die Wege der Seinen bewacht (Ps 37,23f.), macht
jetzt den Lebensweg des Frommen ungangbar und verwehrt ihm
dadurch Zukunft und Heil.

Aber Jahwe versperrt dem gequälten Menschen nicht nur jeden
möglichen Ausweg, sondern er verfolgt ihn darüber hinaus auf
jede erdenkliche Weise. Wie ein Raubtier (Am 5,19; Hos 13,8;
Ijob 10,16) ist er über den schwergeprüften Mann hergefallen.
"Ein lauernder Bär war er mir, ein Löwe im Versteck" ruft der
Klagende in V.10 aus. Bei diesem anstößigen Bild von Jahwe
hat die Feindvorstellung in den Klagepsalmen Pate gestanden.
Mit dem Bild des Löwen wird nämlich dort die Gefährlichkeit
der den Beter bedrängenden Menschen beschrieben (Ps 10,9;
22,14.22; 17,12). In Klgl 3,10 hat für das Empfinden des
גבר Jahwe die Stelle des Feindes eingenommen.

---

93 KEIL, 592; RUDOLPH, 238
94 A.KUSCHKE, Die Menschenwege und der Weg Gottes im AT:
    Sth 5 (1952) 106-118; NÖTSCHER, Gotteswege und Menschen-
    wege in der Bibel und im Qumran, Bonn 1958.

Die Auswirkungen des göttlichen Anschlages werden in V.11 als
Lähmung und Niedergeschlagenheit eines Menschen beschrieben,
der nicht mehr ein noch aus weiß. Seine Wege sind verwirrt,
das bedeutet, sein Lebensweg hat keine Richtung, kein Ziel
und keine Zukunft mehr.

In V.12 beginnt deshalb eine Reihe von Aussagen, welche die
heimtückische Feindschaft Jahwes, die auf die Vernichtung des
Klagenden aus ist, direkt zum Thema haben. V.12 greift in diesem Zusammenhang ein Bild auf, das aus Klgl 2 bekannt ist:
Jahwe ist nicht mehr der helfende Gott, sondern ein feindli-
cher Bogenschütze (Klgl 2,4), dessen Pfeile - ein Sinnbild
für das von Gott gesandte Übel (Ps 38,3; Ijob 6,4; 16,12f.;
Dtn 32,23.) - den Leidenden tödlich treffen sollen. In die
"Nieren", das bedeutet nach hebräischer Vorstellung "mitten
ins Herz", sind die Pfeile Jahwes gedrungen, so daß es keine
Rettung mehr für ihn gibt (V.13).

Inmitten seiner Not trifft ihn der Spott des Volkes als die
Schande, die der leidende und von Gott geschlagene Mensch zu-
sätzlich zu ertragen hat (Ps 22,8; Ijob 30,9f.). Er wird als
ein von Jahwe Verstoßener angesehen und geschmäht, weil im
Horizont eines auf diesseitige Vergeltung ausgerichteten Glaubens nur ein erfolgreiches Leben als sinnvoll und gottgewollt
anerkannt wurde[95].

Der Beschreibung des so schrecklich veränderten göttlichen
Verhaltens widmen sich auch die Verse 15-16, in denen Jahwe
als ein hinterhältiger Gastgeber erscheint, der auf Quälung
(V.15-16a) und Erniedrigung seines Gastes (V.16b) aus ist.
Das Grundthema von Klgl 3, das enttäuschte Vertrauen auf Jahwe,
kommt hier in besonderer Weise zum Ausdruck, wenn man bedenkt,
was die Gastfreundschaft im Alten Orient bedeutet. Sie gilt
als so unverletzlich, daß etwaige Verfolger gleichsam ohnmächtig vor dem Eingang des Zeltes oder Hauses auf ihr Opfer

---

95 Die Vorstellung einer Schande des Leides ist eine derart
    weit verbreitete Aussage in den Klagepsalmen (Ps 22,8.18;
    35,21; 40,16; 69,12f.; Ijob 16,10), daß es nicht geraten
    ist, Klgl 3,14 allein von Jer 20,7 zu verstehen, wie dies
    RUDOLPH tut (238).

warten müssen. Jahwe aber stößt alle Rechte um, indem er genau das Gegenteil dessen tut, was einem rechten Gastgeber
heilig ist: Mit "Bitternis und Wermut" hat er den Klagenden
bewirtet und ihm Steine anstelle von Brot gereicht; und an-
statt ihm die Möglichkeit zu geben, sich vom Staub der Straße
zu reinigen (Gen 18,4), hat Jahwe den Hilfe Suchenden in den
Staub gedrückt. Mit diesem Bild erreicht die Darstellung der
Not des   גבר   in Klgl 3,1-16 ihren Höhepunkt; denn "Staub"
ist auch sonst im AT ein geläufiges Bild für die Niedrigkeit
und Vergänglichkeit des Menschen (vgl. Gen 3,19; 2 Sam 16,13;
Jes 25,12; 26,5; Ps 103,14), die Jahwe ihm jetzt so erbarmungs-
los vor Augen gestellt hat.

V.17-20

Mit V.17 geht die Erzählung in die Gebetsform über. Der Leidende spricht hier seine Empfindungen aus angesichts des
Elends, das in so furchtbarem Maße über ihn hereingebrochen
ist. In einer Anklage Jahwes faßt er den entscheidenden Punkt
seiner Anfechtung zusammen: Gott hat ihn aus dem   שלום , dem
befriedeten Dasein, verstoßen (Ijob 5,24; 21,9; 25,2) und alles Glück zunichte gemacht. Damit ist sein Leben sinnlos geworden; denn es gilt zu beachten, daß der alttestamentliche
Mensch wegen seines auf diesseitige Vergeltung ausgerichteten
Glaubens auf einen Ausgleich im Jenseits noch nicht hoffen
konnte.

Deshalb ist der Klagende nahe daran, sein Gottvertrauen zu
verlieren. Erst in V.18, wo er der Zeit gedenkt, in der Gott
noch seine Hoffnung war, wird der Name Jahwe ausdrücklich
genannt. Aber Jahwe, der bisher sein Leben erhellte, ist ihm
entschwunden. Das umstrittene   נצח ("Glanz": 1 Chr 29,11; 1
Sam 15,29) fügt sich gut in den Kontext dieser Aussage ein.
"Glanz und Licht" beschreiben nämlich das Offenbarwerden der
Herrlichkeit Gottes zum Heil seiner Getreuen (Jes 9,1; 60,1.19;
61,1). Diesen "Glanz" kann der Klagende, den Jahwe in die
"lichtlose Finsternis" (V.2) geführt hat, nicht mehr erkennen;

und da er von einem Heilswillen Jahwes nichts mehr spürt, ist
auch das Warten (תּוֹחֶלֶת) auf Gott sinnlos geworden. Dabei
hat gerade das Harren auf ein Eingreifen Jahwes für den alttestamentlichen Beter eine große Bedeutung zur Bewältigung seiner
Not. Im Bekenntnis zur Zuversicht kann er nämlich von einem Ret-
tungswillen Jahwes sprechen, weil er der Güte Gottes gewiß ist
(Ps 33,20-22; 38,16; 39,8; 69,4: 130,5; Ps 138,7; 139,2-4; 140,7).
Diese Überzeugung kann der Leidende von Klgl 3 aufgrund seiner
Erfahrung (V.1-16) nicht mehr teilen. Die Anfechtung, die in seiner Klage zum Ausdruck kommt, ist aber nicht nur für seine individuelle Situation charakteristisch, sondern eine Glaubensschwierigkeit der Generation von 586 überhaupt, die nach dem Untergang
des Staates alle Hoffnung fallenlassen will. Mit der Verzweiflung der an Gott irre gewordenen Menschen haben sich daher in
hohem Maße die Exilspropheten Ezechiel (18,2; 37,11) und Deutero-
Jesaja (40,27-31; 45,9-13) auseinanderzusetzen. Mit der Aufnahme
von עָנִי aus V.1 sowie לַעֲנָה und רֹאשׁ aus V.5.15 wird in V.19
das Geschehene zusammenfassend charakterisiert. Wie ein bitteres
Gift wirkt jede Vergegenwärtigung des Elends, das der Klagende
dennoch nicht aus seinen Gedanken bannen kann (V.20). Mit der
Ich-Klage in V.19 und V.20 will der Verfasser den Zustand der
Gottferne, in den sich der Klagende von Jahwe verstoßen fühlt,
in Worte fassen; denn dieser Mann kommt nicht darüber hinweg, daß
es Jahwe ist, der all sein Glück und Hoffen zerschlagen hat. Der
von Gott leidgeprüfte Mann sucht aber auch in seiner tiefen Verzweiflung noch nach einem Trostgrund, der ihm einen Ausweg aus
seiner Verzagtheit weisen kann.

V.21-24

In V.21f. richtet sich der Blick des Klagenden nicht mehr auf
die geschehene Not. Er ruft sich vielmehr ein Bekenntnis des Volkes in Gedächtnis, das für Israel Fundament seines Glaubens war
(V.21) und dessen Aussage im AT öfters überliefert ist: "Jahwe
ist ein barmherziger und gnädiger Gott, langmütig, reich an Güte
und Treue"[96]. Die Rückbesinnung auf das eigentliche Wesen Jahwes

---

96 Ex 34,6; Ps 86,15; 103,8; 111,4; 145,8; Neh 9,17.

führt den Klagenden zu einer neuen Einstellung gegenüber dem
Handeln Gottes im Zorngericht: Jahwe bleibt für ihn auch nach
der Katastrophe der in Gnade (חסד) und Barmherzigkeit
(רחמים) (V.22) treue Gott (אמונה) (V.23); denn es ist
undenkbar, daß seine Huld und sein Erbarmen ein Ende gefunden
haben.

Mit חסד beschreibt das AT eine Grundhaltung der "Güte", die
Jahwe dem Volk und dem Einzelnen zuwendet. Ihr eignet der
Charakter eines Geschenkes. So ist mit חסד die Güte gemeint,
die Jahwe seinem Volk erwiesen hat, als er den Bund mit ihm
schloß (Dtn 7,9.12). Aufgrund dieser Güte können sich die
Frommen an Jahwe wenden und ihn um einen Gnadenerweis bitten
(Ps 25,7; 69,17; 109,26; 119,88.159)[97]. Weil חסד und רחמים
("Erbarmen") aber eine Großmut meinen, die sich nicht in einer
Leistung Gottes und einer Gegenleistung des Menschen aufrech-
nen läßt, kann der Mensch trotz seines Versagens dennoch auf
die Gnade Jahwes hoffen. Die Gewißheit darüber, daß die Güte
Jahwes seinen Zorn überdauert, schöpft der Beter aus der Erkenntnis, daß Jahwe der gegenüber dem Widerstand der Menschen
freie Gott ist, der sich selbst und deshalb auch seinem Volk
treu bleibt. Wie schon Hosea Jahwes Beziehung zu einem sündigen Volk mit der Liebe Jahwes und damit in seinem Gottsein
begründet (Hos 11,8f.), so ordnet auch der Verfasser von
Klgl 3 das Vertrauen auf die Gnadenerweise Jahwes dem Wesen
Gottes zu[98]. Und weil sein Wesen immerwährende Treue ist,
können חסד und רחמים hier Menschen zugesagt werden, die
im Grunde keinen Anspruch mehr darauf haben. "Neu sind sie
jeden Morgen, groß ist deine Treue" lautet daher der Lobpreis
in V.23, den der Leidende als persönliche Überzeugung ausspricht. חדש ("neu") bezeichnet zusammen mit dem Hinweis

---

97 Zur Begriffsgeschichte vgl. H.J.STOEBE, Art. חסד , in:
   THAT I, 600-621; DERS., Art. רחם , in THAT II, 761-768;
   DERS., Die Bedeutung des Wortes חסד im AT: VT 2 (1952)
   244-254; LOHFINK, Gottes Erbarmen in der Erfahrung des
   AT: GuL (1956) 408-416.
98 Vgl. Jes 63,7; Ps 36,6; 89,34; 105,5; 119,75.90; 146,6;
   Sir 2,9-11.

"jeden Morgen" die Unerschöpflichkeit der göttlichen Bundes-
treue[99], die Jahwe immer wieder seiner Schöpfung zukommen läßt,
damit sie leben kann. Deshalb kann jeder, der sich zu diesem
Gott bekennt, sein Leben auf dessen Treue gründen.

Ein solches Bekenntnis zu Jahwe spricht der גבר in V.24 für
seine Person aus und macht damit zugleich seine Anklage Jahwes
in V.17.18 rückgängig. "Mein Teil ist Jahwe" lautet in V.24a
seine wiedergefundene Überzeugung. Diese Aussage hat ihre alttestamentliche Vorgeschichte. Als bei der Landverteilung jeder
Stamm Israels seinen Anteil (חלק) bekam, erhielt nur der
Priesterstamm Levi kein Territorium. Sein Besitz war in sehr
realistischer Weise Jahwe. Gemeint war damit, daß Levi durch
kultische Abgaben und Anteile an den Opfern seinen Unterhalt
empfing (Dtn 10,9; Num 18,20; Dtn 12,12; 14,27; Jos 13,14).
An diesen Sachverhalt lehnt sich ein übertragener Sprachgebrauch an, der in verinnerlichter Weise von Jahwe als dem zu-
erteilten Los und dem Lebensgrund spricht (Jer 10,16 = 51,19;
Ps 73,26; 142,6). In einem Bekenntnis zu Jahwe in diesem Sinn
findet der Leidende von Klgl 3 einen Halt, der ihm in der gegenwärtigen Not die Gewißheit seiner Hoffnung auf Rettung verleiht: "Mein Anteil ist Jahwe, spricht meine Seele, darum harre
ich auf ihn". Das Harren auf Jahwe meint hier aber nicht eine
vage Zuversicht auf bessere Zeiten oder gar ein kindliches Vertrauen[100], sondern die Gewißheit, daß Gott dem Frommen den rettenden Eingriff kraft seiner Treue nicht schuldig bleiben wird.
Indem der Leidende von Klgl 3 sich zu dieser Wahrheit bekennt,
zeigt er im Warten auf Jahwes Handeln, daß sein Glaube auch der
Versuchung standhält. Dieser Zusammenhang erinnert an prophetische Texte, in denen neben dem Ruf zum Harren auf Jahwe der Ruf
zum Glauben steht: Jes 7,9; 8,17; 30,15; Hab 2,3. Im Gebrauch
und im Verständnis von יחל wird aber auch die Nähe zu den weisheitlichen Ermahnungen bezüglich der Gottesfurcht spürbar. ירא
יהוה meint nämlich das Spähen auf das, was Gott tut, sowie

---

99 WESTERMANN, Art. חדש , in: THAT I, 524-530.
100 WIESMANN, Klagelieder, 180.

das ständige Warten auf Jahwes Zuwendung und Heilstreue
(Ps 27,14; 37,7; 42,6; 130,7; 131,3; 147,11; Ijob 35,14).
Der prospektive Aspekt des Gottvertrauens, der hier und in
späterer Zeit häufig hervorgehoben wird, zeigt, daß die Rede
vom Harren auf Jahwe einen wichtigen Übergang vom Psalmenge-
bet in die Weisheitsrede darstellt[101]. In Klgl 3,21 ist der
weisheitliche Charakter deutlich erkennbar. Es handelt sich
bei diesen Versen, wie der Wechsel von Du- und Er-Rede in
bezug auf Jahwe zeigt, um eine reflektierende Erweiterung
des im Psalm üblichen Bekenntnisses der Zuversicht und des
Vertrauens auf Jahwe, mit dem der Beter die Anfechtung seines Glaubens durch das Leid überwindet.

V.25-33

Das aus den Überlegungen von V.21-24 resultierende Verhalten
beschreibt der Verfasser in V.25-27 in Form einer allgemeingültigen Wahrheit. Bei diesen drei Sätzen fällt auf, daß die
jeweils sich anschließende Äußerung die Schlußfolgerung aus
der vorhergehenden zieht.

Die V.25 verheißene Güte Jahwes für den Menschen gründet sich
auf das in V.21ff. als gnädig erkannte Wesen Jahwes. Diese
Güte erschließt sich aber nur dem, der die rechte Haltung des
Hoffens einnimmt. קוה ("hoffen") bezeichnet in der Grundbe-
deutung das angespannte Hingerichtetsein auf etwas und meint
in bezug auf Jahwe das feste Vertrauen auf seinen rettenden
Eingriff[102]. Im Parallelismus membrorum zu קוה steht in V.25
das Verbum דרש ("suchen")[103]. Im ursprünglichen Sinn hat es
die Bedeutung "Jahwe in seinem Heiligtum aufsuchen" (1 Sam 9,9),
in seiner übertragenen Bedeutung meint es "die Verbindung mit
Jahwe suchen" (Jer 29,13f.). In diesem Sinne bezeichnet דרש
auch in Klgl 3,25 den Habitus eines frommen Menschen, der Gott
mit ganzem Herzen sucht.

---

101 WESTERMANN, Das Hoffen im AT, München 1964, 219-165.254.
102 WESTERMANN, Hoffen, 226.
103 Vgl. G.GERLEMANN - E.RUPRECHT, Art. דרש, in: THAT I,
     460-467.

Hat· in V.25 das Wort טוֹב auf Jahwe bezogen die Bedeutung "gü-
tig", so bekommt das Wort in V.26f. den Charakter einer Wertung
von Vorgängen. Wenn der Herr denen "gut" ist, die das ihnen auferlegte Joch annehmen, so ist es für den Menschen "gut", daß er
in der Zwischenzeit des Wartens geduldig auf die göttliche Hilfe
harrt[104]. Mit der Empfehlung, "schweigend" (דוּמם) auf das
Eingreifen Jahwes zu warten, ist aber kaum die Resignation des
Unterlegenen gemeint, sondern das positive Verhalten eines Menschen,der sich nicht zu Unbedachtem hinreißen läßt und in seinem
Tun seine innere Überzeugung kundtut[105]. Interessant ist in diesem Zusammenhang der Vergleich mit der Ijoblegende (Ijob 1-2,13;
42,7-17), wo Ijob gleich dem Leidenden von Klgl 3 die Zerstörung
seines Lebensglücks durch den Zorn Jahwes hinnehmen muß. Ijob
äußert dennoch nichts Ungehöriges gegen Jahwe (1,22; 2,10). Dies
ist auch der Sinn des in Klgl 3,26 empfohlenen Schweigens: nicht
gegen Gott aufbegehren, sondern sich still unter das Gericht Jahwes beugen.

Von V.27 an werden Anweisungen gegeben, wie dieses Verhalten für
die Zeit der Not, gemeint ist das Gottesgericht, in einer konsequenten Erziehung einzuüben ist. Zunächst ist es gut, in einer
harten Jugend an Entbehrungen gewöhnt zu werden, damit eine solche Erfahrung auch in eine religiöse Qualität umgesetzt werden
kann. Die Schwierigkeiten im Leben des Menschen werden hier von
ihrer positiven, charakterbildenden Seite her gesehen. Aus dieser Sicht entwickelt sich in der weisheitlichen Schuldoktrin die
Lehre von einer Züchtigung durch Jahwe, die dieser vollzieht, um
den Menschen zur Erkenntnis seiner Fehler zu bringen (vgl. Ijob
5,17-27; 22,1-30; 33,15-30; 36,7-15).

---

104 Vgl. in diesem Zusammenhang die Definition der Sünde in Jes
     30,15 und Ps 106,13, die dort als ein Heraustreten aus dem
     geduldigen Warten auf die Erfüllung des göttlichen Heils-
     planes verstanden wird.
105 Vgl. Ps 37,7; Jes 30,15; Am 5,13; Ijob 29,21; 31,34.

V.28 beschreibt die rechte Haltung, die im Leiden eingenommen werden soll. Einsam soll der Mensch dasitzen und nicht
murren oder aufbegehren, sondern über seine Situation nachdenken. Tief in den Staub soll er sich beugen und· vor Gott
demütigen (V.29). Aber auch wenn der Mensch das Tun Gottes
bejaht, kann er aus seinem Verhalten keinen Anspruch auf eine
Rettung durch Jahwe ableiten. Ob und wann Gott erbarmend handelt, kann nur in einem einschränkenden "vielleicht" ausgesagt werden[106]. Damit soll jedoch die Erkenntnis von V.21-24
über das nie endende Erbarmen Gottes nicht wieder einge-
schränkt werden. Vielmehr wird hier eine Einstellung verlangt,
die die Entscheidung über die Zukunft der göttlichen Freiheit
und Souveränität überläßt, weil Jahwe der alleinige Herr ist.
Seinem Schiedsspruch soll sich der Mensch in Demut beugen.

Daher folgt in V.30 die Mahnung, die Zeit des Gerichtes aus-
zuhalten und sich unter Gottes Zorn zu stellen. Der Mensch
soll sogar seine Wange dem ihn schlagenden Gott darbieten und
sich satt machen lassen mit Schmach (V.30). Mit dieser Betonung vom aktiven Wert des Leidens entspricht diese Paränese
kaum den sonst geläufigen Aussagen der Klagepsalmen; denn der
Backenstreich gilt im AT gewöhnlich als schimpfliche und erniedrigende Bestrafung (1 Kön 22,24; Mi 4,14; Ijob 16,10; Jes
50,6). Ebenso kommt die Aussage über das Sattwerden von der
Schmach in den Klagepsalmen entweder als ein Moment der Anklage oder als ein Beweggrund für das göttliche Eingreifen
(Ps 88,4; 123,3.4; Ijob 9,18) vor. Hier dagegen wird zum geduldigen Ertragen aller von Jahwe verhängten Lästerungen und
Schmähungen aufgerufen. Warum diese Haltung die einzig richtige ist, wird in V.31f. entfaltet: Die von Jahwe verhängte
Trübsal nämlich ist eine vorübergehende und wird ein Ende nehmen, weil dieser nicht auf immer verschmäht (vgl. Dtn 32,39;
1 Sam 2,6; Hos 6,1; Ijob 5,18f.; 19,25f.). Das göttliche Gericht an Israel mit allen seinen Auswirkungen ist nicht Ausdruck einer Böswilligkeit Jahwes. Seine Grundgesinnung bleibt
nach wie vor seine barmherzige Liebe. Im Stichwort חסד wird

---

106 Vgl. Ex 32,30; 2 Sam 12,22; Joel 2,14; Jon 3,9.

daher in V.32 auf die religiöse Erkenntnis der Verse 21-24 zurück verwiesen, wie überhaupt die didaktisch paränetischen Ausführungen in V.25ff. eine lehrhafte Explikation der Erfahrung
V.22-24 sind[107]. Auf diesem Hintergrund sieht der גבר die Ini-
tiative Gottes in seinem Zorngericht jetzt von einer anderen
Seite: Gott verhängt die Trübsal nicht von Herzen und aus Freude
an der Qual des Menschen, sondern deshalb, weil die Züchtigung
für den sündigen Menschen heilsam ist. Der Zorn Jahwes ist nach
dem Zeugnis von V.33 eine unumgängliche Maßnahme, aber keine
Wesenseigenschaft Jahwes. Mit dieser Aussage ist der Ernst des
Gottesgerichtes keineswegs abgeschwächt; denn nur dem, der das
Gericht bejahend auf sich nimmt, öffnet sich der Blick für die
in V.31-33 genannten Zusammenhänge. Diese Erkenntnis aber hat
weittragende Konsequenzen für die Bewertung aktueller Schwierigkeiten, wie sie in V.34-36 genannt werden.

V.34-39

In rhetorischer Fragestellung (vgl. Klgl 2,13) greift der Verfasser in V.34f. Bedenken des Volkes auf, die den Glauben an
Jahwes Barmherzigkeit und Gnade schwer machen. Die Mißhandlung
der Gefangenen, die grundlose Bedrückung der Bevölkerung sowie
die allgemeine Rechtlosigkeit im Land haben nämlich den Verdacht
aufkommen lassen, daß Jahwe mit Absicht die Augen verschlossen
habe und entweder unbekümmert oder ohnmächtig der triumphierenden Gewalt zusehe.

Die Aussage über das Zertreten der "Gefangenen des Landes" (V.34)
beschreibt allgemein die grausame Behandlung der Bevölkerung
durch die Babylonier[108]. Die in V.35 und V.36 genannten Frevel
dagegen beziehen sich auf die Rechtsunsicherheit, welche das
alltägliche Leben der Bevölkerung schwer beeinträchtigt. Der

---

107 KRAUS, Klagelieder, 64.
108 Zur Bezeichnung der Bevölkerung als "Gefangene des Landes"
     vgl. Ps 68,7; 69,34; 79,11; 102,21; 107,10; Jes 42,7; 49,9;
     Sach 9,11-12.

dem alten Israel eigentümliche Aufbau der Rechtsgemeinde[109]
brachte es mit sich, daß,nachdem vorher Unbemittelte 586
Landbesitz erhielten (2 Kön 25,12), diese nun im Rechtsstreit
mitzureden hatten[110]. Weil sie aber häufig nicht zu den Jahwetreuen gehörten (Jer 5,4), beugen sie im "Angesicht des Höchsten" (עליון), also vor dem Gericht, das in Jahwes Nahmen
gehalten wird, das Recht.

Mit der Bezeichnung Jahwes als עליון ist seine Herrscherge-
walt und in besonderer Weise seine Tätigkeit als Weltrichter
gemeint (Ps 58,12; 76,9ff; 94,1-2)[111]. Daß er das Unrecht nicht
beseitigt, wird daher im Volk als Beeinträchtigung seiner Machts-
sphäre verstanden. Der Verfasser von Klgl 3 bestreitet jedoch
die Vorwürfe, die hier an die Adresse Jahwes gerichtet sind,
indem er daran erinnert, wer Jahwe ist, nämlich der Schöpfer
und Herr der Geschichte, neben dem es keine andere Macht gibt.
Sein Wort, das die Schöpfung ins Dasein rief, ist auch die
eigentliche, die Geschichte gestaltende Macht (V.37). Deshalb
betont V.38: Aus Jahwes Hand geht Gutes und Böses hervor. Auch
die feindlichen Eroberer hätten ihren Plan nicht durchführen
können, hätte Jahwe nicht den Untergang befohlen.

Mit dem Hinweis auf Jahwes weltüberlegene Macht will der Verfasser seine Zuhörer zu einer Neubesinnung und Änderung ihres
Verhaltens führen. Der Vorwurf von HALLER, dem Verfasser von
Klgl 3 entginge dabei, daß er Gott so zum Urheber des Bösen
mache und damit in einer doch recht mißverständlichen Redeweise einem willkürlichen Handeln Gottes Raum gebe[112], trifft
nicht zu, da für den Verfasser von Klgl 3 die Ursache für das
Leid in der Sünde des Menschen liegt.

---

109 Vgl. L.KÖHLER, Die hebräische Rechtsgemeinde, Darmstadt
    1976, 143ff.
110 JANSSEN, Juda in der Exilszeit, 49-54.
111 W.H.SCHMIDT, Art. אל , in: THAT I, 142-149; KRAUS, Psal-
    men, 97ff.
112 HALLER, 105.

Daher wird in V.39 dem Menschen das Klagen und Anklagen unter-
sagt; denn auch der Mensch, der die Katastrophe überlebt hat,
gehört nicht einem schuldlosen Rest, sondern dem gerichteten
Volk an und ist dadurch als Sünder erwiesen.

Mit V.39 ist der rein belehrende Teil in Klgl 3 abgeschlossen.
Er lief darauf hinaus, die Hörer zu einem bestimmten Verhalten
im Gottesgericht aufzurufen und dieses in einer richtigen Sicht
vom Wesen Gottes her zu begründen. Damit sind die anklagenden
Partien V.1-16 und 17-20 als ein für den Frommen inadäquates
Verhalten erwiesen worden. Die Aussagen in V.40f. zeigen demgegenüber die wahre Praxis der in V.25f. neu gewonnenen Einsicht. Dabei entspricht der Bußruf in V.40f. im konzentrischen
Aufbau des Liedes dem Ruf zum Vertrauen auf Jahwe in V.21f.
Weil Jahwe der gnädige Gott ist (V.21f.), kann nach einer Versöhnung mit ihm Ausschau gehalten werden.

V.40-47

Der Absicht der vorangehenden Verse entsprechend setzt in V.40-
41 ein Aufruf zu echter Umkehr ein. Inhaltlich gesehen schwenkt
der Verfasser hier in die Linie prophetischer Umkehrforderung
ein, wie sie sich vor allem in der Bearbeitung des Buches Jeremia findet (3,21f.; 4,14; 18,7f.; 24,7; 25,5; 36,3.7; vgl. Am
4,4-11). Dabei fordert er die Aufrichtigkeit der Umkehr, die
sowohl die Abkehr von der Sünde wie auch die Hinwendung zu Jahwe
umschließt (vgl. Jer 4,4; Joel 2,13; Hos 6,1f.). Mit den beim
Beten erhobenen Händen soll gleichsam das eigene Herz Jahwe dar-
gebracht werden (V.41).

Das Bußlied in V.42-47 nennt die Auswirkungen des unerbittlichen
Zorngerichtes. Dabei führt das Eingeständnis der eigenen Widerspenstigkeit gegenüber Jahwe in V.42 zu der Erkenntnis, daß Jahwe
aufgrund dieser Abkehr von ihm alle anderen Verstöße gegen seinen
Willen nicht vergeben konnte, sondern über die Bundbrüchigen ein
schonungsloses Gericht verhängen mußte (V.43).

Jahwe war daher auch im Recht, wenn er das Gebet seines Volkes nicht erhörte (V.44; Jes 1,15), sondern sich in die Wolke hüllte und unerreichbar blieb. Mit dieser Vorstellung ist ein Theophaniemotiv übernommen worden (Ps 18,12; Jes 5,6; Ps 68,35; 77,18; 78,23; 97,2), das aber hier in einer Gerichtsaussage erscheint.

Durch die Wolken von Israel getrennt (Ijob 22,13f.) und so im Zorn von Israel abgewandt, hat Jahwe sein Volk den Feinden schutzlos preisgegeben und seine Herrlichkeit in Schande verkehrt (vgl. Ps 44,14; Nah 3,6; Klgl 3,14). Wie in Klgl 2,15 und 16 wird auch in Klgl 3 aufgrund der religiösen Sonderstellung Israels in der Völkerwelt zunächst von der Verachtung des Gottesvolkes durch die Völker (V.45) und dann erst von der Verhöhnung durch die Feinde (V.46) gesprochen.

V.47 faßt zusammen, welches Schicksal sich das Volk durch seinen Abfall verdient hat: Grauen und Grube, Verwüstung und Verderben. Im Hebräischen liegt hier ein Wortspiel vor כחד ופחת (vgl. Jes 24,17f.; Jer 48,43f.), שאת ושבר (vgl. Jer 4,6.20; 6,1; 8,21; 10,19; 14,17; 30,12; Klgl 2,11.13; 4,10).

V.48-51

Ging die Notklage des Einzelnen vor Jahwe in V.17-20, die im konzentrischen Aufbau des Liedes derjenigen in V.48-51 entspricht, im Schmerz des Klagenden und in der Anklage Jahwes unter, so hat im Gegensatz dazu die Klage in V.48f. ein festes Ziel vor Augen: Der Mann, dessen Trauer (vgl. Klgl 1,16; 2,11.18) größer ist als die der Jungfrauen seiner Stadt, will nicht ablassen von seiner Klage, "bis Jahwe vom Himmel herabschaut und dreinsieht" (V.50), um der Not ein Ende zu machen und sich des Volkes zu erbarmen. Daß dessen Hoffen auf ein Eingreifen Jahwes nicht vergeblich ist, dokumentiert der Verfasser an der in V.52ff. dargelegten Erfahrung des Sprechers von Klgl 3.

V.52-66

In V.52 beginnt die Erlebnisschilderung eines Mannes, der in
eine tödliche Gefahr geraten war. Er ruft sich nun die Errettung, die Jahwe ihm auf sein inständiges Flehen hin zuteil
werden ließ, ins Gedächtnis zurück, und stellt das göttliche
Eingreifen zu seinem Heil daher betont in den Mittelpunkt der
Darstellung: "du hörtest" (V.56.61), "du sahst" (V.59.60),
"du nahtest dich" (V.57).

V.52 schildert zunächst die Hoffnungslosigkeit des Verfolgten
im Bild des von seinen Feinden gejagten Vogels (Ps 11,1; 124,7;
55,7f.; Ps 91,3f.). Die hier erwähnte "grundlose" Feindschaft
bezieht sich aber nicht, wie RUDOLPH meint, auf die Sündlosig-
keit des Verfolgten, der daher nur der Prophet Jeremia sein
könne[113], sondern auf den fehlenden besonderen Grund bei den
Feinden. Das Motiv der "grundlosen Feindschaft", das sich in
einer Reihe von Psalmen findet und zur Charakteristik des
feindlichen Tuns gehört (Ps 38,20; 69,5ff.), will darauf hinweisen, daß die böse Gewalt letztlich immer grundlos ist. Die
Feinde des Einzelnen sind zwar ohne Zweifel Menschen, die als
Übeltäter denken, reden und handeln. Die Bedrohung aber, die
von ihnen ausgeht, sowie die ohnmächtige Lage des von ihnen
Verfolgten machen deutlich, daß hier das Tun der Feinde in
seinen eigentlichen Wurzeln begriffen wird: Sie sind ein Symbol maximaler Gottlosigkeit und böser Machtentfaltung, sozusa-
gen ein Urbild des Bösen, die Schöpfung Korrumpierenden und
von Jahwe Trennenden[114].

Der Schilderung in V.53 liegt das Bild einer Jagd auf Groß-
wild zugrunde, das man in Fallgruben fing und durch Steinwürfe
erlegte. Wie ein auf diese Weise gehetztes Wild fühlte sich
der Klagende, dessen Verfolger (vgl. Ps 7,16; 9,16; 31,5;
35,7-8; 57,7; 59,7f.; 64,4; 140,6) keine Ruhe gaben, bis sie
ihn in der Grube - ein Bild für größte Not und unentrinnbares
Unheil (Ps 7,16; 40,3) - gefangen sahen.

---

113 RUDOLPH, 243.
114 Zur Bedeutung und Rolle der Feinde des Einzelnen vgl.
    KRAUS, Psalmen, 112ff. und die dort angegebene Literatur.

Wie ein Ertrinkender kam er sich vor, über dem die Wasser-
fluten - ebenfalls ein auch sonst übliches Bild für höchste
Todesgefahr (Ps 88,18; 69,2; Jona 2,4f.; Ps 18,5.17; 66,12;
32,6; 40,3; 42,8; 69,2f.15f.; Jer 47,2f.) - zusammenschlugen
(V.54).

Völlig verzweifelt sah er sich schon "vom Leben abgeschnitten"
(גזר ; vgl. Ps 18,17; 32,6; 40,3; 42,8; 69,2; 88,18; Jona 2,4;
Ez 37,11), ohne eine Aussicht auf Rettung. Er gab dennoch die
Hoffnung nicht auf, sondern rief aus dem "Tiefsten der Grube",
aus der Todessphäre, Jahwes Namen an (V.55); weil Jahve namentlich der Gott ist, der seinem Volk versprochen hatte, nahe
zu sein (Ex 3,14). Jahwe hatte ein Einsehen, vernahm das
Schreien des Verlassenen und ließ ihm Trost und Rettung wider-
fahren. Die in diesem Zusammenhang (V.57) gebrauchte Wendung
"Fürchte dich nicht"[115] leitet im AT sehr oft die gnädige Zuwendung Jahwes zum Menschen (Gen 15,1; Jos 8,1; Jes 43,1; Jer
1,8) ein.

V.58f. beschreibt den Charakter der Rettung: Im Kampf des
Heimgesuchten um sein Leben, den der Verfasser als einen
Rechtsstreit darstellt (Ps 35,23f.; 41,3; 74,22; 119,154),
ergriff Jahwe für den Leidenden Partei und "erlöste" sein
Leben.

In diesem Zusammenhang wird das hintergründige Verbum גאל
gebraucht. Der Begriff Erlösung, der ursprünglich Loskauf bedeutet, stammt aus dem israelitischen Familienrecht und meint
dort, daß jemand verpflichtet ist, Sippeneigenes, das in fremden Besitz geraten ist, durch Rückkauf wieder in den anfäng-
lichen Besitzstand zurückzuführen (Lev 25,23-31)[116]. Der Ver-

---

115 Vgl. KÖHLER, Formula revelationis: Schweiz. Theol. Z.
     (1919) 33-39; S.PLATH, Furcht Gottes. Der Begriff ירא
     im AT, Stuttgart 1964; N.KIRST, Formkritische Untersu-
     chung zum Zuspruch "Fürchte dich nicht" im AT, Hamburg,
     1968.
116 Vgl. J.J.STAMM, Art. גאל , in THAT I, 383-394.

fasser von Klgl 3 wendet diesen Begriff auf das errettende Handeln Gottes an, um zu zeigen, daß Jahwe, wie im konkreten Fall der Loskäufer, aus einer inneren Verbindung zu seinem "Besitz" heraus so handelt. Deshalb kann der Gerettete die Tatsache, daß Jahwe sich des Verfolgten von Klgl 3 angenommen und im Angesicht seiner Feinde dessen Recht wiederhergestellt hat, zum Paradigma einer Erlösung hinstellen, die für seine gegenwärtige Not von großer Bedeutung ist.

In V.62 schwenkt er in sein jetziges Erleben ein und beklagt vor Jahwe, nachdem er in V.61 dessen Vergeltung an seinen Feinden in der Vergangenheit geschildert hat, das ebenso schändliche Verhalten der Gegner in der Gegenwart. In V.63 bittet er deshalb, daß Jahwe auch jetzt wieder dreinsehen und alles, was die Feinde tun und lassen, im Auge behalten möge. Daß Gott die Feinde richten wird, dessen ist er gewiß, weil Jahwe die Geschichte der Völker nach seiner Gerechtigkeit lenkt. In verschiedenen Wendungen wird in V.64-66 das erwartete Zorngericht an den Feinden variiert: Jahwe wird ihnen ihr Tun vergelten, er wird ihren Sinn verblenden und sie im Zorn verfolgen und vernichten. Mit dieser Gewißheit des göttlichen Eingreifens am Ende des dritten Klageliedes hat der Verfasser von Klgl 3 sein Ziel erreicht: einen Weg zu finden, das Gericht Jahwes an seinem Volk auch im Einzelfall als Sündengericht anzunehmen und positiv zu bewältigen.

2. Die Frage nach dem Kontext von Klgl 3

Klgl 3 ist keine Texteinheit, die isoliert von den sie umgebenden Liedern zu verstehen ist. Schon das äußere Signal der alphabetischen Struktur, die allen fünf Liedern gemeinsam ist, lenkt die Aufmerksamkeit auf den größeren Textzusammenhang des Liedes. Entscheidend aber ist die Tatsache, daß in Klgl 3 das Einzelschicksal im Gottesgericht auf einen Hintergrund thematisiert wird, der in Klgl 1.2.4.5 in allen seinen Konsequenzen ausgeleuchtet erscheint. Daß der Verfasser von Klgl 3 sein Lied auf eben diesem Hintergrund gelesen wissen will, zeigt, neben der

Stellung von Klgl 3 in der Mitte der Liedsammlung, der erste
Vers, wo im Suffix von עברתו deutlich an Klgl 2,22 angeknüpft wird. Dann aber ist die Frage nach dem Kontext in der
Tat eine für das Verstehen des Liedes wesentliche Frage. Es
darf daher von der Sichtung des Textzusammenhanges nicht nur
eine Erhellung der redaktionellen Zusammenhänge erwartet werden, sondern vor allem ein form- und traditionskritischer
Ertrag zur Erklärung der bereits erkannten neuen Form der
"Gerichtsklage des leidenden Gerechten" in Klgl 3.

B. Der Kontext der Gerichtsklage des leidenden Gerechten im Buch der Klagelieder
Formkritische und semantische Analyse

1. Klgl 1

a. Text

> V.1   Ach[117], sie liegt da vereinsamt,
> die Stadt an Volk so reich[118],
> sie gleicht einer Witwe[119];
> die Herrin unter den Völkern,
> die Fürstin über die Gaue,
> sie ward zur Frönerin.

---

117 Mit Recht sagt KRAUS, daß der für die Totenklage so charakteristische Ruf איכה (Klgl 2,1; 4,1; Jes 1,21; 14,4;
Jer 48,17) nicht als Anacrusis von dem eigentlichen Vers
abgesetzt und als Auftakt verstanden werden kann, wie
dies TH.H.ROBINSON noch in BHK tut (Klagelieder, 22).
Vgl. auch ROBINSON, Anacrusis in Hebrew Poetry, in: Werden und Wesen des ATs (BZAW 66), 1936, 37-40; DERS., Notes on the Text of Lamentations: ZAW 51 (1933) 255-259;
ZAW 52 (1934) 308-309.309-311. In BHS hat ROBINSON daher ישבה als Partizip punktiert, wodurch jetzt unter
Einbeziehung von איכה in V.1a ein einwandfreies Me-
trum zustandekommt.

118 Im Unterschied zu der Wiedergabe "die Stadt an Volk so
reich" (V.1a), bei der רבתי als ein mit Chirek com-
paginis gebildeter Status constructus der Femininform

V.2   Sie weint und weint die Nacht durch[120],

und ihre Tränen (rinnen) über ihre Wange.

Es gibt für sie keinen Tröster

unter all ihren Liebhabern,

all ihre Freunde verrieten sie,

wurden ihr zu Feinden.

---

des Adjektivs רב ("groß, reich") vorausgesetzt wird (vgl.
die ähnliche Verwendung in 1 Sam 2,5), plädiert TH.F.McDA-
NIEL im Hinblick auf "die Herrin unter den Völkern" in V.1b
und "die Fürstin über die Gaue" in V.1c dafür, daß auch in
V.1a רבתי substantivisch als "Herrin" übersetzt werden
muß (Philological Studies in Lamentations I: Biblica 49
(1968) 27-53.29-31). Danach würde V.1a lauten: "Ach - sie
liegt da vereinsamt, die Stadt (einst) Herrin über ein
Volk". Sachlich besteht kein Unterschied zu der obigen
Übersetzung.

119 Angesichts der üblichen Setzung des Atnach in Klgl 1;2;4
nach dem ersten oder zweiten Versteil fällt die Setzung
des Atnach in der Mitte des zweiten Stichos (nach אלמנה)
auf; sie wird daher von den meisten Erklärern als "falsch"
bezeichnet und entsprechend den anderen Versen hinter עם
oder גוים verlegt (WEISER, 48; RUDOLPH, 206; KRAUS, Klagelieder, 22). Jedoch finden sich auch für die Akzentuie-
rung von אלמנה gute Gründe. Da die masoretische Punktation und Zeichensetzung längst einen festen Gebrauch in
der jüdischen Liturgie des 9. Ab voraussetzt, ist es möglich, daß M in der Zeichensetzung den Text für die Gegenwart aktualisiert und interpretiert. היתה כאלמנה als
negativer Höhepunkt einer ersten Aussagenreihe dient so
zur Kennzeichnung eines noch andauernden Zustandes Jerusalems. Die Aussagenspitze der Anspielungen auf die Ereignisse von 586 dagegen liegt entweder bei בדד (Atnach
hinter עם), das die Versteile b und c in chiastischer
Anordnung erläutern, oder aber sie läuft auf V.1c hinaus
(vgl. auch die besondere Wortstellung), wobei der Atnach
dann hinter גוים stehen müßte, gemäß der in Klgl häu-
figsten Stellung. Die ersten Versteile würden somit der
Situationsbeschreibung dienen, während V.1c resümierenden
Charakter hätte (שרתי berücksichtigt dann רבתי עם /
אלמנה / בדד , מס רבתי בגוים dagegen).
120 M.DAHOOD schlägt vor, בלילה in Anlehnung an die moabiti-
sche Mescha-Inschrift 14-15 mit "während der Nacht, die
Nacht hindurch" wiederzugeben, weil dies der Absicht des
Dichters, die Intensität des Weinens und das unaufhörli-
che Fließen der Tränen zu schildern, am besten entspräche
(New Readings in Lamentations: Biblica 59 (1978) 174f.).

V.3   In die Verbannung ging Juda
nach Leid und viel Knechtschaft[121].
Sie sitzt unter den Völkern,
findet keine Ruhe,
all ihre Verfolger
holten sie ein, mitten in den Nöten.

V.4   Die Wege Zions trauern
weil niemand zum Fest kommt.
All ihre Tore veröden,
ihre Priester seufzen,
ihre Jungfrauen sind betrübt[122],
und sie selbst, bitter ist ihr.

V.5   Zum Haupte geworden sind ihre Bedränger,
ihre Feinde sind sicher,
denn Jahwe, er hat sie bekümmert
ob der Vielzahl ihrer Frevel.
Ihre Kinder zogen fort,
gefangen vor dem Bedränger einher.

---

121   Schwierigkeiten bereitet das Verständnis von מן in V.3a.
Die kausale Wiedergabe "vor Elend und Knechtschaft..."
(BUDDE, 79; LÖHR, Klagelieder 2f.) ist ebenso unwahrscheinlich wie die lokale "aus Elend und Knechtschaft..."
(RUDOLPH, 204-212; HILLERS, 6), weil beide ein dem Kontext fremdes Verständnis voraussetzen. Richtig ist allein
das temporale oder noch besser modale Verständnis "nach
Elend und Knechtschaft..." (ALBREKTSON, 57). Die Aussage-
spitze ist dann, wie der Atnach zeigt, in V.3b: Juda weilt
ruhelos unter den Völkern; die Feinde haben ihr Ziel erreicht.

122   DAHOOD bringt die Form נוגות mit einer von ihm angenommenen und im Ugaritischen belegten Wurzel נגנ ("wegfüh-
ren") in Verbindung (Ugaritic Lexicography: Mélanges
Eugène Tisserant I (= Studi et Testi (231) 1964, 95f.).
Die diesem Verständnis entsprechende Lesart von G:
ἀγόμεναι ist jedoch höchstwahrscheinlich als Wiedergabe
von נהוגות anzusehen. Man wird daher M: נוגות am
besten als Partizip Nifal von יגה ("betrüben; vgl. Klgl
1,5.12; 3,32.33) verstehen, was auch dem Kontext entspricht (so KEIL, 562; ALBREKTSON, 58; RUDOLPH, 206;
KRAUS, Klagelieder, 22; HILLERS, 7).

V.6   Fort ist von der Tochter Zion

all ihre Pracht[123].

Ihre Fürsten wurden wie Hirsche,

keine Weide fanden sie.

So zogen sie kraftlos dahin

vor dem Jäger.

V.7   Es gedenkt Jerusalem

der Tage ihres Elends und ihrer Ängste,

(aller Kostbarkeiten,

die ihr waren seit ehedem[124]),

als ihr Volk in die Hand des Bedrängers fiel

und es für sie keinen Helfer gab.

Es sahen sie die Feinde,

sie lachten über ihr Ende[125].

---

123   הדרה   , das allgemein mit "ihre Pracht" als Abstraktum wiedergegeben wird, regt DAHOOD wegen der Zusammenstellung mit
שריה   zu der konkreten Übersetzung "Edle, Adlige" an (New
Readings, 176). Die abstrakte Übersetzung ist jedoch vorzu-
ziehen, da V.6 die in V.5 begonnene Beschreibung der neuen
Machtverhältnisse auf dem Zion fortsetzt. So meint die
"Pracht Zions" das politsche Ansehen Judas, dessen Repräsentant allerdings die Führungsschicht Jerusalems war.

124 KRAUS bemerkt richtig, daß die Dreiteilung der Strophen in
Klgl 1 hier in V.7 so auffallend gesprengt ist, daß an die
sekundäre Hinzufügung einer Zeile gedacht werden muß. Es
kommt dafür die zweite oder die dritte Zeile in Frage. Für
die sekundäre Hinzufügung der zweiten Zeile spricht der
sinngemäße und reibungslose Übergang von der ersten Zeile
zur dritten. Die dritte Zeile wäre dann als Näherbestimmung
der in V.7a angesprochenen Ängste und Nöte Jerusalems auf-
zufassen (Klagelieder, 22).

125 G.R.DRIVER versteht die Form על־משבתה im Anschluß an G:
ἐπὶ μετοικεσία αὐτῆς   , wo offenbar ein von ישב abge-
leitetes Nomen vorausgesetzt wird, und liest: על־מָשְׁבִיתָה
(vgl.   מוֹשָׁבָה ("Sitz, Wohnort"). Weil DRIVER darin einen
Hinweis auf das Exil vermutet, übersetzt er mit T (עלי
שביתה): "wegen der Gefangennahme" (Hebrew Notes on "Song
of Songs" and "Lamentations" in: Festschrift A.BERTHOLET,
Tübingen 1950, 134-146.136). Mit Recht kritisiert H.GOTT-
LIEB, daß DRIVER mit dieser Wiedergabe nur durch die Überbetonung eines hypothetischen Nebensinnes von מושבה   zu
der vom Kontext gebotenen negativen Wortbestimmung gelangt
(A Study on the Text of Lamentations, Arhus 1978, 14f.;
vgl. auch ALBREKTSON, 62f.) DAHOOD liest unter Beibehaltung

V. 8   Schwer gesündigt hat Jerusalem,
deshalb ist sie zum Greuel geworden.
All ihre Verehrer verachten sie,
weil sie ihre Blöße gesehen haben.
Sie selbst seufzt
und wendet sich ab.

V. 9   Ihre Unreinheit ist an ihrer Schleppe,
sie hat nicht ihr Ende bedacht.
So ist sie entsetzlich gesunken,
es gibt keinen Tröster für sie.
Sieh, Jahwe, mein Elend,
daß so groß tut der Feind.

V.10   Seine Hand streckte aus der Bedränger
nach all ihren Kostbarkeiten.
Ja, sie sah Völker
in ihr Heiligtum kommen,
denen du doch verboten hast,
daß sie eingehen zu dir in die Gemeinde.

---

des Konsonantenbestandes מְשֻׁבָּחֶהָ ("her breakings, her
fragments") und übersetzt: "The enemies looked at her,
they laughed at her destruction"; und weil nach seiner
Meinung die Morphologie von משבתה identisch mit der
von מְשַׁמָּה (Plural: מְשַׁמּוֹת ("Verwüstung, Zerstörung")
ist, das von שמם abzuleiten ist, bringt er משבתה
mit der Wurzel שבב (ug. tbb "to shatter") in Verbindung, die mit שבר bedeutungsgleich sein soll (Is
"Eben Yisrael" a Divine Title? (Gn 49,24): Biblica 40
(1959) 1002-1007.1003). Da jedoch nach GOTTLIEB die ug.
Wurzel tbb von anderen Erklärern als unsicher angesehen
wird (vgl. A.HERDNER, Corpus des tablettes en cunéifor-
mes alphabétiques, Mission de Ras Shamra X, 1963, 89),
und die Berufung auf das hap. leg. שבכים in Hos 8,6
nicht ausreicht, empfiehlt es sich, M als על־משבתה
"ihr Aufhören" (d.h. ihr Untergang) zu verstehen und
von שבת abzuleiten (13f.; vgl. RUDOLPH, 206; KRAUS,
Klagelieder, 22; McDANIEL, 53 A1; HILLERS, 9f.

V.11   Ihr ganzes Volk, sie seufzen,

suchen nach Brot.

Sie geben ihre Schätze für Speise,

um das Leben zu erhalten.

Sieh doch, Jahwe, und schau,

wie verachtet ich bin!

V.12   Auch wenn es euch nicht betrifft, die ihr

des Weges zieht[126],

so schaut doch und seht,

ob es einen Schmerz gibt wie meinen Schmerz,

der mir angetan worden ist,

(mir), die betrübt hat Jahwe

am Tag seines glühenden Zorns.

---

126   Weil RUDOLPH glaubt, daß die Worte אליכם לוא im Zusammenhang weder als Aussage noch als Frage noch als Aufforderung einen brauchbaren Sinn ergeben, hält er sie für eine Randbemerkung ("nicht euch zugedacht"), welche die Angeredeten vor Unheil schützen soll; sie entspricht dem jüdischen עליכם לא , das man gebraucht, wenn man einem anderen gegenüber von Krankheit oder Unglück spricht. Als dann die Randbemerkung in den Text kam, verdrängte sie, wie RUDOLPH meint, das erste Wort aus der ל -Strophe, das wahrscheinlich לכו gelautet hat (207). Ähnlich urteilen auch KRAUS (22) und PLÖGER (134). KAISER schlägt vor, שמעו אלי zu lesen in Angleichung an V.18b.21ab (Klagelieder, 309). Besondere Beachtung verdient jedoch die Erklärung von ALBREKTSON, der, ausgehend von der Bedeutung der Präposition אל in Gen 20,2; 1 Sam 4,19; Mal 2,1; die Worte אליכם לוא übersetzt: "(Es ist) nicht für (über) euch; (dies ist) nichts, das euch betrifft: "(It is) not for (or, about) you, (this is) nothing which concerns you) (68f.)". Bei Annahme dieser Deutung läßt sich M durchaus ein Sinn abgewinnen.

V.13 Aus der Höhe sandte er Feuer,

in meine Glieder ließ er es fallen[127].

Er spannte ein Netz meinen Füßen,

warf mich rücklings nieder,

er machte mich starr vor Entsetzen,

krank für alle Zeit.

V.14 Schwer lastet auf mir das Joch meiner Sünden[128],

durch seine Hand sind sie zusammengefügt worden;

sie stiegen mir über den Hals;

straucheln machte er meine Kraft.

Es gab mich der Herr in die Hände derer,

denen ich nicht standhalten konnte.

---

127 KRAUS meint, daß sich bei וירדנה trotz G (κατήγαγεν)
eine Textveränderung erübrige, wenn רדה hier in seiner
ursprünglichen Bedeutung (wie Joel 4,13) aufgefaßt würde (Klagelieder, 23). Mit Recht sagt RUDOLPH, daß diese
Erklärung nicht überzeugt, einerlei, ob man Jahwe oder
אש (das überwiegend femininum ist) als Subjekt nimmt.
Richtig ist vielmehr nach ihm die Ableitung der Form
וירדנה von ירד im Hifil: יורידנה , wozu gegen die
Akzente noch בעצמתי zu ziehen ist (207). Man kann sich
in der Tat fragen, ob die Schwierigkeit nicht dadurch
entstanden ist, daß am Wortanfang von יורידנה die
Buchstaben י und ו vertauscht worden sind.

128 Da eine Wurzel שקר unbekannt ist und die Annahme der
Wurzel שקד in Verbindung mit על keinen Sinn ergibt,
empfiehlt sich nach Ansicht von RUDOLPH die Lesart נִקְשָׁה
על oder noch besser נִקְשָׁה עָלַי (207). Es stellt
sich jedoch die Frage, ob man nicht unter Beibehaltung
des Konsonantenbestandes von M und in Anlehnung an G
(ἐγρηγορήθη ἐπὶ) den Vers נִשְׁקַד עַל פְּשָׁעַי ("ge-
wacht ward über meine Sünden") lesen soll (vgl. Jer
31,28; 44,27). Im Hinblick jedoch auf die Parallelität der Aussagen in V.14ab, wo jeweils im ersten Teil
des Stichos von der Sünde Jerusalems und im zweiten
Teil von der dazu gehörenden Fügung Jahwes die Rede
ist, legt es sich nahe, dem ersten Vorschlag von RU-
DOLPH zu folgen und נִקְשָׁה עַל פְּשָׁעַי zu lesen.

V.15 Verworfen hat all meine Helden
der Herr in meiner Mitte.
Er rief aus gegen mich ein Fest,
zu zerschlagen meine Jünglinge.
Die Kelter trat der Herr
gegen die Jungfrau Tochter Juda[129].

V.16 Darüber muß ich weinen,
mein Auge, mein Auge[130] fließt über von
   Wasser;
denn fern von mir ist ein Tröster,
der mir den Lebensmut wiedergäbe.
Verstört sind meine Kinder;
denn stark ist der Feind.

V.17 Ausgebreitet hat Zion ihre Hände,
doch es gibt keinen Tröster für sie.
Aufgeboten hat Jahwe gegen Jakob
seine Nachbarn als Bedränger.
Jerusalem ist geworden
zum Abscheu unter ihnen.

---

129 Die ungewöhnliche Ausdrucksweise (die Kelter treten gegen
....) erklärt sich daher, daß nach KRAUS (Klagelieder, 32)
das Bild von der Kelter im AT eine stehende Metapher für
ein Blutbad gewesen ist (vgl. Joel 4,13; Jes 63,3).

130 Das eine ‏עיני‎ ist wohl mit G zu streichen. Nach manchen
Erklärern handelt es sich vielleicht um eine ursprüngliche
Randbemerkung (‏עיר‎), die darauf hinweisen wollte, daß
hier im Unterschied zu Kap. 2-4 die ‏ע‎ -Strophe vor der ‏פ‎ -
Strophe kommt (so RUDOLPH, 208; KRAUS, Klagelieder, 23).
Will man M beibehalten, dann läßt sich die Doppelung als
eine emphatische Hervorhebung verstehen, der man auch an
anderer Stelle (Dtn 16,20; Jes 21,9; Ps 68,13) begegnet
(vgl. GOTTLIEB, 19).

V.18   Gerecht ist er, Jahwe;

        denn ich habe seinem Wort getrotzt.

        Hört doch, all ihr Völker

        und seht meinen Schmerz.

        Meine Jungfrauen und Jünglinge

        zogen in Gefangenschaft.

V.19   Ich rief nach meinen Liebhabern,

        (doch) sie[131] haben mich verraten.

        Meine Priester und meine Ältesten

        sind in der Stadt verschmachtet,

        als sie nach Speise für sich suchten,

        um ihr Leben zu erhalten.

V.20   Sieh, Jahwe, wie bang mir ist,

        mein Inneres glüht,

        es dreht sich mein Herz mir im Leib,

        weil ich so widerspenstig gewesen bin.

        Draußen macht kinderlos das Schwert,

        drinnen gleicht es dem Tod[132].

---

131 McDANIEL versteht המה als Demonstrativpartikel mit
     derselben Funktion wie הנה . Zum Beweis dafür be-
     ruft er sich auf ug. hm, das als eine Variante des üb-
     lichen hn verstanden werden kann (33f). Doch ist die-
     ses Verständnis des ug. hm nicht unbestritten. GOTT-
     LIEB weist hier auf die Untersuchung von J.C.DE MOOR
     (Ugaritic hm - Never "Behold": UF 1 (1969) 201f.) hin
     (20). Der Vorschlag, המה als Demonstrativpartikel
     aufzufassen, ist aber auch deshalb unwahrscheinlich,
     weil dann immer noch ein Suffix folgen müßte, um die
     beabsichtigte Hervorhebung der Liebhaber zum Ausdruck
     zu bringen.
132 G hat die schwierige Wendung בבית כמות durch eine
     Umstellung der Wörter zu deuten versucht (ὥσπερ θάνατος
     ἐν οἴκῳ), was jedoch kaum die Aussageabsicht von M
     trifft. RUDOLPH folgt dem Vorschlag von F.PERLES (Was
     bedeutet כמות Threni 1,20?: OLZ 23 (1920) 157f.),
     der בבית כמות liest und den letzteren Ausdruck
     von akkad. kamutu ("Gefangenschaft") ableitet (208;
     ebenso WIESMANN, Klagelieder 122f.). Gegen diesen
     Vorschlag spricht jedoch der Parallelismus der Aus-
     sagen in V.20c und zudem der Umstand, daß akkad. ka-
     mutu sonst nicht im Hebräischen belegt ist. Auch der

V.21   Höret[133], wie ich seufze:

Es gibt keinen Tröster für mich.

All meine Feinde, hörten von meinem Unheil,

freuten sich, daß du es gewirkt.

Bringe den Tag, den du angekündigt hast,

daß es ihnen ergehe wie mir.

V.22   All ihre Bosheit komme vor dich!

Und tue an ihnen,

wie du getan hast an mir

wegen all meiner Vergehen!

Ja, viel sind meine Seufzer,

und mein Herz ist krank.

Vorschlag von NÖTSCHER, statt כמות einfach המות zu lesen (z.St.; vgl. KRAUS, Klagelieder, 23), scheitert an
der Tatsache, daß in V.20c חרב und מות nicht gut als
Werkzeuge der Vernichtung in Parallele stehen können. Es
ist daher zu überlegen, ob nicht M auch in der jetzigen
Form einen Sinn ergibt, insofern nämlich die Situation der
Stadt mit dem Bereich des Todes selbst verglichen wird (so
ALBREKTSON, 82; vgl. auch M.BUBER: "was drinnen ist, gleicht
dem Tod selber", Die Schriftwerke, 375). Zur Illustration
vgl. Jer 9,19f. Dort muß V.20b gerundivisch übersetzt werden (G.K. § 1140): "Der Tod ist durch unsere Fenster ge-
stiegen, eingedrungen in unsere Paläste, nachdem er vertilgt hatte das Kind in der Gasse (wörtlich: draußen), die
jungen Männer auf den Plätzen". Klgl 1,20 scheint auf dieses "Klagelied" zurückzugreifen, dessen Text wohl als bekannt vorausgesetzt werden darf.

133 M: שָׁמְעוּ stellt, wie RUDOLPH mit Recht bemerkt, zu V.21b
eine Tautologie dar (208). Aber auch die Lesart von S:
שְׁמַע , die RUDOLPH, 208; KRAUS, Klagelieder 23; PLÖGER,
134 u.a. vorziehen, unterliegt Bedenken, weil eine direkte
Hinwendung zu Jahwe an dieser Stelle ohne Beziehung zum
Kontext ist. Am besten liest man unter Beibehaltung des
Konsonantenbestandes mit G: ἀκούσατε den Imperativ שִׁמְעוּ
="hört". Dann ergibt sich eine Parallele zu V.18b, wo im
Kontext ebenfalls wie nach V.21a auf die Anrede an die
Völkerwelt eine Aussage über die Gehässigkeit der Angeredeten folgt (vgl. V.19a und V.21b); erst diese Erfahrung
bewegt den Sprecher zu einer direkten Hinwendung zu Jahwe
(vgl. V.20a und V.21b).

b. Formkritische Analyse

Klgl 1 besteht aus zweiundzwanzig dreiteiligen Strophen, die durch Alphabet-Akrostichie gekennzeichnet sind. Die Anfangs- buchstaben der einzelnen Verse stimmen in diesem Fall mit der Ordnung des hebräischen Alphabets überein. Dadurch erhält das Lied eine äußerlich straffe Ordnung, die die Strophen sicher abzugrenzen vermag und die von vorneherein sowohl auf die li- terarische Einheit des Kapitels wie auch auf ein und densel- ben Verfasser schließen läßt.

In bezug auf Klgl 1 sprechen nun die Ausleger immer wieder von einer Spannung zwischen Form und Inhalt. Die folgende Analyse der Form wird daher klären müssen, ob die alphabeti- sche Struktur in Klgl 1 die lose Gedankenführung zusammen- hält[134] oder umgekehrt den Gedankengang abgerissen und sprung- haft erscheinen läßt[135]. Darüber hinaus soll hier eine wei- tere Alternative zur Diskussion gestellt sein: Die Frage, ob nicht die äußere Kunstfertigkeit einer ähnlichen in der in- haltlichen Darlegung entspricht.

Die Gedankenführung von Klgl 1 wird durchweg als sprunghaft bezeichnet[136], wobei das Fehlen einer planvollen Anlage von den Auslegern recht verschieden kommentiert wird. LÖHR be- schuldigt den Dichter des ersten Liedes, daß er seine weni- gen Gedanken ohne eine klare Entwicklung in wechselnden Wen- dungen darstelle[137], während RUDOLPH die fehlende Logik der Gedankenfolge damit rechtfertigt, daß es sich ja nicht um einen objektiven historischen Bericht handele, sondern um den Erguß eines gequälten Menschenherzens, dem alles zer-

---

134 EWALD, 139; WIESMANN, Klagelieder, 31.
135 LAMPARTER, 136; KRAUS, Klagelieder, 7.
136 RUDOLPH, 215; KRAUS, Klagelieder, 27; PLÖGER, 135;
     KAISER, Klagelieder, 311.
137 LÖHR, Klagelieder, 1.

schlagen ist, woran es hing[138]. In ähnlicher Weise redet WIES-
MANN von einem auf- und abwogenden Gefühlserguß, in dem sich
die Gedanken und Empfindungen sprungweise aneinanderreihen und
sich in mannigfacher Abwechslung wiederholen[139]. Einig sind
sich die Erklärer aber darin, daß zumindest eine Grobgliederung
in Klgl 1 zu erkennen ist: Eine klagende Schilderung über den
Untergang Zions in V.1-11, wobei lediglich in V.9c und V.11c
Zion mit zwei kurzen Gebetsrufen selbst zu Wort kommt, und eine
Klage Zions in V.12-22, die durch V.17, der wiederum eine klagende Betrachtung ist, in zwei gleiche Teile (V.12-16 und V.18-
22) zerfällt[140]. Diese Gliederung weist jedoch Mängel auf, weil
das Gliederungsprinzip "klagende Schilderung" und "Klage Zions"
sich nicht folgerecht durchführen läßt. PLÖGER, den besonders
die Unterbrechung der klagenden Schilderung des Sprechers durch
die Gebetsrufe Zions irritiert, sympathisiert, um die oben genannte Gliederung beibehalten zu können, deshalb mit jenen Erklärern, die auch V.9c und V.11c dem Sprecher der klagenden
Schilderungen in den Mund legen[141].

Nach einem Ordnungsprinzip in Klgl 1 sucht auch WIESMANN. In
Angleichung an Klgl 2-4, die im Unterschied zu Klgl 1 die Buchstabenfolge פ vor ע haben, stellt er im ersten Lied die פ -
Strophe V.17 vor die ע -Strophe V.16. Durch diesen Eingriff ist
seiner Meinung nach eine Gliederung möglich, die die Zusammengehörigkeit der einzelnen Strophen nach Inhalt und Ausdruck stärker

---

138 RUDOLPH, 215; ähnlich PAFFRATH: "Ein straffer Aufbau und
eine stets logische Entwicklung ist der hebräischen Poesie
auch in ihren besseren Stücken nicht immer eigen (...). Da
die Klagelieder Herzensergüsse sind, ist bei ihnen ein straffer Bau noch weniger zu erwarten. Sie machen vielmehr nicht
selten den Eindruck absichtlich loser Aneinanderreihung und
Häufung der Gedanken und Bilder aus der Überfülle des Schmerzes und der Schmach" (6).
139 WIESMANN, Klagelieder, 128.
140 THENIUS, 127; EWALD, 145; KEIL, 559, LÖHR, Klagelieder, 1;
WEISER, 50, RUDOLPH, 209; KRAUS, 24; PLÖGER, 135f.; HILLERS,
16f.; GORDIS, Lamentations, New York [3]1974, 129; KAISER,
Klagelieder, 310f.
141 PLÖGER, 136.

berücksichtige und daher wohl ursprünglich sei: Den Rahmen
von Klgl 1 bilden zwei Monologe (V.1-6 und V.16.18-22) denen
es um die Schilderung des großen Unglückes geht. Ersterer
(V.1-6) ist in der Er-Form, letzterer (V.16.18-22) in der
Ich-Form geschrieben. Diesen beiden aus je sechs Versen bestehenden Gruppen entsprechen zwei Gruppen mit je fünf Versen im Mittelteil des Liedes, der aber als Dialog gestaltet
ist, und die Sünde und ihre Folgen (V.7-11) sowie das Strafgericht und seine Auswirkungen (V.12-15.17) behandelt[142].
Doch hat auch dieser Gliederungsvorschlag seine Schwächen:
Einmal ist die Umstellung von V.17 vor V.16 lediglich aus
Gründen der Anpassung an die Akrostichie in Klgl 2-4 nicht
zu rechtfertigen; zum anderen ist die Zusammenstellung der
oben genannten Strophengruppen nur möglich, wenn, wie WIES-
MANN übrigens selber zugesteht, der Gedankenaufriß in großen
Zügen zusammengefaßt wird, wobei so manche Einzelheiten außer
acht gelassen werden müssen[143]. Richtig ist jedoch seine Beobachtung, daß die Reden der beiden Sprecher in Klgl 1 nicht
in einem bloßen Nacheinander, sondern als "Dialog" zu verstehen sind.

So empfiehlt es sich, für die Makrostruktur des Textes den
Umstand, daß in Klgl 1 zwei Sprecherrollen miteinander ver-
woben sind, für den Aufbau fruchtbar zu machen. Kommt in der
einen Sprecherrolle ein Repräsentant des Volkes zu Wort, der
das Unglück Zions beklagt, so tritt in der anderen Sprecherrolle Zion selbst als Subjekt der Klage hervor. Im Hinblick
auf diese Rollenverteilung in Klgl 1 ergibt sich daher folgende Gliederung des Textes:

---

142 WIESMANN, Klagelieder, 127ff.
143 WIESMANN, Klagelieder, 128.

Sprecher:	Klage über das Gottesgericht	V. 1a- 9b
Zion :	Klage über die Feinde	V. 9c
Sprecher:	Klage über die Erniedrigung	V.10a-11b
Zion :	Klage über die Erniedrigung	V.11c-16c
Sprecher:	Klage über die Feinde	V.17a-17c
Zion :	Klage über das Gottesgericht	V.18a-22c

Bemerkenswert an dieser Gliederung ist die konzentrische Symmetrie: Die Abfolge der Klagen über das Gottesgericht, die Feinde und die Erniedrigung Zions im Mund des Sprechers (V.1a-9b.10a-11b.17) wiederholt sich im Mund Zions (V.9c.11c-16.18-22) in umgekehrter Reihenfolge. Durch diese konzentrische Symmetrie gelingt es dem Verfasser, nicht nur die Monotonie in der Abfolge gleicher Klagethemen bei lediglich zwei Sprechern zu vermeiden, sondern auch Schwerpunkte in der Gesamtdarstellung von Klgl 1 zu setzen. So beklagen beide Sprecher ausgiebig das Gottesgericht und die dadurch hervorgerufene Erniedrigung Zions, wohingegen sie nur kurz bei dem Hochmut der Feinde verweilen. Gleichzeitig offenbart der Umstand, daß die Klagen über das Gottesgericht am Anfang und am Ende von Klgl 1 gleichsam die Außenseite der Gesamtdarstellung bilden, während die Klagen über die Erniedrigung Zions das Zentrum des Liedes füllen, eine höchst bemerkenswerte Intensivierung der Klage als solcher.

Der gleiche kunstvolle Aufbau wie in der Gesamtdarstellung von Klgl 1 zeigt sich auch in der Mikrostruktur der einzelnen Teile. Als Struktursignal dienen hier Leitworte und die ihnen zugeordneten Aussagen.

V.1a-9c

Die Klage über das Gottesgericht an Zion wird gerahmt durch zwei Aussagen über die Verlassenheit Zions (V.1a-2c und V.8a-9b), in deren Mittelpunkt jeweils die Feststellung steht, daß es für Zion keinen Tröster mehr gibt: אין־לה מנחם (V.2b und V.9b). Der Hauptteil dieser Klage behandelt dann in fünf

konzentrisch angeordneten Strophen die Verlassenheit Zions
in Einzelmomenten, wobei sich mit dem Rahmen zusammen der
folgende Aufbau ergibt:

Verlassenheit Zions	V.1-2
Ausgeliefert an die Feinde	V.3
Keine Festpilger mehr	V.4
Strafgericht Jahwes	V.5
Keine politische Würde mehr	V.6
Ausgeliefert an die Feinde	V.7
Verlassenheit Zions	V.8-9c

Die Schilderung der Verlassenheit Zions (V.3-7) ist durch
das Leitwort "Feind" (רדף,צר, איב ; vgl. V.2c^b.3c^a.5ac^b.
6c^b.7c^{a}d^a) mit den Rahmen verbunden. Die mehrmals beklagte
Trübsal des Volkes (V.2a.3a.4bc.7ad) wird genau im Zentrum
der Klage als Auswirkung des Strafgerichtes Jahwes bezeichnet
(V.5b). Vollständig wird der konzentrische Aufbau dieser Klage
aber erst, wenn man auch noch die kurze Klage Zions in V.9c
hinzunimmt. Für die Zugehörigkeit spricht nämlich, daß die
Klage Zions sowohl das Leitwort "Trübsal" (עני) wie auch
das Leitwort "Feind" (איב) aufnimmt. Dann aber ergibt
sich, daß für den Aufbau dieses ersten Teiles von Klgl 1 zwei
Äußerungen konstitutiv sind, die sowohl durch Leitworte wie
auch durch inhaltliche Entsprechungen miteinander verbunden
sind.

V.10a-11b

Die Klage des Sprechers über die Erniedrigung Zions im Gottesgericht (V.10a-11b) und die entsprechende Klage Zions
über die eigene Erniedrigung (V.11c-16) sind zunächst getrennt, aber dann in ihrer offensichtlich vom Verfasser ge-
wünschten Zusammengehörigkeit zu betrachten. So zeigt die
Sprecherklage über die Erniedrigung Zions, wie das Leitwort
"Schätze" (מחמדים) in den Rahmenversen V.10a und V.11b

anzeigt, einen konzentrischen Aufbau, in dessen Mittelpunkt
die Bemerkung steht, daß ausgerechnet Heiden, die nach Jahwes
Anordnung sich niemals der Gemeinde Gottes hätten nähern dürfen, in das Heiligtum des Zion eingedrungen sind (V.10c). Die
Klage ist darüber hinaus durch das Leitwort "Feind" (צר) in
V.10a mit der vorangegangenen Einheit (V.1a-9c) deutlich verbunden.

V.11c-16c

Die Klage Zions über die Erniedrigung im Gottesgericht (V.11c-
16c) beginnt mit einem Aufschrei zu Jahwe und einem Hinweis
auf den Zustand des Verachtetseins (V.11c). Diese thematische
Aussage, die sich inhaltlich ganz an die vorhergehende Klage
(V.10a-11b) anschließt, bildet den Auftakt für die nun folgenden fünf Strophen, die ihrerseits wiederum nach dem Stilgesetz
der konzentrischen Symmetrie folgendermaßen angeordnet sind:

Schmerz des gedemütigten Jerusalem	V.12
Vernichtungsmaßnahmen Jahwes	V.13
Strafgericht für die Sünden	V.14
Vernichtungsmaßnahmen Jahwes	V.15
Schmerz des gedemütigten Jerusalem	V.16

Bemerkenswert ist der Umstand, daß die Rahmenverse, die von
dem Schmerz des gedemütigten Jerusalem handeln (V.12 und V.16)
unübersehbar Leitworte aus der Klage des Sprechers über das
Gottesgericht aufgreifen: Betrübnis Zions (יגה   V.12c; vgl.
V.5b); Fehlen eines Trösters (V.16b; vgl. V.2b.9b); Weinen
Zions (V.16a; vgl. V.2a). Hatte die Sprecherklage über die Erniedrigung Zions mit der Erwähnung der Feinde begonnen (V.10a),
so schließt die entsprechende Klage Zions mit einem Hinweis auf
die Macht der Feinde (V.16c). Auch bei diesen beiden Klagen
liegt also eine Verbindung vor, die den zweiten Hauptteil (V.
10a-16c) von Klgl 1 wiederum wie den ersten Hauptteil (V.1a-
9c) auf zwei Sprecherrollen aufteilt, die aufeinander bezogen

sind. In V. 11c findet sich zudem in dem Hinweis auf das ver-
achtete Zion eine Anknüpfung an den ersten Hauptteil (זלל ;
vgl. V.11c und V.8b).

V.17a - 22c

Die Klage des Sprechers über die Feinde Zions (V.17) spricht
von der Auslieferung Zions an seine Widersacher durch Jahwe.
Bemerkenswert ist hier, wie die beiden Rahmenstichen auf Aussagen aus der Klage des Sprechers über das Gottesgericht zu-
rückgreifen (vgl. V.17a mit V.9b und V.17c mit V.8a) wo die
Ohnmacht des besiegten Zion beschrieben wird, um in dem mittleren Stichos mit brutaler Deutlichkeit Jahwe als die Ursache
für die Feindesnot hinzustellen (V.17b). Damit ist aber
gleichzeitig auch das Thema für die folgende Stellungnahme
Zions zu dem erfahrenen Gottesgericht gegeben.

Der Verdacht, daß bei dem dritten Hauptteil von Klgl 1 die
kurze Äußerung über die Feinde (V.17) ähnlich wie bei dem ersten Hauptteil (V.9c) in die Analyse des Aufbaus und in seine
Erörterung mit einbezogen werden muß, ist, wie gesagt, schon
durch den thematischen Hinweis (V.17b) angedeutet worden; er
findet seine Bestätigung in der Verwendung des Leitwortes
"hören" (שמע), das sich in zwei offenbar einander zugeordneten Aussagen befindet (V.18b[a] und V.21a[a]). Folgt man
dieser Spur, dann ergibt sich für den dritten Hauptteil wiederum ein in konzentrischer Symmetrie angeordneter Aufbau der
einzelnen Aussagen:

Ausgeliefert an den Feind	V.17
Hilferuf Zions und trotzdem Deportation durch den Feind	V.18
Enttäuschung durch Freunde in Todesnot	V.19
Hoffnung auf Jahwe in Todesnot	V.20
Hilferuf Zions und höhnische Mißachtung durch den Feind	V.21
Bitte um Rache durch Jahwe wegen des Ausge- liefertseins an den Feind	V.22

Wiederum hat sich die bisherige Beobachtung bestätigt, daß
die Hauptteile von Klgl 1 jeweils durch die Zuordnung von
zwei Sprecherrollen gekennzeichnet sind (V.17: Sprecher;
V.18-22: Zion). Dieser dritte Hauptteil (V.17-22) ist darüber hinaus durch Stichworte mit dem vorangegangenen zweiten Hauptteil (V.10-16) verbunden: Hier wie dort werden das
Fehlen eines Trösters (V.21b.16b) und die Trübsal Zions
(V.22c.13c) erwähnt.

Der konzentrische Aufbau von V.17-22 erweist außerdem alle
Versuche, die in Anlehnung an die Buchstabenfolge פ vor ע
in Klgl 2-4, in Klgl 1 V.17 vor V.16 stellen[144], eindeutig
als falsch.

Am Ende dieser Analyse ist deutlich geworden, daß Klgl 1
einen der strengen alphabetischen Struktur entsprechenden
wohlgeordneten Aufbau hat, der durch das Stilmittel der konzentrischen Symmetrie ausgezeichnet ist. Die Makrostruktur
zeigt einen Wechsel der Sprecher- und Zion-Klage, die beide
über das Gottesgericht, die Erniedrigung im Gottesgericht
und die Demütigung durch die Feinde klagen, wobei diese Klagethemen konzentrisch ineinander geschoben sind. In der Mikrostruktur läßt die konzentrische Anordnung der Aussagen
eine Zugehörigkeit von je zwei Sprecherrollen sichtbar werden, wodurch Klgl 1 in drei Hauptteile gegliedert wird (V.1-
9.10-16.17-22), die untereinander durch Stichworte verbunden
sind.

Im Anschluß an die Erörterung des Aufbaus von Klgl 1 stellt
sich die Frage nach der literarischen Eigenart oder Gattung.
Formkritisch ist Klgl 1 der Klage zuzuordnen. Von der Konzeption der beiden Sprecherrollen würde man folgerichtig erwarten, daß die bekannten Formschemata der Klage des Einzelnen vorliegen. Bei genauem Hinsehen erkennt man jedoch, daß
es in beiden Klagen gar nicht um die Nöte eines Einzelnen geht.

---

144 Gegen WIESMANN, Klagelieder, 127.

So klagt ein anonymer Sprecher stellvertretend für das Volk
und wählt dabei die Form des Berichtes. Aber auch die Klage
Zions läßt sich nicht ohne weiteres mit der Klage des Einzelnen vergleichen, da hier offensichtlich ein Kollektiv im Hintergrund steht. Darüber hinaus zeigt die Situation der Klage
in Klgl 1 Unterschiede zu der Situation der Klage in einer
KE oder KV. Ein Vergleich mag dies erläutern.

Während sich in einer KE der für den Klagenden vernichtende
Schlag erst ankündigt (Ps 56,7; 22,13f.; 27,2), ist Klgl 1
offensichtlich nach bereits eingetretener Katastrophe geschrieben. Diese Bedrängnis aber wird nicht wie in den Klagepsalmen auf die Feinde (Ps 17,11; 64,5; 140,5), sondern direkt auf Jahwe als den eigentlichen Initiator zurückgeführt.
Damit ist auch die Reaktion auf die Notsituation eine ganz
andere. In der KE läßt die feindliche Bedrohung den Klagenden bei Gott Schutz suchen (Ps 7,2; 61,4; 142,6). In nur
ganz wenigen Fällen ist das Gottesverhältnis des Klagenden
von der ihn bedrohenden Gefahr betroffen, so daß er von einem
feindlichen Handeln Jahwes gegen ihn spricht (vgl. Ps 6,2;
38,1; 88,8.17). Klgl 1 dagegen ist ganz unter dem Eindruck
eines göttlichen Zorngerichtes gegen Zion geschrieben.

Der Vergleich von Klgl 1 mit der Situation der KV zeigt zunächst eine wichtige Übereinstimmung: Die vorausgesetzte Notsituation, sei es eine militärische Niederlage oder sei es
eine Dürrekatastrophe[145], wird hier in jedem Fall auf Jahwe
zurückgeführt[146]. Weil aber mit diesem gegnerischen Handeln
Jahwes die Gottesbeziehung des Volkes in Frage gestellt
scheint, ist das entscheidende Element der KV die Anklage
Jahwes, in der Gott nach dem Warum und nach dem Wie-lange
der Not befragt wird[147]. In diesen Gott anklagenden Fragen

---

145 Ps 44,10-15.20.25; 60,3-5.12; 74,1.11.19; 79,5; 80,5-
     7; 85,6; 89,39-47; vgl. Jes 63,17; 64,4b.6.11.
146 Ps 44,10.11; 60,12; 89,43.44f.; 80,6.7.13; vgl. Jes
     64,6; Jer 14,19.
147 Vgl. hierzu WESTERMANN, Struktur 52-53.

und Aussagen, die sich oft auf dem schmalen Grat zwischen Vorwurf und Urteil bewegen[148], liegt der Schwerpunkt der Klage des
Volkes. Klgl 1 zeigt im Gegensatz dazu keine einzige Anklage
Jahwes, weil in diesem Lied die Einsicht in das Zustandekommen
der Notsituation vorherrschend ist.

Diese Unterschiede in der Situation der Klage in Klgl 1 weisen
auf einen gegenüber der KE und KV veränderten Horizont der Klage.
Nach WESTERMANN wird der Horizont einer jeden Klage von dem Verhältnis dreier Komponenten zueinander bestimmt: Die Anklage Jahwes, der Ich- oder der Wir-Klage und der Feindklage[149]. Aus diesem Grunde wird in der folgenden Darstellung die dreigliedrige
Struktur von Klgl 1 mit derjenigen eines Klagepsalms verglichen,
um auf diese Weise die formale Eigenart von Klgl 1 besser her-
vorheben zu können.

Von einer Anklage Jahwes kann man in Klgl 1 nicht mehr sprechen.
Die diesem Klageteil üblichen Fragen nach dem Warum und dem Wie-
lange der Notsituation haben in Klgl 1 unter dem Eindruck der
Katastrophe, die als ein in sich abgeschlossenes Gottesgericht
zur Strafe für die Verfehlungen Zions angesehen wird, eine Antwort erfahren. Die Frage nach dem Grund der Not ist hier in eine
klagende Schilderung über das Gottesgericht abgewandelt, wobei
in der Gegenüberstellung der einstigen Herrlichkeit und der jetzigen Not Zions der Gegensatz von Erwählung und Verwerfung zum
Ausdruck gebracht ist (V.1-9b.18-22). Anstelle der Anklage Jahwes
steht in Klgl 1 ein neues Element: das Sündenbekenntnis und der
Lobpreis des gerechten Gottes (V.5b.8a.14a.18a.20b.22b).

Obwohl die Notlage Zions eindeutig durch die Feinde verursacht
wurde, ist, wie in den KV des Psalters, das gegnerische Handeln
Gottes der entscheidende Faktor. Daher wird in Klgl 1 das Tun
der Feinde stets im Zusammenhang mit der Klage über das Gottesgericht beschrieben (V.5ab.7d-8a.17b.21b). Auch die ausdrück-

---

148 Ps 44,10; 60,5.12; 89,39; 108,12; vgl.Jer 4,10; 31,18;
     Jes 64,12.
149 WESTERMANN, Struktur, 47

liche Feindklage in V.9c und V.17 ist, wie die Gliederung des
Liedes sichtbar werden ließ, in die Klage über das Gottesgericht miteinbezogen (V.1-9c und V.17-22). In die Beschreibung
der Feinde sind Elemente aus dem Motivkomplex der KE, wo die
Feindklage das am reichsten entwickelte Glied darstellt, ein-
geflossen. So spricht Klgl 1 über die gemeine Gesinnung der
Feinde[150] und ihre Bosheit[151] in Worten, mit denen auch die
Beter der Klagepsalmen ihre Gegner vor Gott verklagen[152]. Wie
diese kennt auch Klgl 1 nicht nur äußere Feinde, sondern auch
Gegner aus dem Kreis ehemaliger Freunde. In V.2bc und V.19a
wird das Versagen der Freunde, auf die in der Not kein Verlaß
ist und die sogar eine feindliche Haltung annehmen, eigens erwähnt[153]. Da Freunde gewöhnlich die ersten sind, die zum Trost
herbeieilen (vgl. Ijob 2,11), wird durch den Wandel ihrer Gesinnung die Trostlosigkeit Zions im Gottesgericht besonders
unterstrichen. Die Feindklage bildet in Klgl 1 also kein ei-
genständiges Element mehr: Die Gegner werden zwar vor Jahwe
verklagt, jedoch spürt man eindeutig das Bemühen des Dichters,
die Feinde als Strafwerkzeuge Jahwes herauszustellen.

Auch die Ich-Klage zeigt zunächst starke Entsprechungen zur
Psalmenklage. Wie der dort klagende Beter erfährt Zion Ein-
samkeit und Verlassenheit[154] als personale Entfremdung; Herz,
Seele, Gebeine sind durch Schrecken und Angst angegriffen[155].

---

150 שחק 1,7d; גדל 1,9c; שמע 1,21b.
151 רע 1,22a.
152 Der Hohn der Feinde: vgl. Ps 42,11; 69,10; 119,42; ihre
    Bosheit: vgl. Ps 5,11; 10,3; 14,1.4; 28,5.
153 Es handelt sich hier um eine Variante der Feindklage: An
    die Stelle der Feinde treten die Freunde, die sich aber
    von Zion abgewandt haben, und deren Bosheit Zion daher
    tiefer empfindet als die Feindschaft der äußeren Gegner.
    Diese Variante der Feindklage begegnet in der KE häufig:
    Ps 41,10; 35,13-15; 27,10; 38,12; Ijob 6,13-20; vgl.
    H.GUNKEL - J.BEGRICH, Einleitung in die Psalmen, Göt-
    tingen 1933, § 6,9, 211.
154 1,11c.13c.20a.21a; vgl. H.SEIDEL, Das Erlebnis der Ein-
    samkeit im AT, Berlin 1969, 111-113.
155 Ps 6,3; 13,3; 38,4; 43,5; 88,4; 102,4; 109,22; Jes 21,3;
    Jer 6,25.

Das Motiv der Krankheit in den Klagepsalmen, das den Menschen
in einem Auflösungsprozeß zeigt, der Zerstörung und Leid bedeutet[156], ist auch auf Zion bezogen ein Sinnbild für ihren
Fall und ihre Verwerfung[157]. Doch was in bezug auf die Feindklage in Klgl 1 gilt, muß auch hier beachtet werden. Die Darstellung seelischer Leiden[158], die Beschreibung der Todes-
nähe[159] und die Schilderung des Trauerns[160] dienen nicht nur
der subjektiven Empfindungssteigerung und der emotionalen Dra-
matik, sondern der Verstärkung einer durch die Ereignisse von
586 beschworenen Einsicht: Die jetzige Erniedrigung Zions ist
eine Folge ihrer Sünden.

Als Ergebnis läßt sich festhalten, daß die Erlebniswelt von
Klgl 1 sicher die der Klage ist, wie sie in der mittleren Zeit,
der Zeit des israelischen Königtums, ihren literarischen Ausdruck gefunden hat. Ihre formalen Elemente sind jedoch einer
bestimmten Aussageabsicht dienstbar gemacht worden, die die
drei Aspekte der Klage (Du-Klage, Ich-/Wir-Klage, Feindklage)
auf jeweils einen Nenner bringt: den des Gottesgerichtes als
Strafe für die Sünden. Diese Einsicht findet sich ebenfalls
im Stil von Klgl 1 ausgedrückt. Die Totalität der Aussagen[161]
sowie die Gegenüberstellung vom Untergang Judas und dem Aufstieg der Feinde[162] und die scharfen Kontraste in der Schilderung[163] dienen dazu, einerseits das Ende Zions zu beschrei-

---

156 Ps 38,6.8.13.20; 41,3.4; 102,6.9.
157 1,13c.22c.
158 1,2a.4c.13c.14bc.16.20a.21a.22c.
159 1,9b.13.14.22c.
160 1,4a.16a.
161 Kein Tröster V.2b.9b.16b.17a.21a; Untreue aller Freunde
     V.2c; keine Ruhe V.3b; alle Verfolger holen Zion ein V.3c;
     niemand kommt zum Fest V.4a; gewichen ist alle Pracht
     V.6a; die Fürsten finden keine "Weide" V.6b; alle Vereh-
     rer verachten Zion V.8b; alle Schätze dem Feind V.10a;
     alle Bewohner seufzen V.11a; siech für alle Zeit V.13c;
     alle Helden sind verworfen V.15a; alle Feinde freuen
     sich V.21b.
162 1,5.7.9.11.21.
163 Freund zu Feind V.2; Fürsten zu "kraftlosen Hirschen"
     V.6; Verehrer zu Verächtern V.8; Jerusalem zum Schand-
     fleck V.8.17; Geliebte zu Betrügern V.19.

ben, und andererseits dazu, auf die Vielzahl der Sünden Zions
hinzuweisen: Die als einsam und verlassen beschriebene Situation Zions wird in der Klage des Sprechers über das Gottesgericht (V.1-9b) mit der Vielzahl der Sünden begründet (V.5b.8a).
In gleicher Weise weiß Zion in ihrer eigenen Klage (V.11c-16)
ihren "Krankheitszustand" (V.13) auf die Schwere ihrer Vergehen zurückzuführen (V.14a). Auch in der Klage Zions über das
Gottesgericht (V.18-22), wo die Sündeneinsicht verschärft als
Widerspenstigkeit begriffen ist (V.18a), wird der ihr entsprechende Zustand Zions als eine Situation des Todes beschrieben (V.18c.19bc.20c.).

Faßt man die vorangegangenen Beobachtungen zusammen, so wird
deutlich, daß die Formschemata der Klage des Volkes und der
Klage des Einzelnen trotz mancher Übereinstimmungen nicht ausreichen, um die literarische Eigenart von Klgl 1 treffend zu
beschreiben. Das haben wohl auch jene Erklärer gespürt, die
nach anderen Gattungsbezeichnungen gesucht haben. In der folgenden Darlegung sollen daher zunächst verschiedene, Klgl 1
beigelegte Gattungsbestimmungen kritisch geprüft werden.

Daß Klgl 1 nicht eindeutig als Volksklage oder als Einzelklage zu bezeichnen ist, hängt damit zusammen, daß die
schwere Not von 586 nicht nur das Volk, sondern auch den
Einzelnen in seinem Lebensbereich traf. KV und KE aber leben
davon, daß sich hier eine spezielle Not des Volkes sowie des
Einzelnen in einem eigenen Element, der Ich- bzw. Wir-Klage,
ihren Ausdruck verschafft. Im Jahr 586 aber ist sowohl der
Lebensbereich des Einzelnen wie auch des Volkes total bedroht. Ihre Notlage ist somit dieselbe. Weil diese Not als
definitiv und irreparabel begriffen wird, ziehen einige Ausleger von Klgl 1 zur Erklärung der Form des Liedes die Gattung des Leichenliedes, dem es ebenfalls um ein unwiderruf-
liches Unglück geht, heran[164]. Daß die Beziehung dieser Gattung zur Gerichtssituation Israels wie auch der Völker über-

---

164 GUNKEL, RGG III [2]1929, 1051f., HALLER, 92f.; WEISER, 42.

haupt nicht neu ist, zeigt die Adaption der Totenklage in prophetischen Texten[165]. Diese Übertragung lebt jedoch von der Vorstellung des unwiderruflichen zukünftigen Gerichtes und kann
sogar, aufgrund dieser Vorwegnahme, Spott und Ironie Raum bieten.
Da aber Klgl 1 nach dem Eintreffen der Katastrophe geschrieben
ist, liegt die Sinnspitze nicht in einer die Hörer schockierenden
Übertragung des Leichenliedes auf den gegenwärtigen "lebendigen"
Zustand des Volkes, sondern in der Parallelität zum wirklichen
Leichenlied, in dessen Mittelpunkt die Klage um einen Toten
steht. Die Gattung der Totenklage hat nun folgende Kennzeichen:
das Kinah-Metrum 3-2 oder 4-2[166]; das Kennwort איכה ; die Gegen-
überstellung Einst-Jetzt; die direkte Anrede an den Toten; die
Zitierung der (Klage)-lieder verschiedener Leidtragender; der
Lobpreis des Toten; Motive der Versöhnung und Tröstung der Leidtragenden; eine Aufforderung an die Leidtragenden zur Klage[167].
Einige dieser Motive sind tatsächlich in Klgl 1 zu entdecken:
das Kennwort איכה in V.1a; der Kinah-Vers[168], der Gegensatz
Einst-Jetzt in V.1.7.8; die Anführung verschiedener Leidtragender wie die Priester und die Jungfrauen in V.4b[b]c[a] und die Bewohner in V.11a[a]; die Klage der toten Dinge wie die der Wege in

---

165 Nah 3,7.18f.; Zef 2,15f.; Mi 1,8f.16; Am 5,2; Jes 14,4-21;
     Jer 6,22f.; 9,18f.; Ez 26,17f.; 27,2f.32f.; 28,12f.;32,2f.
166 Zur Entdeckung der sogenannten Leichenliedstrophe vgl.
     BUDDE, Das hebräische Klagelied: ZAW (1882) 1-52; ZAW 3
     (1883) 299f.; ZAW 50 (1932) 306-308. Es handelt sich um
     jenes Versmaß, das durch eine Zäsur die Zeile in zwei un-
     gleiche Hälften zerlegt (3 + 2 Hebungen, aber auch 4 + 2
     und 4 + 3).
167 JAHNOW, 90-108.
168 Während BUDDE das Kinah-Metrum in Klgl 1-4 als derart be-
     herrschend ansah, daß er im Fall einer Abweichung sogar in
     den Text der Lieder eingriff, wechselt nach E.SIEVERS der
     Fünfer-Satzstil mit dem Vierer (2 + 2) in Klgl in legiti-
     mer Weise ab (Metrische Studien I, Leipzig 1901, § 88,
     120ff.). Es kommt aber auch der Doppeldreier vor (1,8a.16a.
     21b; 2,9a.17c.20a; 3,64.66; 4,1a.8b.15a). Angesichts dieser
     Unregelmäßigkeit sowie der Fülle offener Probleme der he-
     bräischen Metrik überhaupt, wird man sich, so PLÖGER, mit
     der Auskunft begnügen müssen, daß die Klgl in einem Vers-
     maß vorgetragen worden sind, das vermutlich in einer dem
     Inhalt angepaßten Weise wechselte (128).

V.4a[a] und der Tore in V.4b[a], kleinere Leichenlieder in V.11c-
16 und V.18-22[169]. Doch müssen auch die Unterschiede zur Gattung des Leichenliedes beachtet werden: Jerusalem-Zion wird
nicht als beklagte Tote beweint, sondern als hinterbliebene
Witwe (V.1b[a]). Entscheidend aber ist die Tatsache, daß der
Inhalt von Klgl 1 die Stilform des Leichenliedes sprengt, weil
hier die Wendung auf Jahwe hin in Gebet und Sündenbekenntnis
erfolgt[170], während in der Totenklage, die von Haus aus völlig
profan ist, der Name Jahwes nie vorkommt[171]. Aus diesem Grund
sollte die von GUNKEL geprägte und von einigen Erklärern übernommene Gattungsbezeichnung "politisches Leichenlied"[172], wenn
diese Ausleger auch durchweg betonen, daß die Gattung der Totenklage nicht rein vorliege, endgültig fallengelassen werden,
da zwischen Klgl 1 und der Gattung des Leichenliedes lediglich
Motivberührungen, aber keine Übereinstimmung im Ansatz der
Klage vorhanden sind[173].

Ausgehend von diesen Motivberührungen versuchen nun einige Erklärer, die Elemente der Totenklage mit Bezug auf die Elemente
der Psalmenklage zu beschreiben. So spricht WESTERMANN im Hinblick auf die Klgl von einem neuen Typ des Klageliedes, der
eine Mischform aus Elementen der Leid- und der Totenklage darstelle[174]. Diese Beobachtung ist zur Gattungsbeschreibung von
Klgl 1 scheinbar nicht ungeeignet. Während nämlich im Mittelpunkt einer Totenklage die Vergegenwärtigung eines unbegreiflichen Verlustes steht, ist es der Sinn einer Leidklage, die
Not vor Gott auszubreiten und von diesem Hilfe zu erflehen.
Genau das geschieht in Klgl 1: Die Klage um den zerstörten
Zion ist für die Ohren Jahwes bestimmt. Allerdings genügt
auch die Beschreibung von Klgl 1 als einer Mischform aus Leid-
und Totenklage nicht, um die wirkliche Spannung, die diesem
Lied zugrundeliegt, zum Ausdruck zu bringen: In Klgl 1 wird

---

169 JAHNOW, 168-191.
170 RUDOLPH, 209; JAHNOW, 170-171.
171 JAHNOW, 170.
172 GUNKEL, RGG III, [2]1929, 1049; NÖTSCHER, 397.
173 So O.KAISER, Einleitung in das AT, Gütersloh [3]1975, 323.
174 WESTERMANN, Struktur, 49; DERS., Klagelieder, 92.

ja um einen Verlust geklagt, den Gott selber dem Volk als eine
Strafe auferlegt hat. Gleichzeitig aber wird dieser Gott gebeten, die Not des geschändeten Volkes dennoch wahrzunehmen.

Weil somit die bekannten Klagegattungen nicht ausreichen, um
die formale Eigenart von Klgl 1 in den Griff zu bekommen,
sucht KRAUS, ausgehend von der dem Buch der Klgl zugrundeliegenden Not, nach einer neuen Möglichkeit, die Gattung der
Klgl zu bestimmen. Was die Klgl bewegt, ist seiner Meinung
nach die Zerstörung Zion-Jerusalems als des religiösen Mit-
telpunktes im Volk. Im Vergleich mit sumerischen und akkadischen Texten, insbesondere mit der Klage um Ur[175], findet er
die Klagegattung, die, mit entsprechenden, für die religiöse
Situation Israels typischen Abwandlungen, die Form der Klgl
erkläre: die Klage um das zerstörte Heiligtum. KRAUS nennt
folgende Übereinstimmungen zwischen dem Buch der Klgl und der
Klage über die Zerstörung von Ur: In beiden Texten tritt neben dem klagenden Volk eine klagende Frau auf. Beide Klagen
weisen auf den Unterschied zwischen der vergangenen Herrlichkeit und der gegenwärtig wahrnehmbaren Zerstörung hin, wobei
in der Einzeldarstellung eine Reihe interessanter gegenseiti-
ger Motivanklänge festzustellen sind[176].

Trotz dieser Parallelen hat KRAUS mit seinem Vorschlag heftige
Kritik erfahren[177], nicht zuletzt wegen der gewählten Gattungsbezeichnung; denn die Klage um das Heiligtum nimmt nicht in allen

---

175 FALKENSTEIN-SODEN, 192-213.376-377; J.KRECHER, Sumerische
    Kultlyrik, Wiesbaden 1966.
176 KRAUS, Klagelieder 8-13; vgl. GERSTENBERGER, 67.
177 WEISER wirft KRAUS die allgemein gehaltene Beweisführung
    vor, die einer Nachprüfung nicht standhalte. Außerdem um-
    schreibe die Themenangabe "Klage um das zerstörte Heilig-
    tum" nur sehr einseitig und äußerlich den Gegenstand der
    Klage in Klgl 1-5 (41). McDANIEL bemüht sich um einen Be-
    weis der Tatsache, daß die von KRAUS genannten Parallelen
    zwischen Klgl und der Klage um Ur auch innerbiblisch eine
    Erklärung finden, und es deshalb eines außerbiblischen
    Mediums gar nicht bedarf. Darüber hinaus gibt es nach Mc
    DANIEL auch keine Möglichkeit, den Weg einer literari-
    schen Übermittlung von der Klage um Ur aus dem zehnten

Liedern den hervorragenden Platz ein, den diese Bezeichnung
vermuten läßt. In Klgl 1 ist sogar von einer Zerstörung des
Tempels direkt keine Rede. Zwar nimmt die Klage über die
Verwüstung der Stadt und die Zerschlagung des Volkes einen
großen Raum ein, dies jedoch nicht um ihrer selbst willen,
sondern als Ausdruck für den Höhepunkt des göttlichen Zorngerichtes an Zion-Jerusalem. In der Klage um Ur ist dagegen
von einer Begründung der Vernichtung, die die Götter An und
Enlil beschlossen hatten und gegen deren Durchführung die
im Lied klagende Göttin Ningal vergebens angekämpft hatte,
keine Rede. Auch wenn es KRAUS lediglich um eine aus der
gleichen Lebenssituation heraus zu verstehenden Gattungs-
analogie geht, mit deren Hilfe er die formale Neuheit der
Klgl in den Griff bekommen möchte[178], ist vor einer Übernahme der aus den sumerischen Klagen bekannten Gattungsbezeichnung "Klage um das zerstörte Heiligtum" zu warnen. Von
Haus aus kommt nämlich in ihr das entscheidende Element der
Klgl, die Tatsache des göttlichen Zorngerichtes aufgrund
der Sünden des Volkes, nicht vor. Die Klage um Ur hat also,
trotz einer interessanten Übereinstimmung in vielen Motiven,
einen ganz anderen Horizont. Vergleichbare Linien zu Klgl 1
finden sich hier nicht. Ein rein punktueller Vergleich von
Einzelphänomenen aber kann, wie WESTERMANN betont herausgestellt hat, keine religionsgeschichtlichen Parallelen auf-

---

Jahrhundert bis zu den Klgl aus dem sechsten Jahrhundert zu ermitteln. Es läßt sich auch kein Grund dafür
angeben, warum die Israeliten ausgerechnet in einer
Krisenzeit, der Zeit nach dem Untergang Jerusalems,
eine fremde literarische Form übernommen haben sollten (The alleged Sumerian Influence upon Lamentations:
VT 18 (1968) 198-209).

178 Angesichts der immer wieder geäußerten Ansicht, daß
weniger die überlieferte Form als vielmehr die Absicht
und der Inhalt für die Klgl prägende Faktoren darstellen, hat PLÖGER recht, wenn er die Erklärung der Form
durch KRAUS in dieser Hinsicht als einen verdienstvol-
len Versuch bezeichnet, der die Gattungsanalyse der
Klgl bereichert (129).

żeigen, sondern führt eher zu Fehlurteilen[179]. Deshalb ist
es sinnvoller, selbst im Hinblick auf die sich ergebenden
Schwierigkeiten, das Buch der Klgl im Rahmen seiner formge-
schichtlichen Verankerung im AT zu untersuchen.

In Anbetracht der Schwierigkeiten verzichten allerdings die
meisten Erklärer auf eine Gattungsbestimmung und versuchen,
die einzelnen Lieder in der Einheit ihrer verschiedenen formalen und inhaltlichen Elemente zu würdigen. So schreibt
WEISER in der Einleitung zu seiner Untersuchung über das
Buch der Klagelieder: Die Lieder zeigen, welche traditionellen Formen, Gedanken und Vorstellungen sich als lebens-
kräftig erwiesen haben, so daß sie in der schwersten Katastrophe Israels reaktiviert werden konnten und die Glaubenskrise überstehen halfen[180]. Gleichzeitig aber betont er, daß
der Tatbestand der Gattungsmischung besondere Beachtung ver-
diene und keineswegs schon damit erklärt sei, daß man ihn als
Auflösung der strengen gattungsmäßigen Bindung und als Zer-
setzung der Formgebung beurteile[181].

In diesem Sinn seien zum Schluß noch einmal die durch den
Einschnitt der Ereignisse von 586 bedingten Umwandlungen der
Klage in Klgl 1 genannt: Die Klage wird nach der als Ende
verstandenen Katastrophe angestimmt und hat daher Elemente
der Totenklage aufgenommen. Dabei werden auch die bekannten
Komponenten des Klagespalms umgeprägt: Die Anklage Jahwes
entfällt und wandelt sich zum Lobpreis des gerechten Gottes
und zum Eingeständnis des eigenen Verschuldens; das Verklagen der Feinde, die als Strafwerkzeug Jahwes gesehen werden,
geschieht nur noch im Zusammenhang mit der Klage über das
Gottesgericht; auch die Ich- bzw. Wir-Klage ist von der Einsicht in das göttliche Zorneshandeln geprägt. Ein besonderes

---

179 WESTERMANN, Sinn und Grenze religionsgeschichtlicher Pa-
     rallelen, in: Forschung am AT, München 1974, 84-95.
180 WEISER, 42; vgl. PLÖGER, 140.
181 WEISER, 41.

Augenmerk ist darauf zu richten, daß in Klgl 1 die für die
Klagepsalmen üblichen Kontrastelemente zur Notklage, wie das
Bekenntnis der Zuversicht auf Gottes Eingreifen in der KE
(Ps 7,1f.; 54,6; 56,5) oder der heilsgeschichtliche Rückblick auf die Taten Jahwes in der KV (Ps 44,1-4; 74,2.12-17;
80,9-12), ausfallen. Das Zurücktreten dieser Elemente weist
darauf hin, daß das Gottesverhältnis des Volkes aufgrund des
göttlichen Zorngerichtes zumindest gefährdet ist. Das Bekenntnis der Zuversicht kann man vielleicht in sehr abgeschwächter Form im Hintergrund der Bitten in V.9c.11c.20f.,
die Jahwe um Gehör anflehen, vermuten. Der heilsgeschichtliche Rückblick dagegen ist wohl in der Schilderung über die
einstige Herrlichkeit Zions aufgegangen. Daher tritt in Klgl 1
ein anderes Element in den Vordergrund, das jetzt zum Gegen-
pol der Notklage wird: der Hinweis auf Zions Sünden in der
Sprecherklage sowie das Sündenbekenntnis Zions selbst. Dieses Element bildet auch, wie die Analyse der Mikrostruktur
erwiesen hat, den Skopus der ersten Teile von Klgl 1 (V.5.14)
und leitet im dritten Teil (v.18) die Klage Zions über das
Gottesgericht ein.

Für die Erklärung der Form von Klgl 1 muß darüber hinaus die
in der Makro- und Mikrostruktur des Liedes erkannte konzentrische Symmetrie der Aussagen und Sprecherrollen berücksichtigt werden. Hier hatte sich gezeigt, daß die Reden des Sprechers und die Klagen Zions aufeinander bezogen sind und Klgl 1
dadurch in drei große Abschnitte zerfällt (V.1a-9c; V.10a-
16c; V.17a-22c). Mit dieser Dreiteilung gelingt es dem Dichter, die Katastrophe jeweils von zwei Seiten anzugehen: als
Strafgericht Jahwes (V.1a-9b.11c-16c.17) sowie als Not im
Gottesgericht (V.9c.10a-11b.18a-22c). In diesem Zusammenhang
trägt der Sprecher der eingetretenen Katastrophe in der Weise
Rechnung, daß er das Ende Zions stärker in den Mittelpunkt
seiner Reden stellt, während die Klage Zions eher die Not und
die Erniedrigung im Gottesgericht zum Thema hat. Dies meinen
wohl einige Ausleger, wenn sie in Klgl 1 zwischen einem "objektiven" Bericht des Sprechers und einer "subjektiven" Klage

Zions unterscheiden[182]. Diese Klagen sind nun zwei Sprechern
in den Mund gelegt, die im Grunde beide als "Einzelne" für
eine Gemeinschaft, das gerichtete Volk, sprechen. Der Dichter erreicht durch dieses Stilmittel eine neue Möglichkeit,
die Klage auch in dem zu Recht geschehenen Gottesgericht zum
Ausdruck zu bringen. Als Erlebnisträger wählt er eine abstrakte Größe, nämlich Zion, weil in ihr ein positiver Hinweis auf die Geschichte Jahwes mit seinem Volk, deren Ende
jetzt gekommen scheint, wachgehalten ist. In "Zion" kann
deshalb das gerichtete (vgl. die Sprecherklage über Zion)
und das leidende Volk (vgl. die Klage Zions) seine Not vor
Jahwe bringen. Trotz der Rede von "Einzelnen" hat der Dichter von Klgl 1 somit eine "kollektive" Klage geschaffen[183],
die als "klagende Vergegenwärtigung des Gottesgerichtes" bezeichnet werden soll. In dieser Bestimmung sind die beiden
entscheidenden Charakteristika des Liedes aufgehoben: die
lehrhafte Tendenz in der Darstellung des Geschehenen als Gottesgericht und der Vollzug dieser Lehre im Gebet vor Gott.

---

182 So sagt HILLERS, daß die Klage in Klgl 1 psychologisch
    gesehen einen Fortschritt macht. Eine äußere, mehr ob-
    jektive Darstellung (Klage in der 3. P.) wechselt zu
    einer mehr inneren Sicht (Klage in der 1. P.) der Dinge
    (6). In ähnlicher Weise beschreibt auch LANAHAN die
    Funktion des Sprecherwechsels, wenn er behauptet, daß
    in Klgl 1 zunächst ein objektiver Berichterstatter
    spricht, dessen kühle, beschreibende Feststellungen mit
    den leidenschaftlichen Ausbrüchen des klagenden Zion,
    das die vergegenständlichte Angst der gefallenen Stadt
    verkörpert, in einem Kontrast stehen (41.43).
183 Diese Auffassung steht auch hinter einer Äußerung von
    HILLERS, der sagt, daß durch die Personifikation von
    Zion-Jerusalem der Dichter von Klgl 1 in der Lage ist,
    eine persönliche, gefühlsbetonte Sprache zu gebrauchen
    und gleichzeitig das bloß Subjektive zu übersteigen (17).

c. Semantische Analyse

V.1a-9c

Mit dem Schmerzensausruf אִיכָה (vgl. Klgl 2,1; 4,1.2) beginnt in V.1a die Klage über das Gottesgericht, dessen Folgen für Zion der Sprecher in V.1a-9b vergegenwärtigt und
dessen Not Zion in V.9c beklagt. Ausgehend von der düsteren
Gegenwart ist das Thema der ersten Strophe die tiefe Erniedrigung Zions, das in der Gestalt einer trauendern Frau
eingeführt wird.

Für das ganze Lied ist in diesem Punkt das Nebeneinander
von Bild und Sache charakteristisch. Der Erlebnisträger in
Klgl 1 wird zwar in abstrakter Redeweise Zion (V.4a.6a.17a),
Jerusalem (V.7a.8a.17c) oder einfach die Stadt (V.1a.19b)
genannt, nämlich die Hauptstadt von Juda (V.3a.15c) und Jakob (V.17b); in der Darstellung des Elends tritt diese aber
als Person auf und zeigt personale sowie emotionale Eigenschaften (weinen, klagen, Liebhaber haben, sitzen, fallen
usw.). In V.9c.11c.12-16.18-22 ist sie sogar selbst diejeni-
ge, welche die Klage anstimmt.

KRAUS sieht hinter der seufzenden Frauengestalt eine Personifikation des zerstörten Jerusalemer Heiligtums[184]. Dagegen spricht jedoch die Verwendung des Begriffes Zion außerhalb des Buches der Klgl. Diese Texte zeigen nämlich
deutlich, daß der Begriff Zion nicht auf eine Bezeichnung
für den Tempel beschränkt ist. So begegnet die Personifikation von Zion-Jerusalem in der für die Einordnung des Buches der Klgl maßgeblichen Zeit des sechsten Jahrhunderts

---

KRAUS, Klagelieder, 26.

als ein Symbol des Volkes oder als ein Zeichen der Gemeinde
Jahwes in der Hauptstadt (Jes 40,9; 52,1f.; Sach 2,11).Gleich-
zeitig aber ist der in vorexilischer Zeit übliche Gebrauch des
Begriffes Zion als Bezeichnung für die Königsresidenz und die
Kultstätte (Jes 10,12; Ps 110,2) mit in Rechnung zu stellen.
Die Bedeutung des Begriffes Zion ist somit schillernd: Hinter
ihm steht sowohl die Verkörperung der Stadt (Jes 1,27) als
auch die Personifikation des in ihr lebenden Volkes (Jes 10,
24)[185]. Beide Momente sind bei der Auslegung von Klgl 1 zu berücksichtigen[186].

V.1 beschreibt die Wende, welche den Sturz Zions von ihrer
einstigen Herrlichkeit in die Tiefe des gegenwärtigen Elends
verursacht hat, in drei Vergleichspaaren. Vordem reich an Ein-
wohnern und Festpilgern[187], liegt die Stadt nun verlassen da.
Diese Feststellung im ersten Versteil spielt an auf die Ent-
völkerung durch Tod und Wegführung in die Gefangenschaft aufgrund der gewaltsamen Eroberung Jerusalems durch die Babylonier. Daher ist die Stadt verödet (בדד ; vgl. Jes 27,10)
und zugleich voller Trauer (Neh 1,4), so daß man sich an die
Vorstellung einer ihrer Kinder beraubten Mutter (Jer 31,15)
erinnert fühlt. Dem ersten Bild folgt in V.1b ein weiterer
Vergleich, der die einstige Erhabenheit der Stellung, die Jerusalem unter den Völkern einnahm, dem jetzigen Verlust des
Ansehens gegenüberstellt. Die Würde einer "Großen unter den

---

185 FOHRER, Art. Σιών , in: ThWBNT VII, Stuttgart 1964, 291-
     318; vgl. F.STOLZ, Art. ציון , in: THAT II, München 1976,
     543-551.
186 Wenn KRAUS hinter der Personifikation Zions das Konzept
     der sogenannten "corporate personality" sieht (Klagelie-
     der, 32), so ist dies nicht zutreffend. Unter einer "cor-
     porate personality" versteht man die Darstellung eines
     Kollektivs mittels einer Einzelgestalt (vgl. H.W.ROBIN-
     SON, The Hebrew Conception of Corporate Personality:
     BZAW 66 (1936) 49-61). Bei Zion handelt es sich jedoch
     nicht um eine menschliche Einzelgestalt, sondern um
     einen Abstraktbegriff, der zwischen dem kollektiven und
     individuellen Aspekt schillert.
187 Daß רבתי עם sich, wie KRAUS vorschlägt, auch auf die
     Menge der Festpilger bezieht, ist im Hinblick auf V.4
     nicht von der Hand zu weisen (Klagelieder, 26).

Völkern" (vgl. Ps 122,1-9; Ez 5,5) hat sie mit dem Status
einer schutz- und rechtlosen Witwe eingetauscht[188]. Wenn
RUDOLPH in diesem Zusammenhang darauf aufmerksam macht,
daß die soziale und wirtschaftliche Gedrücktheit des Wit-
wenstandes und nicht das Fehlen des Mannes der Vergleichs-
punkt ist[189], so reißt er unnötigerweise zwei Elemente auseinander, die zusammengehören. Der Verlust des Gatten ist
ja die Bedingung für die Schutzlosigkeit der Witwe, deren
beklagenswerte Stellung in V.1b zum Bild für die Erniedrigung Zions wird. Der dritte Vergleich in V.1c entfaltet den
Niedergang der früheren Herrin zu einer unterjochten Fron-
sklavin. Das Bild Jerusalems als einer Herrin läßt an ihre
ruhmreiche Vergangenheit im Großreich Davids denken, als die
Stadt inmitten der unterworfenen Provinzen die Stellung einer
gebietenden Fürstin innehatte[190]. Da diese ehemalige Glanz-
periode mit den Gebietserweiterungen unter Joschija in der
jüngsten Geschichte Judas wieder in greifbare Nähe gerückt
war[191], ist es verständlich, daß die Aussage in V.1c als der
Tiefpunkt des Elends zur Sprache kommt. Einen Hinweis auf
diesen Sachverhalt gibt schon die gegenüber V.1a und V.1b
unterschiedliche Wortstellung in V.1c. Während V.1a und
V.1b die dunkle Gegenwart an erster Stelle nennen (V.1a:
בדד ; V.1b: אלמנה), beginnt V.1c mit dem Würdenamen Zions
(שרתי). Die Stadt, die also in früheren Zeiten in der

---

188   In der Israel-Stele des Pharao Merneptah heißt es: "Ḥr
      ist zur Witwe geworden für Ägypten". Vgl. K.GALLING,
      Textbuch zur Geschichte Israels, Tübingen ²1968, 39f.
      Ḥr meint Syrien und Palästina. Da die verheiratete
      Frau nach der Lehre des Ptahhotep ein "nützliches Feld
      für ihren Herrn" ist, erscheint die "Witwe" vergleichs-
      weise wie ein brachliegendes Feld, das niemand bestellt.
      So GALLING, 40 A9.
189   RUDOLPH, 211.
190   A.ALT, Jerusalems Aufstieg: ZDMG 79 (1925) 1-19.
191   Vgl. ALT, Judas Gaue unter Josia, Kl. Schr. II, Mün-
      chen 1959, 267-288; M.NOTH, Geschichte Israels, Göt-
      tingen ⁶1966, 246-248; S.HERRMANN, Geschichte Israels,
      München ²1980, 323-326.

Lage war, die ihr Unterworfenen zu Tribut und Fron zu zwingen (vg. Dtn 20,11; Ri 1,28ff.; 1 Kön 9,20f. u.ö.), erfährt
nun selbst die Demütigungen der Knechtschaft: Ihres Volkes
beraubt, der Macht und der Ehre verlustig, ist sie ohnmächtig ihrem Schicksal ausgeliefert.

Daher wird in V.2 das Bild der klagenden Frau konsequent in
den Vordergrund gestellt. Als Weinende wird sie gezeichnet,
die selbst in der Nacht keine Ruhe findet. Ihre Trauer ist
deshalb so überwältigend stark, weil sie niemanden hat, der
ihr tröstend zur Seite steht. Während sonst bei einem Trau-
erfall Freunde und Nachbarn zum Trost herbeieilen (vgl. Jer
16,5; Ijob 2,11), wird Zion von ihren Liebhabern (אהביה)
und Freunden schmählich im Stich gelassen (vgl. Ps 88,9.19;
Ijob 19,14.15). Angesprochen sind in der Erwähnung der Liebhaber nicht die jahwefeindlichen Baalim[192], sondern die Partner des Volkes im politischen Sinn. Auf das Paktieren mit
ihnen hatte Israel seine Sicherheit gegründet. Nun aber erfährt es das klägliche Scheitern dieser bereits von Hosea
(7,11f.) und Jesaja (31,1f.) getadelten Politik. Der Hinweis
auf den Verrat der verbündeten Mächte gilt RUDOLPH als ein
Beleg dafür, daß Klgl 1 sich auf die Situation von 597 v.Chr.
und nicht 586 v.Chr. beziehe. Aus Jer 35,11 und Ez 19,8 nämlich ergibt sich, daß gerade damals die Nachbarvölker Judas
die Bundesgenossen der Chaldäer waren, während für 586 davon
nichts bekannt sei[193]. Dagegen ist aber einzuwenden, daß sich
Juda auch in den Jahren vor der endgültigen Katastrophe im
Jahr 586 mit seinen Nachbarn über einen Aufstand gegen Babel
besprach. In Jer 27,3 werden als Bundesgenossen Zidkijas Edom ,
Moab, Ammon, Tyrus und Sidon genannt. Diese Mächte haben sich
beim Heranrücken des feindlichen Heeres, wie bei der ersten

---

192 Für die "Liebhaber" im religionspolitischen Sinne steht
     das pt. Piel von אהב : Hos 2,7; 9,12.14f.; Ez 16,33.
     36.37; 23,5.9.22; Jer 22,20.22; 30,14; Klgl 1,19; Sach
     13,6; vgl. J.A.THOMPSON, Israel's "lovers": VT 27 (1977)
     475-481.
193 RUDOLPH, 210f.

Eroberung Jerusalems im Jahr 597, auf die Seite Nebukadnezzars geschlagen: Von dem feindlichen Verhalten der Edomiter
gegen Juda legt Ps 137 Zeugnis ab, die Ammoniter beschuldigt
Ez 25,3.6, die Feindschaft Moabs ist aus Jer 40,14 zu erschließen. Auch die Hilfe von seiten Ägyptens, auf die Zidkija in besonderem Maße vertraute (Jer 37,5ff.), erwies sich
nicht als nachhaltig. Von allen im Stich gelassen, erfährt
Zion jetzt die grausame Not völliger Einsamkeit. Mit den Worten "es gibt keinen Tröster" (V.(9b).16b.(17a).21a) lenkt
Zion immer wieder den Blick auf die Tatsache, daß ihm jede
menschliche Hilfe versagt ist.

V.3 lenkt den Gedanken der Trost- und Hoffnungslosigkeit auf
die Preisgabe des Volkes an die Feinde. Juda, das bedeutet
die Bevölkerung des ganzen Reiches, ist ins Exil gewandert
und findet auch dort keine Ruhe. In V.3a, wo von dem Fort-
gehen Judas aus Elend und Mühsal gesprochen wird, ist nach
der Ansicht aller Kommentatoren die Exilierung[194] gemeint
als der Tief- und Schlußpunkt einer längst begonnenen ver-
hängnisvollen Entwicklung. Nach RUDOLPH zieht der Verfasser
hier sogar eine Bilanz der Geschichte Judas und hat den Zeitraum der letzten eineinhalb Jahrhunderte im Auge, in dem das
Reich Juda dem wechselnden Druck der Assyrer, Ägypter und
Babylonier ausgesetzt und sein Schicksal Elend und Knechtschaft war[195]. Ein geschichtlicher Rückblick aber lag auch
schon in V.1 vor, wenn dort das gegenwärtige Elend Jerusalems an den früheren Glanzzeiten gemessen wurde. Die in V.1
zum Ausdruck gekommene positive Einstellung zur Vergangen-

---

194 Der Vorschlag der älteren Ausleger (BUDDE, LÖHR, HAL-
     LER, Komm. Z. St.), an eine freiwillige Auswanderung
     eines Teiles der judäischen Bevölkerung vor allem nach
     Ägypten zu denken, scheitert, wie RUDOLPH richtig her-
     vorgehoben hat, an der Bedeutung des Wortes גלה . Die-
     ses Verb bedeutet im Kal niemals "fliehen", sondern
     weist immer auf eine Deportation hin: 1 Sam 15,19;
     2 Kön 17,23; 24,14; 25,21; Jes 5,13; 49,21; Jer 1,3;
     52,27 u.ö. (212).
195 WEISER, 52; RUDOLPH, 211; KRAUS, Klagelieder, 27;
     PLÖGER, 136.

heit kann in V.3 nicht durch eine derart pessimistische Schau
wieder hinfällig gemacht werden, will man die Rückschau in V.1
nicht als eine illusionäre Glorifizierung kennzeichnen. Wenn
V.3 eine notvolle Geschichte des Volkes im Auge hat, so ist
von der jüngsten Vergangenheit die Rede; denn die Deportation
bildete nur den Abschluß eines unaufhaltsamen Niederganges,
der sich gleich nach dem Regierungsantritt Nebukadnezzars
(605 v.Chr.) in der Tributpflicht Jojakims (2 Kön 24,1) und
bald danach in der Einnahme Jerusalems 597 (2 Kön 24,10ff.)
abzuzeichnen begann und der in der Katastrophe von 586 seine
Besiegelung fand. V.3 spielt damit auf die politischen Aktivitäten zur Abschüttelung des babylonischen Joches an, die
letzten Endes zum totalen Verlust der Freiheit führten[196].
Das in V.3a erwähnte עבדה bedeutet neben "Knechtschaft"[197]
auch "Arbeit, Werk, Geschäft" (1 Chr 26,30; 9,13; 27,26)[198].
In Verbindung mit עני ist an die Arbeit und Mühsal zu denken,
die das Volk teils für den König und die Forderungen des Tri-
butes wie auch zur Verteidigung des Landes aufzubringen hatte.
Aber so groß die Not der Exilierung ist, das Elend Judas ist
damit noch nicht ausgeschöpft; denn auch unter den Völkern
findet es keine Ruhe (V.3b). In all seinen מצרים ("Nöten")
(Ps 116,3; 118,5) wurde es von seinen Verfolgern "eingeholt,
überfallen" (נשג). Das bedeutet: Alle durch den Untergang
Judas hervorgerufenen Bedrängnisse und Ängste des Volkes sind
über den Sieg der Feinde hinaus von diesen in einer fortgesetzten Unterdrückung noch verstärkt worden. In die Sprache
des Glaubens übersetzt, ist damit folgendes gemeint: Juda
hat die Gottesgabe einer ungestörten Existenz im verheißenen
Land durch das Gottesgericht verloren und bleibt daher ruhelos und umhergetrieben (vgl. Dtn 28,65). Deshalb hat KRAUS
recht, wenn er gegenüber RUDOLPH betont, daß V.3 in diesem
Sinn schwerlich aus der Zeit von 597 zu verstehen sei[199].

196　So auch HILLERS, 19.
197　RUDOLPH, 211.
198　WESTERMANN, Art, עבד, in THAT II, 182-200.190f.
199　KRAUS, Klagelieder, 27.

Nicht ohne Grund beginnt auch der Vers mit der Aussage:
"Juda - (nicht das Volk) - ging in die Verbannung", um mittels dieser Ausdrucksweise das Ende der Nation darzustellen.

In V.3 schließt sich die Aussage von V.4, welcher die Auswirkungen des Gerichtes auf Zion als den religiösen Mittelpunkt des Gottesvolkes beklagt, gut an; denn neben den politischen Aktivitäten der letzten Jahrzehnte vor dem Fall Jerusalems war es vor allem die dtn Reform unter Joschija, die
der Stadt als dem Ort des Heiligtums seine zentrale Bedeutung für Israel verlieh[200]. V.4 beschreibt nun das Ende dieser Lebensäußerung des Gottesvolkes vom Zion. Die Prozessio-
nen an den Hochfesten Zions bleiben aus, so daß die Wall-
fahrtsstraßen nach Jerusalem (vgl. Jes 33,8; Sach 8,5; 2 Chr
15,5) verlassen und menschenleer daliegen. Verwüstet sind deshalb auch die Stadttore, weil niemand mehr durch sie ein- und
ausgeht und sich dort keine Menschen mehr versammeln. Stadt
und Tempel sind verödet (vgl. Jes 49,8; Ez 36,4), so daß statt
des Kultes an heiliger Stätte die Klage der Priester, die ihren Dienst nicht aufnehmen können, zu hören ist. Die Jungfrau-
en, die mit Tanz und Gesang (vgl. Ri 21,19f.; Ps 68,25f.) der
Festfreude Ausdruck gaben, sind verstummt, da jeder Anlaß zum
Loblied geschwunden ist. Mit dem Bild der Stadt als einer trauernden Frau, die wegen dieses Zustandes bitteres Leid (Ruth
1,20; Ijob 21,25) empfindet, wird die Strophe abgerundet.

V.5 lenkt den Blick über die bisherige Schilderung der Verlassenheit Zions hinaus auf die Umstände und Ursachen der Kata-

---

200 Vor Joschija hat nachweislich Hiskija versucht, die במות
als Quelle des Synkretismus zu beseitigen (2 Kön 28,4f,).
Die Reformen des Asa und Joschafat im neunten Jahrhundert
hatten demgegenüber die Höhen noch zugelassen. Die Kult-
reform des Joschija beginnt mit einer Zerstörung der Höhen und hat ihren Höhepunkt in der Durchsetzung der dtn
Grundforderung, daß Jahwe nur an einem Ort kultisch le-
gitim verehrt werden dürfe (Dtn 12,14; 14,23f.; 16,2.6.
11; 26,2). Joschija erkannte diese Stätte im Tempel von
Jerusalem, der damit für jeden gläubigen Israeliten zum
kultischen Mittelpunkt und wichtigsten Ort überhaupt
wurde (Ps 132,13f.).

strophe. Ein erster Grund für das Elend Zions liegt in dem
Sieg der Feinde, die an den "obersten Platz" gelangt sind und
jetzt das "Haupt" Zions bilden (vgl. Dtn 28,13.44)·. Daher können sie sich dem Gefühl der sicheren Ruhe (vgl. Jer 12,1; Ps
122,6) und der Vollständigkeit ihres Triumphes hingeben. הָיָה
לְרֹאשׁ (vgl. Jes 7,8) faßt aber in V.5a nicht nur den Verlust
der politischen Selbständigkeit und der inneren Freiheit zusammen, sondern beinhaltet auch die schmerzliche Erkenntnis,
daß Jahwe als das eigentliche Haupt Zions dieses fallen gelassen hat. Das unversehrte, gedeihliche Sein (שָׁלוֹם), das Israel von Jahwe verheißen worden war, erleben jetzt die Feinde.
Der innere Grund für die Umkehrung der Verhältnisse aber liegt
nach der Auffassung des Verfassers nicht mehr in der siegreichen Übermacht der Feinde beschlossen. Jahwe selber ist es,
der im Kampf gegen sein eigenes Volk[201] Israel an seine Feinde
preisgegeben hat (vgl. Jes 5,26; Jer 12,7; 15,9.14 u.ö.). Die
jetzige Feindschaft Gottes hat jedoch ihren Grund in den zahlreichen Übertretungen Zions und wird daher als verdiente Sündenstrafe begriffen: "Trübsal hat der Herr ihr gesandt, wegen all
ihrer Sünden" (V.5b). פֶּשַׁע ("Sünde, Frevel, Verbrechen") ist
ein Rechtsbegriff, der sich auf alle rechtlich faßbaren Taten
bezieht. Er hat deshalb eine religiöse Bedeutung, weil Israel
sein Verhältnis zu Jahwe als Bund und damit auch in rechtli-
chen Begriffen umschrieb. Jahwe ist aber als der Herr des Bundes auch der Herr des Rechtes und ahndet jeden Rechtsbruch[202].
In der prophetischen Anklage des Volkes ist פֶּשַׁע daher ein
Schlüsselwort, um neben der Totalität der Verbrechen auch die
Totalität des kommenden Gerichtes, das der פֶּשַׁע unweigerlich

---

201 Zu dieser von den Propheten ausgesprochenen Ankündigung
     eines "umgekehrten Jahwekrieges" vgl. Am 5,18-20; Jes
     2,12f.; Zef 1,10-12; 2,1-3; 3,6-8; Ez 7,10; Joel 1,14;
     2,1-11; Mal 3,1-5.13-21.23f.; 4,1.
202 Vgl. R.KNIERIM, Die Hauptbegriffe für Sünde im AT, Gü-
     tersloh 1965, 143ff.; DERS., Art פֶּשַׁע , in: THAT II,
     488-495.493.

nach sich zieht, anzuzeigen[203]. In diesem Sinn ist auch für
Klgl 1 die Sünde die tiefere Ursache für das eingetroffene
Gericht.

Einige Erklärer weisen in diesem Zusammenhang darauf hin, daß
die Erkenntnis "Jahwe hat Zion betrübt wegen all ihrer Sünden"
(V.5b) nur kurz aufblitze, um dann wieder zu einer Schilderung
des Elends überzugehen (V.5ff.) [204]. Damit ist aber die Funktion von V.5b mißverstanden. Schon die Untersuchung der Form
hatte einen konsequenten und zielgerichteten Aufbau erkennen
lassen, der dem Stilgesetz der konzentrischen Symmetrie folgt.
Die inhaltliche Untersuchung bestätigt die dort gewonnene Einsicht. V.5b ist nicht nur eine kurze Unterbrechung der im Vordergrund stehenden Leidklage, sondern geradezu der Höhepunkt
der mit V.1 begonnenen Klage über das Gottesgericht. Eine kurze
Zusammenfassung soll dies verdeutlichen: Die Einleitung in V.1
deckt im Gegensatz Einst-Jetzt die Unfaßbarkeit des Geschehens
auf und zeigt den Verlust von Macht und Würde, der Zion getroffen hat. V.2 beschreibt die Verlassenheit Zions, das trotz aller Absicherung in der von ihr betriebenen Bündnispolitik die
Einsamkeit des Geschlagenen, von dem die Freunde und Liebhaber
sich abwenden, ertragen muß. V.3 und V.4 sagen aus, was die
Katastrophe von 586 für das Volk bedeutet: Juda-Zion ist als
politische und religiöse Größe zerschlagen. Das Ende der Ei-
genstaatlichkeit Judas zeigt sich am deutlichsten in der tri-
umphalen Gelassenheit, mit welcher der Feind Zion in Besitz
nahm (V.5a). V.5b aber bringt den Höhepunkt des ersten Teiles
(V.1a-9c), indem er als Grund für den Untergang nicht die äußeren Umstände, sondern die Sünden des Volkes nennt, die Jahwe
als der Herr des Bundes mit dem zuvor geschilderten Niedergang
bestraft hat. Um V.5b bewegen sich die Aussagen des ersten Teiles in konzentrischer Anordnung. So ist auch V.5c in dieser
Aussagenfolge nicht nur eine Momentaufnahme über die Grausam-

---

203 Jes 1,2; 43,27; 66,24; Jer 2,8.19; 33,8; Ez 2,3; Zef 3,11;
Jer 46,8; 48,8; 53,12; Jer 3,13; Ez 18,31; 20,38; Hos 14,
10; Am 4,4 u.ö.
204 WEISER, 53; RUDOLPH, 212; KRAUS, Klagelieder, 28.

keit der Situation, die sogar unschuldigen Kindern die Not der
Sündenstrafe aufbürdet[205]. Wenn hier der Zug der wehrlosen Kinder im Triumphzug des Feindes angeführt ist (Vgl. Dtn 28,41),
so demonstriert diese Gegebenheit in Entsprechung zu V.5a sowohl die restlose Unterwerfung Zions wie auch die neuen Machtverhältnisse.

V.6, der in seiner Aussage mit V.4 korrespondiert, behandelt
wie die dortigen Ausführungen über das Aufhören des kultischen
Lebens den Verlust allen Glanzes, den Zion je besaß. RUDOLPH
will auch in diesem Vers die Situation von 2 Kön 24,12,und damit den Bezug des ganzen Liedes auf die Vorgänge von 597 wiedererkennen. Die von Nebukadnezzar vorgenommene Deportation
habe damals in der Hauptsache die Vornehmen des Landes betroffen, deren Zug in die Gefangenschaft Klgl 1,6 deshalb betont
herausstelle[206]. In Wirklichkeit ist aber mit הדר zunächst
nicht der Adel Jerusalems, sondern der Glanz und der Prunk
der Hauptstadt (vgl. Jes 5,14; Ez 27,10) gemeint, für dessen
Schwinden die Deportation der Edelleute in V.6bc als ein Beispiel angeführt wird. Daher ist die These von RUDOLPH an V.6
nicht zu verifizieren[207].

Der Zug des Adels vor dem Bedränger bildet das Gegenstück zu
dem der Kinder in V.5c und ist Ausdruck der gleichen Ohnmacht.
Zion ist der Willkür seiner Feinde vollkommen preisgegeben. In
diesem Zusammenhang werden die Fürsten mit kraftlosen Hirschen
verglichen, die, weil sie keine Weide finden, die Kraft zur
Flucht verloren haben. So wurden sie von ihren Verfolgern eingeholt (2 Kön 25,3f.), die sie nun vor sich einhertreiben.

Die Erinnerung an den Verlust allen Glanzes sowie die spötti-
sche Mißachtung durch den Feind, bilden das Thema der folgenden Strophe. Um die Übermacht der Feinde ging es auch in dem

---

205 PLÖGER, 137.
206 RUDOLPH, 212.
207 So auch KRAUS, Klagelieder, 29.

V.7 korrespondierenden V.3. Die Erfahrung des totalen Zusammenbruchs (V.3), der für Zion an sich schon schmerzlich genug
ist, wird nach V.7 dadurch so schmachvoll, daß er von den Feinden mit Spott und Gelächter kommentiert wird (V.7d).

Ein Glossator, wohl motiviert durch den Hinweis auf die geschwundene Pracht Zions in V.6a, brachte darüber hinaus in den
Zusammenhang von V.7 die Klage um die verlorenen Kostbarkeiten
Jerusalems ein (V.7b), um so das Moment der Schmach und Schande
zu unterstreichen.

Die Rückschau des klagenden Jerusalem, in der es all sein Elend
vergegenwärtigt (זכר), will KRAUS als einen Hinweis auf die
zur Klagefeier versammelte Gemeinde verstehen[208]. Demgegenüber
ist aber zu beachten, daß das Verbum זכר , das KRAUS als einen
Hinweis auf ein kultisches Gedenken verstehen will, mit Vor-
liebe in alphabet-akrostichischen Texten gebraucht wird (Ps 25,6;
Klgl 3,19; Ps 111,4; 119,49.52) und als solches nicht unbedingt
auf eine kultische Situation hinzuweisen braucht.

Wie die ihr entsprechende Strophe V.2 befaßt sich auch V.8 mit
der buhlerischen Bündnispolitik Jerusalems, das wie eine ent-
blößte Dirne der Verachtung nicht bloß seiner Feinde, sondern
auch seiner "Verehrer" preisgegeben ist. Mit diesem Hinweis
findet der Gedanke der totalen Verlassenheit Zions, der in V.1
eingeleitet und in den folgenden Versen in der Feindschaft der
Freunde und Liebhaber sowie der Strafe Jahwes entfaltet wurde,
seinen Abschluß. "Schwer gesündigt hat Jerusalem" lautet daher
auch wie in V.5 die Überführungsformel[209], die in V.8a das Straf-
urteil begründet: Jerusalem ward zum Abscheu[210] für alle, die sie
einst ehrten.

---

208 KRAUS, Klagelieder, 29.
209 Zur formelhaften Verwendung von חטא vgl. KNIERIM, Haupt-
     begriffe, 143ff.; DERS., Art. חטא , in: THAT I, München
     ²1975, 541-549.543f.
210 נידה kommt von נוד . Dieses Verb bezeichnet die Geste
     des Kopfschüttelns, die der tiefsten Verachtung Ausdruck
     gibt: Jer 18,16; 48,27.

Im Hintergrund von V.8 steht die prophetische Kritik, die am
Beispiel des Hurendienstes Jerusalem als den Exponenten einer
Pervertierung der Erwählung betrachtet[211]. Dabei ist die Vorstellung von der Entblößung der Dirne Jerusalem in dreifacher
Hinsicht bedeutungsvoll. Zunächst gilt Entblößung dem Israeliten grundsätzlich als eine Schande (vgl. Gen 9,20-27; Gen 3,10.
11; Ez 16,37). Darüber hinaus aber denkt der Verfasser in V.8
an den in Hos 2,4f. und Ez 16,37f. als Strafmaßnahme Jahwes
beschriebenen Vorgang, mit dem er sein treuloses Volk bestraft
(vgl. Jer 13,22.26; Nah 3,5). Weiterhin schwingt in diesem Bild
auch der Gedanke einer mit der Entblößung zum Ausdruck kommenden Ohnmacht und Schwäche mit (vgl. Ez 16,7.8). Zion hat jedoch
keinen Grund, sich über die schweren Heimsuchungen zu beklagen;
war es doch die bewußte Blindheit gegenüber der eigenen Schuld,
die es in diesen Zustand gebracht hatte.

Deshalb beschreibt V.9 im Bild der menstruellen Unreinheit, die
für gewöhnlich unentdeckt bleibt, die Illusion Jerusalems, das
mit einer Folge der eigenen Sünde nicht rechnete. Wie aber Blut
das Kleid beflecken kann und der Zustand der Unreinheit dann zutage tritt, so ist auch Jerusalems Schleppe befleckt worden[212]
und ihr Ende (אחרית) daher für jedermann sichtbar. Der Zustand
der Unreinheit öffnet Zion die Augen für das Ausmaß ihres Stur-
zes[213] und für die Erkenntnis, daß es für sie keinen Tröster
gibt (vgl. V.2b).

Mit der Vorstellung vom Ende[214], das Zion allerdings nicht bedacht hat, lenkt der Verfasser auf V.1 zurück, der im Gegensatz

---

211 Hos 2,5.12; Jer 13,22.26; Nah 3,1-5; Mi 3,10; Hab 2,12;
    Ez 16,37-40; 22 u.ö.
212 Hos 5,3; 6,10; 9,3f.; Jes 6,5; Jer 2,7; 7,30; 32,34;
    Ez 22,15; 24,11; 2,23; 13,27.
213 Zu ירד als Bild der Erniedrigung vgl. Ez 30,6; Jes 47,1;
    als Ausdruck für den Fall einer eroberten Stadt begegnet
    ירד in Dtn 20,20.
214 Zu אחרית als Ausdruck für das Gericht vgl. Am 8,10; Jes
    2,12f.; 3,13f.; 8,9; 17,12; Jer 1,10; 4,23; 25,15f.; Mi 1,2-
    4. Gemeint ist hier nicht das punktuelle Ende, sondern das
    prozeßhafte Ergebnis der Schuld des Volkes (H.SEEBASS, Art.
    אחרית , in: ThWBAT I, Stuttgart 1973, 224-228.227).

von Einst und Jetzt den Untergang Zions vor Augen führte.

Der kurze Klageruf Zions in V.9c bringt abschließend all das
Elend vor Jahwe und nennt als Grund für die erbetene Hilfe
das Großtun (גדל hif.) des Feindes.

KRAUS findet es in diesem Zusammenhang bemerkenswert, daß
nicht die Reue über die begangene Schuld als Grund für das
Einschreiten Jahwes genannt wird, sondern die Prahlerei des
Feindes. Er denkt deshalb an Vorstellungen aus der "Theologie" des Jerusalemer Heiligtums (Ps 46 u.ö.), wo Zion als der
Königssitz des Gottes Jahwe gepriesen wird, der deshalb auch
jetzt zugunsten Zions einschreiten müsse[215]. KRAUS übersieht
jedoch den Charakter der Klage, der es um ein Ausbreiten der
Not vor Jahwe geht, sowie die Funktion von V.9c im Ganzen von
V.1a-9c. Diesem Abschnitt geht es um die Herausstellung des
Endes und seiner Bedeutung für Juda, wobei sich um den Höhepunkt der Aussage in V.5b die übrigen Verse konzentrisch an-
ordnen. Die Verse 8-9c entsprechen dabei den Versen 1-2 und
teilen deren Aussage über die Verlassenheit und den Untergang
Zions. Darum wird in V.9c nicht die Reue als Grund für ein
göttliches Eingreifen genannt, sondern der Sieg der Feinde und
sein Triumph darüber (vgl. Ps 79). In dieser Erwähnung Vorstellungen der Jerusalemer Theologie zu sehen, wie sie in den
Zionspsalmen (Ps 46.48.52) begegnen, die von der Unbesiegbarkeit Jerusalems als der Gottesstadt reden, ist nicht geraten.
Einmal ist der Begriff Zion in Klgl 1 in eben dieser Bedeutung nicht gebraucht, zum anderen ist die Klage über die Prahlerei der Feinde in V.9c bestimmt von der Darstellung des Abschnittes V.1a-9c, der in fast jeder Strophe von den Übergrif-
fen der Gegner spricht. Diese Prahlerei der Feinde kann, trotz
der Einsicht, daß Jahwe ihren Triumph bewirkt hat, deshalb zu
einem Motiv für die erbetene Hilfe werden, weil hier vornehmlich das klagende und nicht das gerichtete Zion spricht, das

---

215 KRAUS, Klagelieder, 30.

unter dem גדל der Gegner übermäßig zu leiden hat[216].

V.10a-11b

Die Erwähnung des triumphierenden Feindes wird in V.10 zum Anlaß einer kurzen Schilderung von dessen Freveltaten. War die
Plünderung der Schätze Jerusalems[217] schon schlimm genug, so
bedeutet das Eindringen der גוים ("Heiden") in den Tempelbezirk für Zion eine Erniedrigung ohnegleichen. "Unreine" konnten hier tun, was das Gebot strikt untersagte, nämlich den
Tempelbezirk überhaupt zu betreten (vgl. Dtn 23,3f.; Ez 44,7.9;
Neh 13,1), und spielten sich darüber hinaus sogar als die Her-
ren auf, die ihre Hände nach allem ausstreckten, was sie be-
gehrten (vgl. Ps 74,4; 79,1; 1 Makk 2,11f.).

Die in der Klage des Sprechers unerwartete Anrede Jahwes in
V.10c erklärt RUDOLPH aus dem gottesdienstlichen Rahmen von
Klgl 1[218]. Es ist aber auch möglich, daß der Verfasser ein
sakralrechtliches Gebot hier deshalb in direkter Redeweise
zitiert, weil so das dahinter stehende Problem, warum Gott
eine solche Beleidigung seiner selbst zugelassen hat, deutlicher zum Ausdruck kommt.

---

216 Hinter גדל hif. im transitiven Sinn stehen folgende Zusammenhänge: 1. Subjekt ist immer ein Mensch und sein Tun ist
negativ zu bewerten. 2. Das Großtun richtet sich nicht gegen Gott, sondern gegen den Menschen und meint, sich un-
rechtmäßig, überheblich und vermessen als groß gebärden
(Ps 35,26; 38,17; 41,10; 55,13). Weil aber die Verhöhnung
des elenden Menschen zugleich Gott, den Garanten und Grund
des Rechts und der rechten, lebenermöglichenden Ordnung,
verhöhnt, kann die Erwähnung des Großtuns in der Klage zu
einer Motivation der erbetenen Hilfe Gottes werden (J.BERG-
MANN - H.RINGGREN - R.MOSIS, Art. גדל , in: ThWBAT I, 927-
956.942f.
217 Das Suffix in כל מחמדיה macht deutlich, daß es hier
um die Schätze Jerusalems, d.h. der Paläste und des Tempels,
geht, und nicht allein um die Tempelgeräte, wie RUDOLPH
meint (213).
218 RUDOLPH, 213; vgl. WEISER, 54.

Daß in V.10 "nur" von der Tempelentweihung die Rede ist,
nicht aber von dessen Zerstörung, findet KRAUS in bezug auf
das was 586 wirklich geschehen ist, zumindest "eigenartig"[219].
RUDOLPH folgert daraus sofort, daß eben die Situation von 597
vorausgesetzt sei, als die Babylonier den Tempel plünderten,
aber nicht zerstörten[220]. Betrachtet man nun den Charakter
dieser Klage, so wird deutlich, daß es ihr um das Moment der
Zion zugefügten Schmach und Schande[221] geht. Damit hatte bereits die Bitte Zions in V.9c zu tun. Die Schändung des Heiligtums ist aber zugleich Schändung und Entehrung Gottes. Insofern enthält V.10b gegenüber V.9 eine Steigerung, als mit
dem Eindringen der Feinde in den Tempel trotz des Verbotes von
Jahwe, nicht nur Jerusalem, sondern auch Jahwe tief gedemütigt
ist. Von diesem Hintergrund her wird auch die Anrede Jahwes
vollauf begreiflich, denn wie konnte er diese Demütigung zu-
lassen? Die Aussagenfolge V.9c. V.10f. bestätigt so die bereits in der Untersuchung der Form sichtbar gewordene gegenseitige Bezugnahme der einzelnen Abschnitte von Klgl 1 (hier
V.1a-9c und V.10a-11b). Wenn es aber in V.10 um das Moment der
Schmach und Schande des Leides geht, so paßt zur Illustration
dieses Momentes, wie KRAUS richtig vermutet, das Sakrileg des
Betretens heiliger Sphäre besser als der Hinweis auf Tempel-
brand und Zerstörung[222]. Daß das Eindringen der Feinde in den
Tempelbezirk auch gegenüber der Plünderung Jerusalems das eigentlich Bedrückende darstellt, zeigt der konzentrische Auf-
bau dieser kurzen Klage (V.10a-11b), in deren Mittelpunkt in
V.10bc eben diese Aussage steht. Gerahmt wird sie von der
Schilderung des Verlustes aller Schätze in V.10a und V.11ab.

---

219 KRAUS, Klagelieder, 30.
220 RUDOLPH, 209; vgl. HALLER, 94; WEISER, 54.
221 Das Sich-Beklagen innerhalb des Klagepsalms verläuft nach
     einer festen Struktur und hat immer zwei Seiten: Es bringt
     das Leid und die Schande des Leids zum Ausdruck; vgl. da-
     zu WESTERMANN, Struktur, 54f.
222 KRAUS, Klagelieder, 30.

V.11 bestätigt diese Auslegung, da auch er den Gedanken der
Schmach weiterführt, indem er auf die durch die Umstände er-
zwungene Selbstdemütigung der Bewohner Jerusalems hinweist.
Die Hungersnot, die sie erleiden, nötigt sie zu einem ernie-
drigenden Tauschgeschäft: ihr Besitztum gegen die Möglichkeit
des Überlebens[223]. In dem Begriff מחמודיהם, der gewöhnlich
mit "ihre Schätze" übersetzt wird, sieht HILLERS, da dieses
Wort auch zur Bezeichnung von Kindern (vgl. Hos 9,16) gebraucht werden kann, eine Anspielung darauf, daß die Bewohner
in ihrer übergroßen Not sogar ihre Kinder verkauft haben[224].
Weder aus dem Kontext von V.11 ist eine solche Auslegung zu
rechtfertigen noch aus dem Zusammenhang von V.10, wo der gleiche Begriff gebraucht wird. Wenn er sich dort auf die mate-
riellen Kostbarkeiten bezieht, ist ein solches Verständnis auch
für V.11 anzunehmen.

Die Darstellung als Ganzes erinnert an bekannte Schilderungen
der bedrückenden Ereignisse aus dem Jahr 586 (vgl. 2 Kön 25,3;
Jer 37,21; 38,9; 52,6). Daher ist auch hier kaum ein Bezug auf
die Umstände von 597 abzuleiten. Wenn WEISER dagegen meint, daß
im Jahre 586 nur die "Geringsten des Landes" (vgl. 2 Kön 25,12)
von der Deportation verschont blieben, während es im Gegensatz
dazu im Jahre 597 noch Leute gab, die Wertgegenstände gegen Nah-
rungsmittel eintauschen konnten[225], so beruht seine Überlegung
auf einem Mißverständnis. In der von ihm genannten Stelle 2 Kön
25,12 meint der Begriff שארית ("Rest") nicht eine Quantität
er wird vielmehr hier in einem theologischen Sinne gebraucht als
Bezeichnung für diejenigen, die dem Gericht entgangen sind[226].

---

223 Die Partizipien נאנחים und מבקשים sind nicht durch
     Präterita (so PLÖGER, 133) zu übersetzen; sie drücken
     einen andauernden Zustand aus (RUDOLPH, 213).
224 HILLERS, 25f.
225 WEISER, 54.
226 E.JANSSEN, Juda in der Exilszeit, Göttingen 1956, 40.

V.11c-16

V.11c greift die in V.10a-11b beklagte Schande direkt als
Thema einer neuen Klage auf, in der Zion als Beweggrund für
ein göttliches Eingreifen folgerichtig die Verachtung von
seiten der Gegner und ehemaligen Freunde anführt.

Mit einem Ruf, der an die Situation eines Bettlers erinnert[227],
wendet sich Zion an die Vorüberziehenden und fleht um Teilnahme an seinem Schmerz (V.12a). Die Beteiligung der Hörer-
gruppen als Zeugen und Beobachter ist auch bei Jeremia ein
geläufiges Stilmittel[228], um, wie in Klgl 1,12, einer mitlei-
denden Betrachtung Ausdruck zu verleihen.

Zions Schmerz ist deshalb unerhört, weil Jahwe als der Urheber den "Tag seines glühenden Zornes" über sein eigenes Volk
gebracht hat (V.12c). Hinter dieser Aussage steht die Vorstellung vom "Tag Jahwes", ein Überlieferungselement, das in der
Vorstellung von einem umfassenden Gerichtstag zum ersten Mal
in Am 5,18-20 bezeugt ist. Amos sowie die Propheten nach ihm,
bestreiten in der Ankündigung dieses Tages die Heilserwartung
ihrer Zeitgenossen: Weil Israel mit den Feinden Jahwes in einer Linie steht, kann es sich nicht als den Rest betrachten,
dem das Heil am "Tag Jahwes" zuteil wird, sondern es hat das
Gericht Gottes zu erwarten[229]. In Klgl 1,12c ist diese Vorstellung erstmals auf ein vergangenes Geschehen angewandt
(vgl. Ez 34,12). Wenn in Klgl 1 nicht expliziert vom "Tag Jahwes" sondern von einem ‏יום חרון אפו‎ (1,12c) und ‏יום־קראת‎
(1,21c) die Rede ist, so erinnert diese Redeweise an den ähnlichen Sprachgebrauch bei Jeremia. Auch er spricht nicht direkt

---

227 So Kraus, Klagelieder, 31.
228 Vgl. Jer 4,5-8.15.16; 5,10; 6,1f.4; 7,12.29; 9,16.18.20;
     10,17; 13,18.20.21.
229 Auf die Frage, woher die Vorstellung vom Tag Jahwes
     stammt, gibt es innerhalb der Forschung mehrere Antwor-
     ten, die zunächst recht gegensätzlich scheinen. H.GRESS-
     MANN meinte dahinter eine mythische Weltanschauung erken-
     nen zu können, die von einem Wechsel der Heils- und Un-
     heilszeiten redete. (Der Ursprung der israelitisch-jüdi-
     schen Eschatologie, Göttingen 1905, 141ff.) S.MOWINCKEL

von einem "Tag Jahwes", sondern von "Unglückstagen" (Jer 16,19;
17,16.17.18; 18,17), von "Gerichtstagen" (Jer 12,3; 46,10; 46,
21; 51,2), von "diesem" Tag (Jer 30,7; 46,10; 47,4) und von "dei-
nem/seinem/ihrem" Tag (Jer 31,6; 50,27.31).

Mit einer Darstellung des Angriffes, den Jahwe auf Zion am Tag
des Gerichtes gemacht hat, fährt V.13 fort. Wenn KRAUS dagegen
meint, V.13 schildere den Schmerz Zions[230], so übersieht er,
daß die Klage Zions keine Ich-Klage, sondern eine Du-Klage ist,
die die Strafe Jahwes in drei verschiedenen Bildern umschreibt.

---

dagegen sah den Kult als Entstehungsort dieser Redeweise
an, wo jeweils im Neujahrsfest der Sieg Jahwes über die Un-
heilmächte gefeiert wurde. Die Erwartung eines kommenden
Tages Jahwes als des Tages des Lichtes und Heiles wäre danach die in die Zukunft verlegte Projektion dieses kultischen Ritus (Psalmenstudien II. Das Thronbesteigungsfest
Jahwäs und der Ursprung der Eschatologie, Oslo 1922; vgl.
auch J.GRAY, The Day of Jahwe in Cultic Experience and
Eschatological Prospect: SEA 39 (1974) 5-37). Nach VON RAD
gehört die prophetische Schilderung des kommenden Tages
Jahwes (Jes 2,12; 13,6.9; 22,5; 34,8; 46,10; Ez 7,19; 13,5;
30,3; Joel 1,15; 2,1.11; 3,4; 4,14; Am 5,18-20; Ob 15; Zef
1,7.8.14-18; Sach 14,1) zum Vorstellungskreis der Jahwe-
kriegstheophanien. So spielen deren wunderliche Begleiter-
scheinungen (Donner: Sam 7,10; vom Himmel fallende Steine:
Jos 10,11; Finsternis: Ex 14,20; Jos 24,7; triefendes Gewölk: Ri 5,4f.; Gottesschrecken: Ex 15,14f.; 23,27f.) auch
bei der Vorstellung vom Tag Jahwes eine Rolle. (Theologie
des AT II, 129ff.; DERS., The Origin of the Day of Yahweh:
JSS 4 (1959) 97-108. Nach E.HAAG ist die Tag-Jahwes-Vor-
stellung inhaltlich mit dem Geschehen der Jahwekriege, formal jedoch mit den Theophanieschilderungen aus den Sieges-
feiern der altisraelitischen Heerbanne zu verbinden. Die
Bestätigung, die der staatliche Jahwismus aber aus den politischen Erfolgen des davidischen Großreiches zog, führte
auf die Dauer zu einer Loslösung des Erwählungsgedankens
von Jahwes geschichtlicher Führung und zu einer Mechani-
sierung der Heilsvorstellung vom Tag Jahwes. Daher zählt
die Prophetie seit Amos Israel zu den Feinden Jahwes, das
wegen seiner Schuldanhäufung einen Tag Jahwes zu erwarten
habe, der alle Selbstsicherheit und vermeintlichen Heils-
garantien zerschlägt (Der Tag Jahwes im AT: BiLe 4 (1972)
238-248; vgl. H.P.MÜLLER, Ursprünge und Strukturen alttestamentlicher Eschatologie, Berlin 1969, 69-128).
230 KRAUS, Klagelieder, 31

Während von oben herab (ממרום) Feuer die Gebeine Zions
durchdrang, stellte Jahwe von unten den Füßen Netze, in welchen sie gefangen wurden. Im Gegensatz von "oben" und "unten"
wird hier die ausweglose Situation Zions beschrieben, das dem
Gericht Gottes nicht entgehen konnte. Das für das Gericht Jahwes auch sonst gebräuchliche Bild des Feuers (Am 5,6; Jer 4,8;
5,14; 7,20; Dtn 32,22) zeigt in V.13a die vernichtende Gewalt
des göttlichen Zornes an. V.13b dagegen nimmt sein Bildmate-
rial aus dem Bereich der Jagd, wo man Tiere in Fallen und Net-
zen fängt. Diese Vorstellung, die auch in den Klagepsalmen
häufig zur Beschreibung der heimtückischen Verfolger dient
(Ps 9,16; 25,15; 31,5 u.ö.), wird in V.13b auf Jahwe angewandt (vgl. Hos 7,12; Jer 50,24; Ez 12,13 u.ö.), um das für
Zion so überraschende und gefährliche Moment des Zorngerichtes zu kennzeichnen. Die Wirkung auf Zion wird mit השיבני אחור
beschrieben; das bedeutet: die Maßnahmen Jahwes haben Zion in
der Weise getroffen, daß es "zurückgewendet" wurde und nicht
mehr weitergehen konnte. Daher fühlt sich Zion von Jahwe wie
mit einer Krankheit geschlagen und ist verstört (שוממים),
weil sein Zustand keine Aussicht auf Heilung mehr bietet
(V.13c).

Der Grund für diese Verfassung wird, wie bereits in V.5 und
V.8, so auch in V.14, dem Höhepunkt des Abschnittes V.11c-16,
in der Sünde Jerusalems gesehen, die wie ein Joch auf diesem
lastet. Mit "Joch" ist ein Gerät gemeint, das seinerzeit in
der Landwirtschaft dazu benutzt wurde, sich ein oder zwei
Tiere dienstbar zu machen. Es ist ein ungefähr 1,50 m langer
Querbalken, der mit Stricken an den Zug- oder Lasttieren be-
festigt wird, aber auch Menschen zum Tragen einer Last auferlegt werden kann[231]. Im AT ist "Joch" ein Bild für die Unterwerfung und die Unterjochung sowie für das Tragen einer
großen Last. Wenn Klgl 1,14a vom "Joch meiner Sünden" spricht,

---

231 G.DALMAN, Arbeit und Sitte in Palästina II, Gütersloh
     1932, 93f.

so liegt hier eine Ausdrucksweise vor, die den inneren Zusammenhang von Schuld und Strafe beinhaltet. Der Gedanke der Strafe liegt aber nicht schon in den erwähnten Sünden beschlossen, sondern erst in dem Auflegen des Joches auf den Nacken, wodurch dem sündigen Jerusalem seine Missetaten als eine schwere, niederdrückende Last zum Tragen auferlegt werden (vgl. Jes 9,3; 10,27; 14,25; Jer 2,20; 5,5 u.ö.). Diese Redeweise, die in doppelsinniger Bedeutung Tat und Ergehen, Ursache und Folge benennt, ist Ausdruck eines bestimmten israelitischen Denkschemas, das FAHLGREN als "synthetische Lebensauffassung" bezeichnet hat. Gemeint ist, daß in der Vorstellung des Hebräers in der jeweiligen Tat des Menschen schon die Strafe beschlossen liegt, die von Jahwe dann vollendet und sichtbar gemacht wird[232]. Demgemäß heißt es in V.14c: "Der Herr gab mich in die Hände derer, denen ich nicht standhalten konnte".

Dieser Gedanke wird in V.15 weitergeführt. Parallel zu V.13 beschreibt auch dieser Vers die Vernichtungsmaßnahmen Jahwes: Jahwe richtet die Jungfrau Tochter Juda, indem er, was groß in den Augen der Menschen war, nämlich die Helden Zions (Jes 3,2), "unter Verachtung wegwirft" (סלה ; vgl. Ps 119, 118; Jer 22, 19.28; Klgl 4,2). Der Angriff Jahwes wird in zwei Bildern geschildert: als Opferfest und als Keltertreten. Es handelt sich um Bilder, die beide den "Tag seines glühenden Zornes" (V.12c) gewärtigen sollen. Das Fest, das Jahwe über das Volk ausruft und zu dem er selbst die Feinde einlädt (vgl. Zef 1,7f.; Jes 13,3; Jer 46,10), bedeutet für Juda den Zusammenbruch seiner Wehrkraft. Es hat den Charakter einer Weinlese, bei welcher allerdings Jahwe die Kelter tritt, in die ihre Jünglinge, abgeschnitten wie Trauben (Jes 63,2), getan werden. Als Bild für das Anrichten eines Blutbades und für den Vollzug des Straf-

---

232   K.H.FAHLGREN, Sedākā nahestehende und entgegengesetzte
      Begriffe im AT, Uppsala 1932, 87ff.; vgl. auch K.KOCH,
      Gibt es ein Vergeltungsdogma im AT: ZThK 52 (1955), 1-42;
      DERS., (Hg), Um das Prinzip der Vergeltung in Religion
      und Recht des Alten Testamentes, Darmstadt, 1972.

gerichtes überhaupt ist diese Vorstellung in Jes 63,2f. und
Joel 4,13 übernommen worden.

V.16 greift auf die Gedanken von V.12 zurück und faßt im
Rückgriff auf die Aussagen V.13c.14c(vgl. V.9bc) die Stimmung trostloser Niedergeschlagenheit zusammen. Weil es um
den Schmerz des gedemütigten Jerusalem geht, kehrt V.16 zum
Bild der weinenden Frau aus V.2 zurück (vgl. V.16a mit V.2a;
V.16b mit V.2b; V.16c mit V.1a). Die seufzende Frau Zion findet in ihren Tränen jedoch keinen Trost; denn die Übermacht
des Feindes und ihre dadurch verursachte Bedrängnis sind zu
groß. Die Rede von "Zerfließen der Augen in Wasser" (V.16a)
erinnert vor allem an den für Jeremia charakteristischen
Sprachgebrauch (Jer 9,17; 13,17; 14,17). Dort ist sie ein
Ausdruck der Trauer über die Verschuldung des Volkes, welche
unweigerlich das Gericht zur Folge haben wird. In Klgl 1,16,
das ja die Situation nach dem eingetroffenen Gericht im Auge
hat, steht dagegen neben der Klage über das Gottesgericht die
Trauer um den fehlenden Tröster im Vordergrund; denn auch die
Kinder Zions sind שׁוֹמֵמִים ("verwüstet, verstört"); das bedeutet, daß sie der trauernden Mutter Zion keinen Trost bringen
können.

V.17a-22c

Die Klage Zions greift der Sprecher in V.17 auf, wenn er den
Grund für die trostlose Lage nennt: Zion breitet die Hände
nach einem Tröster deshalb vergebens aus, weil Jahwe in den
Nachbarvölkern eine feindselige Stimmung gegen "Jakob" erweckt
hat. Die Bezeichnung "Jakob" ist hier nicht nur ein anderer
Name für Juda, sondern soll den gesamtisraelitischen Horizont
der Katastrophe bewußt machen. Nach dem Fall Samariens im
Jahre 722 v.Chr. ging die für Nordisrael übliche Bezeichnung
Jakob auf Juda über (vgl. Dtn 32,9), das zum alleinigen Repräsentanten der gesamtisraelitischen Traditionen wurde. Um
so schmerzvoller mußte die Tatsache empfunden werden, daß Jerusalem jetzt selbst zerstört daliegt, zu einem Schandfleck

(vgl. V.8a) geworden, den jeder meidet.

Zion fällt dennoch nicht in eine Anklage Jahwes, sondern stellt
betont das Bekenntnis der göttlichen Strafgerechtigkeit sowie
der eigenen Schuld an den Anfang (V.18a) der Klage über das Gottesgericht (V.18-22). Hier setzt sich die Gattung der sog. Gerichtsdoxologie durch[233], in der nämlich Jahwes Gerichtsurteil
anerkannt wird, so wie es Gesetz (vgl. Dtn 28,15ff.) und Propheten (vgl. Neh 9,33) angedroht haben. In diesem Zusammenhang gehört auch das Eingeständnis Zions, dem "Mund Jahwes" getrotzt
zu haben. מרה ("trotzen") bezeichnet hierbei das böswillige
Moment der Opposition gegenüber Jahwe (vgl. Dtn 21,18.20; Jes
30,9; Jer 5,23) trotz dessen unermüdlicher Bemühung um sein
Volk (vgl. Jer 11,7). Diese Widerspenstigkeit, die in der Sicht
Ezechiels bereits zu einem Stigma des Gottesvolkes geworden ist,
hat diesen Propheten veranlaßt, die Formel vom "Haus der Widerspenstigkeit" zur Charakterisierung Israels zu prägen (Ez 2,5.
6.7; 3,9.26.27; 12,2.3.9.25 u.ö.). Der hartnäckigen Widerspenstigkeit Zions entspricht jetzt ein übergroßes Leid, auf das
V.18bc hinweist. In der Anrufung der Völker als Zeugen (vgl.
V.12a) wird Zion wieder die trauernde Mutter Zion (V.1a.5c.16c),
welche die Wegführung ihrer Kinder, und damit die Zerschlagung
der "Volksfamilie", verdientermaßen hinnehmen muß (vgl. V.5bc).

V.19 legt noch einmal den ganzen Jammer Zions dar. Der Verrat
der Liebhaber wird als Grund für das Elend der Priester und Ältesten gesehen. Nach KRAUS sind die Priester und die Ältesten
in V.19bc deshalb genannt, weil diese Kreise bis zuletzt ihr
Vertrauen in die Bündnispolitik setzten und jetzt nicht begreifen können, daß in der entscheidenden Stunde niemand zu Hilfe
kommt[234]. RUDOLPH dagegen findet die Erwähnung der "Liebhaber"
in V.19a zwischen dem Hinweis auf die Jugend (V.18c) und die

---

233 Gemeint ist mit einer "Gerichtsdoxologie" ein lobpreisen-
des Bekennen, das auf eine strafende Tat Gottes Bezug nimmt.
Vgl. F.HORST, Die Doxologien im Amosbuch, München 1961, 155-
166; VON RAD, Gerichtsdoxologie, München 1973, 245-254.
234 KRAUS, Klagelieder, 33.

Priester sowie die Ältesten (V.19bc) derart auffällig, daß er
fragt, ob damit noch die verbündeten Mächte gemeint sein können, oder ob nicht vielmehr an den Adel Jerusalems gedacht sei
(vgl. Jer 22,20.22). Sein Betrug bestände dann darin, daß er,
der Jerusalem zu lieben vorgab, die Stadt den Feinden, wenn
auch notgedrungen, auslieferte[235].

Die Schwierigkeiten lösen sich von selber, wenn klar wird,
worum es in V.19 geht. Nicht eine nochmalige Aufzählung der
hauptsächlichen Betrübnisse Zions liegt vor, sondern der Gedanke der Enttäuschung von seiten derjenigen, auf die Zion
all sein Hoffen setzte, bestimmt die Aussage dieses Verses.
Priester und Älteste werden genannt als die Vertreter der
geistlichen und weltlichen Behörden, die jetzt den Niedergang
der Nation im politischen und religiösen Bereich als Frucht
des Vertrauens auf die falsche Macht ernten. Da aber V.19 im
konzentrischen Aufbau der Klage Zions über das Gottesgericht
((V.17) 18-22) mit V.20 den Mittelpunkt bildet, ist die Aussage von V.19 auch auf dem Hintergrund von V.20 zu interpretieren. Dort und in den folgenden Versen wendet sich Zion nämlich voller Hoffnung an Jahwe, wie es sich zuvor nach den verbündeten Mächten ausgerichtet hatte. Jetzt wird auch begreiflich, warum diese in V.19a als Liebhaber im religiösen Sinn
gesehen werden. Sie sind es gewesen, auf die Zion all sein
Vertrauen gesetzt hatte und für deren Zuwendung es auch zu
religiösen Konzessionen bereit gewesen war. In der Not aber
erkennt Zion seine verkehrte Haltung (V.18a) und flieht von
den unzuverlässigen Liebhabern hin zu dem, der allein Zukunft
schenken kann: zu Jahwe (V.20).

In V.20 wendet sich Zion also in seiner großen Not hilfesu-
chend an Jahwe. Der hier beschriebenen Erfahrung der Verzweiflung, Verlassenheit und Angst begegnet man in vielen Gerichtsschilderungen[236]. In V. 20a bezeichnet das Pealal der Wurzel

---

235 RUDOLPH, 214f.
236 Jer 6,22-26; Jes 13,7f.; 26,6; Jer 30,5-7; 50,41-46;
     49,24b; 47,3; Ez 7,17-18; Jes 37,3; Jer 16,19; Ob 12-14.

חמר das Gären des Inneren und bringt in Verbindung mit dem
Verbum הפך ("umkehren, umstülpen") (V.20b) Zions Empfindungen
der Reue (vgl. Hos 11,8) und den Schmerz über sein Fehlverhal-
ten zum Ausdruck; denn sein Leid ist deshalb so qualvoll, weil
es sich gegen den "Falschen" widerspenstig verhalten hat und
jetzt die furchtbaren Konsequenzen tragen muß: Draußen (מחוץ),
auf den Straßen und auf dem freien Feld, macht das Schwert kin-
derlos und drinnen, in der Stadt und in den Häusern, scheint es,
als sei bei allem Elend, das dort herrscht (vgl. V.11.19bc), der
Tod leibhaftig gegenwärtig. Auch hier fühlt man sich wiederum
an ähnliche Gerichtsschilderungen des Propheten Jeremia erinnert (Jer 9,20-21; vgl. auch Ez 7,15; Dtn 32,25).

In V.21 richtet sich die Bitte Zions erneut an Jahwe mit dem
Hinweis auf den fehlenden Tröster (V.21a). Noch einmal wird
deutlich, wie sich unter dem Bekenntnis zu Jahwes Strafgerechtigkeit in V.18a die Wende Zions vollzieht. Jetzt weiß Zion,
daß es von den Feinden, gemeint sind hier auch die zu Feinden
gewordenen Freunde (V.2c.8b.19a), nichts zu erwarten hat, was
sein Los erleichtern würde. Diese triumphieren nämlich nicht
nur über ihren Sieg (vgl. V.5a), sondern betrachten auch das
Unglück Zions mit wahrer Schadenfreude (vgl. V.7d), weil Jahwe
selber das Gericht an seinem Volk vollzogen hat. Daher wendet
sich Zion an Jahwe als denjenigen, der allen zu helfen vermag,
und bittet um Vergeltung dieser Bosheit an einem Tag Jahwes
für die Feinde (V.21c). Dieser Tag ist, wie Zion selbst erfahren hat (V.12c), der Tag der Abrechnung Gottes mit den Widersachern seiner Herrschaft schlechthin. Daß dieser Gerichtstag
auch den Völkern gilt, die bei der Ausführung ihres Auftrages
als Werkzeug für Gottes Strafgericht (vgl. Jer 4,6.31; 6,2.23;
9,18 u.ö.) die ihnen gesetzten Grenzen überschreiten, ist ein
Gedanke, der sich erst vom sechsten Jahrhundert an Ausdruck
verschafft und für den Klgl 1,21 wohl das früheste Zeugnis bildet. Im Hintergrund steht somit auch nicht nur ein bloßer Ra-
chewunsch von seiten Zions[237], sondern die Bitte um ein Ein-

---

237 RUDOLPH, 215.

greifen Jahwes zugunsten Zions, dergestalt, daß im Sinne der
ausgleichenden Gerechtigkeit jetzt die Feinde zur Rechenschaft
gezogen werden. Daher wird die Bitte um die Verurteilung der
Feinde in V.22 auch in Analogie zu der eigenen Sünde und Ge-
richtserfahrung begründet.

KRAUS denkt hier wiederum an eine Übernahme von Vorstellungen
der Jerusalemer Heilstheologie, in der die Überwindung der
Völker ein entscheidender Gedanke ist[238]. In den Zionspsalmen
hat diese Vorstellung die Funktion, die Unangreifbarkeit des
Zion als dem Königssitz Jahwes herauszustellen und zugleich
die Souveränität Gottes gegenüber allen Mächten zu betonen.
In Klgl 1 aber geht es um das eigenmächtige Verhalten der
Völker, die dadurch in einen direkten Gegensatz zu dem Willen
Jahwes geraten. Diese Verankerung der Bitte von V.21c.22ab in
der Gerichtsthematik hat KRAUS übersehen.

Klgl 1 endet in V.22c mit einem wiederholten Hinweis auf die
Not Zions (vgl. V.9c.11c.20a.21a), um Jahwe zu einem Einschreiten zu bewegen. Er soll das Elend Zions ansehen und das Mitleid, das ihm die Menschen versagen, erweisen.

Daß die Klage Zions über das Gottesgericht (V.18-22) einen
konzentrischen Aufbau hat, wurde bereits in der Untersuchung
der Form sichtbar. Die semantische Analyse kann dies nur bestätigen: Im Mittelpunkt steht die Erkenntnis darüber, wer
der eigentliche Tröster für Zion ist: nicht die treulosen
Freunde, die jetzt in ihrem eigentlichen Sein als jahwefeind-
lich erkannt werden (V.19), sondern Jahwe, auch wenn er als
strafender Gott seinem Volk gegenübertritt (V.20). Gerahmt
wird diese Einsicht daher auch von der Darstellung der
feindlichen Übergriffe und Boshaftigkeiten sowie den entsprechenden Hilferufen Zions und seiner Bitten um Vergeltung
an Jahwe.

---

238 KRAUS, Klagelieder, 34.

2. Klgl 2

a. Text

V.1 Ach - zum Abscheu machte[239] in seinem Zorn
der Herr die Tochter Zion.
Er warf vom Himmel zur Erde
die Pracht Israels,
und nicht gedachte er des Schemels seiner Füße
am Tag seines Zornes.

V.2 Vernichtet hat der Herr ohne Schonung
alle Auen Jakobs.
Er riss nieder in seinem Zorn
die Festung der Tochter Juda.
Er warf zu Boden, entweihte
das Reich und seine Fürsten.

---

239 Während eine Reihe Erklärer das hap. leg. יעיב im Anschluß
an G: ἐγνόφωσεν mit עב ("Wolke") in Verbindung bringen
und M als eine Hifilform der Wurzel עוב ("umwölken") verstehen (so BUDDE, 85; WEISER, 58; KRAUS, Klagelieder, 37;
PLÖGER, 140f.), verbindet RUDOLPH M mit arab. ʿyb ("ent-
ehren") 218; vgl. auch A.B.EHRLICH, Randglossen zur hebräischen Bibel VII, Leipzig, 1914, 35; L.KOPF, Arabische
Etymologien und Parallelen zum Bibelwörterbuch: VT 8 (1958)
161-215.189). McDANIEL hält jedoch beide Erklärungen philologisch für unzureichend und semantisch im Hinblick auf
die Gesamtaussage für zu schwach. Er vermutet mit Berufung
auf W.F.ALBRIGHT (From Stone Age to Christianity, Baltimore,
²1957, 177) hinter M eine im Ägyptischen und Arabischen
nachweisbare Wurzel wʿb, die wie hebr. חרם die Doppelbe-
deutung "to devote something to destruction as abominable"
und "to consecrate something to God as sacred" haben kann.
M könnte nach McDANIEL daher ein ursprüngliches Hifil von
wʿb mit der gleichen Bedeutung wie das Hifil des denomina-
tiven Verbs התעב widerspiegeln: "O how the Lord in his an-
ger has made an abomination of the daughter Zion!" (Phil.
Studies I, 34f.). Diese philologisch akzeptable Erklärung
darf auch im Hinblick auf den Kontext von Klgl 2,1 und im
Vergleich mit der Parallelaussage in Ps 106,40 eine hohe
Wahrscheinlichkeit für sich beanspruchen.

V.3   Zerbrochen hat er in Zornesglut
       jedes Horn in Israel.
       Er zog zurück seine Rechte[240]
       angesichts des Feindes
       und brannte in Jakob wie Feuer,
       wie eine Flamme, die ringsumher frißt.

V.4   Er spannte seinen Bogen,
       wie ein Feind stand er da,
       seine Rechte erhoben wie (die) eines Bedrängers[241],
       und tötete alles, was köstlich dem Auge.
       In das Zelt der Tochter Zion
       goß er aus wie Feuer seinen Zorn.

---

240 Das Suffix in ‏ימינו‎ , das sich grammatisch auch auf Juda
     beziehen könnte (so EHRLICH, 35; GOTTWALD, Studies in
     the Book, 10; HILLERS, 36), weist hier jedoch wie in Ps
     74,11 auf Jahwe hin (vgl. LÖHR, Klagelieder, 10; RUDOLPH,
     218; KRAUS, Klagelieder, 36), denn die "Rechte" um-
     schreibt Jahwes Schutz (vgl. Dtn 28,6).

241 Da die metrische Gliederung in V.4ab einer entsprechenden
     Wiedergabe im Deutschen Schwierigkeiten bereitet, liest
     RUDOLPH in V.4ab ‏חצו בימינו‎ ("seine Pfeile in der
     Rechten") und nimmt in V.4ba eine Umstellung von ‏ויהרג‎
     ‏כצר‎   vor (218). Will man jedoch M beibehalten, was einer
     Textänderung vorzuziehen ist, dann ergeben sich folgende
     Möglichkeiten: Man versteht entweder ‏ימינו‎ als Subjekt
     von ‏נצב‎ und übersetzt: "aufgerichtet ist seine Rechte"
     (so KRAUS, Klagelieder, 37), oder man sieht in Jahwe das
     logische Subjekt von ‏נצב‎ und übersetzt V.4ab: "Er spannte
     seinen Bogen, wie ein Feind stand er da, seine Rechte
     (erhoben) wie die eines Bedrängers, und tötete alles..."
     (vgl. KEIL, 574; zur Diskussion der Übersetzungsmöglich-
     keiten vgl. GOTTLIEB, 27). Die zweite Möglichkeit ver-
     dient den Vorzug, nicht nur weil sie ohne Textänderung
     auskommt, sondern auch weil sie dem chiastischen Aufbau
     von V.4a in der Wiedergabe gerecht wird.

V.5   Es ward der Herr wie ein Feind,

er vernichtete Israel.

Er vernichtete all ihre[242] Paläste,

zerstörte seine[242] Burgen

und häufte bei der Tochter Juda

Klage und Jammer.

V.6   Gewalt tat er an, sowohl dem Garten wie auch

seiner Umhegung[243];

er zerstörte seinen Festort.

Vergessen ließ Jahwe auf Zion

Fest und Sabbat.

Er verwarf in glühendem Zorn

König und Priester.

---

242 Nach KRAUS ist eine Änderung des Suffixes (3. P.sg.m.
statt f.) nicht unbedingt erforderlich, da sich das Suffix in M über ישראל hinweg auf בת – ציון (V.4c) beziehen kann (Klagelieder, 37). Der Umstand, daß in V.4-5
sowohl von Israel wie von Zion bzw. Juda gesprochen wird,
läßt in der Tat eine Beibehaltung der Suffixe von M als
möglich erscheinen, insofern Zions Paläste und Israels
Burgen hier angesprochen werden.

243 Weil das Verständnis von V.6a[a] Schwierigkeiten bereitet,
haben die meisten Erklärer hier eine Textänderung vorge-
nommen. So liest z.B. RUDOLPH den betreffenden Versteil
in sachlicher Parallele zu V.6a[b]: מְכוֹן שִׁבְתּוֹ ("sein
Wohnsitz"; 219). ALBREKTSON liest statt שֻׂכּוֹ das ähnlich lautende Nomen סֹכּוֹ, das in Ps 27,4f. den Tempel
von Jerusalem bezeichnet, und übersetzt: "He has broken
down his booth as in a garden" und versteht diese Wiedergabe als "a concise way, typical of Hebrew poetry,
of saying: 'he has broken down his booth as easily as
one shatters a booth in a garden'" (95). McDANIEL liest
statt שכו das Nomen שׂוֹכוֹ (vgl. Ri 9,48f.), ändert גן
in Anlehnung an G in גֶּפֶן und glaubt, daß die Präposition
כ durch Verwechslung mit ב zustandegekommen sei; der
ursprüngliche Text lautet deshalb nach ihm: וַיַּחֲמֹס בַּגֶּפֶן
שׂוֹכיוֹ , was bedeutet: "and he has stripped from the vine
its branches" (Phil. Studies I, 36-38). Auch wenn diese
Deutung die Vorstellung von Hos 10,1 ("Israel war ein
üppiger Weinstock") wiedergibt und sich teilweise auf G
(διεχέτασεν ὡς ἄμπελον τὸ σκήνωμα αὐτοῦ)be-
rufen kann, so bleibt doch, abgesehen von der schwerwie-
genden Textänderung, der Zusammenhang mit den übrigen

V.7   Verschmäht hat der Herr seinen Altar,

entweiht sein Heiligtum,

überliefert der Hand des Feindes

die Mauern ihrer Paläste[244].

Die Stimme erhob man im Haus Jahwes

wie an einem Festtag.

V.8   Es plante Jahwe zu zerstören

die Mauern der Tochter Zion.

Er spannte die Meßschnur, zog nicht zurück

seine Hand vom Verderben,

Trauern ließ er Wall und Mauer,

zusammen sanken sie dahin.

Aussagen in V.6, die es mit dem Lebensraum des Gottesvolkes und seinen Institutionen zu tun haben, unverständlich. Angesichts dieser Aporie, die sich bei allen Text-
änderungen einstellt, ist zu fragen, ob nicht M bei genauem Zusehen doch einen passenden Sinn ergibt. Im Hinblick auf den Parallelismus membrorum in V.6a legt es
sich jedenfalls nahe, in Entsprechung zu מוֹעֵד ("Festort"; vgl. Ps 74,4.8) auch eine Beschreibung des Ortes
zu vermuten, wo das Gottesvolk mit Jahwe in Gemeinschaft
tritt. Könnte daher nicht in V.6a[a] der in Jes 5,5 (vgl.
auch Ps 80,13f.). beschriebene Vorgang der Zerstörung
jenes Lebensraumes gemeint sein, den Jahwe seinem Volk
mit Zion als Mittelpunkt geschenkt hat (vgl. Ex 15,17;
Ps 80,9-16) und der in der alttestamentlichen Überlieferung ausdrücklich als ein Gottesgarten bezeichnet
wird (vgl. Gen 13,10; Jes 51,3)?

244 RUDOLPH meint, daß M trotz der damit übereinstimmenden
alten Übersetzungen nicht richtig sein könne, da im Zusammenhang mit dem Tempel nicht plötzlich von den Palästen die Rede sein dürfe; er liest deshalb חֶמְדַּת אוֹצְרוֹתֶיהָ
("das Köstlichste ihrer Schätze" 219; ähnlich WEISER, 59;
KRAUS, Klagelieder, 38). Diese Korrektur ist jedoch unbegründet, da von den Palästen des Zion in Verbindung
mit dem Heiligtum auch sonst die Rede ist (vgl. Ps 48,
4.14; 122,7) und die Paläste des Königs zudem mit dem
Heiligtum eine gewollte Einheit bilden (vgl. GALLING,
Biblisches Reallexikon, Tübingen 1977, 160)

V. 9   Zu Boden sanken ihre Tore,

vernichtet und zerbrochen hat er ihre Riegel.

Ihr König und ihre Fürsten (sind) unter
    den Heiden,

keine Weisung ist da.

Auch die Propheten finden

keine Schauung mehr von Jahwe.

V.10   Es sitzen am Boden stumm[245]

die Ältesten der Tochter Zion.

Sie streuen sich Staub auf ihr Haupt,

gürten sich Sackleinen um.

Zu Boden haben gesenkt ihren Kopf

die Jungfrauen Jerusalems.

V.11   Meine Augen ermatten vor Tränen,

mein Inneres gärt,

hingeschüttet zu Boden ist meine Leber

wegen des Zusammenbruchs der Tochter
    meines Volkes,

da Kind und Säugling verschmachten

in den Straßen der Stadt.

---

245 McDANIEL leitet die Form von יַדְמוּ von דמם II ("wehkla-
gen, heulen") ab, weil der Vorgang des Trauerns in V.10
diese Bedeutung fordere (Phil. Studies I, 38f.; vgl. auch
DAHOOD, Textual Problems in Isaia: CBQ 22 (1960) 400-
409.402). Doch läßt sich hiergegen einwenden, daß die Bedeutung von דמם I ("still stehen, schweigen") nicht nur
gut belegt ist (Lev 10,3; Am 5,13; Jes 23,2; Jer 47,6; Ez
24,17; Ijob 31,34), sondern daß auch im Klageritual das
trauernde Schweigen durchaus seinen Platz gehabt hat (vgl.
N.LOHFINK, Enthielten die im AT bezeugten Klageriten eine
Phase des Schweigens: VT 12 (1962) 260-277). Man könnte
sogar fragen, ob nicht das Schweigen in diesem Zusammenhang direkt als ein Ausdruck der Trauer (nicht der Klage!)
gelten kann. Vgl. hierzu auch 1 Kön 18,42; Ijob 2,13.

V.12   Zu ihren Müttern sagen sie:

Wo ist Brot und Wein?,

da sie wie zu Tode getroffen dahinschmachten

in den Straßen der Stadt,

da sie aushauchen ihr Leben

in den Schoß ihrer Mütter.

V.13   Wie soll ich dich aufrichten[246], wem

       dich vergleichen,

du Tochter Jerusalem?

Was dir zur Seite stellen, womit dich trösten,

Jungfrau Tochter Zion?

Denn groß wie das Meer ist dein Schaden.

Wer könnte dich heilen?

V.14   Deine Propheten weissagten dir

Lug und Trug,

und nicht haben sie aufgedeckt deine Schuld[247],

um dein Schicksal zu wenden.

Sie weissagten (Propheten)sprüche dir,

Trug und Verführung.

---

246 Mit Recht empfiehlt RUDOLPH, das hier begegnende Hifil
von עור im Sinn des Polel (vgl. Ps 146,9; 147,6) als
"wiederaufrichten" zu verstehen; dann stehen nämlich
die Verben in V.13ab chiastisch (220; vgl. auch GORDIS,
281f.; GOTTLIEB, 32).

247 Da גלה pi. gewöhnlich ohne Präposition das Objekt re-
giert, ändert DAHOOD עַל zu עֲ , die in nordwestsemiti-
schen Dialekten nachweisbare Form von עול mit der Bedeutung "Boshaftigkeit" (New Readings, 181). Doch ist
die Korrektur unnötig, weil die Verwendung von גלה pi.
mit על allem Anschein nach eine Spracheigentümlichkeit
des Verfassers von Klgl 2 und 4 ist (vgl. Klgl 4,22).

V.15 Über dich schlagen die Hände zusammen
   alle, die des Weges ziehen.
   Sie zischeln, schütteln ihren Kopf
   über die Tochter Jerusalem.
   Ist das die Stadt (die man nannte):
   eine Krone der Schönheit, eine Wonne für
    die ganze Erde[248]?

V.16 Über dich reißen ihr Maul auf
   alle deine Feinde;
   sie zischeln und blecken die Zähne,
   sie rufen: wir haben vertilgt!
   Ja, das ist der Tag, den wir erhofften,
   wir haben (ihn) erreicht, erlebt.

V.17 Getan hat Jahwe, was er geplant,
   er hat erfüllt sein Wort,
   das er seit alters her angedroht hat.
   Eingerissen hat er und nicht geschont.
   Er ließ jubeln den Feind über dich,
   erhöhte das Horn deiner Bedränger.

V.18 Ihr Herz schrie zum Herrn
   wegen der Mauer der Tochter Zion[249].
   Laß rinnen wie einen Bach die Tränen
   bei Tag und Nacht.
   Nicht gewähre ein Aufhören dir,
   nicht ruhe dein Augapfel.

---

248 Weil der Vers offensichtlich überladen ist, empfiehlt
   RUDOLPH משוש לכל - הארץ als eine aus Ps 48,3 ein-
   gedrungene, aber jetzt rhythmisch überschießende Randbemerkung zu streichen (220). Da die betreffende Wendung sich jedoch wegen der Präposition ל vor כל im
   Unterschied zu Ps 48,3 als selbständig erweist, wird
   man eher das im Zusammenhang durchaus entbehrliche
   שיאמרו als sekundär ansehen dürfen.
249 Nach RUDOLPH ergibt V.18a in seiner jetzigen Gestalt
   keinen Sinn, da die Aufforderung zum Schreien erst in
   V.18b erfolgt und es zudem nicht möglich ist, die Mauer

V.19   Steh auf, jammre in der Nacht

vom Beginn der Wachen an!

Schütte aus wie Wasser dein Herz

vor dem Angesicht des Herrn!

Hebe auf zu ihm deine Hände

für das Leben deiner Kinder,

(die verschmachten vor Hunger

an allen Straßenecken[250]).

---

von Zion derart zu personifizieren, daß von ihren Tränen
(V.18b), ihrem Aufapfel (V.18c), ihrem Herzen (V.19b)
sowie ihren Händen und Kindern (V.19c) geredet werden
kann. Da andererseits jedoch weder von G, die M folgt,
ein Aufschluß zu erwarten ist, noch חומת בת־ציון
wegen V.8 als Apposition zu אדני verstanden werden
darf, ist eine Textkorrektur unvermeidlich. RUDOLPH
liest für צעק לבם deshalb צַעֲקִי לָךְ מָלֵא (vgl. Jer 4,5)
und für חומת entweder הֱמִי oder נָהִי mit der Bedeutung: "Schrei laut zum Herrn, klage Tochter Zion" (220;
ähnlich WEISER, 60; KRAUS, Klagelieder, 38 und PLÖGER,
142). McDANIEL modifiziert diesen Vorschlag; er liest
ebenfalls statt צעק den Imperativ צעקי , versteht
aber das מ von לבם als ein adverbiales מ ; anstelle
von חומת liest er das Partizip fem. von המה (wie in
Jes 22,2) und gelangt so zu der folgenden Übersetzung:
"cry out unto the Lord (from) the heart, o tumulteous
one, daughter Zion" (Phil. Studies II, 203f.). Weitere
Vorschläge dieser Art finden sich in der Übersicht bei
ALBREKTSON (116). Will man nicht einem dieser tief in
den Textbestand eingreifenden Änderungsvorschläge folgen,
die weder die vorgenommenen Verbesserungen noch das Zustandekommen des jetzigen Textes von M hinreichend begründen können, dann bleibt kein anderer Weg, als dem
überlieferten Wortlaut von M einen vertretbaren Sinn ab-
zugewinnen. So ist es möglich, V.18a[a] als eine Aussage
über die Reaktion der Bewohner Jerusalems zu verstehen,
die sich nach V.18a[b] auf den Fall der vorher mehrfach
genannten Mauern von Zion (Va.8ac) und seiner Paläste
(V.7b) beziehen würde. Die Wendung חומת בת־ציון
müßte dann entweder als Akkusativ der Beziehung ("wegen
der Mauer der Tochter Zion") oder als wörtliche Rede
("die Mauer der Tochter Zion!") aufgefaßt werden. Die
ausdrückliche Erwähnung der Tochter Zion in V.18a[b] wäre
dann das Stichwort, um in direkter Anrede an Zion fort-
zufahren.
250 V.19d ist eine den dreizeiligen Strophenbau erweiternde
    Erläuterung, die auf V.11f. zurückgreift; vgl. RUDOLPH,
    220; KRAUS, Klagelieder, 38.

V.20 Sieh, Jahwe, und schau,
    wem hast du so getan?
    Dürfen Frauen essen ihre Leibesfrucht,
    die liebevoll umhegten Kinder?
    Darf man erschlagen im Heiligtum des Herrn
    Priester und Prophet?

V.21 Hingestreckt auf den Boden der Straße
    (sind) Knabe und Greis,
    meine Jungfrauen und Jünglinge
    fielen durch das Schwert.
    Getötet hast du am Tag deines Zornes,
    geschlachtet ohne Mitleid.

V.22 Du riefst wie zum Festtag
    von ringsher meine Schrecken[251].
    Es gab keinen am Zornestag Jahwes,
    der entkam und entrann.
    Die ich hegte und großzog,
    mein Feind hat sie vernichtet.

---

251 Mit Recht verweist RUDOLPH hier auf das jeremianische
   מגור מסביב (Jer 6,25; 20,3.10; 46,5; 49,29) und übersetzt מגורי deshalb: "Meine Schrecknisse, alles was
   mich schreckt". Trotzdem glaubt er, die persönliche Fassung מְגוּרְדָי (Part. Polel von גור III mit der Bedeutung: "die mich in Schrecken setzen" vorziehen zu müssen
   (221). Doch ist das nicht nötig.

b. Formkritische Analyse

Klgl 2 umfaßt wie Klgl 1 zweiundzwanzig dreiteilige Strophen,
in denen jeweils die erste Zeile der Alphabet-Akrostichie
folgt. Im Unterschied zu Klgl 1 ist hier jedoch wie in Klgl 3
die ‎פ -Strophe der ‎ע -Strophe vorausgestellt worden. Über den
Grund dieser Umstellung kann erst in Verbindung mit der Untersuchung des Aufbaus geurteilt werden.

Nach WIESMANN liegt in Klgl 2 ein dramatisches, in Wechselge-
sprächen abgefaßtes Gedicht vor; dabei sei die dramatische
Form im Vergleich zu Klgl 1 noch gesteigert, insofern die Re-
den dreier Sprecher (V.1-10.13-17: Sprecherin; V.11-12.20-22:
Zion; V.18-19: Volk) miteinander verschränkt seien und so die
Handlung förderten[252].

Die meisten Erklärer vermögen jedoch einen solchen Sprecher-
wechsel nicht zu erkennen. Nach KRAUS ist der Wechsel der
Stimmen sogar weniger bewegt als in Klgl 1; denn in Klgl 2
führt - bis auf die letzten drei Verse - beständig der über
Jerusalem klagende Sänger das Wort[253]. Vielleicht, so meint
KRAUS, wird man aber auch V.20-22 noch nicht einmal Jerusalem
als der Wortführenden zuschreiben dürfen. Es könnte vielmehr
sein, daß der Sänger, der Jerusalems Unglück beklagt, in den
letzten Versen der leidenden Stadt ein Lied in den Mund legen
wolle und also den Text nur vorspreche[254].

Es lassen sich in der Tat für die Erkenntnis der Makrostruktur von Klgl 2, im Gegensatz zu Klgl 1, verschiedene Sprecherrollen nicht eindeutig voneinander scheiden. Wohl aber
darf als ein Struktursignal die Verschiedenheit des Adressaten angesehen werden; denn sie führt zur Erkenntnis von
drei deutlich voneinander abgehobenen Teilen:

---

252 WIESMANN, Klagelieder, 166f.
253 So die meisten Erklärer: KEIL, 575; LÖHR, Klagelieder, 9;
     RUDOLPH, 221; PLÖGER, 143; HILLERS, 42.
254 KRAUS, Klagelieder, 39; vgl. WEISER, 60.

Adressat Volk   :   V. 1-10
Adressat Zion   :   V.11-19
Adressat Jahwe   :   V.20-22

Im ersten Teil V.1-10 führt der Sprecher Klage über die Katastrophe Jerusalems, die das Ende der Macht Israels bedeutet.
Der Adressat ist offensichtlich das Volk; denn, wenn auch in
V.1a.4c.8a.10a die Tochter Zion genannt ist, so wird doch überwiegend von Israel (V.1b.3a.5a), Jakob (V.2a.3c) und der Tochter Juda (V.2b.5c) gesprochen. Im zweiten Teil V.11-19 dagegen
wendet sich der Sprecher direkt an die Tochter Zion (V.13.18ff.)
und beklagt deren Leid und Schande.

Im dritten Teil V.20-22 richtet sich die Klage an Jahwe. Logi-
sches Subjekt ist Zion; denn sie wird als die eigentliche Klagende vorgestellt.

V.1-10

Der gedankliche Aufbau in Klgl 2 wird im allgemeinen von den
Auslegern für straffer und übersichtlicher gehalten als der in
Klgl 1[255]. Dabei werden besonders die Verse 1-10 als eine "wohlgeordnete Schilderung" gewertet, die in zwei Teilen das Schicksal des Reiches und Jerusalems (V.1-5) sowie den Untergang der
Stadt und des Tempels (V.6-10) darlege[256]. Ordnet man aber darüber hinaus die Strophen thematisch, so wird ein für die Mikrostruktur charakteristischer, kunstvoller Aufbau erkennbar:

Sturz der Pracht Zions vom Himmel zur Erde (ארץ)   V.1
Zusammenbruch (לארץ) des Reiches und seiner Repräsen-   V.2
      tanten
Verlust der Machtstellung (קרן) Israels   V.3
Zerstörung des Zeltes (אהל)   V.4

---

255 WEISER, 61; RUDOLPH, 227.
256 So LÖHR, Klagelieder, 9; vgl. WIESMANN, Klagelieder, 163;
     WEISER, 61; RUDOLPH, 221.

Vernichtung Israels und Judas durch den Herrn (אדני) V.5
Vernichtung des Gottesvolkes durch Jahwe (יהוה) V.6
Zerstörung des Heiligtums (מקדש) V.7
Verlust der Mauern (חמות) von Zion V.8
Zusammenbruch (לארץ) des Volkes und seiner V.9
      Repräsentanten
Sturz (ארץ) des Volkes in Ohnmacht und Trauer V.10

Der Aufbau folgt deutlich dem Gesetz der konzentrischen Symmetrie. Im Mittelpunkt steht die Aussage, daß Jahwe selbst zum
Feind seines Volkes geworden ist (V.5-6). Dem entspricht in
den Versen 1-4 und 7-10 die Darstellung der Verwerfung des Zion,
der hier als Inbegriff des von Gott gewählten Israel gesehen
wird. Die in den sich entsprechenden Aussagen wiederkehrenden
Leitworte bestätigen die hier erkannte Gliederung.

Angesichts dieser wohlgegliederten Entfaltung des Grundthemas
vom Zorntag Jahwes wird man nach WEISER der Darstellung des
Geschehenen nicht gerecht, wenn man in ihr lediglich eine Ver-
lustliste oder eine Bestandsaufnahme des Unglückes sieht, das
man in schmerzlicher Erinnerung klagend sich ins Gedächtnis
ruft. Die einfache, aber nachdrücklich hervortretende Tatsache,
daß in den einzelnen Aussagen Jahwe selbst durchweg als das
handelnde Subjekt erscheint, verleiht vielmehr der Darstellung
den Charakter eines religiösen Bekenntnisses, das nicht nur
formal, sondern auch im Hinblick auf die darin zutage tretende
innere Haltung als Kontrastparallele zu der Rekapitulation der
Heilstaten Jahwes im Bekenntnis der Gemeinde zu verstehen ist.
"Es ist die Weise, in der sich die Gemeinde mit den Worten des
Dichters dem Gericht Gottes stellt, indem sie es unter Zittern
und Zagen auf sich nimmt und bejaht"[257].

---

257 WEISER, 63.

V.11-19

War in V.1-10 noch eine wohlgeordnete Schilderung zu·erkennen,
so tritt nach LÖHR in V.11-22 das subjektive Element immer
deutlicher hervor, und an dem lyrischen Charakter dieses Teiles läge es, daß er weniger kunstvoll disponiert sei[258]. Auch
RUDOLPH vermag keine streng logische Gliederung zu erkennen:
V.10 schildere die stumme Trauer der Überlebenden und Zurück-
gebliebenen, in V.11f. gebe der Dichter seinem eigenen Schmerz
über das schreckliche Geschehen Ausdruck und bekenne in V.13,
keinen Trost für Jerusalem bereit zu haben. Weder seine Propheten (V.14) können Zion jetzt helfen noch die Außenstehenden
(V.15), die, wie die Feinde (V.16), nur Spott und Hohn für Zion
haben; denn Jahwe selbst habe es so gefügt (V.17). Darum gibt
es, um aus der Not herauszukommen, für Zion keinen anderen Weg,
als eben Jahwe um Hilfe anzurufen (V.18-22)[259]. In ähnlicher
Weise gliedern auch andere Erklärer diesen Abschnitt[260].

Ordnet man jedoch die einzelnen Strophen in V.11-19 hinsichtlich
ihrer Aussage, dann entdeckt man auch in diesem zweiten Teil von
Klgl 2 einen wohlgeordneten Aufbau. Das rahmende Leitwort שפך
bestätigt die hier erkannte Abgrenzung des zweiten Teiles von
Klgl 2:

Hingeschüttet (שפך) in Leid und Trauer	V.11
Wehgeschrei der Kinder	V.12
Zusammenbruch Zions und Hilflosigkeit seiner Freunde	V.13
Unzuverlässige Voraussage von Heil durch falsche Propheten	V.14
Ende der Vorzugsstellung Jerusalems	V.15
Zusammenbruch Zions und Jubel seiner Feinde	V.16
Zuverlässige Erfüllung der Gerichtsdrohung durch Jahwe	V.17
Wehgeschrei des Volkes	V.18
Hingeschüttet (שפך) in Leid und Trauer	V.19

---

258 LÖHR, Klagelieder, 9.
259 RUDOLPH, 221.
260 HALLER, 101f.; WEISER, 61; PLÖGER, 142f.

Im Mittelpunkt dieses Abschnittes steht die Aussage vom Ende
der Vorzugsstellung Jerusalems (V.15), die durch Einzelbe-
schreibungen der Katastrophe gerahmt zu sein scheint (vgl.
V.11-12 und V.18-19). Die sich abzeichnende konzentrische
Symmetrie ist nun in den folgenden Versen gestört, aber offensichtlich vom Inhalt der Aussagen her möglich, wie der
Überblick zeigt (vgl. V.13 und 16 sowie V.14 und 17). Die
Schwierigkeit ist jedoch sofort zu beheben, wenn man die
Reihenfolge von V.16 und V.17 vertauscht. Dann erhält man
nicht nur die Anordnung der Strophen in konzentrischer Symmetrie wie in V.1-10, sondern auch in V.17 und V.16 die
gleiche Alphabet-Akrostichie wie in Klgl 1. Anders ausgedrückt: Die Abfolge der Strophen ע (V.17) und פ (V.16)
scheint sekundär verändert worden zu sein. Wie die nachfol-
gende Diskussion zeigt, ist diese Beobachtung von großer
Wichtigkeit für die Frage nach der Entstehung des Buches
der Klagelieder.

V.20-22

Die durch V.18-19 vorbereitete Klage Zions zeigt trotz ihrer
Kürze ebenfalls einen konzentrischen Aufbau:

Jahwe als Feind seines Volkes	V.20
Gericht Jahwes am Tag seines Zornes	V.21
Jahwe als Feind seines Volkes	V.22

Im Mittelpunkt der Klage steht die Aussage, daß Jahwe in seinem Zorn zum Richter seines eigenen Volkes geworden ist. Die
beiden Rahmenaussagen führen diesen Gedanken weiter, wenn sie
die Auswirkungen des göttlichen Zornes als Feindschaft Jahwes
gegenüber Zion schildern.

Die Äußerungen des dritten Teiles von Klgl 2 entsprechen damit den Aussagen des ersten Teiles (V.1-10), so daß auch in
der Makrostruktur, wie bei Klgl 1, das Stilmittel der konzentrischen Symmetrie zu beobachten ist.

In der Frage nach der Gattung lassen sich wie in Klgl 1, auch
in Klgl 2 Übereinstimmungen mit der Struktur der Psalmenklage
entdecken. Allerdings ist vorausschickend festzuhalten, daß bis
auf V.20-22 im ganzen Lied von Jahwe in der dritten Person gesprochen wird, was für ein Gebet sonst nicht üblich ist. Auch
die drei Bezüge der Klage (Anklage Jahwes, Ich- bzw. Wir-Klage,
Feindklage) haben eine Wandlung erfahren. Eine Anklage Jahwes
fällt wie in Klgl 1 aus. Statt dessen findet man Aussagen über
das Gottesgericht, die den Zornestag Jahwes und seine Auswirkungen zum Thema haben[261]. Mit in die Klage über das Gottesgericht (V.1-10.20-22) ist eine Variante der Feindklage eingeschlossen, die in besonderem Maße den Unterschied zu der 'Situation einer Psalmenklage deutlich macht: In V.4.5.20.22 klagt
der Sprecher über die Feindschaft Gottes zu seinem Volk, der
wie ein Krieger alles vernichtet, wohingegen der Beter in den
Psalmen Jahwe als den Retter in der Not anruft (Ps 7,2; 35,1f.;
80,1ff.). In Klgl 2 hat sich in der Vergegenwärtigung der Katastrophe von 586 ein entscheidender Einschnitt in der Gotteserfahrung ergeben. "Schonungslos (לֹא חָמַל) hat der Herr vernichtet", lautet daher die trostlose Schlußfolgerung, der man
in allen drei Teilen des Liedes begegnet (V.2a.17b.21c).

Weil Jahwe der Gegener seines Volkes ist, kommt die Feindklage
in Klgl 2 nur in abgeschwächter Form zum Ausdruck. Vor einem
Gott, der sein eigenes Volk so grausam gerichtet hat, können
die Feinde Zions nicht verklagt werden. Wenn ihre schadenfrohe
Gesinnung, ihr Triumph und ihr Spott erwähnt werden (V.15.16),
so erinnert dies zwar an ähnliche Klagen im Psalter (Ps 35,21;
42,11; 69,10); V.7 und V.17 machen jedoch deutlich, daß die

---

261 Vom Zorn Jahwes ist daher auch in wechselnder Begrifflich-
keit die Rede: אַף , אַף יְרֹם (V.1ac); עֶבְרָה (V.2b);
בָחֳרִי ־אַף (V.3a); חֵמָה (V.4c); זַעַם ־אַף (V.6c). Neben
seinem vernichtenden Handeln: שִׁלַּח (V.1b); בִּלַּע (V.2a.5a.
8b); הָרַס (V.2a.6a); בָעַר (V.3c); גָדַע (V.3a); הָרַג
(V.4b); שִׁחֵת (V.5b.6a.8a); סָרַג (V.7b); אָבַד (V.9a); שָׁבַר
(V.9a) werden auch die inneren Konsequenzen des göttlichen
Zorneshandeln betont: לֹא זָכַר (V.1c); חִלֵּל (V.2c); שׁוּב
אָחוֹר יְמִימוֹ(V.3b); שָׁכַח (V.6b); נָאַץ (V.6c); זָנַח (V.7a);
נָאַר (V.7a).

Feinde als Strafwerkzeug verstanden werden müssen, die von
Jahwe selbst gerufen wurden, damit sie alles vernichten (V.22)

Auch die Ich- bzw. Wir-Klage kann für den Klagenden von Klgl 2
nicht befreiend wirken. Jahwe hört sie nicht, weil er der Urheber des Schmerzes ist (V.5c.8c), und die Gegner kommentie-
ren die Not Zions mit Spott und Hohn (V.15.16). Die Notklage,
zu der Zion in V.18 aufgefordert wird, ist daher zu Recht als
eine Klage "ohne Unterlaß" beschrieben; denn die mit Zion
Trauernden (V.10.11) haben keinen Trost in Aussicht, weil der
"Zusammenbruch groß ist wie das Meer" (V.13c), und die Schuldigen in den eigenen Reihen zu suchen sind (V.14).

Die Bestimmung der Gattung von Klgl 2 unterliegt den gleichen,
schon bei der Analyse der Form von Klgl 1 aufgewiesenen Schwierigkeiten. Die dort genannten Gattungsbezeichnungen reichen
auch im Fall von Klgl 2 nicht aus, um das Ganze treffend zu
umschreiben.

Einige Erklärer versuchen, die Form des zweiten Klageliedes
ebenfalls mit der Gattung der Totenklage in den Griff zu bekommen und sprechen von einem politischen Leichenlied[262]. Die
Einwände gegen diese Bezeichnung sind die gleichen wie bei
Klgl 1: Jerusalem wird in Klgl 2 nicht als beklagte Tote, sondern als eine ihrer Kinder beraubten Mutter (V.20f.) dargestellt. Die Katastrophe Zions ist kein unbegreifliches Geschick, sondern eine Folge der Sünden Zions (V.14), auf die
Jahwe entsprechend seiner Gerichtsandrohung reagiert hat (V.17).
Lediglich aufgrund der als Ende Zions verstandenen Katastrophe
lassen sich einzelne Motive der Totenklage im zweiten Klagelied wiedererkennen[263]: der Kinah-Vers; das Kennwort איכה in
V.1a; der Vergleich Zions mit einem gefallenen Gestirn (V.1b),
der in der Totenklage Jes 14,12ff. auf den gefallenen König
von Babel angewandt wird; die Gegenüberstellung von Einst und
Jetzt in V.1b.15c; der Aufruf zur Klage in V.18f.; die Zitierung eines kleinen Leichenliedes in V.20-22; die Aufzählung

---

262 GUNKEL, RGG III, ²1929, 1049; HALLER, 99f.
263 Zum Folgenden vgl. JAHNOW, 168ff.

verschiedener Leidtragender in V.10f. und die Klage der toten
Dinge in V.8c.9a; die Negation der bei einer Trauerfeier üb-
lichen Kondolation in V.13, wo Zion der fehlende Trost vor
Augen gestellt wird.

Die von KRAUS vorgeschlagene Kennzeichnung des Liedes als
"Klage um das zerstörte Heiligtum"[264] hat zwar in Klgl 2 mehr
Fundament als in Klgl 1, da hier direkt von der Zerstörung
des Tempels die Rede ist (V.6.7), unterliegt aber den gleichen,
wie schon in der Analyse von Klgl 1 angesprochenen Schwierigkeiten.

Deshalb ist auch im Fall von Klgl 2, ausgehend von der formalen Eigentümlichkeit des zweiten Liedes, nach der mit dem Gebrauch der konzentrischen Symmetrie verbundenen Absicht des
Dichters zu fragen. Sein Thema ist das Zorngericht Jahwes, das
die Erwählung des Volkes zunichte macht. Stellen die Klagen in
V.1-10 und V.20-22 die schonungslose Vernichtung durch Jahwe
heraus, so die Klage in V.11-19 Leid und Schande Zion-Jerusalems. Der in der Mikrostruktur hervortretende Skopus der Aussagen bestätigt diese Aufteilung der Klagethemen. So stellen
die Verse 5f. Jahwes Handeln als Feind seines Volkes heraus,
während der Skopus des zweiten Teiles in V.15 den Spott beschreibt, den das geschlagene Zion ertragen muß. Mit diesen
beiden ineinander komponierten Themen erreicht der Verfasser
von Klgl 2 eine Erklärung dessen, was mit Gottesgericht gemeint
ist: Die jetzige Schande Zions ist Folge des Gerichtes, das
Jahwe als Feind des Volkes am Tag seines Zornes unerbittlich
verwirklicht hat. Im dritten Teil V.20-22 kommen beide Themen
zum Zuge, wenn Zion Jahwe fragt, ob er sein eigenes Volk vernichten wollte und das dementsprechende Tun der Feinde wirklich
in seiner Absicht lag. Zion spricht hier die Glaubensschwierig-
keiten aus, die sich aus der Erfahrung des Gottesgerichtes, wie
es in V.1-10 und 11-19 dargestellt ist, für das Volk ergeben
haben, und richtet wie in Klgl 1 die Bitten um Gehör an Jahwe.

---

264 KRAUS, Klagelieder, 39.

Der Dichter, der Zion zur Klage vor Jahwe auffordert, teilt
somit die Auffassung des Dichters von Klgl 1, Zion als Repräsentanten des Volkes die Erinnerung an dessen Erwählung wachhalten zu lassen. Durch die Anrede verschiedener Adressaten
kann er diese Intention seines Liedes zu ihrem Ziele führen:
Erst nachdem er dem Volk die Tatsache des Endgerichtes (V.1-
10) und Zion die durch seine Sünden verdiente Schmach und
Schande vor Augen gestellt hat (V.11-19), läßt er Zion das
einzige Motiv nennen, das Jahwe noch zu einem Einschreiten
zugunsten des Volkes bewegen könnte: die Tatsache der einstigen Erwählung (V.20-22).

Aufgrund der unterschiedlichen Haltungen, die der Dichter von
Klgl 2 in der Anrede verschiedener Adressaten einnimmt und
seiner das Lied bestimmenden paränetischen Absicht, beschreibt
WIESMANN die Gattung von Klgl 2 als eine "episch-lyrisch-di-
daktische Totenklage"[265]. Damit ist die Funktion von Klgl 2
durchaus richtig erkannt. Eine endgültige Bestimmung des Ganzen von Klgl 2 ist damit jedoch noch nicht gegeben.

Deshalb sei auch hier, wie schon bei Klgl 1, zur Bestimmung
der Gattung der Bezeichnung "klagende Vergegenwärtigung des
Gottesgerichtes" der Vorzug gegeben.

---

265 WIESMANN: "Der inneren Kunstform nach ist das Kapitel
    eine episch-lyrisch-didaktische Totenklage. Eine Toten-
    klage, denn sie ist eine Klage über den grauenvollen
    Untergang des jüdischen Staates und Volkes. Epischer
    Natur sind die zahlreichen Berichte über die Ereignisse
    vor, während und nach der Zerstörung. Lyrisch ist die
    in eine starke Schmerzensstimmung getauchte Gesamtdar-
    stellung. Didaktischer Art sind die vielfachen Hinweise
    auf den Grund und den Urheber des Strafgerichtes und
    über die Wege, aus der Notlage herauszukommen" (Klage-
    lieder, 166).

c. Semantische Analyse

V.1-10

Der die Totenklage kennzeichnende Ausruf אֵיכָה (vgl. Klgl
1,1: 4,1.2) leitet in V.1a die Feststellung ein, daß der Herr
die Tochter Zion in seinem Zorn zum Abscheu gemacht hat (יָעִיב).
Wenn, wie bei der Übersetzung von V.1 gezeigt worden ist, die
Verbform יָעִיב semantisch mit dem von תּוֹעֵבָה abgeleiteten Verb
תָּעַב in Verbindung gebracht werden kann, dann ist die Bedeutung von V.1a in Analogie zu dieser Wortgruppe zu erschließen.
Als תּוֹעֵבָה gilt im AT, was durch die eigene Wesensbestimmung
ausgeschlossen ist und daher gefährlich oder unheimlich erscheinen muß. Im theologischen Sprachgebrauch werden als תּוֹעֵבָה solche Dinge bezeichnet, die mit dem Wesen Jahwes unvereinbar sind
und von ihm abgelehnt werden[266]. Die Aussage, daß Jahwe in seinem Zorngericht Zion zum Abscheu gemacht hat, meint dann, daß
Zion entsprechend dem Tun-Ergehen-Zusammenhang die verdiente
Strafe für seinen Abfall von Jahwe erfährt[267].

Die Aussage von der Verwerfung des Zion, die auf das Glaubens-
verständnis Israels zweifellos schockierend gewirkt hat, wird in
zwei parallelen, inhaltlich negativen Bemerkungen verdeutlicht.
Die in V.1b und V.1c gebrauchten Würdenamen Zions stehen dazu in
einem vom Verfasser beabsichtigten Kontrast. Zunächst heißt es,
daß Gott die "Pracht Israels" vom Himmel zur Erde geschleudert
hat (V.1b). Der Ausdruck "Pracht Israels" kennzeichnet die Vorzugsstellung Zion-Jerusalems; denn wie Babel als Hauptstadt die
Pracht (תִּפְאֶרֶת) des mesopotamischen Weltreiches gewesen ist
(Jes 13,19), wo sich die Macht und das Ansehen des Reiches kon-
zentrierten, so ist Jerusalem für ganz Israel zum Inbegriff der
dem Gottesvolk kraft seiner Erwählung geschenkten Größe und Bedeutung geworden. Durch die Überführung der Lade, des Symbols

---

266 Vgl. GERSTENBERGER, Art. תָּעַב, in: THAT II, 1051-1055.
267 Vgl. Jer 2,7; 6,15; 7,10; 8,12; 16,18; 32,35; Ez 5,9.11;
     6,9.11; 7,3.4.8.9.20; 8,6-9.13.15.17; 9,4; 11,18.21;
     12,16; 16,2.22.36f.; Mal 2,11.

der Gegenwart Jahwes bei der Durchsetzung seiner Herrschaft
auf dem Zion (2 Sam 6), und durch die Errichtung eines zen-
tralen Heiligtums für alle Stämme Israels (1 Kön 8), wurde
Jerusalem zum Königssitz Jahwes[268]. Diese Erwählung Jerusalems zur Residenz des höchsten Gottes (Ps 48,3; 78,68-69;
97,8f.), der Zion dadurch gleichsam in den Himmel erhob, ist
durch das Zorngericht des Herrn in ihr Gegenteil verkehrt worden. Mit dem aus der Mythologie Kanaans entlehnten Bild vom
Himmelssturz gottfeindlicher Mächte[269], stellt der Dichter in
V.1b das Ausmaß der Erniedrigung des von Jahwe verworfenen
Zion dar.

In V.1c wird zum dritten Mal der Gegensatz zwischen der Erwählung des Zion und seiner Verwerfung geschildert: Am Tag seines
Zornes nahm Jahwe keine Rücksicht (לא־זכר) auf den "Schemel
seiner Füße". Das Bild ist genommen vom Thronsessel der Könige,
der einen Fußschemel hatte (Ps 110,1)[270], dementsprechend
dachte man sich den himmlischen Thronsitz des Königs Jahwe.
So kann von Jahwe als dem Herrscher der Welt (אוני) gesagt
werden, daß die Erde der Schemel seiner Füße ist (Jes 66,1).
Im Hinblick aber auf die Herrschaft Jahwes über Israel, die
in Jerusalem und dem Tempel ihren Haftpunkt hat (Ps 46,5; Jes
8,18), gilt folglich das Symbol der Gegenwart Gottes, die Lade,
als der Schemel seiner Füße (Ps 132,7; 1 Chr 28,2). Doch kann
auch der Zion als solcher, nämlich als Sitz des Königtum Jahwes, als Schemel bezeichnet werden (Ps 99,5; Jes 60,13; Ez
43,7)[271]. Letzterer ist hier gemeint (vgl. Ps 132,13f.), wie

---

268 Vgl. FOHRER, Art. Σιών , 300f.
269 Hinter dieser Vorstellung steht die Aussage von der fre-
     chen Anmaßung der Kreatur, die in den Bereich Gottes ein-
     bricht und aufgrund dieser Grenzüberschreitung von Gott
     in die Tiefe gestürzt wird. In Jes 14 ist dieses Bild
     auf den babylonischen König angewandt (vgl. H.WILDBER-
     GER, Jesaja II, Neukirchen 1978, 550ff.), in Ez 28 auf
     den König von Tyrus (vgl. ZIMMERLI, Ezechiel I, Neukir-
     chen 1979, 686f.).
270 Vgl. AOB, Berlin, Leipzig ²1927, Abb. 138.140; ANEP,
     Princetown, New Jersey 1954, Abb. 409.411.451.460.463.
271 Die Aussage vom Zion als dem Schemel der Füße Jahwes
     meint in letzter Konkretisierung die Lade, durch die

auch der Parallelismus von "Zion" und "Pracht Israels" in V.1a
und V.1b nahelegt. In drei synonymen Begriffen, "Tochter Zion"
(V.1a), "Pracht Israels" (V.1b) und "Schemel seiner Füße" (V.1c)
wird somit die Würde des Zion beschrieben als des Ortes, an dem
die Erwählung des Volkes ihren sichtbaren Ausdruck gefunden hat
und von dem sich Jahwe jetzt am "Tag seines Zorns" getrennt hat .
Mit dieser Erwähnung wird, wie in Klgl 1,12, auf die Vorstellung vom Tag Jahwes angespielt. Daß dieser Begriff hier nicht
ausdrücklich genannt ist, mag damit zusammenhängen, daß die
Hoffnung des Volkes auf diesen Tag, die schon die Propheten er-
schüttert haben (Am 5,18f.; Zef 1,7ff. u.ö.), zu deutlich in
ihr Gegenteil gekehrt wurde. Diese unfaßbare Tatsache konnte in
der Rede von einem "Zornestag Jahwes" deutlicher zum Ausdruck
gebracht werden.

Der Entfaltung dieses Themas sind die folgenden Strophen gewidmet, wobei wie in V.1 Jahwe durchweg als das handelnde Subjekt
auftritt: Er zerstört die Bindungen zu seinem Volk und kehrt
alle Verheißungen, die diesem gegolten hatten, in ihr Gegenteil.
Damit ist von Anfang an die Ebene der rein politischen Betrachtung der Ereignisse verlassen. Nicht auf den Expansionsdrang
der Babylonier, sondern auf den Zorn Jahwes führt der Verfasser
die Eroberung und Zerstörung Jerusalems zurück.

In V.2 - wie überhaupt im ganzen Lied - erscheint Jahwe deshalb
als ein mächtiger Krieger, der in seinem Zorn ohne Mitleid (לא
חמל) vernichtet, so, als ob ihn Stadt und Land nichts angingen
(vgl. Jer 13,14; 15,5f.; 21,7; Ez 5,11 u.ö.)[272].

Mit בלע ("verschlingen") begegnet in V.2a (vgl. V.5a.8b.16b)
sogleich ein recht drastischer Begriff, um die Vernichtungsmaß-

---

der Zion als erwählte Stätte Jahwes ausgezeichnet ist (KRAUS,
Psalmen II, Neukirchen [5]1978, 853; vgl. auch R.DE VAUX, Das
AT und seine Lebensordnungen II, Freiburg 1960, 118-124.
272 Zur Geschichte dieser Gottesvorstellung vgl. H.FREDERIKSON,
Jahwe als Krieger, Lund 1945; P.MILLER, "God the Warrior":
Interpretation 19 (1965) 39-46; F.M.CROSS, Jr., "The Di-
vine Warrior in Israel's Early Cult", Cambridge 1966, 11-30.

nähmen Jahwes zu kennzeichnen; denn עלב meint das gierige
Vertilgen, die Wut des Zerstörens, wie sie für das Überströ-
men des Zornes (עברה) eigentümlich ist (Jes 25,7; 28,4;
49,19).

V.2 bezieht sich auf das Geschehen unmittelbar vor der Zerstörung Jerusalems. Durch die Kriegsereignisse wurde der Wohn-
bereich Jakobs, wie seit der Zerstörung Nordisraels auch Juda
genannt wurde[273], furchtbar mitgenommen. Das offene Land ist
verwüstet, die Festungen sind gefallen (Jer 5,17; 34,7). Dadurch ist der Zusammenbruch des Reiches eingeleitet worden,
der aber schon in V.2c nicht mehr in seiner politischen, sondern in seiner religiösen Bedeutung gesehen wird. Die Aussage
nämlich, daß Jahwe das Reich und seine Fürsten "entweiht"
(חלל) hat, weist deutlich auf einen Akt der Trennung Jahwes
von dem einstmals Erwählten hin[274].

In V.3 tritt Jahwes unmittelbares Handeln noch stärker in den
Vordergrund. Er selbst hat jedes "Horn Israels" abgeschlagen.
Das bedeutet, da das Horn (des Stiers) ein bekanntes Sinnbild
der Kraft ist (Ps 75,11; Jer 48,25), folgendes: Jahwe hat das
Heer und die Festungen vertilgt, um dadurch dem Volk die Kraft
zur Verteidigung und zum Kampf zu nehmen. In V.3b wird diese
Entmachtung als eine Folge des umgekehrten Jahwekrieges dargestellt, wenn es heißt, daß Gott seine Hand vor dem Feind zu-
rückzog. Während im "heiligen Krieg" die Rechte Jahwes dem
Gottesvolk den Sieg verlieh[275], hat Jahwe jetzt dem Volk seinen Beistand im Kampf gegen den Feind verweigert[276] und dadurch das Vernichtungsgericht in Gang gesetzt. In seinem Zorn
wurde er deshalb für Israel zu einem Feuer (V.3c), das bren-
nend und verzehrend um sich greift (Ijob 1,16; Num 11,3; Ps
106,18; Jes 42,25).

---

273   Jes 9,7; Mi 1,5; 2,12; 3,1.9; Jer 2,4; Nah 2,3.
274   Vgl. F.MAASS, Art. חלל, in: THAT I, 570-575; W. DOM-
      MERSHAUSEN, Art. חלל I: ThWBAT II, Stuttgart 1977,
      972-986.
275   Vgl. Ex 3,19; 6,1; 13,9; Dtn 4,34; 5,15; 6,21; 7,8.19;
      9,26; 11,2; 26,8; Jer 32,21; Jes 41,10; Ps 18,36; 136,12.
276   Vgl. Jes 5,25; 9,16; 10,4; Ez 6,14; 14,9.13; 16,27.

In V.4 wird dieser Gedanke noch gesteigert: Wie ein Feind hat
Jahwe mit seiner Rechten, die einst das Werkzeug der Hilfe für
Israel war, den Bogen gespannt und auf sein eigenes Volk ge-
zielt (vgl. Ps 38,3; Ijob 6,4). Todbringend ging er gegen Israel vor, vernichtete dessen Freude, nämlich Volk und Stadt,
zerstörte Mauern, Tore, Paläste, nicht zuletzt das Zelt der
Tochter Zion, der sogar sein besonderer Grimm galt (V.4c).
Gemeint ist mit dem Zelt Zions der Tempel: Im Hintergrund
steht hier die Vorstellung von dem Zeltheiligtum der Wüsten-
zeit, das seine Bedeutung als Ort der Begegnung zwischen Gott
und Volk hatte (Ex 33,7-11; Num 11,16-29; 12,3; 1 Chr 9,23).
Von David in Jerusalem als Schutz der Lade aufgestellt (2 Sam
6,17; 7,1-7), wurde es nach 1 Kön 8,4 von Salomo in den neu-
errichteten Tempel überführt. Auf diesem Hintergrund preisen
die Psalmen den Tempel als Zelt (Ps 15,1; 27,5; 61,5; 78,60;
Jes 33,20)[277] und beklagt der Dichter in Klgl 2,4c die Zerstörung des Heiligtums durch Jahwe.

V.5a wiederholt gleichsam bestätigend: "Es ward der Herr wie
ein Feind, er vernichtete Israel". Daß in diesem Zusammenhang
der Name Israel verwandt wird, hat seinen guten Grund. Israel
ist nämlich in erster Linie kein politischer, sondern ein religiöser Begriff. In diesem Sinn ist er der Name Judas als Bundesvolk, das seine sakrale Mitte in Zion-Jerusalem hatte[278].
Wenn daher im folgenden Stichos (V.5b) das "Verschlingen" Israels mit der Vernichtung der Paläste Zions und der Burgen Judas erläutert wird, so bedeutet das: Nach der Zerstörung des
Nordreiches im Jahr 722 hat Jahwe in der Vernichtung Judas und
Jerusalems den Höhepunkt seines Gerichtsbeschlusses an Israel
als dem Bundesvolk gesetzt[279]. Aus diesem Grund ist der Gott,

---

277 Vgl. KOCH, Art. אהל , in: ThWBAT I, Spalte 128-141.138.
278 Vgl. G.GERLEMANN, Art. ישראל , in: THAT I, 782-785.
279 Auch nach KRAUS bildet die Schilderung der Katastrophe im
    weiteren Kreise "Israel" (V.2-6) das Vorfeld zu der Klage
    über das zerstörte Zentrum Jerusalem (V.6f.) (Klagelieder,
    43).

der einst die Quelle von Freude und Jubelhymnen gewesen ist, jetzt der Urheber von Klage und Jammer (V.5c)[280].

Um die Zerschlagung der Bundesordnung geht es in V.6, der die Zerstörung des Tempels und des Gottesdienstes beschreibt. V.6a wendet seinen Blick auf das geschändete Heiligtum. Der Vergleich mit dem verwüsteten Garten will nicht nur die "Roheit des Zerstörens"[281] ausdrücken, sondern, da מוֹעֵד ("Festort"), גַן ("Garten") und שֹׁךְ ("Umhegung") im Parallelismus stehen, den Tempel auf dem Hintergrund der Vorstellung vom Garten Eden auf dem Gottesberg verstehen (vgl. Ez 28,11ff.; 31,8.9). Im Gewand mythischer Vorstellungen wird hier ein weiteres Beispiel für die Verwerfung Zions gegeben: Jahwe als Eigentümer des Gartens, hat nicht nur den heiligen Ort verwüstet, sondern mit der Zerstörung der Umhegung seine einstige Bestimmung als Ort der Gegenwart Gottes aufgehoben. Festtag und Sabbat, den von ihm selbst verordneten heiligen Zeiten (Ex 23,14ff.), hat er ein Ende bereitet und sein Volk dadurch der gewohnten Möglichkeit einer Gemeinschaft mit ihm beraubt. Mit der Aufhebung des Kultes sind aber auch die von Gott erwählten Vermittler seiner Bundesgnade verworfen; denn der Dienst der Priester ist an den Tempel gebunden. Die Erwähnung des Königs neben dem Priester in V.6c setzt voraus, daß das Königtum in Israel in engem Zusammenhang mit dem Tempel gestanden hat. Der erwählte König (2 Sam 7; 1 Kön 8,16) war nicht nur Herr des "Eigentempels", sondern auch im Kultus handelnde Hauptperson[282]. Mit der Zerstörung des Tempels ist der kultische Dienst der Priester und des Königs unmöglich gemacht. Dies gilt dem Dichter von Klgl 2 als ein Hinweis dafür, daß auch sie von Jahwe verworfen sind.

Die Verse 5 und 6 stellen den Skopus des ersten Teiles von Klgl 2 dar: Hier wird die Katastrophe des Jahres 586 als Zerschlagung des Gottesvolkes und seiner Bundesordnung gedeutet und dem zum Feind gewordenen Gott zugeschrieben.

---

280 Vgl. Am 8,10; Jer 7,34; 16,9; 25,10; Ez 26,13.
281 So PLÖGER, 144.
282 Zu den kultischen Funktionen des Königs vgl. EICHRODT, Theologie I, 295-297; R.DE VAUX, Lebensordnungen I,184-186; II, 213f.

Dem konzentrischen Aufbau des Liedes entsprechend geht es in
V.7, wie schon in V.4, um die für das Gottesvolk unfaßbare
Umkehrung der bisherigen Verhältnisse, die durch die göttliche Verheißung und eine jahrhundertelange Geschichte Ewig-
keitswert hatten. Jetzt aber hat Jahwe sein Heiligtum und
seinen Altar entweiht, indem er Zions Paläste dem Zugriff
der Feinde übergab. Während מזבח in V.7aª auf die Kult-
stätten im Vorhof des Tempels hinweist, bezeichnet מקדש
in V.7aᵇ das Innere des Tempels, das sogenannte Allerheilig-
ste. Als Stätten der Verehrung Jahwes wurden sie von diesem
verschmäht und mit den Tempelgebäuden sowie den Palästen dem
Feind überlassen. Daß in diesem Zusammenhang Tempel und Palast
in einem Atemzug genannt werden, ist nicht weiter erstaunlich.
In gleicher Weise ist auch in Ps 48,4.14 und Ps 122,7 von den
Palästen in Verbindung mit dem Heiligtum die Rede; denn die
Paläste des Königs bildeten mit diesem eine gewollte Einheit
(1 Kön 7,1-12)[283]. Jetzt aber ist alles zerstört, was bisher
als heilig und gottgefällig galt. An die Stelle des Jubels
beim Jahwefest ist das Triumphgeschrei der Feinde getreten
(Ps 74,4). Die Heilserwartung, die sich an den Tempel geknüpft
hatte (Jer 7,4), hat damit einen tödlichen Stoß erhalten.

Der zermalmenden Wucht des göttlichen Zornes, der nach der
Schilderung in V.3 über das Land hereingebrochen ist, entspricht die Darstellung in V.8, die den Willen und die Absicht
Jahwes bei der Vernichtung der Festen Zions zum Thema hat.
Jahwe selber hat zum Einreißen der Stadtmauern die Meßschnur
gespannt (vgl. 2 Kön 21,13; Am 7,7-9; Jes 34,11), um die Zerstörung mit derselben Genauigkeit durchzuführen, mit der im
alltäglichen Lebensbereich der Baumeister die Errichtung von
Bauten bestimmt (vgl. Ijob 38,5; Sach 1,16). Damit hat er Wall
und Mauer in Trauer versetzt (V.8c). Abgesehen von dem konkreten Hintergrund der Aussage, die den Zusammenbruch der Häuser
und Schutzwälle meint, dient die Vorstellung von einer Klage
der unpersönlichen Gegenstände hier wie auch sonst im AT (Klgl

---

283   Vgl. GALLING, Biblisches Reallexikon, 160. NOTH, Könige,
      Neukirchen 1968, z. St.

- 151 -

1,4; Jer 14,2; Jes 3,26; Jer 12,4) dazu, die Totalität des
Gerichtes zu unterstreichen.

Aber nicht nur die Stadt selber fällt, sondern auch die innere Ordnung des Volkes wird zerschlagen. Im Gegensatz zu
KRAUS, der V.9a inhaltlich noch zu V.8 rechnet, wo es um das
Schleifen der Mauern Zions geht[284], muß zum richtigen Verständnis dieser Aussage auf die Bedeutung von Tor und Riegel
einer Stadt hingewiesen werden. Sie sind als Sicherheitsgaran-
tien (Am 1,4f.; Jes 45,2; Ps 107,16) Bilder für die Stadt
selbst (Ps 9,15; 87,2; 122,2) oder für ihre Machtsphäre. Hat
man dies erkannt, so fügen sich die weiteren Aussagen von V.9
dem Bild gut ein. Die in V.9bc genannte Deportation des Königs[285] und seiner Fürsten sowie das Aufhören von Weisung und
Offenbarung sollen zeigen, daß nicht nur, wie der im konzentrischen Aufbau des Liedes entsprechende V.2 aussagt, die
wirklichen Festen fallen, sondern daß auch die staatliche und
die religiöse Ordnung Jerusalems dahin ist.

Über den Zusammenbruch des Reiches herrscht tiefe Trauer (V.10).
Die besondere Erwähnung der Ältesten (Alten) Zions zusammen
mit den Jungfrauen Jerusalems als die beiden Gruppen, die ihrer Trauer Ausdruck verleihen, kann man als einen Merismus verstehen, der im Hinweis auf Jugend und Alter die Grenzen der
Bevölkerung abstecken und dadurch sagen will: Das ganze Volk
ist über die Verwerfung Zions in einen Zustand der tiefen
Verzweiflung geraten[286]. Dies zeigt die Haltung der Trauernden:
Schweigend sitzen die Ältesten am Boden, umgürtet mit dem Sack
(2 Sam 3,31; Gen 37,34), das Haupt mit Staub bestreut (2 Sam
13,19; Ez 27,30; Ijob 2,12), während die Mädchen den Kopf zu
Boden senken[287]. Mit dem Hinweis auf das gedemütigte Volk in
V.10 lenkt der Dichter den Blick zurück auf die Darstellung

---

284 KRAUS, Klagelieder, 45.
285 Bei der Erwähnung des Königs ist wohl an Jojachin ge-
    dacht, da sich in Klgl 2 kein erkennbarer Hinweis auf
    das Schicksal Zidkijas findet (KRAUS, Klagelieder, 45).
286 HILLERS, 45.
287 Zu den Trauerriten vgl. GUNKEL-BEGRICH, Einleitung in die
    Psalmen, 118-121; JAHNOW, 7.

des von Jahwe erniedrigten Zion in V.1 und beendet mit diesem
Gedanken den ersten Teil von Klgl 2.

Aus V.10 entnehmen WEISER und KRAUS einen Hinweis auf den Ort
von Klgl 2. Ihrer Meinung nach hat der Dichter des zweiten Klageliedes sein Stück im Rahmen einer Trauerfeier vorgetragen, zu
der, wie es V.10 schildert, die Ältesten am Boden versammelt
sitzen[288]. Diese Auffassung ist deshalb unwahrscheinlich, weil,
wie die vorausgehende Darlegung gezeigt hat, in V.10 eine Beschreibung der allgemeinen Trauer vorliegt und nicht eine Schilderung der Situation, in der das Klagelied vorgetragen wurde.

V.11-19

An das Bild der vor Hunger (2 Kön 25,3; Jer 37,21) verschmachtenden Kinder knüpft in V.11-12 die Schilderung von Zions trau-
riger Niederlage an. Dabei erwähnt der Dichter angesichts des
"Zusammenbruchs der Tochter Zions" (vgl. Jer 6,14; 8,11.21)
zunächst seinen eigenen Gefühlsaufruhr, den er in ähnlichen
Worten beschreibt wie der Dichter von Klgl 1 die Regungen der
klagenden Mutter Zion (1,2.20).

Der Schmerz, den der Dichter angesichts der Not seines Volkes
empfindet, verbindet sich mit einem Bewußtsein seiner Hilflosigkeit; denn angesichts der Katastrophe Jerusalems, die als
Umkehrung des Erwählungsverhältnisses gesehen werden muß, versagen alle Bemühungen um einen Trost für sein unglückliches
Volk. Es fehlt jede Vergleichsmöglichkeit und jeder Maßstab,
das Geschehen einzuordnen. "Groß wie das Meer" ist dein Zusammenbruch lautet der bittere Vergleich (vgl. Jes 48,18; Ps 104,
25), mit dem der Dichter die unermeßliche Katastrophe darstellt. Daher bleibt auch die Frage nach einem Helfer, der
diesen Schaden heilen könnte (V.13c), ohne Antwort. Aus dem
Versuch des Dichters, Zion zu trösten, will KRAUS herleiten,
daß dieser eine offizielle Funktion einnimmt, etwa die eines
Priesters, dem die Aufgabe obliegt, der klagenden Gemeinde die

---

288 WEISER, 64f.; KRAUS, Klagelieder, 45.

Heilsbotschaft Jahwes zu überbringen[289]. In diesem Sinne hat
KRAUS jeoch den Vers überinterpretiert: In V.13 geht es zunächst darum, herauszustellen, daß angesichts des Gottesgerichtes kein Mensch Heilung verschaffen kann (vgl. Jer 30,12ff.).
Mit WEISER kann man diesen Trostversuch als Folge einer ganz
natürlichen Regung verstehen, die mit einer priesterlichen
Heilszusage weder formal noch sachlich etwas zu tun hat[290].
Die Tatsache, daß der Verfasser von Klgl 2 möglicherweise eine
offizielle Funktion in der Gemeinde innehatte, ist damit nicht
rundweg abgelehnt.

Auch in V.14 stellt sich der Dichter der harten Wirklichkeit,
wenn er das Versagen der Propheten Jerusalems aufdeckt und beim
Namen nennt: Sie haben Israels Schuld ignoriert und durch un-
begründete Heilsverheißungen das Volk in Sicherheit gewiegt.
Im Hintergrund dieser Anklage steht deutlich die Autorität der
Gerichtspropheten; denn am Maßstab der Gerichtsprophetie mißt
der Dichter die Propheten Jerusalems. עון גלה ist bei Jeremia
ein Kriterium zur Unterscheidung von wahren und falschen Propheten (Jer 23,14.17; vgl. Mi 3,8). Dahinter steht ein bestimmtes Ideal, das von den Propheten folgendes verlangt: Nach der
Antwort Gottes auf bestimmte Fragen nach Recht und Unrecht suchen, nach guten und bösen Auswirkungen bestimmter Handlungs-
weisen fragen, damit der עון des Volkes, nämlich seine Ver-
kehrtheit in bezug auf den göttlichen Willen, ans Licht gerückt wird[291].

Da aber die Propheten Jerusalems ihre Aufgabe, den Plan Jahwes
zu verkünden, nicht wahrgenommen haben, mußten sich ihre Schau-
ungen (חזון) und Sprüche (משא) als Lüge erweisen. חזון
steht hier als eine Bezeichnung für die Vision der Kultprophe-
ten (Jes 30,10; Ez 12,27; 13,6-9.16.23; 21,34; Sach 10,2), wohingegen משא in der Hauptsache ein Begriff ist, um den Droh-
spruch gegen fremde Völker (Mi 3,5) zu kennzeichnen. Beide Termini zielen auf die Charakterisierung einer Verhaltensweise, in
der die Heilspropheten das Volk beruhigten und sich bei ihrer

---

289 KRAUS, Klagelieder, 46.
290 WEISER, 65 A2.
291 Vgl. KNIERIM, Art. עון , in: THAT II, 243-249.247.

Verkündigung an ihm und seiner Einstellung orientierten (vgl.
Jer 28,2-4.11 u.ö.). Schon in vorexilischer Zeit haben die
Gerichtspropheten, vor allem Jeremia und Ezechiel, das Treiben
dieser Propheten scharf verurteilt: Sie weissagen שוא ("Nich-
tiges"; vgl. Ez 12,24; 13,6-9.23; 21,28.34) und תפל ("Fades,
Ungereimtes"; vgl. Ez 13,10f.; 22,28; Jer 23,13), indem sie
die Boshaften auf ihrem Weg bestärken (Jer 23,14.32), das Volk
verführen (Jer 23,16; Jes 3,12; 9,15), und somit die Umkehr des
Volkes zu Gott und die Wende des drohenden Schicksals (שוב
שבות : Dtn 30,3; Ez 16,53; Hos 6,11; Am 9,14) verhindern.

KRAUS sieht in V.14 das Selbstgericht eines früheren Heilspropheten, der nun sein eigenes Verhalten anprangert und nicht
mehr in die Fehler der Vergangenheit, nämlich eine leichtfertige Heils- und Trostpredigt, zurückfallen will[292]. Faßt man jedoch ins Auge, daß in V.14 die prophetische Kritik an den Heilspropheten übernommen ist und der Dichter sich das Urteil des Jeremia und des Ezechiel zu eigen gemacht hat, so ist eher zu fragen, ob Klgl 2 nicht schon eine neue Sicht des Gottesdienstes
widerspiegelt, in der sich nicht mehr die Heilspropheten, sondern die Vorboten dtr Kreise zu Worte melden; denn gerade sie
stellen immer wieder heraus, daß die Geschichte Israels nur deshalb einen negativen Verlauf genommen hat, weil man nicht auf
die wahren Propheten gehört hatte[293]. In ähnlicher Weise kommt
auch in den Worten "deine Propheten" von V.14a deutlich eine
Distanzierung zur Heilsprophetie zum Ausdruck. Der Verfasser
stellt sich damit auf den Boden der wahren Propheten wie Jeremia und Ezechiel, die mit den Heilspropheten im Kampf lagen (Jer
14,13ff.; 23,13ff.; 26,7ff.; 27-28; Ez 13,1ff.).

Im Mittelpunkt des zweiten Teiles von Klgl 2 steht die Aussage
über die mit dem Untergang verbundene Schande Zions, die von
den Vorüberziehenden mit schadenfroher Ironie kommentiert wurde.
Spott und Hohn werden über die zerstörte Stadt ausgegossen. Man

---

292 KRAUS, Klagelieder, 46
293 Jer 7,25-26; Ri 6,8-10; 2 Kön 17,13.23; 21,10-11; 24,2.

klatscht in die Hände (Ijob 27,23; Num 24,10), zischt mit
dem Mund (1 Kön 9,8; Zef 2,15) und schüttelt den Kopf (Ps
22,8; 109,25), um seine Schadenfreude kundzutun[294]. Der Vers
endet mit einem Zitat, das die frühere Vorzugsstellung Jerusalems beschreibt, jetzt aber dem Feind Anlaß zu einer höhni-
schen Erinnerung ist: "Ist das die Stadt (die man nannte):
eine Krone der Schönheit, eine Wonne für die ganze Erde"
(V.15c)? In diesem Zitat liegt eine Anspielung auf die Kult-
tradition Jerusalems vor, deren Wurzeln wohl auf die vorisraelitische Jerusalemer El-Religion zurückgehen[295].

Im Mittelpunkt der Jerusalemer Stadttheologie steht die Verbundenheit Jahwes mit seinem Berg und seiner Stadt: Zion ist
der Gottesberg, wo Jahwe als Weltkönig thront, Jerusalem seine
Residenz, in deren Mitte nach dem Willen Jahwes der davidi-
sche König als sein Sachverwalter herrscht. Liturgisch artikuliert hat sich diese Auffassung vor allem in den Zions-
und Schöpfungspsalmen sowie in den Jahwe-König- und Königs-
psalmen. Bezugnahmen auf einzelne Momente finden sich in Jesaja und Deuterojesaja[296]. In vorexilischer Zeit erhielt die
Bedeutung Zion-Jerusalems einen Auftrieb durch den überraschen-
den Abzug der Assyrer im Jahre 701. Die Tatsache, daß Jerusalem im Gegensatz zu Samaria vor dem Untergang bewahrt blieb,
war der Anlaß, die religiöse Bedeutung des Zion in mythischen
Bildern zu feiern. Die Bezeichnung מָשׂוֹשׂ לְכָל הָאָרֶץ ("Wonne
für die ganze Erde") findet sich auch in Ps 48,3 und ist dort
Ausdruck der einzigartigen Stellung, die Zion als Wohnsitz
Jahwes innehat. כְּלִילַת יֹפִי ("Krone der Schönheit") begegnet

---

294 שָׁפַק I entspricht סָפַק (FOHRER, Hiob, Gütersloh 1963;
387 A23). Daß man in die Hände klatscht und pfeift, bezeichnet ursprünglich Abwehrgesten der Angst. Man wendet
sie an, wenn man an Trümmern und verödeten Stätten vor-
beigeht, wo Dämonen hausen. Doch haben diese Gesten in späterer Zeit auch dazu gedient, die Schadenfreude auszudrük-
ken (Nah 3,19; Klgl 2,15). Gegen KRAUS (Klagelieder, 47),
der diese Geste aus dem Brauch der Begrüßungsfreude her-
leitet.
295 Vgl. dazu H.SCHMID, Jahwe und die Kulttraditionen von Jerusalem: ZAW 67 (1955) 168-197.
296 Vgl. O.H.STECK, Friedensvorstellungen im alten Jerusalem,
Zürich 1973, 9-25.

in Ps 50,2 als ein Lobpreis des Gottessitzes Zion[297]. Es ist
anzunehmen, daß der Verfasser von Klgl 2 diese Bezeichnungen
Jerusalems innerhalb der Zionstraditionen kannte, und deshalb
in V.15c die beiden Ehrennamen dem Zustand der gegenwärtigen
Zerstörung gegenüberstellte[298].

V.16 setzt im jetzigen Zusammenhang die Beschreibung des feindlichen Triumphes von V.15 fort. Freude über den Sieg und Spott
mischen sich in den Gebärden der Gegner. Das Aufreißen des Mun-
des (Klgl 3,46; Ps 35,21; Ijob 16,10), das Zischen (1 Kön 9,8;
Zef 2,16) und das Knirschen mit den Zähnen (Ps 35,16; 37,12)
sind auch sonst im AT geläufige Gesten des Hohnes und der Schadenfreude. V.16b[b] und V.16c beschreiben die befriedigte Wut
der Gegner: "Sie rufen: Wir haben vertilgt! Ja, das ist der
Tag, den wir erhofften, wir haben (ihn) erreicht, erlebt". Im
konzentrischen Aufbau von Klgl 2 bildet dieser selbstbewußte
Ausruf mit der in V.13 genannten Hilflosigkeit Zions und seiner Freunde einen beabsichtigten Kontrast.

Für KRAUS ist die Aussage, daß die Feinde sich selbst den Sieg
zuschreiben, so auffällig und in einem so starken Gegensatz zu
den Gedanken von Klgl 2,2 und Klgl 1, daß er hier eine tiefe
Anfechtung des Volkes darüber, daß gottfeindliche Mächte ihr
Ziel erreichen konnten, zu Wort kommen sieht[299]. Das Problem
löst sich, wenn man die Aussagen von V.16 und V.17 zusammen-
schaut. Das einzig Sichere, was man nach V.17, wenn auch nicht
zum Trost, so doch zur Klärung der Lage sagen kann, ist: Jahwe
selbst steht hinter dem Triumph der Feinde. Gerade in diesem
Hinweis, der an die Gerichtsverkündigung der Propheten anknüpft,
die sich nun erfüllt hat, wird man fragen dürfen, ob sich in
solchen Worten nicht, wie schon in V.14, die neue Situation des
Gottesdienstes widerspiegelt. Jedenfalls kündigt sich hier die
dtr Auffassung an, daß die Geschichte Jahwes mit seinem Volk

---

297 Zu Alter und Problematik der Zionspsalmen vgl. G.WANKE,
     Die Zionstheologie der Korachiten, Berlin 1966.
298 ALBREKTSON, Studies in the Text, 230.
299 KRAUS, Klagelieder, 47.

Erfüllung des einmal ergangenen prophetischen Drohwortes
ist[300]. Bei V.16f. ist zudem zu beachten, wie bei richtiger
Reihenfolge - nämlich V.17 vor V.16! - in V.17c das Thema von
V.16 angegeben ist: Weil Jahwe das angedrohte Gericht wahr-
gemacht hat, dürfen die Feinde triumphieren (vgl. Ps 89,42.43).
Im Vergleich mit V.14, der gemäß dem konzentrischen Aufbau des
Liedes V.17 gegenübersteht und wo die unzuverlässige Botschaft
der Heilspropheten angeklagt wird, kommt die in V.17 erkannte
Zuverlässigkeit des göttlichen Wortes noch stärker zum Ausdruck. Darüber hinaus wird in V.17, da die Ankündigung des
göttlichen Tuns im prophetischen Wort zu suchen ist, die Gerichtsprophetie gegenüber der Heilsprophetie (V.14) bestätigt.
Auch diese Bezüge sind eine Stütze für die in der Analyse der
Form begründete Einsicht, nach der V.16 und V.17 umgestellt
werden müssen.

Versteht man daher V.18 als die Fortsetzung von V.16c, dann
umschreibt dieser Vers die Reaktion der Bewohner Zions auf das
hochmütige Siegesgeschrei der Feinde: Angesichts des Falls
der Mauern von Zion schreien sie zu Jahwe um Hilfe. In diesem
Notschrei Zions sieht der Sprecher von Klgl 2 die einzige Möglichkeit für eine Rettung und fordert Zion daher zu einer
Klage ohne Unterlaß auf. V.18b-19b schildern die Trauer- und
Bittgesten, mit denen Zion Jahwes Mitleid für seine Kinder
erflehen soll. Diese Aussage in V.19cd weist auf die Klage
des Dichters über die Not des Volkes und der Kinder in V.11
zurück und bildet mit diesem den Rahmen des zweiten Teils
von Klgl 2.

In V.20 beginnt Zions an Jahwe gerichtete Klage. Zu einer eigentlichen Bitte, etwa um Erbarmen, Vergebung oder Hilfe,
kommt es jedoch nicht, weil der unmittelbare Eindruck, unter
Gottes Gericht zu stehen, alles andere überschattet. Die aus

---

300 Die Termini des Vorhabens und der weissagenden Erfüllung
sind זמם (Jer 51,12; Sach 1,6), אמר und צוה (Ez 12,7;
Jer 1,7.17). Die Begriffe der Erfüllung des Angekündig-
ten sind עשה (Jer 4,27; 5,18) בצע (pi) Jes 10,12;
Sach 4,9) und הרס ; vgl. ZIMMERLI, Weissagungen und
Erfüllung: Ev Th 12 (1952) 34-59.

dem Zorn Jahwes abzuleitende Konsequenz, daß Gott sein eigenes Volk verworfen hat, führt Zion in V.20a zu einer Frage,
mit der es Jahwe die Tatsache seiner einstigen Erwählung und
demgegenüber seinen jetzigen Zustand zu bedenken gibt. Als
Beispiel für das unbegreifliche Handeln Jahwes führt Zion zwei
extreme Fälle an, die die Unermeßlichkeit des Unheils gewärtigen und Jahwe vor Augen halten sollen, daß er hier von ihm
selbst gesetzte Ordnungen ungültig gemacht hat: der Kanniba-
lismus der Frauen, die ihre eigenen Kinder essen mußten (2 Kön
6,28f.; Klgl 4,10), und die Ermordung der Priester und Propheten im Heiligtum. Mit diesen Aussagen wird, wie schon im ersten Teil von Klgl 2 (V.4-5), auch in den Schlußgedanken das
Bild von Jahwe als dem Feind seines Volkes beschworen.

Um die schonungslose Vernichtung geht es in V.21, wo Zion vor
Jahwe das Blutbad beklagt, daß dieser in der Stadt angerichtet
hat und bei dem weder Alter noch Geschlecht Rücksicht erfuhren.

Kein Wunder, daß deshalb Jahwes Gerichtstag in den Augen Zions
einem grausigen Opferfest (Klgl 1,15) vergleichbar ist, zu dem
Jahwe selber "alle Schrecken ringsum" (Jer 6,25; 20,3.10; 46,5;
49,29) herbeigerufen hat und dem niemand entkommen konnte. Die
Klage Zions endet daher mit der verzweifelten Feststellung, daß
Jahwe, als Feind Zions, dieses vollkommen zerschlagen hat.

3. Klgl 4

a. Text

V.1 Ach, wie ist das Gold gedunkelt,
das herrliche Feingold entstellt,
sind hingeschüttet die heiligen Steine
an allen Straßenecken.

V.2 Die Söhne Zions, die Edlen,
aufgewogen mit Edelmetall,
ach, man erachtet sie wie Krüge aus Ton,
wie Werk von Töpferhänden.

V.3 Selbst Schakale reichen die Brust,
säugen ihre Jungen.
Die Töchter meines Volkes[301] sind grausam[302]
wie Strauße in der Wüste.

V.4 Des Säuglings Zunge klebt
an seinem Gaumen vor Durst;
Kinder betteln um Brot,
keiner bricht es ihnen.

V.5 Die Leckereien aßen,
verschmachten auf den Straßen,
die man auf Purpur trug,
umarmen den Mist.

---

301 Statt M: "die Tochter meines Volkes" liest man besser
mit G: "die Töchter meines Volkes", weil es sich im Zusammenhang des Verses um die Frauen und nicht um das
Volksganze handelt (so RUDOLPH, 247; KRAUS, Klagelieder,
72).
302 Das ל vor dem wohl indeklinablen אכזר ist am besten als
ל -emphaticum zu erklären; vgl. McDANIEL, Phil. Stud. II,
207; PLÖGER, 155; HILLERS, 80; GORDIS, 189.

V.6   Größer war der Frevel der Tochter meines Volkes

als die Sünden Sodoms,

das vernichtet ward im Nu,

ohne daß sich in ihm Hände rührten[303].

V.7   Reiner als Schnee waren ihre Geweihten,

weißer als Milch,

röter ihr Leib[304] als Korallen,

leuchtend wie Saphir ihre Gestalt[305].

V.8   Schwärzer als Ruß ward ihre Gestalt;

nicht erkennt man sie auf den Straßen.

Es schrumpfte die Haut ihnen am Leib,

wurde trocken wie Holz.

---

303 Die Aussage ולא — חלו בה ידים hat sehr verschiedene Deutungen gefunden. RUDOLPH leitet חלו von חלה ("Schmerz empfinden") ab und ändert ידים in ילדים :"und nicht mußten darin Kinder leiden" (247). KRAUS erkennt in חלו das Verb חיל I ("beben"; vgl. Ps 55,5; 77,17; 97,4) und übersetzt: "ohne daß Hände in ihr bebten" (Klagelieder,71f.). Andere leiten חלו von חול II ("losstürzen auf, treffen") ab und übersetzen: "ohne daß Hände sich gegen es rührten" so EWALD, 342; OETTLI, 218; LÖHR, Klagelieder,25,ALBREKTSON, 179f., GORDIS, 28f., PLÖGER, 154). Man wird diesem Verständnis eine gewisse Wahrscheinlichkeit nicht absprechen können. Dem Zusammenhang der Aussage jedoch, die das nicht von Menschenhand vollstreckte Gottesgericht an Sodom im Auge hat, entspricht am besten die Ableitung der Form חלו von חיל II ("kräftig, dauerhaft sein"; vgl. Ps 10,5; Ijob 10,21): "ohne daß sich in ihr (Menschen)hände stark machten".

304 עצם wird meist als Akkusativ der Beziehung verstanden und mit "Leib" übersetzt (vgl. Spr 15,30; 16,24); so ALBREKTSON, 181; KRAUS, 72; HILLERS, 80. Dazu rät auch der Gebrauch von עצם in V.8b. Die Textverbesserung durch GOTTLIEB (63) und DRIVER (Notes, 140f.) in מֵעֶצֶם פְּנִינִים ("röter als selbst Korallen") geht sinngemäß in dieselbe Richtung, ist aber unnötig.

305 גזרתם wird gewöhnlich von der Wurzel גזר ("schneiden") abgeleitetund als "ihre Gestalt"(vgl. französisch "taille") übersetzt. Die Frage von RUDOLPH, was denn an der Gestalt der Geweihten "saphirblau" sein könne (248), erledigt sich, wenn man beachtet, daß der Vergleich mit dem Saphir weniger den Farbton "blau" als vielmehr den Eindruck des Glanzes und der Reinheit verbindet (vgl. Ex 24,10). Für die Farben des blauen Bereiches hat das AT keine eigenen sprachlichen Begriffe entwickelt. Vgl. R.GRADWOHL, Die Farben im Alten Testament, Berlin 1963, 33f.

V. 9   Glücklicher waren die vom Schwert Getroffenen
als diejenigen, die getroffen wurden vom Hunger,
die sich verbluteten als Durchbohrte
mehr als diejenigen (, die starben) aus Mangel
an Feldfrüchten[306].

V.10   Hände barmherziger Mütter
kochten die eigenen Kinder;
zur Speise[307] wurden sie ihnen
beim Zusammenbruch der Tochter meines Volkes.

V.11   Ausgeschöpft hat Jahwe seinen Grimm,
ausgegossen seinen glühenden Zorn;
ein Feuer hat er in Zion entfacht,
das fraß es bis auf den Grund.

V.12   Nicht geglaubt hätten die Könige der Erde
und alle Bewohner der Welt,
daß jemals Bedränger und Feind durchschritten
die Tore Jerusalems.

V.13   Wegen der Sünden ihrer Propheten,
der Frevel ihrer Priester (geschah es),
die in ihrer Mitte vergossen
das Blut von Gerechten.

---

306 V.9b führt offensichtlich die Beschreibung des Schicksals
der vom Hungertod Getroffenen weiter. GORDIS, der hier
ein Merkmal biblischer Poesie zu erkennen glaubt, nämlich
die Zusammenziehung eines Verses um des Metrums willen,
übersetzt: "Happier were the victims of the sword than
the victims of hunger; they whose blood flowed, being
stabbed, than those who perished for lack of the fruits
of the field" (191).

307 Statt לְבָרוֹת ist לִבְרוּת zu punktieren. Gemeint ist die
Speise, die man Kranken und Erschöpften gibt; vgl. KRAUS,
Klagelieder, 72 und Ps 69,22.

V.14   Mit Blindheit (geschlagen) taumeln sie
            durch die Gassen,
        befleckt mit Blut,
        so daß man ihre Kleider
        nicht anrühren mag.

V.15   Weg! Unrein! hat man zu ihnen gerufen[308].
        Weg (, weg)! Keine Berührung!
        Wenn sie (dann) irren[309] und taumeln
            unter den Völkern[310],
        können sie (auch dort) nicht als Schutz-
            bürger weilen.

---

308 KRAUS möchte קְרָאוּ לָמוֹ als eine den Vers über Gebühr deh-
     nende Erklärung streichen (Klagelieder, 72). Doch besteht
     dazu kein Anlaß, da im Zusammenhang des Verses ein Hinweis
     auf die Sprecher als durchaus sinnvoll erscheint. Eher wird
     man fragen dürfen, ob nicht im selben Vers die Wiederholung
     des Imperativs סוּרוּ als nachträgliche Angleichung an die
     zwei Imperative am Anfang anzusehen ist.

309 Für das gewöhnlich mit "fliehen" wiedergegebene hap. leg.
     נָצוּ erwägt RUDOLPH eine Ableitung von נוּעַ = נוֹעַ mit
     der Bedeutung "sich (weg)bewegen" und verweist dabei auf
     arab. nwṣ, nwd und nwʻ (249). Sachlich ist jedenfalls der
     auch in Am 8,11 beschriebene Vorgang gemeint, wo bezeich-
     nenderweise auch das Verbum נוּעַ erscheint.

310 Gegen KRAUS, der אָמְרוּ בַגּוֹיִם wie קְרָאוּ לָמוֹ (V.15a) als
     eine den Vers über Gebühr dehnende Glosse streicht (Klage-
     lieder, 72), wendet RUDOLPH mit Recht ein, daß dann das
     Hereinkommen von גוֹיִם unerklärt bleibe; er streicht
     deshalb, weil auch er die Aussage als problematisch empfin-
     det, lediglich אָמְרוּ (249). Gegen die Ursprünglichkeit
     von אָמְרוּ bestehen in der Tat schwere Bedenken, weil nach
     den unmittelbar vorausgehenden Perfektformen hier in der
     ebenfalls perfektisch formulierten Aussage offensichtlich
     ein Subjektwechsel stattfindet, ohne daß klar wird, wer
     dieses Subjekt ist. Die Wendung אָמְרוּ בַגּוֹיִם läßt sich da-
     her am besten als eine analoge Bildung zu קְרָאוּ לָמוֹ in
     V.15a verstehen, die den dort angesprochenen Ächtungspro-
     zeß in Jerusalem noch durch eine Bemerkung steigern will,
     die das Los der Angesprochenen nach ihrer Vertreibung un-
     ter die Völker ausmalt.

V.16   Jahwe selbst hat sie zerstreut[311],
        er schaut nicht mehr nach ihnen.
        Das Ansehen der Priester achtet man nicht,
        man erbarmt sich nicht der Greise.

V.17   Als sich verzehrten noch unsere Augen
        nach Hilfe für uns, war es (bereits) umsonst.
        Auf unserer Warte spähten wir aus
        nach einem Volk, das nicht retten konnte.

V.18   Sie lauerten[312] auf unsere Schritte,
        so daß wir nicht unsere Plätze begehen konnten.
        Genaht hatte sich unser Ende, erfüllt hatten
            sich unsere Tage,
        ja, gekommen war unser Ende.

V.19   Schneller waren unsere Verfolger
        als Adler am Himmel.
        Auf die Berge jagten sie uns,
        in der Wüste lauerten sie uns auf.

---

311 DAHOOD deutet חלק als "zerstören, töten" (ähnlich Mc
    DANIEL, Phil. Stud. I, 48f.) mit Verweis auf ug. hlq
    (New Readings, 191). Aber auch wenn חלק pi. diese Be-
    deutung wirklich annehmen könnte, würde sie schlecht zum
    Kontext passen, wo es um das Schicksal der Überlebenden
    und nicht der Toten geht.
312 DAHOOD verbindet צדו mit ug. sd ("wandern, sich er-
    strecken, reichen vor") und übersetzt: "Our feet have
    ranged far without coming into our squares" (New Rea-
    dings, 192; ebenso McDANIEL, Phil. Stud. I, 49). Diese
    Übersetzung wirkt jedoch gezwungen und fügt sich nur
    schlecht in den Zusammenhang ein. Besser ist es, צדו
    von צדה ("belauern") mit den Feinden Jerusalems als
    Subjekt abzuleiten oder mit RUDOLPH צרו zu lesen und
    die Form mit צרר ("eng sein") in Verbindung zu brin-
    gen (249; vgl. Spr 4,12; Ijob 18,7): "Eingeengt waren
    unsere Schritte, so daß...".

V.20   Unser Lebensatem, Jahwes Gesalbter[313],
            ward in ihren Gruben gefangen.
            Wir aber hatten gedacht: In seinem Schatten
            werden wir leben unter den Völkern.

V.21   Freue dich und juble Tochter Edom,
            die du wohnest im Lande Uz!
            Auch an dich wird kommen der Becher,
            du wirst dich berauschen und dich entblößen.

V.22   Ein Ende genommen hat (dann) deine Schuld,
               Tochter Zion,
            nicht wieder führt er dich in Verbannung.
            Er sucht (dann) heim deine Schuld, Tochter
               Edom,
            deckt deine Sünden auf.

---

313 GOTTLIEB setzt sich in bezug auf Klgl 4,20 (68) mit der
Auffassung von DAHOOD (Proverbs and Northwest Semitic
Philology, Rom 1963, 28 A 2) auseinander, der משיח
als מָשְׁחָה lesen und das Mem in בשחיחותם als enklitisches Mem verstehen will. DAHOOD nimmt dabei die Existenz
eines Verbes שחה II (verbunden mit שחן)an und übersetzt: "The Lord inflamed the breath of our nostrils; we
are seized by our boils". V.20b bezieht sich nach DAHOOD
auf Jahwe. Abgesehen davon, daß die von DAHOOD herange-
zogenen Belege aus dem Ugaritischen unsicher sind (vgl.
McDANIEL, Phil. Stud. I, 49f.), verdunkeln seine Verbesserungen eher den Text, als daß sie ihn erklären. Außerdem stünde nach DAHOOD's Übersetzung V.20b ziemlich ohne
Bezug da. Deshalb ist das traditionelle Verständnis bei-
zubehalten.

b. Formkritische Analyse

Mit Klgl 1-3 teilt Klgl 4 die alphabetische Versfolge, wobei
wie in Klgl 1 und 2 der erste Stichos mit dem jeweiligen Buchstaben des Alphabetes beginnt. Wie in Klgl 2 und 3 geht die
פ -Strophe der ע -Strophe voran. Die dichterische Form hat der
Verfasser von Klgl 4 gegenüber Klgl 1-3 insofern verändert,
als hier jeder Vers nur zweiteilig ist.

Nach KRAUS ist zumindest die Makrostruktur des Liedes gut erkennbar: In V.1-16 wird die Klage über das zerstörte Jerusalem
geführt, in V.17-20 ertönt ein Spruch an Edom und Zion[314]. HIL-
LERS übernimmt diese Großgliederung von KRAUS, ist aber in bezug auf die individuelle Struktur von Klgl 4 der Meinung, daß
sich das Lied in seinen Einzelmomenten nur in einem groben
Überblick skizzieren läßt[315]. Unter diesem Gesichtspunkt teilt
PLÖGER Klgl 4 in vier größere Abschnitte ein: Die Darstellung
beginnt mit einem Introitus, der aus einem Bild (V.1) mit an-
schließender Deutung (V.2) besteht, um sich dann in einem ersten Teil mit dem Schicksal der Kinder zu beschäftigen (V.3-6).
Der zweite Teil (V.7-11) enthält mehrere Gegenüberstellungen
und beschreibt das Schicksal der jungen Männer einst und jetzt,
den Schwert- und Hungertod sowie den Notkannibalismus. In V.12
beginnt der dritte Teil des Liedes, der sich nach einem kurzen
Hinweis auf die unerwartete Eroberung Jerusalems dem Schicksal
der Propheten und Priester zuwendet (V.13-16). Der vierte Teil
(V.17-20) verarbeitet eigene Erfahrungen des Dichters, die dieser während der Belagerung der Stadt und auf der Flucht gemacht
hat. Die Schlußverse V.21-22 beschäftigen sich mit dem unrühm-
lichen Verhalten Edoms und enden mit einer Gegenüberstellung
des jetzigen und kommenden Schicksals von Zion und Edom. Diese
vier Abschnitte unterscheiden sich im Hinblick auf die Klarheit ihrer Darstellung voneinander. Besonders im dritten Teil
des Liedes (V.12-16) erscheint der Gedankengang sprunghaft.

---

314 KRAUS, Klagelieder, 73; KAISER, 325; EISSFELDT, 682.
315 HILLERS, 86.

Weil die Erwähnung des unerwarteten Niederganges von Jerusalem in V.12 so wenig zu der in V.13-16 dargestellten Situation der Priester und Propheten paßt, erwägt PLÖGER die Möglichkeit einer Überarbeitung von Klgl 4, wodurch V.12 seiner
ursprünglichen Stellung als Einleitung des kollektiven Klageliedes über das Ende Jerusalems (V.17-20) verlustig ging. Da
es aber, wie PLÖGER zugesteht, immer mißlich bleibt, in einem
alphabetisch geordneten Gedicht mit Versumstellungen zu arbeiten, läßt sich hier keine letzte Klarheit gewinnen[316]. Damit teilt Klgl 4 das Schicksal der übrigen Klgl, denen zwar
eine anschauliche Darstellung, aber keine logische Gedankenfolge zugebilligt wird. Diese Lieder aber haben sich in der
Analyse ihrer Form als geradezu kunstvoll gegliederte Einheiten erwiesen. Mit gutem Grund kann man daher auch in Klgl 4
nach einem Struktursignal Ausschau halten, das die Mikrostruktur dieses Liedes erkennen hilft.

In diesem Zusammenhang fällt in Klgl 4 eine Besonderheit auf,
die dieses Lied von den anderen Klageliedern abhebt: Beginnen
Klgl 1 und 2 jeweils mit einem einmaligen איכה   , so begegnet dieser Klageruf am Anfang von Klgl 4 zweimal (V.1a und
V.2b). Durch dieses stilistische Mittel wird angezeigt, daß
die Strophen V.1 und V.2 einander zuzuordnen sind. Es läßt
sich nun die Frage stellen, ob eine ähnliche Zuordnung auch
bei den anderen Strophen zu erkennen ist, und somit die Verknüpfung von je zwei Versen als das Gliederungsprinzip von
Klgl 4 bezeichnet werden kann.

Ansätze zu einer Aufteilung nach Strophengruppen sind jedenfalls in der Analyse von Klgl 4 bei verschiedenen Erklärern
zu beobachten. So bezeichnen WEISER und RUDOLPH V.1-2 als Einleitung der Klage, V.3-10 als Schilderung des Schicksals der
Bewohner Jerusalems und V.11-16 als Beschreibung der Situation
der Propheten und Priester; V.17-18 hat die enttäuschte Hoffnung des Volkes zum Thema und V.19-20 die Flucht des Königs und
seiner Getreuen; V.21-22 bringt das abschließende Urteil über

---

316 PLÖGER, 158.

das Verhalten Edoms und die Ankündigung einer Wende im Ge-
richtszustand Zions[317].

Das Prinzip einer Gliederung nach Strophengruppen läßt sich
in Klgl 4 jedoch noch überzeugender durchführen. Folgt man
nämlich dem durch das zweifache אֵיכָה gegebenen Hinweis in
V.1 und 2, der für eine Zusammengehörigkeit von jeweils zwei
Strophen spricht, dann ergibt sich für eine Gliederung von
Klgl 4 folgendes Bild:

Verwerfung statt Erwählung	V. 1- 2
Ohnmacht der Mütter und Not der Kinder	V. 3- 4
Ende des sündhaften Luxus	V. 5- 6
Hunger und Krankheit der Jugend	V. 7- 8
Hunger und Notkannibalismus der Frauen	V. 9-10
Ende des stolzen Jerusalem	V.11-12
Ohnmacht der Führer und Not des Volkes	V.13-14
Verwerfung statt Erwählung	V.15-16
Vergebliches Hoffen auf Hilfe	V.17-18
Unerbittliche Feinde	V.19-20
Gericht an Edom und Heil für Zion	V.21-22

Die aus je zwei Versen bestehenden Einheiten sind dadurch in
ihrer Zusammengehörigkeit ausgewiesen, daß sie entweder durch
Stichworte (V.1-2: אֵיכָה ; V.3-4: יוֹנֵק, הֵינִיק ; V.13-14:דָּם ;
V.15-16:יוֹסִיף לֹא), sachliche Zusammenhänge (V.7-8: Farben;
V.9-10: der Zusammenbruch; V.11-12: Zion-Jerusalem) oder durch
Kontraste in der Darstelltung (V.5-6: Einst-Jetzt; V.17-20:
die Erwartung des Volkes und die aussichtslose Lage; V.21-22:
die gegensätzliche Situation Edoms und Zions vor Jahwe) miteinander verknüpft sind. Der Umstand, daß diese Gliederung in
dem ganzen Lied eingehalten wird, ist ein durchschlagender Beweis dafür, daß Klgl 4 in allen seinen Teilen als eine Einheit
verstanden werden muß, und es für die von PLÖGER vermutete
Überarbeitung der Textgestalt keinen Anhaltspunkt gibt.

---

317 WEISER, 95; RUDOLPH, 250; vgl. auch WIESMANN, Klagelie-
    der, 238; LAMPARTER, 174f.; PLÖGER, 156.

Aus der vorgenannten Gliederung ergeben sich bei genauerem
Hinsehen drei Teile, die in einem inneren Zusammenhang stehen:

Not des Volkes	V. 1-16
Enttäuschung des Volkes	V.17-20
Hoffnungsvoller Ausblick	V.21-22

V.1-16

KRAUS erklärt den Abschnitt V.1-16 in Analogie zu der sumerischen Gattung der "Klage um das zerstörte Heiligtum", die aber
in Klgl 4, wie schon in den ersten beiden Klageliedern zu beobachten war, Elemente des Leichenliedes in sich aufgenommen
habe[318]. Während die Gattungsbezeichnung "Klage um das zerstörte Heiligtum" für Klgl 4 ebensowenig in Frage kommt wie
für Klgl 1-3, sind aber Motive des Leichenliedes in V.1-16
tatsächlich vorhanden[319]: das Kennwort איכה (V.1a.2b), die
Gegenüberstellung von Einst und Jetzt (V.5.7.8), die Darstellung der Todesart (V.4.5), die Anspielung auf den Kondolenzri-
tus des Trauerbrotes (V.10). Die Übernahme dieser Motive aus
der Totenklage hängt wie in den anderen Klageliedern damit zusammen, daß auch in Klgl 4 die Katastrophe von 586 als Ende
(Tod) des Staates verstanden wird.

Die entscheidenden Momente aber zur Beschreibung von Klgl 4,1-
16 enthalten die Verse 6.11.(13).16, die den Untergang Zions
als Zorngericht Jahwes deuten. Damit geht es in V.1-16, wie
auch in der Elendsschilderung der übrigen Lieder, um eine klagende Darstellung des Gerichtszustandes. War aber in den beiden
ersten Kapiteln das Leiden stärker mit Jerusalem als einer kollektiven Größe in Verbindung gebracht worden, so ist in Klgl
4,1-16 das Augenmerk auf das Schicksal der einzelnen Gruppen

---

318 KRAUS, Klagelieder, 73. Den Stil der Totenklage vermerken
auch WEISER, 94; WESTERMANN, Klagelieder, 96; EISSFELDT,
682; PLÖGER, 156; SELLIN-FOHRER, 322.
319 Zum Folgenden vgl. JAHNOW, 168ff.

und Glieder des Volkes gerichtet. Dieser Absicht des Dichters
trägt der konzentrische Aufbau von V.1-16 Rechnung: Die rahmenden Teile über das schmachvolle Ende der "Söhne Zions" (V.
1-2.15-16) führen nach der Innenseite zu einer Schilderung
der Ohnmacht der Verantwortlichen in Familie und Volk (V.3-
4.13-14) und einer Begründung der Not als Strafgericht Jahwes
(V.5-6.11-12). In der Mitte des Liedes dagegen wird ausführlich das entsetzliche Los der hungernden Bevölkerung beklagt
(V.7-8.9-10), die der Jugend und den Kindern keinen Schutz
mehr zu geben vermag.

Mit diesem Aufbau von V.1-16 will der Verfasser von Klgl 4
die Größe der Schuld anzeigen, die Zion-Jerusalem (Volk) auf
sich geladen haben muß, wenn Jahwe seiner Stadt (Volk) ein
solch grauenvolles Ende bereitet hat.

V.17-20

Nach WIESMANN handelt es sich bei den Versen 17-20 um ein
selbständiges kollektives Klagelied, in dem die Gemeinde die
große Not beklagt, die nach dem Zusammenbruch Jerusalems über
sie gekommen ist. WIESMANN denkt hier an einen kultischen Ab-
lauf, in dem die Gemeinde (bzw. ihre Stellvertreter) jetzt
ihre Stimme erhebt[320]. RUDOLPH, der eine gottesdienstliche
Situation von Klgl 4 nicht für vorgegeben hält, konstatiert
dagegen keinen Stimmenwechsel, sondern sieht auch in V.17-20
den Sprecher von V.1-16 zu Wort kommen und lediglich ein
neues Thema aufgreifen. Da seine Volksgenossen dasselbe erlebt haben wie er, schließt er sich mit ihnen in einer Wir-
Rede zusammen[321]. Die Entscheidung darüber, welche Interpretation die richtige ist, hängt, wie KRAUS richtig bemerkt,
an der Beurteilung der gottesdienstlichen Gegebenheiten. Seiner Meinung nach handelt es sich in V.17-20 in jedem Fall um
ein kollektives Klagelied, in dem die klagende Gemeinde in

---

320 WIESMANN, Klagelieder, 241; vgl. EISSFELDT, 682.
321 RUDOLPH, 250.

die Zeit der Belagerung Jerusalems zurückschaut. Wenn Klgl 4
auch nicht direkt für den Gottesdienst geschrieben wurde, so
hat doch die kultische Situation für die Verteilung der Stimmen in diesem Lied Pate gestanden. Daher ist es am besten,
selbst wenn hier nicht mit letzter Gewißheit entschieden werden kann, die Verse 17-20 einer Gemeinschaft als Sprecher zuzuschreiben[322].

Betrachtet man unter dieser Hinsicht die Form der Verse 17-20
sowie ihren Inhalt einmal genauer, so stellt man fest, daß
dieser Abschnitt der Gattung einer Volksklage nicht zugeordnet
werden kann. Der Abschnitt V.17-20 ist weder an die Adresse
Jahwes gerichtet, noch geht es ihm um eine Schilderung der
leidvollen Begebenheiten bei der Eroberung Jerusalems. Die
klagende Rückschau in V.17-20 ist vielmehr Ausdruck einer
enttäuschten Hoffnung, hinter der sich das Eingeständnis der
illusionären Vorstellungen des Volkes verbirgt. Dieses Bekenntnis legt der Verfasser von Klgl 4 dem Volk vor, ähnlich wie in
Klgl 2 der Dichter ein Klagelied Zions spricht (Klgl 2,20-22).
Die Aussage von V.17-20 ergeht ganz im Sinn der in V.1-16 zum
Audruck gebrachten Gedanken. Es liegt somit kein Anlaß vor,
in Klgl 4,17-20 eine neue Gattung und daher einen gegenüber
V.1-16 neuen Sprecher zu vermuten.

V.21-22

Die Verse 21-22 enthalten eine Drohrede, die das schadenfrohe
Verhalten Edoms angreift; danach wird Jahwe die Sünden Edoms
aufdecken und mit unbestechlicher Gerechtigkeit ein Urteil sprechen. Verbunden ist mit dieser Aussage in V.22a die Ankündigung
einer Wende für Zion: "Vollendet ist deine Schuld, nicht wieder
führt er dich in Verbannung".

Der scheinbar unvermittelte Anschluß dieser Verse an die vorhergehende Darstellung läßt auch hier wieder die Frage nach der

---

322 KRAUS, Klagelieder, 80f.

Gattung und einem mit ihr verbundenen Stimmenwechsel aufkommen. So erklärt KRAUS die Verse 21-22 als Heilsorakel eines
Priesters oder eines Propheten, das aus der gottesdienstlichen Situation hervorgegangen ist. Der konkrete Sinn dieses
Zuspruches liegt darin, daß denen, die in der Furcht stehen,
exiliert zu werden, Trost zugesprochen wird: Jahwes Gericht
an Zion ist abgeschlossen; jetzt wird Edom zur Rechenschaft
gezogen[323]. Diese Auffassung erweckt jedoch Bedenken. Wie
nämlich die Untersuchung der Form von Klgl 4 bisher gezeigt
hat, ist ein gottesdienstlicher Gebrauch des Liedes aus seiner Textgestalt heraus nicht zu beweisen. Insofern ist es von
vorneherein unwahrscheinlich, daß der Abschnitt V.21-22 ein
ursprünglich kultisches Orakel wiedergibt. Bedenkt man dazu
den von KRAUS postulierten konkreten Hintergrund, so fällt
auf, daß dieser mit dem Inhalt der Verse nicht ganz überein-
stimmt; denn stünde im Hintergrund der V.21-22 die Gefahr einer neuerlichen Deportation, so müßte doch die dafür verant-
wortliche Macht, nämlich Babel, genannt sein. Statt dessen
aber wird das kleine Nachbarvolk Judas, Edom, erwähnt. Die
Edomiter aber waren, wie RUDOLPH es in seinem Kommentar einmal
formuliert, lediglich die "Hyänen des Schlachtfeldes"[324], die
die Niederlage ihres ehemaligen Verbündeten bedenkenlos aus-
nutzten[325]. Sie haben sich zwar, wie das Buch Obadja in aller
Deutlichkeit offenlegt, an der Durchführung der von den Babyloniern organisierten Deportation beteiligt, waren aber in kei-
nem Fall deren Initiatoren[326]. Form und Hintergrund der Aus-

---

323 KRAUS, Klagelieder, 82f. In gleicher Weise werden die VV.
     21-22 von JANSSEN (77.101) und H.W.WOLFF (Obadja - ein
     Kultprophet als Interpret: Ev Th 3 (1977) 273-284.280)
     gedeutet.
324 RUDOLPH, 210.
325 Das kleine Buch Obadja beschäftigt sich in besonderer Weise
     mit dem Verhalten Edoms angesichts des Untergangs von Juda.
     Im einzelnen wird Edom das Paktieren mit den Eroberern
     (V.11), die schadenfrohe und hochmütige Haltung, mit der
     es auf das geschlagene Juda herabsah (V.12), die Übergriffe
     und Plünderungen (V.13), und die Auslieferung von Flücht-
     lingen, die doch seine "Brüder" waren, an die Eroberer (V.
     14) vorgeworfen.
326 Vgl. H.W.WOLFF, Obadja, Neukirchen 1977, zu Obd 11.

sage von V.21-22 müssen daher in einem anderen Sinne als dem
von KRAUS vorgeschlagenen gedeutet werden.

Wichtig für die Bestimmung der Verse 21-22 ist die Redeweise
in V.22a; denn nur in wenigen Fällen des Alten Testamentes
wird Jahwe wie hier als derjenige bezeichnet, der Israel in die
Verbannung führt (Jer 29,4.7.14; Ez 39,28; Am 5,27; 1 Chr 5,41).
Diese auffällige Aussage erhält ihren Sinn erst im Zusammenhang
der Geschichte des Gottesvolkes, an deren Anfang die Verheißung
des Landes und die Hineinführung des Volkes in das Land steht.
Das Gericht Jahwes hat demnach zur Folge, daß er dem Volk, das
sich trotz aller Warnungen von ihm abkehrt, die Gabe des Landes
wieder entzieht[327]. Damit ist das konkrete Geschehen, das mit
גלה hif. ("verbannen") sonst verbunden ist (Am 1,5; Jer 13,19;
22,12), nämlich die Deportation, in den Hintergrund gerückt.
Auch in Klgl 4,21-22 ist גלה in einem grundsätzlichen Sinn zu
verstehen; es dient zur Kennzeichnung einer Strafe, mit der Gott
das seinem Volk zugewendete Heil wegen der übergroßen Schuld
rückgängig gemacht hat. Diese Vorstellung hat der Verfasser in
V.21-22 nicht nur auf Zion, sondern auch auf Edom angewandt.
In V.22a bezeichnet das Hifil von גלה die Strafe Zions, die
in seiner Verbannung besteht, in V.22b ist mit dem Piel desselben Wortes das Aufdecken der Schuld Edoms durch Jahwe gemeint,
der dieses damit zur Rechenschaft zieht.

Diese Gegenüberstellung von Zions jetzigem und Edoms kommendem
Zustand finden wir auch als Hintergrund der Aussage von V.21,
wenn der Verfasser als Schlußfolgerung aus V.1-20, wo das Gericht Jahwes an Zion dargestellt wird, jetzt mit Bezug auf Edom
sagt: "Auch zu dir wird der Becher kommen, du wirst dich betrin-
ken und dich entblößen". Es geht dem Verfasser in V.21-22 also
um eine Darstellung der Erkenntnis, daß Jahwe als Richter der
Welt sowohl die Schuld seines eigenen Volkes wie auch die der
anderen Völker heimsucht (vgl. Mi 7,8-10; Ob 15-16). In diesem
Sinn entsprechen die Verse 21-22 den Fremdvölkersprüchen, wie

---

327 Vgl. WESTERMANN - R.ALBERTZ, Art. גלה , in: THAT I,
     418-426.420.

wir sie bei den Gerichtspropheten finden (Jer 46,2-12; Jes 34;
Ez 30,1-8)[328]. Das Gericht Jahwes über Zion ist abgeschlossen,
sagt der Verfasser von Klgl 4, jetzt ist die Reihe an Edom.

Nun läßt sich aber mit dieser Erkenntnis noch nicht befriedigend erklären, wie die merkwürdige Verbindung einer Trostaus-
sage für Zion ausgerechnet mit einer Drohung an Edom zustandegekommen ist. Weil die Verknüpfung des göttlichen Gerichtes
über Zion mit dem darauf folgenden Gottesgericht über die anderen Völker in der Tradition des Buches Jeremia vorgegeben
ist (Jer 25,15-16.27-29), hält WEISER es für wahrscheinlich,
daß der Verfasser von Klgl 4 sich mit seiner Aussage vom Ende
der Strafe Jerusalems und dem Gericht über Edom in V.21-22
auf eben diese Jeremiaüberlieferung stützt[329]. Diese Vorstellung spielt aber nicht nur in der Jeremiaüberlieferung eine
Rolle, sondern auch in den Tag-Jahwes-Aussagen der übrigen
Gerichtspropheten. In ihrer Verkündigung hatten diese herausgestellt, daß Israel nicht besser ist als die Fremdvölker,
die von Jahwe nichts wissen; ja, es handelt sogar schlimmer
als sie (Am 1,2-3,2; Jer 2,13) und ist daher reif für die
Vergeltung Jahwes an seinem Tag (Am 5,18-20). Die an Israel
gerichtete Unheilsankündigung ergeht aber zugleich an alles
Stolze, Erhabene und Hochmütige (Jes 2,12.17; Zef 1,2f.18;
3,8; Ez 7,2). In diesem Sinn wird in Klgl 4 des kleinen und
politisch unbedeutenden Edom gedacht. Edom hatte nämlich 586
die Wehrlosigkeit seines ehemaligen Verbündeten Israel heim-
tückisch ausgenutzt, und dieses besaß keine Möglichkeit, gegen Edoms Übergriffe anzukämpfen. Aus diesem Grunde verbindet der Verfasser von Klgl 4 das Ende der Strafe Zions mit
dem Beginn der Bestrafung Edoms durch Jahwe. Er, der jedes
Unrecht ahndet (Jes 34,8; 47,3), wird Edom, das jetzt obenauf

---

328 Die Fremdvölkerorakel gehörten zum Amt des Kultprophe-
     ten und hatten ihren Sitz in gottesdienstlichen Feiern
     (J.JEREMIAS, Kultprophetie und Gerichtsverkündigung in
     der späten Königszeit Israels, Neukirchen 1970, 149).
     Auf diese Tradition greifen auch die Gerichtspropheten
     zurück, wenn sie den Völkern das Gericht Jahwes ankün-
     digen.
329 WEISER, 102f.

ist, zur Rechenschaft ziehen[330].

Daß hier der eigentliche Feind Zions, nämlich Babel, nicht genannt wird, hat seinen guten Grund: Babel hat ja nach der Erkenntnis des Buches der Klgl die Funktion eines von Jahwe bestellten Gerichtswerkzeuges.

Betrachtet man abschließend das Ganze von Klgl 4, so fällt auf,
daß dieses Lied durchgehend von Jahwe in der 3. P. spricht und
im Grunde eine einzige große Vergegenwärtigung des Zustandes
darstellt, in den Zion durch das Gericht Gottes geraten ist.
Daher soll Klgl 4, wie schon Klgl 1 und 2, als "klagende Vergegenwärtigung des Gottesgerichtes" bezeichnet werden.

c. Semantische Analyse

V.1-16

Wie in Klgl 1 und 2 leitet auch im vierten Lied der schmerzliche
Ausruf   איכה die klagende Gegenüberstellung von Einst und Jetzt
im Ergehen Zions ein. Der Verlust der vergangenen Herrlichkeit
wird in V.1 im Bild des Goldes beschrieben, das keinen Glanz
mehr hat, und im Bild der Edelsteine, die ihren Wert verloren
haben, so daß man sie achtlos zu Boden wirft. Die Anschauung für
diesen Vergleich boten dem Verfasser wohl das schimmernde Gold
und die kostbaren Steine, die den Tempel zierten.

In V.2 erfolgt die konkrete Deutung der bildhaften Rede von V.1.
Mit dem kostbaren Gold und den Edelsteinen sind die "Söhne Zions",
nämlich die Bewohner Jerusalems gemeint. Ihren Wert und ihre
Würde machte die Erwählung durch Gott aus, in dessen Augen sie

---

330 Vgl. den Aufsatz von KATZOFF, der die Heimtücke des "Bru-
     dervolkes" Edom in seinem Verhalten Juda gegenüber als
     einen Grund dafür anführt, warum vor allem in der talmudi-
     schen Literatur Edom zu einer Chiffre für die jeweiligen
     Feindmächte geworden ist, gegen die die Juden sich nicht
     wehren konnten (Who is afraid of Edom, 181-182).

wie mit Gold aufgewogen waren (Jes 43,3f.). Jetzt aber werden
sie geringschätzig betrachtet, gleich billigem Töpfergeschirr
(Jer 22,28), wie es auf jedem Markt feilgeboten wird; das
"Werk der Hände Gottes" (Jes 64,7) ist geworden wie "Werk
von Töpferhand" (V.2b). Das aber heißt: Die auf der Erwählung
gründende Vorzugsstellung haben die Bewohner Zions eingebüßt.

Die Geringachtung und Verwerfung der "Söhne Zions" wird von
V.3 an mit Beispielen belegt. Besonders anschaulich wird in
V.3 und 4 der jähe Umschwung im Schicksal der Zionskinder am
Beispiel der Hilflosen und Unmündigen dargestellt. Grausamer
als die wilden Schakale, die im AT als Ruinenbewohner verachtet werden (Jer 50,39; Jes 13,22; 34,13), haben die Töchter
Zions an ihren eigenen Kindern gehandelt; denn während jene
Tiere ihre Jungen säugten, waren die Mütter des Gottesvolkes
unfähig, ihre Säuglinge zu stillen. Diese durch die Not er-
zwungene Grausamkeit vergleicht der Dichter mit dem Verhalten
des Straußes, der nach volkstümlicher Auffassung seine Eier unbekümmert ob aller Gefahr in den Sand legt und der auch seine
Jungen hart und gefühllos behandelt (Ijob 39,13ff.).

V.4 schildert das Los der vor Durst verschmachtenden Säuglinge,
deren Schicksal auch die kleinen Kinder teilten: Ihr Betteln
um Brot fand kein Gehör (vgl. Klgl 2,11c.12).

Das Elend blieb jedoch nicht auf die Armen beschränkt. Die allgemeine Not hat die sozialen Schranken durchbrochen und auch
vor den begüterten Familien nicht halt gemacht. Diese traf der
jähe Umschwung sogar im besonderen Maße: Wurden die Vornehmen
einst auf kostbaren Kissen gepflegt und mit Leckerbissen ver-
wöhnt, so verschmachten sie jetzt wie die anderen auf den Straßen und wälzen sich im Kehricht. Dies war der Ort der Bettler,
der Aussätzigen und der Obdachlosen (Ps 113,7; Ijob 2,8); jetzt
ist er auch der Ort der Kinder Zions geworden.

Aus dem beispiellosen Elend schließt der Verfasser in V.6, daß
die Schuld des Volkes übergroß ist und sogar den Frevel der
Heidenvölker übertrifft. Als Beispiel nennt er die Stadt Sodom,
deren Greueltaten und plötzliche Vernichtung (Gen 19) im AT

immer wieder zur Sprache gebracht werden. Wenn das verderbte
Sodom kein qualvolles Dahinsterben seiner Bewohner erleben
mußte, sondern in einem Augenblick vernichtet wurde, dann muß
dieser verschieden bemessenen Strafe ein entsprechender Sachverhalt zugrunde gelegen haben: Jerusalem war sündiger als
Sodom. So haben auch die Propheten geurteilt (Ez 16,48; Jes
1,7.10; Jer 23,14; Am 4,11). Der Verfasser von Klgl 4 übernimmt in V.6 den prophetischen Maßstab der Beurteilung des
Gottesvolkes. Schon Amos hatte darauf hingewiesen, daß das
von Gott erwählte Volk als solches einem strengeren Maßstab
unterliegt (3,2), und Jeremia hatte herausgestellt, daß die
Schuld Zions größer ist als die aller Heidenvölker (2,10).
Deshalb erkennt der Verfasser von Klgl 4 das Gericht mit allen seinen Härten als gerechte Strafe Gottes an.

In V.7 gibt der Dichter ein neues Beispiel für das Erlöschen
allen Glanzes in Jerusalem. KRAUS ändert in diesem Zusammenhang das Wort נְזִירֶיהָ ("ihre Nasiräer, Geweihten") in נְעָרֶיהָ
("ihre Jünglinge"), weil in V.7 nichts über die Gruppe der
Nasiräer Typisches gesagt wird[331]. Trotzdem geht es hier nicht
um das Schicksal der Jugendlichen schlechthin, sondern, wie
der Text sagt, um diejenigen unter ihnen, die das Gelübde eines Nasiräates auf sich genommen und sich in den Dienst Gottes gestellt haben (vgl. Ri 13,5.7; 16,17). An ihrem Ergehen
zeigt sich in besonderer Weise Glanz und Elend der "Söhne
Zions" (V.2). Einst von strahlendem Aussehen, sind sie nach der
langen Belagerung Jerusalems nicht mehr wiederzuerkennen: von
Hunger entstellt und abgemagert, die Haut trocken wie Holz
(V.8). Auch auf sie hat Jahwe keine Rücksicht genommen.

So werden in V.9 diejenigen glücklich gepriesen, die ein
schneller Tod durch das Schwert traf; denn ihnen blieb damit
der langsame und qualvolle Hungertod erspart.

Wie in Klgl 2,20 erinnert sich der Dichter in V.10 an die grau-
envollen Vorgänge, die sich in der äußersten Verzweiflung der

---

331 KRAUS, Klagelieder, 72; ebenso WEISER, 92; RUDOLPH, 248;
PLÖGER, 157.

Not abgespielt haben: Frauen haben ihre eigenen Kinder ge-
schlachtet und gegessen. Während sonst bei Trauerfällen die
Freunde der Leidtragenden diesen das Trauermahl bereiteten
(Jer 16,7; Ez 24,3ff.), sorgten diese Frauen in der nationalen Katastrophe in grausiger Weise selbst dafür. In diesem
schrecklichen Vergleich, der den Zusammenbruch der Naturord-
nung zum Ausdruck bringt, spiegelt sich der völlige Untergang
des Gottesvolkes wider.

Diese entsetzlichen Dinge zeigen, daß der Herr seinen vollen
Grimm über Jerusalem ausgeschüttet hat und mit dem Feuer seines Zornes Zion bis auf den Grund verzehrt hat (V.10; vgl. Klgl
2,3c.4c.22b). Dieses Bild ist nicht allein auf die Tatsache
des Tempelbrandes zu beziehen[332], sondern soll in der Vorstellung von der verzehrenden Kraft des Feuers die Vollständigkeit
des Gerichtes zum Ausdruck bringen.

Ein solches Ende des stolzen Jerusalem hätte "die ganze Welt"
nicht für möglich gehalten. So unerwartet, wie in den V.11-12
entsprechenden Strophen V.5-6 die Reichen der Sturz ins Elend
traf, so unglaublich erschien auch die Einnahme und Zerstörung
Jerusalems. Verschiedenes hat an dem Zustandekommen dieser Auffassung von der Unbesiegbarkeit Jerusalems mitgewirkt: die na-
türliche Festigkeit der Stadt, deren sich schon die Jebusiter
gegenüber David gerühmt hatten (2 Sam 5,6), die Erwählung zur
Königsresidenz Jahwes (2 Sam 6; 1 Kön 8) und schließlich der
überraschende Abzug der Assyrer im Jahr 701. Diese Momente haben die wohl schon vorisraelitische Überzeugung von der Un-
einnehmbarkeit Jerusalems auch in Israel heimisch werden lassen und gefördert. Dies zeigt in besonderem Maße die Redigie-
rung der Aussagen des Buches Jesaja. In der Bearbeitung dieses
Buches hat BARTH eine von ihm als "Assur-Redaktion" benannte
Schicht entdeckt, derzufolge nach dem Abzug und Untergang
Assurs sowie den Erfolgen der Politik Joschijas Heil für Israel und Zion angebrochen ist. Der Zorn Jahwes, der sich nach
der Verkündigung des Propheten Jesaja auf Israel gerichtet
hat, wendet sich nun gegen Assur, das seinen Auftrag als Ge-

---

332 So KRAUS, Klagelieder, 78.

richtswerkzeug Jahwes im Kampf gegen Israel mächtig überschritten hat (Jes 10,12; 14,3-27; 10,15-19; 30,27-33)[333].
Dazu kommt der Auftrieb, den die Zionstheologie durch die
deuteronomische Reform erhielt und der selbst durch den Zusammenbruch der Restaurationspolitik des Joschija nicht in
Frage gestellt wurde. Entsprechende Predigten von Seiten der
Nabibs (Jer 5,12) stärkten sogar den Glauben an die göttliche
Erwählung des Zion und begünstigten eine Volksfrömmigkeit
(vgl. Mi 3,11; Jer 5,12; 21,13; Jes 22,1-14; Ez 24,21.25),
die den Tempel als letzte Sicherung gegen die Feindbedrohung
ansah (Jer 7,4). Eine solche Auffassung wurde gegen alle prophetische Kritik auch gewaltsam verteidigt (Jer 26; vgl. Jer
6,14; 8,11; 14,13; 23,17; 27.9.14; 28,1-11; Ez 13,10.16).
Entscheidende Unterstützung erhielten diese Kreise am Königs-
hof unter Jojakim; denn im Gegensatz zu Joschija (2 Kön 22,11)
ließ dieser sich durch die gerichtsprophetische Botschaft zu
einer Änderung seines Verhaltens nicht motivieren (Jer 36,24).
Selbst nach der Deportation Jojakims und der ersten Einnahme
Jerusalems im Jahr 597 betrachteten diese Kreise das Fortbe-
stehen Jerusalems sowie des Staates Juda eher als ein sie be-
stätigendes Wunder; das von Jeremia angedrohte Ende erschien
ihnen unmöglich. So ist es nicht erstaunlich, daß der Dichter
von Klgl 4 angesichts der unerwarteten Katastrophe nach einem
besonderen Grund sucht, um das Strafgericht Jahwes an Jerusalem
verständlich zu machen.

In scharfer Anklage bringt V.13 die Schuld der religiösen Führer zum Ausdruck. Propheten und Priester werden dafür verantwortlich gemacht, daß die erwählte Stadt eine Beute der Feinde
wurde; denn sie haben das Blut der Gerechten vergossen[334].

---

333 H.BARTH, Die Jesaja-Worte in der Josiazeit, Neukirchen
    1977, 265f.
334 Im dtn/dtr Schrifttum wird der Vorwurf "unschuldiges Blut
    zu vergießen" vor allem den Königen (2 Kön 21,16; 24,4;
    22,3.17) und dem Volk (Jer 7,6; Ez 33,25; vgl. Ps 106,38-
    39) gemacht. שפך דם meint immer ein schuldhaftes, nicht
    gerechtfertigtes Töten und charakterisiert mit pejorati-
    vem Klang "morden" den Abfall von Jahwe und das Verbrechen
    schlechthin (H.CHRIST, Blutvergießen im AT, Basel 1977, 30).

Wenn auch das AT für die damalige Zeit keine Belege eines solchen Tuns liefert, so geht doch aus den Aufzeichnungen des Jeremia hervor, wie fanatisch jeder verfolgt wurde, der anders lehrte als die führenden Kreise (Jer 20,1f.; 26,11.20f.; 38, 1-5; vgl. 1,18f.; 23,11.14; Ez 22,25f.). PLÖGER hält die Argumentation in Klgl 4,13 dennoch für eine übertriebene Zuspitzung der Schuldfrage auf die Priester und Propheten, deren Tun sich kaum von dem Verhalten der Kriegspartei unterschieden haben dürfte. Vielleicht, meint PLÖGER, hat der begreifliche Wunsch, einen Sündenbock für die Katastrophe zu finden, zu der Aussage von V.13 geführt[335]. Wenn PLÖGER auch richtig erkannt hat, daß die Priester und Propheten kaum die einzigen waren, denen man ein derartiges Tun zur Last legen konnte, so übersieht er aber, daß der Verfasser von Klgl 4 hier die Kritik der Gerichtspropheten aufgreift. Besonders bei Jeremia werden Priester und Propheten als hauptverantwortlich für den Abfall des Volkes bekämpft (Jer 2,8; 5,31; 8,8f.; 23, 13f.) und somit als die geistigen Urheber der bösen Machenschaften im Volk angesehen (vgl. Mi 3,9f.; Hos 5,1f.; 6,7-10; Ez 22,25f.; Nah 3,1; 2,12f.; Jes 1,15; Jer 23,14). Diese Auffassung teilt der Verfasser von Klgl 4, wenn er von den חטאת ("Sünden") der Propheten und den עונות ("Frevel") der Priester spricht; denn חטא bedeutet ursprünglich "das Ziel verfehlen" (Ri 20,16; Spr 8,36) und meint das Abirren vom rechten Weg[336], während עון ("Beugung, Krümmung, Verkehrung"; vgl. Ijob 33,27; Spr 12,8) auf die Verdrehung der Wahrheit hinweisen will[337]. Daher lautet auch die Erkenntnis, unter der die Deuteronomisten die Geschichte ihres Volkes reflektieren: Das Unglück geschah, weil man nicht auf die wahren Propheten gehört hatte (vgl. 2 Kön 17,13ff.; Jer 25,4-7; 35,14; 44,4).

---

335 PLÖGER, 158. Auch HILLERS spricht von einer "bold simplification", wenn in Klgl 4 gesagt wird, daß Priester und Propheten unschuldiges Blut vergossen haben. Er erklärt die Aussage damit, daß diese Kreise insofern schuldig seien, als sie, wie schon Klgl 2,14 gesagt hat, die Frevel des Volkes nicht aufgedeckt haben (90).
336 Vgl. KNIERIM, Art. חטא, in: THAT I, 545.
337 Vgl. KNIERIM, Art. עון, in: THAT II, 244f.

Über die Deutung von V.14f. differieren die Meinungen der Erklärer. Steht hier das Schicksal der Gerechten[338] oder das
Los der Priester und Propheten im Vordergrund[339]? Da V.16 das
Strafgericht der Priester im Auge hat und auf V.15 zurückweist, der seinerseits V.14 fortführt, geht es in diesen Versen wohl um das Schicksal der religiösen Führer und nicht um
das ihrer Opfer.

Analog zu den, im konzentrischen Aufbau des Liedes entsprechenden Strophen V.3-4, wo das Strafgericht Jahwes am Schicksal der hilflosen Kinder eindrücklich dargestellt wird, schildern die Verse 13-14 die Ohnmacht der geistigen Führer und ihre
Not. WEISER, der meint, V.14 beziehe sich auf die Strafe der
Priester und Propheten, die nach dem feindlichen Einmarsch blu-
tig geschlagen und geblendet wurden und daher mit blutbesudel-
ten Kleidern durch die Gassen wankten[340], übersieht, daß es im
ganzen Kapitel um eine Darstellung der Gerichtsnot und nicht
der Gerichtsstrafe geht. Das Thema von V.14f. ist daher das
Schicksal jener Kreise: Entkräftet (vor Hunger) wanken sie
durch die Straßen, beflecken sich dabei mit dem Blut Erschla-
gener und kommen mit Verbotenem, nämlich mit Leichen in Berührung, was für jeden Israeliten (Num 19,10bff.), zumal für den
Priester (Lev 21,1), ein Greuel war. Wie Blinde wirken sie,
taumeln einher und sind orientierungslos. Der Verfasser zeichnet hier ein eindrückliches Bild von der Ohnmacht der geistlichen Führer, deren Versagen angesichts des göttlichen Gerichtes
in erschreckendem Maße offenbar wurde (vgl. Dtn 18,20; Jes 29,9;
Jer 23,13f.25-32; Zef 3,4).

V.15 führt in sarkastischer Weise den Gedanken von V.14b fort,
wenn er die Bevölkerung beim Anblick der Priester und Propheten
einen Ruf ausstoßen läßt, mit dem man sonst vor Aussätzigen zu
warnen pflegte (Lev 13,45). Mit dieser Darstellung soll die Ächtung jener Kreise durch die Bevölkerung, die jeden Kontakt mit

---

338 KRAUS, Klagelieder, 80.
339 BUDDE, Klagelieder, 101; HALLER, 109f.; WEISER, 99; RU-
     DOLPH, 253; LAMPARTER, 179; PLÖGER, 157f.
340 WEISER, 99.

ihnen vermeiden will, zum Ausdruck kommen. Aber auch wenn sie
den Ort des Schreckens verlassen und in die Verbannung gehen,
finden sie keine Ruhe, da selbst die Heidenvölker ihnen keine
Schutzbürgerschaft verleihen wollen - ein Hinweis auf die
Schmähung im Exil.

V.16 führt das bittere Los der Priester und Propheten auf
seine letzte Ursache zurück: Jahwe selber hat es so gefügt.
Er sprach das Verwerfungsurteil, ohne sich um das Ansehen der
Priester und die Würde der Alten zu kümmern. Sein Angesicht,
das bedeutet in diesem Zusammenhang sein Zornesblick (Lev
17,10; Ps 21,10), hat ein schonungsloses Gericht über sein
Volk hereingeführt. Wie in den entsprechenden Strophen V.1-2
die Mißachtung der "Söhne Zions" das Thema ist, so wird in
den Schlußversen 15-16 die Tatsache der Verwerfung des Volkes durch Jahwe eindrücklich am Beispiel der Mißachtung der
Priester und Greise geschildert.

Von der Erkenntnis her, daß Jahwe selbst das Unglück herbeigeführt hat, muß im Nachhinein jede vergangene Hoffnung auf
Rettung als Selbsttäuschung erscheinen. Um die einstigen Illusionen des Volkes geht es in V.17-20.

V.17-20

Dieser "Wir-Abschnitt" führt in die Zeit der Belagerung Jerusalems zurück. Damals mußten sich die Babylonier beim Heranrücken des Pharao Hophra und seines Heeres zurückziehen
(Jer 34,21f.; 37,5), so daß bei den Jerusalemern die Hoffnung auf Unterstützung durch die siegreichen Ägypter wuchs.
Die Babylonier wußten jedoch den Angriff des ägyptischen
Heeres, das kaum sehr stark gewesen sein dürfte, schnell ab-
zuwehren, so daß die Ägypter in ihr Land zurückkehrten und
die ersteren die Belagerung Jerusalems wieder aufnahmen[341].
Damit war das Schicksal Jerusalems besiegelt. V.17 nennt in

---

341 Vgl. NOTH, Geschichte Israels, 258; HERRMANN, Geschichte
    Israels, 346f.

der Rückschau die törichte Hoffnung beim Namen: "Auf unserer
Warte spähten wir aus nach einem Volk, das nicht retten konnte". In diesem Zusammenhang spielt die Verwendung des Terminus יש׳ ("retten") eine Rolle[342]. Dieser Begriff kommt in
den Psalmen zumeist mit Bezug auf die Hilfe Jahwes vor (Ps.
18,47; 25,5 u.ö.). Auch die Propheten stellen immer wieder
heraus, daß die eigentliche Hilfe für Israel vom Herrn kommt
(Jer 2,27f.; 8,20; 11,12). Damit ist es offenkundig, daß der
Verfasser von Klgl 4 in V.17b nicht nur auf die Tatsache der
ausbleibenden militärischen Hilfe von seiten Ägyptens an-
spielt, sondern diese Tatsache im Horizont des Glaubens gewertet wissen will. Im Mißtrauen gegenüber Jahwe hatte nämlich das Volk immer wieder seine Sicherheit auf die Bündnispolitik gesetzt[343] und erkennt nun, daß es im Vorbeisehen an
Jahwes Willen seine Rettung längst verspielt hatte.

V.18a schildert daher die Preisgabe an die Feinde, die wohl
mit ihren vor den Stadtmauern aufgerichteten Belagerungstür-
men die ganze Stadt unter Kontrolle hatten: "Sie lauerten auf
unsere Schritte, so daß wir unsere Plätze nicht begehen konnten" (V.18a). Wenn in V.18b dreimal der Gedanke vom "Ende"
variiert wird, so ist damit nicht allein die Eroberung durch
die Babylonier gemeint. קרב קצינו meint auf dem Hintergrund
der prophetischen Ankündigungen vom Ende des Gottesvolkes
(Am 8,2; Hab 3,2; Ez 7,2f.; 21,30.34) den totalen Zusammenbruch von Volk und Reich als Gericht Gottes.

V.19f. beschreibt, wie unentrinnbar das Gericht Gottes sich
vollzog. Wer bei der Erstürmung der Stadt durch die Babylonier dem Kampfgewühl entronnen war und in das judäische Berg-
land oder die Wüste zu flüchten versuchte, wurde von den Verfolgern, die schneller waren als "Adler" (Dtn 28,49; Jer 4,13;
48,40) am Himmel, abgefangen.

V.20 spielt auf den mißglückten Fluchtversuch des Königs Zidkija und seiner Getreuen an (vgl. 2 Kön 25,4-6; Jer 39,4-5;

---

342 Vgl. STOLZ, Art יש׳ , in: THAT I, 785-790.787f.
343 Vgl. die prophetische Kritik in Hos 7,8ff.; 8,8f.; Jes
    30,1f.; 31,1ff.; 36,6; Jer 2,18.36.

52,7-9). Was durch diese Tatsache an Halt und Hoffnung im
Volk zusammengebrochen ist, zeigen die hier genannten offi-
ziellen Würdenamen des israelitischen Königs. Sie wollen
die Bedeutung des Königtums umschreiben und haben mit den
persönlichen Eigenschaften des einzelnen Königs nichts zu
tun. Als "Jahwes Gesalbter"[344] war der König der Träger der
göttlichen Verheißungen (vgl. 2 Sam 7); er galt als sakro-
sankt und unantastbar (1 Sam 24,6f, 26,9 ; 2 Sam 1,16). Die
Bezeichnung "unser Lebensatem" dagegen ist nicht genuin is-
raelitisch, sondern auf dem Boden des altorientalischen Königtums entstanden. Sie findet sich häufig in ägyptischen
Texten mit Bezug auf den Pharao, der als der göttliche Spen-
der des Lebens gilt[345]. Dem israelitischen Königtum aber ist
niemals Göttlichkeit beigemessen worden. Die Aussage meint
hier: So wie von Gottes Atem alles Leben abhängt (Gen 2,7;
Ps 104,29f.), so ist das Leben des Volkes von dem König abhängig. KRAUS spricht in diesem Zusammenhang von einer be-
wußten Überbetonung der königlichen Stellung und überschweng-
lichen Benennungen in Klgl 4,20, wie sie nun einmal zum Jerusalemer Hofstil gehört haben[346]. WEISER dagegen sieht mit dem
Gebrauch dieser Äußerungen, die in einem starken Kontrast zu
dem jetzigen Schicksal des Köngis stehen, eine bestimmte Absicht des Verfassers von Klgl 4 verbunden: Dieser wolle das
übersteigerte Vertrauen in die Macht des Königs als falsch herausstellen[347]. Daß aber hier der König als solcher, trotz der

---

344 Die Wendung "Gesalbter Jahwes" kommt vor mit Bezug auf
     Saul in 1 Sam 24,7.11; 26,9.11.16.23; 2 Sam 1,14.16; auf
     David in 2 Sam 19,22; 23,1; auf Salomo in 2 Chr 6,42;
     auf Kyrus in Jes 45,1; vgl. außerdem 1 Sam 2,10.35; 2 Sam
     22,51 (=Ps 18,51); Hab 3,13; Ps 2,2; 20,7; 28,8; 84,10;
     89,39.52; 132,10.17.
345 "Siehe, wir sind hier vor deiner Majestät, daß du uns Le-
     ben, das du uns geben kannst, gewährest, Pharao... Atem
     unserer Nasen, du, bei dessen Erscheinen alle Welt auf-
     lebt". (Text: Große Abydos-Inschrift; hier zitiert aus:
     J.SCHARBERT, Heilsmittler im Alten Testament und im Al-
     ten Orient, Freiburg 1964, 25).
346 KRAUS, Klagelieder, 82.
347 WEISER, 101f.

im Einzelfall schwachen und teilweise korrupten Vertreter,
so hervorgehoben wird, hängt nicht mit einer ideologischen
Verbrämung des Königtums zusammen, sondern mit seiner religiösen Bedeutung für die Erwählung des Volkes; wenn Jahwe
nämlich dem König David den Fortbestand seiner Dynastie zu-
gesichert hat (2 Sam 7), so ist dies nur zu verstehen auf
dem Hintergrund der Erwählung Israels durch Jahwe. Daher
kann der Verfasser in V.20b das Volk sprechen lassen: "Wir
aber hatten gedacht: In seinem Schatten werden wir leben
unter den Völkern". Vom Schatten als dem Schutz des Königs
zu reden, geschieht in alttestamentlichen Texten sehr selten (Jes 30,2f.; Ri 9,15; Ez 31,17). Zumeist ist diese Aussage auf Jahwe selbst bezogen (Ps 17,8; 91,1; 36,8; 57,2;
61,5; 121,5; Jes 49,2). Der Verfasser von Klgl 4 gebraucht
sie hier mit gutem Grund: Solange nämlich der von Gott ge-
gebene König mit den an sein Königtum geknüpften Verheißungen dem Volk erhalten blieb, durften sie der Hoffnung sein,
daß Jahwe diese Verheißungen erfüllen und den Bestand des
Gottesvolkes garantieren werde. Das schmähliche Ende des Ge-
salbten, der in den "Gruben", also in der Gewalt des Feindes
gefangen gehalten wird, ist somit ein Ausdruck nicht nur für
die Preisgabe des Königs, sondern auch ein sichtbares Zeichen
für die Verwerfung der "Söhne Zions" (V.2).

V.21-22

Der Verfasser endet jedoch nicht mit diesem düsteren Ausblick:
Er hat auch ein Trostwort für das geschlagene Volk bereit. In
V.21 richtet er einen warnenden Ruf an Edom[348], weil es unter
den Nachbarvölkern Israels in besonderem Maße über den Fall
Jerusalems frohlockt hat (Ob 10-12; Ps 137,7; Ez 25,12f.; 35;
Jes 34,5.8; Joel 4,19). Dieser Schadenfreude Edoms spricht der
Dichter jeglichen Grund ab; denn wenn es auch jetzt jubelt,
so ist ihm dennoch der "Kelch" des Zornes Jahwes aufgespart,

---

348 Zur Geschichte Edoms vgl. die bei WOLFF, Obadja, ange-
     gebene Literatur (zu Obd 11).

und Edom wird ihn zur gegebenen Zeit austrinken müssen. Das
Bild vom Zornesbecher ist dem AT geläufig. Meist ist es Jahwe
selbst, der ihn den Völkern zu trinken gibt: Hab 2,16; Ez
23,32f.; Jer 25,15f.; 49,12; 51,7; Jes 51,17.22; Ps 75,9; vgl.
Ob 16; Nah 3,11; Jer 13,13. Die Vorstellung selber geht zurück
auf einen Ordalbrauch, bei dem man durch das Trinken einer bitteren Flüssigkeit ein Gottesurteil herbeiführte (Num 5,11-28).
In einem übertragenen Sinn ist der Becher zum Zeichen des
Schicksals geworden (Ps 11,6; 16,5); sein Inhalt wird als ein
berauschender Trank gesehen (Ps 60,5; Jes 51,17.22), der zur
Trunkenheit und im Rausch zu schändlicher Entblößung (ערה
vgl. Klgl 1,8) führt (Gen 9,21; Hab 2,15f.).

Die Lage ist für Edom deshalb besonders bedrohlich, weil Jahwe
das Gericht an seinem eigenen Volk beendet hat: Er hat seinen
Zorn in Zion bis zur Neige ausgeschöpft (V.11). Die Schuld
Zions ist mit seiner Verbannung (גלה) abgetragen. Als gerechter Richter (Ps 82,8) wird Jahwe jetzt die Schuld Edoms
aufdecken (גלה).

Mit diesem Trostwort schließt das vierte Lied. Noch sind
"bessere Zeiten" nicht in Sicht. Der Trost liegt vielmehr in
der uneingeschränkten Gerechtigkeit Jahwes, die sich an seinem eigenen Volk strafend ausgewirkt hat, aber das gerichtete
Volk nicht der Ungerechtigkeit der Feinde überläßt. Wo für
Zion der Weg des Gerichtes zu Ende ist, beginnt für Edom die
Zeit der Strafe.

4. Klgl 5

a. Text

V.1   Denk daran, Jahwe, was uns geschehen;
        blick her und sieh unsere Schmach.

V.2   Unser Erbe fiel an Ausländer;
        unsere Häuser kamen an Fremde.

V.3   Waisen wurden wir, vaterlos,
        unsere Mütter wurden Witwen gleich.

V.4   Unser Wasser trinken wir um Geld,
        unser Holz bekommen wir gegen Bezahlung.

V.5   Ein Joch lastet auf unserem Nacken, (dazu)
            werden wir verfolgt[349];
        müde sind wir; (dennoch) gönnt man uns keine
            Ruhe.

V.6   Nach Ägypten streckten wir die Hand,
        nach Assur, um uns mit Brot zu sättigen.

---

349   Das Verständnis von M in V.5a, der wörtlich übersetzt,
        lautet: "Auf unserem Hals werden wir verfolgt", hat schon
        seit langem den Erklärern Schwierigkeiten bereitet. RU-
        DOLPH ändert den Text und liest אַרְצֵנוּ statt צַוָּארֵנוּ :
        "In unserem eigenen Lande werden wir verfolgt" (256).
        KRAUS übernimmt den Textvorschlag von NÖTSCHER: עֹל
        צַוָּארֵנוּ הֲדָפָנוּ (z.St.) und übersetzt: "Am Halse drückt
        uns das Joch (Klagelieder, 85). WEISER folgt Symmachus,
        der dem von M bezeugten Text עֹל ("Joch") vorausgestellt
        hat (vgl. ROBINSON, BHK). Nach sorgfältiger Prüfung wird
        man diesem letzteren Verbesserungsvorschlag eine hohe
        Wahrscheinlichkeit zubilligen, weil er einmal ohne Ein-
        griff in den überlieferten Konsonantenbestand von M aus-
        kommt und zudem nur die sinngemäße Ergänzung eines Wor-
        tes erfordert, dessen Ausfall durch Haplographie relativ
        leicht zu erklären ist. Bei der Annahme dieses Vorschla-
        ges ergibt sich darüber hinaus im Aufbau der beiden Vers-
        hälften eine auffallende Entsprechung.

V. 7   Unsere Väter haben gesündigt, sie sind nicht mehr.
Ihre Frevel müssen wir tragen.

V. 8   Knechte herrschen über uns;
niemand entreißt uns ihrer Hand.

V. 9   Unter Lebensgefahr holen wir unser Brot,
bedroht von dem Schwert der Wüste.

V.10   Unsere Haut glüht wie ein Ofen
von den Qualen des Hungers.

V.11   Frauen haben sie in Zion geschändet,
Jungfrauen in den Städten von Juda.

V.12   Fürsten wurden von ihrer Hand gehängt,
Älteste wurden verunehrt.

V.13   Jungmänner mußten Handmühlen schleppen,
Knaben strauchelten unter der Holzlast.

V.14   Die Alten blieben fern vom Tor,
die Jungen von ihrem Saitenspiel.

V.15   Dahin ist unseres Herzens Freude,
in Trauer gewandelt unser Reigen.

V.16   Gefallen ist die Krone unseres Hauptes.
Ach wehe uns, daß wir gesündigt haben.

V.17   Darum ward krank unser Herz,
darüber wurden trüb unsere Augen:

V.18   über den Zionsberg, der verwüstet ist,
Schakale laufen dort einher.

V.19   Du, Jahwe, in Ewigkeit bleibst du,
dein Thron (steht fest) von Geschlecht zu
Geschlecht.

V.20   Warum willst du uns für immer vergessen,
uns verlassen für die Länge unserer Lebenszeit?

V.21   Kehre uns, Jahwe, zu dir, daß wir umkehren
können,
erneuere unsere Tage wie ehedem.

V.22   Oder hast du uns ganz verworfen?
Zürnst du uns im Übermaß?

b. Formkritische Analyse

Klgl 5 unterscheidet sich in mehrfacher Hinsicht von Klgl 1-4.
Zum ersten ist Klgl 5 nicht alphabetisch, sondern nur "alphabetisierend" aufgebaut, indem es entsprechend den Buchstaben
des hebräischen Alphabetes zweiundzwanzig Verse hat. Sich über
den Grund dieser Abweichung den Kopf zu zerbrechen, meint RU-
DOLPH, sei ebenso müßig wie die Behauptung, Klgl 5 habe ursprünglich weniger Verse gehabt und sei erst nachträglich auf
den jetzigen Umfang gebracht worden[350]. Gleichwohl hat sich
in jüngster Zeit BERGLER des Problems erneut angenommen und
im Vergleich mit akkadischen Silben- und Wortakrosticha eine
besondere Form von Klgl 5 aufgewiesen. Er rekonstruiert aus
den Versanfängen von Klgl 5 einen Satz, der als Schuldspruch
Jahwes an das klagende Volk gerichtet ist: זדים עם אעב עזש
כז שנהה אלהך ("Die Abtrünnigen (nämlich) das Volk verschmähe
ich (es) strafend mit Verachtung, wie dein Gott klagt"). Hat

---

350   RUDOLPH, 259. Zu den verschiedenen Auffassungen der Erklärer über das Fehlen einer akrostichischen Form in Klgl
5 vgl. WIESMANN, Klagelieder, 269-270.

man dieses einmal erkannt, meint BERGLER, dann ist auch klar,
warum Klgl 5 in der Ungewißheit der Erhörung der Gott vorge-
tragenen Klagen schließt: weil eben das fehlende göttliche
"Orakel" in den Versanfängen des fünften Liedes beschlossen
liegt. Das Akrostichon gibt Jahwes Urteilsspruch wieder; er
verwirft Israel, aber "vielleicht ist noch Hoffnung" (Klgl
3,29). Da für BERGLER trotz aller Differenzen zwischen Klgl
1-5 die in den Liedern vorausgesetzte gleiche Situation für
eine Einheit der fünf Stücke und auch für einen einzigen
Verfasser sprechen, stellt der in Klgl 5 eingearbeitete Gottesspruch für ihn den Höhepunkt des Buches der Klagelieder
dar[351].

Nun ist aber die Aussage des von BERGLER herausgearbeiteten
Gottesspruches, daß nämlich Jahwe die Schuldigen verwirft,
mehr oder weniger bestimmend auch für die Abfassung von Klgl
1-4 gewesen; sie hat in Klgl 3 sogar eine schon weiterführende Reflexion erfahren, wenn in V.31-33 auf die Notwendigkeit
und Begrenztheit des göttlichen Zornes hingewiesen wird. Daher ist nicht einzusehen, warum in Klgl 5 der Höhepunkt des
Buches der Klagelieder liegen und dieser ausgerechnet in einem Wortakrostichon versteckt sein soll. Darüber hinaus ist
keineswegs gesichert, daß die Komposition Klgl 1-5 einem einzigen Verfasser zu verdanken ist. Die Unterschiede, die sich
bisher in der Untersuchung der Form und des Inhaltes zwischen
den einzelnen Liedern aufgetan haben, sind vielmehr ein Ausdruck dafür, daß im Buch der Klagelieder mehrere Verfasser am
Werk gewesen sind. Dann aber wird nicht einsichtig, wie aus
dem fraglichen Gottesspruch, der als Antwort auf die verzweifelten Fragen von Klgl 5,20-22 gedacht sein soll, noch Hoffnung wachsen kann; denn das ist nach BERGLER der Sinn dieser
Wortakrostichie[352]. In sprachlicher Hinsicht wirkt außerdem
die These von BERGLER zu gekünstelt und angesichts der nicht
wenigen hypothetischen Verbesserungen am Text auch nicht über-

---

351   BERGLER, Threni V, 319.
352   BERGLER, 317f.

zeugend[353]. Es bleibt daher bei der Chrakterisierung von
Klgl 5 als eines "alphabetisierenden" Liedes, das in der hebräischen Poesie zudem nicht ohne Parallelen ist (vgl. Ps 33;
38; 103).

Wie in der Alphabetakrostichie, so weicht Klgl 5 auch in der
Stilform von den übrigen Klageliedern ab. Von Klgl 1; 2 und 4
unterscheidet es sich durch den fehlenden Bezug zur Gattung
des Leichenliedes; von Klgl 3 weicht es insofern ab, als hier
durchgehend ein kollektives "Wir" das redende Subjekt ist,
vergleichbar der Gattung der Volksklage in den Psalmen. In der
Tat finden wir in Klgl 5 typische Elemente einer Volksklage,
so den Eingangsappell an Jahwe (V.1), die Schilderung der Not
(V.2ff.), Reflexionen (V.6f.16f.) und an Jahwe gerichtete Fragen (V.20f.). Der aber für eine Volksklage in erster Linie charakteristische heilsgeschichtliche Rückblick, in dem des früheren Heilswirken Jahwes und seiner Treue gedacht wird, um dadurch Stärkung in der gegenwärtigen Not zu erfahren (vgl. Ps
44,1f.; 126,1f.), fällt in Klgl 5 jedoch aus. Statt dessen
steht in V.19 eine Aussage über das Wesen Jahwes, die aber, wie
die Analyse des Liedes zeigen wird, ihre Funktion, die Gemeinde zu trösten, nicht wahrnehmen kann, und daher nicht mit dem
heilsgeschichtlichen Rückblick auf eine Stufe gestellt werden
darf.

Unter Berücksichtigung der drei Aspekte einer Klage (Ich-/Wir-
Klage, Du-Klage, Feindklage) zeigt Klgl 5 den folgenden Aufbau:

Wir-Klage	V. 1-18
Du-Klage	V.19-22

Zwei Dinge fallen auf: Die Feindklage bildet kein eigenständi-
ges Moment mehr innerhalb der Klage des Volkes; die Wir-Klage
dagegen steht bestimmend im Vordergrund. Da aber in den Volksklagen des Psalters Aussagen in der 1. P. Pl. nur spärlich auf-

---

353 Vgl. die Rekonstruktion des Verbes נהה aus den Anfangs-
     buchstaben der VV.16-18, wo BERGLER in V.17 und V.18 mit
     der Annahme einer Anacrusis rechnen muß (317).

treten und sich dann auf das Moment der Schande des Leides beschränken[354], muß der Grund für die ausgebreitete Notschilderung in Klgl 5 eigens bedacht werden.

Von einer Klage im eigentlichen Sinn kann nach WESTERMANN in V.1-18 nicht mehr gesprochen werden. Die Klage ist hier vielmehr über ihre Ufer geströmt und hat sich in klagende Schilderung ergossen. In dieser "Elendsschilderung" lassen sich die drei Glieder der Klage zwar noch erkennen, aber sie haben ihre festen Konturen verloren[355]. Verantwortlich für diesen Wandel ist die in Klgl 5 vorausgesetzte Notsituation. In den Klagepsalmen erscheint das Handeln Jahwes, der sein Volk leiden läßt, im Vergleich zu der früheren Erfahrung mit Gott unbegreiflich. Nicht auf der Notschilderung, die sich gewöhnlich auf wenige Sätze beschränkt (vgl. Ps 79,4.8b), liegt daher das Hauptgewicht der Klage, sondern auf den eindringlichen Fragen an Jahwe (vgl. Ps 44,10-13.15.25). In Klgl 5 jedoch vollzieht sich die Darlegung der Not auf dem Hintergrund des Wissens, daß Gott sein Volk wegen seiner Sünden bestraft und verlassen hat (V.7.16). Wird aber die Not selber als Strafe verstanden, so können weder die Feinde mit der sonst üblichen Leidenschaft vor Jahwe verklagt, noch Jahwe selber vorwurfsvoll befragt werden. Daher rückt die Notschilderung in einem ungewöhnlichen Ausmaß in den Vordergrund, weil nur eine ausgebreitete Darstellung der Gerichtsnot das Herz Jahwes noch zu rühren vermag. In diesem Sinne ist die Elendsschilderung von Klgl 5 der Klage um das schonungslose Gottesgericht in Klgl 1-4 an die Seite zu stellen.

Auch die Du-Klage (V.19-22) ist durch die Situation des eingetroffenen und andauernden Gerichtes verändert worden. Fragt der Beter in den Psalmenklagen vorwurfsvoll nach dem Grund und der Dauer des göttlichen Schweigens (vgl. Ps 44,24; Ps 79,5; 80,5), so fragt die Gemeinde in Klgl 5 auf dem Hintergrund des Sündenbekenntnisses (V.7.16) nach dem Vorhaben Jahwes. Die Fragen in V.20 und V.22 lassen keine Anklage

---

354 WESTERMANN, Struktur, 54.
355 WESTERMANN, Struktur, 55f.

Jahwes erkennen. Sie sind vielmehr ein Ausdruck der Angst,
daß die Gemeinschaft mit Gott durch die eigene Sünde endgültig verspielt sei.

Betrachtet man die Mikrostruktur des fünften Liedes, so
fällt auf, daß einzelne Verse in ihrer Aussage zusammengehören: Die Verse 6-7 haben die Sünde des Volkes zum Thema,
die Verse 16-17 beschreiben die Trauer über die Sünde, und
die Verse 10-13 schildern die Schmach und die Entehrung des
Volkes. Diese Verknüpfungen von Strophen läßt die Vermutung
aufkommen, daß, wie im vierten Klagelied, auch in Klgl 5 jeweils zwei Strophen eine gemeinsame Aussage formulieren.
Eine Gliederung in dieser Hinsicht ergibt folgendes Bild:

Eingangsbitte   V. 1: Sieh unsere Schmach

Verwerfung des Volkes   V. 2: Ohne Land (נחלה)
                           V. 3: Ohne Schutz

Not des Volkes   V. 4: Entbehrung
                           V. 5: Übermacht der Feinde

Schuld des Volkes   V. 6: Sündenschuld
                           V. 7: Sündenstrafe

Zerschlagung des Volkes   V. 8: Keine Freiheit
                           V. 9: Keine Sicherheit

Erniedrigung des Volkes   V.10: Elendes Los der Verhungernden
                           V.11: Elendes Los der Frauen

Erniedrigung des Volkes   V.12: Schmachvoller Tod der Edlen
                           V.13: Schmachvolle Behandlung der
                                 Jungen

Zerschlagung des Volkes   V.14: Keine Volksversammlung
                           V.15: Keine Volksvergnügen

Schuld des Volkes   V.16: Klage über die Sünde

                                V.17: Trauer über die Sünde

Not des Volkes   V.18: Zerstörung des Zion (ציון)

                                V.19: Transzendenz Jahwes

Verwerfung des Volkes   V.20: Frage: Ohne Gott!

                                V.21: Bitte: Ohne Gnade!

Schlußfrage   V.22: Oder hast du uns verworfen?

Die Eingangsbitte und Schlußfrage bilden den Rahmen des Liedes und zeigen in ihrer Gegenüberstellung (V.1: Sieh unsere
Schmach/V.22: Oder zürnst du uns unerbittlich) die Problema-
tik des fünften Liedes auf. In der Reihenfolge der einzelnen
Strophen läßt sich der aus Klgl 1-4 bekannte konzentrische
Aufbau der Aussagen beobachten. Im Mittelpunkt des Liedes
steht die Klage über das elende Los der Bevölkerung (V.10-
13), der Freiheit (V.8-9) und Freude (V.14-15) genommen sind.
Grund für die große Not ist die Verschuldung des Volkes (V.6-
7), das die Folgen seiner Sünde jetzt erkennt und beklagt
(V.16-17). Aber nicht nur in existentieller Hinsicht hat das
Volk alles verloren (V.4-5), auch in religiöser Hinsicht ist
der Ruin zu verzeichnen; denn Zion, der Ort der Gegenwart Gottes, ist zerstört und Jahwe thront unerreichbar über ihnen
(V.18-19). Des Landes und Schutzes verlustig (V.2-3), befürchtet das Volk jetzt, auch Gott und seine Zuwendung verloren zu
haben (V.20-21).

V.1-18

Die Elendsschilderung wird in V.2 und V.18 durch die Stichworte "Erbe" (נחלה) und "Zion" (ציון) gerahmt, die
beide den Verlust des Heilsgutes andeuten und damit die Verwerfung des Volkes zum Ausdruck bringen wollen. Innerhalb
dieser Rahmenaussage stehen die Beispiele für die Erniedri-

gung des Volkes. Mit dieser Struktur entspricht Klgl 5 den
Liedern Klgl 1-4, wo ebenfalls die Klage über die Erniedrigung des Volkes der Klage über das Gottesgericht an Zion
folgt.

Innerhalb der Elendsschilderung selbst wurden die Verse 11-
14 oft als ein Fremdkörper empfunden, weil sie ein gegenüber den übrigen Versen abweichendes Tempus haben und nicht
das kollektive "Wir" als sprechendes Subjekt aufweisen.
BUDDE hat sie, weil sie "nur" von den Vorgängen bei der Eroberung Jerusalems handeln, als einen Zusatz aus dem die Zeit
nach 586 beklagenden Lied verbannt[356]. Schon LÖHR hat aber
darauf hingewiesen, daß die Perfektformen in V.11f. durchaus
im Sinn der Gegenwart zu verstehen sind; denn der Dichter von
Klgl 5 wechselt auch an anderer Stelle im Lied zwischen Per-
fekt- und Imperfektformen (vgl. V.4 und V.7)[357]. WIESMANN
setzt die Verse 11-14 als "Bericht" von den übrigen Klagen
des fünften Liedes ab und weist sie einem anderen Sprecher
zu[358]. Er übersieht aber, daß es in Klgl 5 um die Schilderung
eines andauernden Notzustandes geht, und daß in V.11-14 das
Subjekt "Wir" ausfällt, weil hier besonders grausame Ausschreitungen der Feinde aufgezählt werden.

V.19-22

An die Elendsschilderungen V.1-18 schließt sich in V.19 ein
Du-aber-Satz an (ואתה), der an die Adresse Jahwes gerichtet ist. Solche Sätze sind in den Psalmen häufig mit der Du-
Klage verbunden und bringen eine Frage oder einen Trostgrund
des Beters zum Ausdruck (vgl. Ps 3,4; 6,4; 22,4f.20; 59,6;
102,13.17). So klingt auch die Aussage von V.19, wo die Gemein-

---

356 BUDDE, Klagelieder, 106. Von einer Bearbeitung des fünf-
     ten Klageliedes spricht neuerdings auch KAISER, der die
     VV.6.9-10.14-16.19.21 einer Sammlung der fünf Lieder
     voraussetzenden Redaktion zuweist (Klagelieder, 378).
357 LÖHR, Klagelieder, 30; RUDOLPH, 259.
358 WIESMANN, Klagelieder, 266.271.

de an die Unzerstörbarkeit Jahwes denkt, für einige Erklärer wie ein Lobpreis Gottes, zu dem die Klagenden ihre Zuflucht nehmen[359]. Wie unzureichend aber dieser Trostgrund
von dem bittenden Volk selber empfunden wird, zeigen die
Aussagen in V.20ff., die deutlich machen, daß Jahwe gerade
wegen seiner Größe und Erhabenheit auch anders handeln und
die Gemeinde in der Situation des Gerichtes belassen könnte.

Diese Struktur der Du-Klage von Klgl 5 spiegelt, wie der Vergleich mit den Klagen des Psalters zeigt, offensichtlich einen Einschnitt in der Geschichte der Volksklage wider. Während im Psalter die Beweggründe, mit denen das Volk Gott zu
einem Handeln motivieren will, an Jahwes Huld (Ps 44,2-4)
sowie an seine Ehre und Treue gegenüber den Erwählten appel-
lieren (Ps 74,1f.; 79,1; 89,50) oder auch die Größe der Not
und die Hilflosigkeit genannt werden (Ps 79,8) - was gerade
nach der ausgedehnten Elendsschilderung in V.1-18 doch zu erwarten wäre -, weiß die Gemeinde in Klgl 5 nur an die Erhabenheit und Transzendenz Jahwes zu erinnern. Dies liegt daran, daß die Verbundenheit Jahwes mit Israel nach dem Ruin des
Volkes im Jahr 586 in Frage gestellt ist. Daher sind in Klgl
5 alle die Elemente, die in den sonstigen Gebeten des Volkes
auf die personale Beziehung zwischen Gott und Volk hinweisen,
wie der heilsgeschichtliche Rückblick, das Bekenntnis der Zuversicht und Äußerungen des Vertrauens, ausgefallen. Es wächst
vielmehr ein Gespür für die Größe Gottes, die das sündige Volk
aufgrund des von seiner Seite aus unüberbrückbaren Abstandes
mit Verzweiflung erfüllt (V.20-22). Deshalb kann auch am Ende
von Klgl 5 keine Erhörungsgewißheit laut werden, sondern nur
eine bange und quälende Frage: "Oder hast du uns denn ganz
verworfen, zürnst du uns über alle Maßen"?

Auch in Bezug auf Klgl 5 sind somit die gängigen Gattungsbezeichnungen unzureichend. Wie im Fall von Klgl 1.2 und 4 legt
sich auch hier die Bezeichnung "klagende Vergegenwärtigung
des Gottesgerichtes" als Bestimmung des Ganzen nahe.

---

359 WEISER, 109; RUDOLPH, 262; KRAUS, Klagelieder, 81; PLÖ-
    GER, 162; HILLERS, 105.

c. Semantische Analyse

<u>V.1-18</u>

In der Hoffnung, das Herz Gottes zu rühren, wendet sich das
Volk in seiner übergroßen Not mit der Bitte an Jahwe, die
Schmach, die dem Land und seinen Bewohnern angetan wurde, anzusehen und sich dann seines Volkes zu erbarmen. Wie in allen
Volksklagen des Alten Testamentes ist auch hier nicht die Not
allein Gegenstand des Appells an Jahwe; denn noch größer als
die äußere Bedrängnis erscheint die Schande und Schmach, die
das Volk aufgrund der Unterdrückung durch die unreinen Heiden empfindet.

Diese Schmach besteht in erster Linie darin, daß sein Erbteil
und Besitztum Fremden zugefallen ist.   נחלתנו ("unser
Erbe")[360] meint nicht im wirtschaftlichen Sinn den Erbbesitz
allgemein, sondern auch im religiösen Sinn das von Gott gege-
bene Land (Dtn 27,2), das als Unterpfand der Erwählung (Dtn
6,10.18.23) jetzt in der Hand der זרים , der "Unreinen"
oder Heiden, sich befindet. Im Glaubensbewußtsein des Volkes
Israel kann der Verlust des Eigentums nur die Umwandlung der
Erwählung zur Verwerfung durch Jahwe bedeuten. Schutzlos
(ohne Vater) und rechtlos (Witwen) sind die einstigen Be-
sitzer den Fremden preisgegeben. Die Aussage ist durchaus
nicht nur bildlich gemeint, sondern hat ihren konkreten Hintergrund, wenn man an die durch den Krieg auseinander geris-
senen Familien denkt.

Hinzu kommen Mangel und Entbehrung, da der Feind alle wert-
vollen Güter des Landes beschlagnahmt, sich das Nutzrecht der
Quellen und Wälder vorbehalten hat und daraus Kapital schlägt.
Was das Volk früher als Eigentum umsonst hatte, muß es sich
nun mit schweren Abgaben erkaufen (V.4).

---

360 Über den Verlust der   נחלה wird auch in dem zeitgenössischen Ps 79 geklagt (V.1).

In gleicher Weise wird auch die Arbeitskraft der Bevölkerung
von der Besatzungsmacht ausgebeutet. Unablässig zur Arbeit
getrieben, muß das einst freie Volk nun das Joch der Knechtschaft tragen und sich ohne Ruhepause schinden (V.5).

In V.6 setzt ein Nachdenken über die Hintergründe der jetzigen Notlage ein. Was das Volk in der Vergangenheit getan
hatte, um seine wirtschaftliche Existenz (לִשְׂבַּע לָחֶם) zu
sichern, wird hier als נָתַנּוּ יָד ("wir haben die Hand gereicht") bezeichnet (Ez 17,18; Jer 50,15; 1 Chr 29,24). Dieser Ausdruck deutet die Bündnisverträge als Unterwerfung und
Ergebung an die Fremdvölker und meint die Konzessionen, die
Israel immer wieder in religiöser Hinsicht machen mußte.

Die in diesem Handeln liegende Verschuldung gegenüber Jahwe
spricht V.7 aus. Daß der Hinweis auf die Sünden der Väter,
die das Volk zu tragen hat, hier nicht im Sinne einer Anklage
Jahwes zu verstehen ist, die ein mit fremden Verfehlungen be-
lastetes schuldfreies Volk ausspricht[361], zeigt das "Wir" von
V.6, in das sich die gegenwärtige Generation miteinbezogen
weiß. In V.7 geht es daher um einen Schuldzusammenhang, der
sich 586 vollendet hat; denn die Katastrophe des Reichsunterganges war nicht allein durch die damalige Generation ver-
schuldet, sondern schon durch die Sünden früherer Geschlech-
ter herbeigeführt worden. So sahen auch die Propheten das
angekündigte Gericht als Vergeltung vergangener Sünden, die
586 vollendet wurden, indem Jahwe den Zusammenbruch des Reiches herbeiführte (Hos 11,5f.; Jer 3,6-10). Um den Gedanken
dieser kollektiven Vergeltung, den sich auch die Deuteronomisten zu eigen machen (2 Kön 17,21-23), geht es in Klgl 5,7
(vgl. Ex 20,5; 2 Kön 23,26f.; 24,3). In der Verbindung mit
V.6 wird klar gesagt, daß Jahwe die Sünden nicht an unschuldigen "Kindern" strafte, sondern an jenen, welche die Sünden
ihrer Väter fortgesetzt haben (vgl. Jes 65,5f.; Jer 31,29;
Ez 18,2f.), und denen deshalb auch die Verschuldung der Väter
zum Verhängnis wurde. Was 586 geschah, vollzog sich als Gericht an einem sündigen Gottesvolk.

361 Gegen HALLER (112) und LAMPARTER (185).

Von V.8 an werden die Folgen dieser Sündenstrafe beschrieben.
Das Volk ist zerschlagen, und die natürlichen Herrschaftsord-
nungen sind auf den Kopf gestellt. Sklaven sind die neuen Her-
ren eines Volkes, dessen Herrscher doch allein Jahwe ist (Ri
8,23). Der Terminus עֲבָדִים ("Sklaven") ist nicht nur eine
bildhafte Umschreibung für das babylonische Regime, sondern
meint jene mittellosen Personen, denen die Babylonier nach
586 Land verliehen hatten (2 Kön 25,12; vgl. Dtn 28,43f.) und
deren Schikanen die Bevölkerung hilflos ausgeliefert war[362].

Daß von diesen Beamten auch kein Schutz zu erwarten ist, versteht sich von selbst. Die räuberischen Beduinen, die ins
Land eingedrungen sind und die Städte belauern, können daher ungehindert die Felder berauben und die wehrlose Bevölkerung bedrohen, ohne daß die Besatzungsmacht wirksam ein-
schreitet (V.9).

Das Brot, das sich das Volk unter Lebensgefahr erringen muß,
reicht aber nicht aus, um den Hunger zu stillen. Die Hungersnot im Lande ist so groß, daß der Körper vom auszehrenden Fie-
ber glüht (V.10; vgl. Klgl 1,11; 2,12; Dtn 28,48).

Zu aller Not muß das Volk die Mißhandlungen und Ausschreitungen der Besatzungsmacht ertragen. Frauen werden geschändet
(V.11) und Würdenträger hingerichtet (vgl. Jer 52,9-11). Der
in V.12 genannte Tod durch Erhängen ist insofern eine Ver-
schärfung der Todesstrafe, weil diese Todesart als besonders
schmachvoll und entehrend galt (Dtn 21,22f.). Selbst auf die
alten Menschen wird keine Rücksicht genommen (V.12b). Die Jugend zwingt man zur Arbeit mit der Handmühle (V.13), ein Dienst,
der nicht nur körperlich sehr anstrengend war, sondern auch als
eine erniedrigende Arbeit galt, die sonst nur Sklaven leiste-
ten (Ex 11,5; Jes 47,2; Pred 12,3).

Die Elendsschilderungen der Verse 10-13, die die vom Volk als
besonders erniedrigend empfundenen Ausschreitungen des Feindes

---

362 Dadurch, daß die Babylonier nach 586 den sozial Unter-
    drückten Land gaben und diese damit ihre soziale Stellung
    verbessern konnten, erhielten die Babylonier eine Anzahl
    Bürger, die ihnen treu ergeben waren (vgl. JANSSEN,53-54).

zum Thema haben, steht im Mittelpunkt des Liedes Klgl 5
und entspricht so in hervorragender Weise der Eingangsbitte
an Jahwe, die Schmach und Schande wahrzunehmen.

Angesichts dieser Nöte ist es kein Wunder, wenn alle Lebensfreude geschwunden ist. Wie in den entsprechenden Strophen
V.8-9 die ausweglose Situation des Volkes in Knechtschaft
und Angst geschildert wird, so beschreiben auch die Verse
14-15 die Hoffnungslosigkeit, die im Verhalten der Menschen
zum Ausdruck kommt. Die Alten kommen nicht mehr zur Unter-
haltung am Tor zusammen (Am 5,15; 1 Sam 4,18; 9,18; Jes
29,21), und der Jungen Spiel und Gesang sind verstummt.
Alle Freude ist in Trauer gewandelt. Was es mit dem Hinweis
auf die geschwundene Lebensfreude auf sich hat, wird auf dem
Hintergrund der prophetischen Gerichtsdrohungen ersichtlich.
"Verstummen lasse ich in den Städten Judas und auf den Straßen Jerusalems Jubelruf und Freudenruf..." heißt die Gerichtsdrohung Jahwes in Jer 7,34 (vgl. 16,9; 25,10; 31,13;
Am 8,10; Ps 30,12). Freude ist ein Geschenk Gottes (Koh
2,26; 3,12f.; Ijob 33,28) und gehört zu einem sinnvollen Leben. Jede Gefährdung der Lebensfreude aber bedeutet für den
alttestamentlichen Menschen die Minderung des Lebens selber
und den Verlust der Gemeinschaft mit Gott.

Darum folgt in V.16 auch die Klage über die Sünde, die als
Ursache des gegenwärtigen Zusammenbruchs erkannt wird. Hatten die V.16f. korrespondierenden Verse 6-7 den Charakter
der Sündenschuld beschrieben, so geht es jetzt um die bittere Reue und Selbstanklage, die jedes Herz erfüllt (V.17).
"Die Krone ist uns vom Haupt gefallen, weh uns, wir haben
gesündigt". עטרת ראשנו ist hier ein Bild für das, was einst
dem erwählten Volk und der erwählten Stadt strahlenden Glanz
und hervorragende Würde verlieh (vgl. Klgl 2,1f.; 4,1f.; Jer
13,18).

Die Auswirkung der Sünde nennt V.18. Die erschütternde Tatsache, daß der Zionsberg mit dem Tempel, der Stätte der göttlichen Gegenwart, in Trümmern liegt, bringt abschließend zum

Ausdruck, daß die gewohnte Verbindung zu Jahwe abgerissen ist.
Wie in V.1 in der Klage um die verlorene נחלה , so wird in
der Erwähnung des zerstörten Zion in V.18 der Verlust des
Heilsgutes und damit die Verwerfung des Volkes beschrieben.
In diesem rahmenden Gedanken findet die Ich-Klage V.2-18 ihr
Ende.

V.19-22

Mit V.19 beginnt die Du-Klage in Klgl 5, die eng an die Ich-
Klage angeschlossen ist und mit V.18 eine gemeinsame Aussage
formuliert. V.19 richtet sich an Jahwe als den ewig thronen-
den Gott, dessen Macht und Herrlichkeit durch die Zerstörung
Zions (V.18) keine Einbuße erleidet. Das Wissen um die Ewigkeit Gottes hat aber für das geknechtete Volk noch keinen trö-
stenden Charakter. Wie in der korrespondierenden Strophe V.4-5
die Not des Volkes in politischer Hinsicht beschrieben wird,
so schildern die Verse 18-19 den Ruin in religiöser Hinsicht:
Jahwes Wohnstätte, der Zion, ist zerstört (V.18); er selber
erleidet zwar dadurch keine Einbuße an Macht und Herrlichkeit,
aber er ist für das Volk nicht mehr ohne weiteres erreichbar.

Mit dieser Glaubensschwierigkeit ringt V.20: Warum willst du
uns für immer vergessen, uns verlassen fürs ganze Leben? RU-
DOLPH und WEISER sehen in V.19f. die Trostgedanken der klagenden Gemeinde ausgesprochen: Weil Jahwes Thron für immerdar besteht, kann er sein Volk nicht vergessen haben und muß der Not
einmal ein Ende machen. Aus diesem Grund richtet das Volk seine
Fragen an Jahwe[363]. Die Warumfrage (למה) hier und in den
Klagen des Psalters hat jedoch mehr den Sinn des Zurechtfindens.
Sie ist wie das Tappen eines Menschen, der im Dunkel nicht mehr
weiter weiß; dabei wird vorausgesetzt, daß die erfahrene Not in
der Abwendung Gottes begründet ist (Ps 10,11; Jer 14,19, Ps 44,
25)[364]. In diesem Sinn bringt auch die Gemeinde in Klgl 5 ihre

---

363 LÖHR, Klagelieder, 31; WEISER, 109f.; RUDOLPH, 262.
264 WESTERMANN, Struktur, 52f.

Befürchtungen zum Ausdruck. Die Größe des Elends und vor allem das Andauern der Not lassen die Frage aufkommen, ob der
über die Völker herrschende Jahwe sein Volk abgeschrieben
habe, für immerdar verstoßen, und ob es daher seine Absicht
ist, die klagende Gemeinde in der Trauer über ihre Sünde zu
belassen.

Aus dieser quälenden Frage entfaltet sich in V.21 die Bitte:
"Kehre uns, Jahwe, zu dir, daß wir umkehren können". Die Gemeinde weiß, daß Umkehr nicht allein eine Leistung des Menschen ist, sondern der Annahme von seiten dessen bedarf, gegen den man sich versündigt hat. Hatte die entsprechende Strophe V.2-3 die Situation des Volkes ohne Land und ohne Schutz
beschrieben, so verschafft sich in V.20-21 die Angst des Volkes einen Ausdruck; denn das Volk befürchtet, auch ohne Gott
und seine Zuwendung ein Leben in der Gottesferne, und das bedeutet kein wirkliches Leben, führen zu müssen. Die Bitte um
die Gewährung der Umkehr ist damit zugleich eine Bitte um die
erneute Gewährung der Gemeinschaft mit Gott (vgl. Jer 31,18).
"Erneuere unsere Tage wie ehedem" lautet daher die Bitte in
V.21b um einen neuen Anfang, der dem Gnadenstand entspricht,
dessen sich das Gottesvolk früher vor Jahwe erfreute.

Die Schlußfrage in V.22 begründet die Gedanken von V.21 in negativer Weise; denn wie die Bitte in V.21 von dem Bewußtsein
getragen ist, daß ihre Erfüllung von der freien Gnade Gottes
abhängt, so weiß die Gemeinde auch, daß sie keinen Anspruch
aus ihrer Umkehrbereitschaft ableiten kann. Das Gericht ist
zu Recht geschehen. Sollte aber von Gott her gesehen die in
den Sünden des Volkes begründete Verwerfung wirklich das
letzte Wort bleiben? Bestünde diese Voraussetzung, dann würde
die Klage des Volkes und die Bitte um Wahrnehmung des unsäg-
lichen Leides (V.1) ins Leere stoßen. Es wird deutlich, wie
sehr die Gottesbeziehung der Gemeinde von Klgl 5 aufgrund
des andauernden Gerichtes bis in ihre Grundfesten erschüt-
tert ist. Diese letzte Frage, die dem konzentrischen Aufbau
des Liedes gemäß auf V.1 zurückweist, bringt zusammen die

Spannung zum Ausdruck, in der die Gemeinde von Klgl 5 steht:
Wird Jahwes Mitleid mit dem erniedrigten Volk (V.1) oder
sein strafender Zorn (V.22) für sein zukünftiges Handeln bestimmend bleiben?

C. Die Stellung der Gerichtsklage des leidenden Gerechten
in Klgl 3 im Kontext des Buches der Klagelieder
Redaktions- und kompositionskritische Analye

Die Gemeinsamkeiten der zu einem Buch vereinten fünf Stücke
haben die Erklärer immer wieder veranlaßt, einen einheitlichen Ursprung der Klagelieder anzunehmen. Ihr geschichtlicher
Ort wird zumeist in der Exilszeit zwischen der Zerstörung Jerusalems 586 und dem Kyrusedikt 538 v.Chr. gesehen[365]. Als die
einzelnen Lieder verbindende Elemente werden neben der Beziehung auf das Alphabet in der äußeren Form und einer vielfachen
Übereinstimmung im Wortschatz, der gemeinsame Gegenstand, nämlich die Zerstörung Jerusalems durch Nebukadnezzar, sowie eine
gegenüber diesem Unglück gleiche Einstellung vermerkt. Hinzu
kommt, daß schon die ältere Überlieferung wegen des Textzeug-
nisses von G, die das Buch der Klgl dem Jeremia zuschreibt,
von einem einheitlichen Ursprung des Buches überzeugt ist.
Der Grund für die Reserve der heutigen Exegese gegenüber einer
Zuweisung der Klgl an mehrere Verfasser, läßt sich an einer
Bemerkung von WIESMANN aus dem Jahr 1954, die indirekt die Aus-
legungen auch der jüngeren Erklärer bestimmt, gut veranschau-
lichen: WIESMANN lehnt einen mehrheitlichen Ursprung der Klgl
wegen der sonderbaren Schlußfolgerungen der diese Auffassung

---

365 Da sich die Einordnung der Klgl in den Zeitraum 586-538
in der vorliegenden Untersuchung bestätigt hat, werden
im Folgenden die Meinungen allein der Erklärer berücksichtigt, denen die Entstehung des Buches der Klgl in
diesen Jahren als sicher gilt. Zu den abweichenden Auffassungen vgl. die in der Einleitung zitierten Erklärer.

vertretenden Erklärer ab. Ihre Ergebnisse wären nämlich um
so sonderbarer, je größer die Zahl der angesetzten Verfasser sei[366]. Aus diesem Grund werden die Lieder von den meisten Erklärern weiterhin als das Werk eines einzigen Verfassers angesehen, der als Augenzeuge der Katastrophe die fünf
Stücke bald nach 586 schrieb[367]. Eine Chronologie der Lieder
wird deshalb auch weitgehend nach der ihnen zukommenden An-
schaulichkeit in der Darstellung bestimmt. Von einem direkten Konsens kann man hier jedoch nicht sprechen, eher von
einer Tendenz, Klgl 1 und 3 als die gegenüber Klgl 2; 4 und
5 jüngeren Lieder anzusehen[368]. In diesem Zusammenhang hat
PLÖGER aber festgestellt, daß die Gesamtbetrachtung der Lieder mehr von dem persönlichen Urteil und Empfinden des jeweiligen Erklärers abhängig ist als von objektiven Kriterien,
die aus den Liedern selbst erstellt werden[369]. So ist es auch
nicht weiter erstaunlich, wenn HILLERS in seinem Kommentar
über die Klgl resigniert zugibt, daß es auf die Frage nach
der Zahl der Verfasser und nach einer Chronologie der fünf
Stücke keine schlüssige Antwort gebe[370].

Die Unsicherheit der Erklärer bezüglich der genannten Probleme aber rührt allein von der mangelnden Einsicht in die
Form und die Struktur der Lieder her. Dies erklärt auch die
merkwürdige Tatsache, daß über die mit der Entstehung und
Anordnung der Klgl verbundene Absicht des Dichters von den
Erklärern, wenn überhaupt, so nur in recht allgemeiner Weise
gesprochen wird: In den Jahren nach 586 hätten sich die fünf
Lieder als Ausdruck des Allgemeingültigen, aus vielen anderen Liedern über den Untergang des Reiches herauskristalli-
siert und seien dann (zu kultischen Zwecken?) in einem Lie-
derbuch zusammengefaßt worden[371].

---

366 WIESMANN, Klagelieder, 47.
367 RUDOLPH, 196; KRAUS, Klagelieder 13-15; PLÖGER, 130.
368 WEISER, 43; RUDOLPH, 193f.; KAISER, 326.
369 PLÖGER, 163.
370 HILLERS, XIX.XXII; vgl. LAMPARTER, 133; KRAUS, Klage-
     lieder, 15.
371 WESTERMANN, Klagelieder, 90-91.

Die folgende Darlegung baut auf den Ergebnissen der vorangegangenen Analyse der fünf Lieder auf. Sie will das dort erar-
beitete Aussageprofil eines jeden Liedes vertiefen und so
eine Chronologie der Stücke begründen.

1. Die Entstehung der einzelnen Lieder in Klgl 1-5

Klgl 1

Besonderes Gewicht kommt hier der Ansicht von RUDOLPH zu, der
Klgl 1 unter dem Eindruck der Katastrophe von 597 entstanden
sieht. Er nennt im einzelnen folgende Gründe: Es ist weder von
einer Zerstörung der Stadt noch des Tempels die Rede. Nach V.10
haben die Feinde den Tempel nur betreten und die Tempelschätze
mitgenommen, ihn aber nicht zerstört. Gegenüber Klgl 2 und 4
ist sehr viel häufiger von der Gefangenschaft die Rede, die neben der Beteiligung der Nachbarvölker am Untergang Judas 597
als das Schlimmste empfunden wurde. Es wird auch nicht von Kämp-
fen gesprochen (V.20c), sondern von dem Blutbad, das der Jungfrau Tochter Juda gilt (V.15bc). Darin ist eindeutig ein Hinweis auf die Abtrennung der südlichen Gebiete Judas 597 gegeben[372].

Für KRAUS dagegen ist die Datierung von Klgl 1 keineswegs so
eindeutig wie für RUDOLPH. Er erkennt zwar dessen Beobachtungen
als durchaus beachtlich an, weist aber darauf hin, daß das Ausmaß der Katastrophe in Klgl 1 derart stark als Zorngericht Jahwes empfunden ist, daß man wohl eher an einen Bezug auf den Untergang Jerusalems 586 denken muß, ohne damit schon die Ereignisse von 597 unterschätzt zu haben[373]. Darüber hinaus ist in
Rechnung zu stellen, daß die Beobachtungen von RUDOLPH größ-
tenteils argumenta ex silentio sind und sich die von ihm zur
Stütze seiner These angeführten Stellen, wie die semantische

---

372 RUDOLPH, 193.209f.; ebenso HALLER, 94; WEISER, 43.50f.
373 KRAUS, Klagelieder, 24f.

Analyse von Klgl 1 gezeigt hat, durchaus auch anders interpretieren lassen[374].

PLÖGER gibt daneben mit einem Blick auf die politischen Zeit-
verhältnisse zu bedenken, ob der 597 neu eingesetzte König
Zidkija, dessen Politik auf Normalisierung der Lage Judas und
auf Revanchismus ausgerichtet war, wirklich eine offizielle
Gedenkfeier, in deren Rahmen Klgl 1 zur Aufführung gelangt
wäre, geduldet hätte. Die Darstellung von Klgl 1 ist seiner
Meinung nach so zu erklären, daß dieses Lied nach einem gewissen Abstand von den Ereignissen die beiden Niederlagen
von 597 und 586 zu einer Katastrophe zusammenzieht und ihrer
unter einem bestimmten Thema gedenkt. So kommen die Auffassungen von RUDOLPH und KRAUS beide zu ihrem Recht[375].

---

374 Vgl. auch die Diskussion der Auffassung von RUDOLPH bei
     WIESMANN, Klagelieder, 136-137. Die Tatsache, daß Klgl 1
     nicht von der Zerstörung der Stadt und des Tempels spricht
     und auch den Verlust des Königtums nicht erwähnt, ist für
     KAISER neben der "abstrakten Theologisierung" des Liedes
     ein Hinweis darauf, daß Klgl 1 in der Zeit nach der Kon-
     solidierung der jüdischen Gemeinde um das Priestertum des
     zweiten Tempels entstanden ist. Mittels dieser Rollen-
     dichtung sollte Jahwe an die Beispiellosigkeit des Jeru-
     salem zugefügten Leides und an die Gesetzwidrigkeit des
     Verhaltens seiner Feinde erinnert werden, damit er das
     Schicksal seines Volkes wende. Der zweimalige Bezug des
     Liedes auf das Dtn (vgl. V.10 mit Dtn 23,4 und V.20c^a
     mit Dtn 32,25) läßt KAISER an dtr Kreise denken. Da diese
     prophetenfreundlich gesinnt waren und da in Klgl 1 den
     Propheten keinerlei Schuld an der Katastrophe zugemessen
     wird, ist der Verfasser seiner Meinung nach im Umkreis
     der levitischen Tempelsänger als Nachfolger der Kultpro-
     pheten zu suchen (Klagelieder, 321f.). Abgesehen von dem
     recht kurzschlüssigen Schriftbeweis bleiben bei dieser
     These einige Fragen offen: Was veranlaßt einen Tempel-
     sänger, rund siebzig Jahre nach dem Untergang Judas auf
     die damit verbundenen Geschehnisse zurückzuschauen und
     das in einer Klage, die von einer distanzierten Betrach-
     tung nichts verspüren läßt? Sollte er weder etwas von
     einer deuterojesajanischen Prophetie gehört haben noch
     jene Kreise der Bücher Tritojesaja und Haggai übersehen
     haben, in denen die theologische Problematik von 586 in
     einer ihren Zeitumständen gemäßen Weise verhandelt wurde?
375 PLÖGER, 139f.

Daß dieser Kompromiß aber letztlich auch nicht befriedigt,
liegt daran, daß PLÖGER hier zwei Auffassungen miteinander
verknüpft, die gar nicht so leicht zu harmonisieren sind;
denn solange nicht geklärt ist, nach welchen Kriterien der
Dichter von Klgl 1 das von ihm verarbeitete Anschauungsma-
terial zusammengestellt hat, ist es müßig, die Frage der
Datierung des Liedes anzugehen. Deshalb ist zu fragen: Stehen für den Dichter des ersten Klageliedes entsprechende
zeitgeschichtliche Ereignisse im Vordergrund, aufgrund deren er, wie es RUDOLPH meint, die Klage erhebt, oder aber
die Deutung eines Geschehens, nach der der Dichter die Ereignisse bewußt auswählt und zusammenstellt, wie es die Auffassung von KRAUS vermuten läßt?

Sollte sich die letztere Auffassung bestätigen, dann kann
aus den in Klgl 1 erwähnten Ereignissen eine Datierung des
Liedes allein nicht geschlossen werden. Alle diesbezüglichen
Entscheidungen, die daraus entweder eine Nähe oder Ferne zu
der beklagten Katastrophe ablesen wollen, bleiben im Raum
der Mutmaßungen.

Daß Klgl 1 nicht bloß der Erguß eines gequälten Menschenherzens ist, sondern eine in erster Linie literarisch durchgestaltete Einheit, hat die Untersuchung der Form klar erwiesen: Die alphabetische Einkleidung des Liedes, die konzentrische Symmetrie in der Makro- und Mikrostruktur des Liedes, die
bewußte Wahl eines Leitthemas (אין־לה מנחם) sowie die Ver-
schränkung der einzelnen Teile von Klgl 1 durch entsprechende
Leitworte, weisen darauf hin, daß Klgl 1 als schriftliche Einheit mit einer bestimmten Aussageabsicht oder Thematik konzipiert worden ist. Diese Thematik läßt sich, wie der Skopus
der einzelnen Teile von Klgl zu erkennen gibt (V.5.14.20), folgendermaßen umschreiben: Das aufgrund seiner Sünden von Jahwe
preisgegebene Zion findet keinen Tröster.

In diesem Zusammenhang ist für Klgl 1 charakteristisch, daß
durchgehend Zion als Erlebnisträger fungiert. Daß mit Zion
nicht allein die Stadt und der Tempel gemeint sind, sondern

auch das Volk, hat die semantische Analyse erwiesen. Das
aber bedeutet: Der Untergang des Volkes ist für den Verfasser von Klgl 1 gleichbedeutend mit dem Ende Zions.

Das Interesse des Verfassers von Klgl 1 an Zion ist für viele
Erklärer ein Hinweis auf dessen geistige Heimat. Für KRAUS
und ALBREKTSON sind das die Kreise der Jerusalemer Hoftheo-
logie, die von einer Unbesiegbarkeit Zions überzeugt waren
und die durch das 586 Geschehene in einen tiefen Konflikt
zu ihren theologischen Überzeugungen geraten sind[376].

In diesem Zusammenhang muß aber auch an die hervorragende
Rolle gedacht werden, die Zion seit der dtn Reformbewegung
für den israelitischen Glauben schlechthin gespielt hat.
622 v.Chr. hatte Joschija das dtn Theologumenon, daß der
Kultort des einzigen Gottes ein einziger sein sollte, durch-
gesetzt und mit dem Zion verbunden[377]. Durch die Paränese
der dtn Kultgesetzgebung (Dtn 12; 14,22-29; 15,19-23; 16;
17,8-13; 18,1.8) erhielt der Zion als Ort der Gotteserfahrung
im religiösen Leben der vorexilischen Zeit eine einzigartige
Bedeutung[378].

---

376 ALBREKTSON, 219-230; KRAUS, Klagelieder, 15f.
377 Der Name Zion wird in Dtn wohl deshalb nicht ausdrücklich
    erwähnt, weil der Begriff Zion zunächst ein geographi-
    scher Terminus war und erst in späterer Zeit theologisch
    relevant wurde (vgl. FOHRER, Σιών , 293.299). Auch muß
    beachtet werden, daß die Zentralisierungsformel (Dtn 12)
    nicht einen bestimmten Ort angeben will, sondern den
    jeweils sich legitimierenden Ort im Auge hat, d.h. den
    Standort der Lade. Darüber hinaus ist zu bedenken, daß
    das Dtn seinen Ursprung und seine Grundimpulse aus dem
    Levitenmilieu des Nordreiches hergeleitet und eine pri-
    märe Bindung an Jerusalem schon von daher nicht in Frage
    kommt. Zwar hat die diesem Milieu entwachsene Prophetie
    des Hosea großisraelitisch gedacht, jedoch spielt auch
    bei ihm Jerusalem keine Rolle. Dies ändert sich erst
    nach der Zerstörung des Nordreiches. Daß die leviti-
    schen Kreise des Nordreiches nach 722 in der dtn Bewe-
    grung der priesterlichen Kreise um den Jerusalemer Tem-
    pel geistigen Halt finden konnten, liegt wohl nicht zu-
    letzt in der mit dem Tempel verknüpften Ladetradition,
    welche den Übergang der gesamtisraelitischen Bezeichnung
    Israel auf das Südreich auswies.
378 FOHRER, Σιών , 307-309.

Entsprechend dieser Bedeutung wird Zion in Klgl 1 geschildert:
Zion ist der Wallfahrtsort (V.1.4), die Stadt des Tempels (V.10);
es ist sogar ein Symbol für die Machtstellung des Volkes, wie
die Anspielungen gerade auf die für die Bedeutung Zions entscheidenden Zeiten der davidischen und joschijanischen Ära
zeigen (V.1).

In Klgl 1 begegnen aber auch andere für Dtn typische Vorstellungen: in V.3 der Hinweis auf die Verheißung der Ruhe vor den
Feinden (Dtn 3,20; 12,10; 25,19); in V.10 die Anspielung auf
ein dtn Kultgesetz (Dtn 23,4ff.); in V.20 und V.22 die Rede von
einem "Herzen" Zions, von dem Dtn gerne spricht, wenn von den
Entschlüssen des Menschen die Rede ist (Dtn 4,29; 8,2.5).

Aus diesen Gründen sieht GOTTWALD den Verfasser von Klgl 1 in
den Reformkreisen der joschijanischen Ära beheimatet, die nach
586 vor folgender Frage standen: Warum nur mußte das Volk gerade nach seinem ernsthaften Reformversuch unter Joschija so
sehr leiden? Das Mißverständnis, das der Verfasser von Klgl 1
zwischen dem Tun und dem Ergehen des Volkes empfinde, sei für
ihn der Grund, die Klage um Zion anzustimmen[379].

Dies klingt auf den ersten Blick recht einleuchtend, zumal die
nach 586 redaktionell bearbeiteten Prophetentexte den Abfall
des Volkes zu fremden Kulten auf das oben genannte Problem zu-
rückführen: Nach Jer 44 haben weite Kreise den von Joschija be-
schrittenen Weg der dtn Reform als falsch eingeschätzt, weil
das darauf folgende Unglück des Reichsuntergangs zeige, daß
man die anderen Götter erzürnt habe.

Bei näherem Hinsehen wird jedoch deutlich, daß die These von
GOTTWALD auf einer einseitigen Voraussetzung beruht und daher
korrekturbedürftig ist. Nach dtn Auffassung kann Israel zwar
auf eine sichere Existenz im Land der Verheißung hoffen, aber
nur, wenn es den mit Jahwe geschlossenen Bund hält. Im Fall
eines Bundesbruches aber, so sagt Dtn überdeutlich, hat das
Volk mit der Bestrafung durch Jahwe zu rechnen (Dtn 28,15ff.).
Die von GOTTWALD als Hintergrund der Klgl bestimmte Spannung

---

379 GOTTWALD, Studies in the Book, 51f.

zwischen Glauben und Wirklichkeit kann demnach nur aufrecht-
erhalten werden, wenn angenommen wird, daß der Verfasser von
Klgl 1 tatsächlich der Meinung ist, daß das Volk den Pfad
der Gerechtigkeit nicht verlassen habe. Dies ist jedoch eindeutig nicht der Fall. "Trübsal hat der Herr ihr gesandt wegen ihrer vielen Sünden" heißt es in Klgl 1,5b über den Untergang Zions.

So ist es zwar richtig, mit KRAUS, GOTTWALD und ALBREKTSON
den Verfasser von Klgl 1 in die Nähe der Kreise zu rücken,
denen Zion am Herzen lag; zur endgültigen Bestimmung der
geistigen Heimat des Verfassers erweisen sich jedoch andere
Vorstellungsinhalte als die entscheidenden.

Es fällt nämlich auf, daß der Untergang Zions, trotz aller
Wehmut, in einer Weise beklagt wird, die keinen Zweifel über
die Deutung des Geschehenen zu erkennen gibt. Während noch
in den ebenfalls nach 586 entstandenen Klagen des Volkes in
Ps 74 und Ps 79 Jahwe der Widerspruch vorgehalten wird, der
in der Zerstörung Jerusalems liegt[380], wird Zion in Klgl 1
als die sündige Mutter eines Volkes vorgestellt, das das Gericht Jahwes verdientermaßen erfährt (V.8.14.18). Man fühlt
sich hier an die prophetischen Anklagen Jerusalems als der
Stadt der Sünde und der Blutschuld erinnert (Jer 15,5f.; Ez
5,5ff.; 16; Mi 3,11; Zef 3,1; Jer 23,14; 32,32). Diese Kritik an Zion-Jerusalem teilt der Verfasser von Klgl 1 und ra-
dikalisiert sie insofern, als er das sündige Zion selbst die
Klage anstimmen läßt (V.9c.11c-16.18-22)[381]. Aufgrund dieser

---

380 Die an Jahwe gerichteten Bitten in Ps 74 und Ps 79 krei-
     sen um einen Hauptgedanken: Die Ehre Gottes, der Name
     Gottes ist durch das Zerstörungswerk der Feinde angeta-
     stet und geschmäht worden. So wird Jahwe gebeten, "sei-
     ne" Feinde (Ps 74,4) aus "seinem" Heiligtum (Ps 74,4.7;
     79,1) zu vertreiben, "seine Sache" (Ps 74,22) zu führen
     und "seine Ehre" (Ps 79,9) wiederherzustellen, indem er
     die Schmach des Gottesvolkes an den Feinden vergilt (vgl.
     KRAUS, Psalmen, zu Ps 74 und Ps 79).

381 Nur in Klgl 1 wird Zion im Rahmen der Vorstellung von
     Jerusalem als Mutter des Volkes als Sünderin apostro-
     phiert. In allen anderen Belegen für diese Vorstellung
     wird die Sündentat nur von ihren Kindern ausgesagt (Tob
     13,10; Bar 4,12), während Jerusalem klagt oder betrauert

Auffassung über den Untergang Zions betont der Verfasser in
Klgl 1 immer wieder den Ungehorsam Zions (V.5b.8a.18a.22b),
deutet den Untergang Zions als Gericht Jahwes (V.5b.8a.12ff.
21b) und läßt das klagende Zion die Hinwendung zu dem Gott
des Gerichtes vollziehen (V.9c.11c.20a.21a).

Damit aber steht Klgl 1 in einem Horizont, der allgemein als
"deuteronomistisch" (dtr) bezeichnet wird. Gemeint ist mit diesem Siglum eine Schule, deren Wirken sich in verschiedenen Re-
daktionsgängen in einzelnen Schriften des AT niedergeschlagen
hat und für die das Deuteronomium, in dessen Geist sie die historischen und prophetischen Überlieferungen des Volkes über-
arbeiteten, das maßgebliche Dokument war. Grundlegend für die
dtr Tradition ist ein bestimmtes Geschichtsbild (dtr GB), das
bis zu seiner endgültigen Konzipierung mehrere Entwicklungs-
stufen durchlaufen hat. Nach STECK zeigt die theologische Besinnung im Grundbestand des dtr Werkes und den dtr bearbeiteten Prosareden des Buches Jeremia übereinstimmend, daß es im
Juda der Exilszeit Predigten gegeben haben muß, die einzig und
allein einhämmerten: Jahwes Gericht über das Volk ist zu Recht
ergangen. Diesem bleibt angesichts dieser Erkenntnis nur die
Gerichtsdoxologie, nämlich die Annahme der von Gott verfügten
Strafe. Erst in weiteren Stadien habe sich der Blick der dtr
Verkündigung auf die Ermahnung des Volkes zur Umkehr und auf
die Vergeltung Jahwes an den Feinden Israels gerichtet[382].

In dieser Hinsicht kann Klgl 1 der ersten Stufe in der Entwicklung des dtr GB zugerechnet werden. Gerichtsparänese und Gerichtsdoxologie sind ja geradezu die tragenden Pfeiler des ersten Klageliedes.

Für den dtr Horizont von Klgl 1 können aber noch weitere Be-
weise angeführt werden. In diesem Zusammenhang ist zunächst
auf die gedankliche Übereinstimmung zwischen Klgl 1 und Dtn 28
hinzuweisen, die bis in die Wortwahl geht. ALBREKTSON, der in

---

wird (Bar 4,3ff.; 4 Esr 10,6f.). Vgl. STECK, Israel und
das gewaltsame Geschick der Propheten, Neukirchen 1967,
227 Anm. 8.
382 STECK, Gewaltsames Geschick, 138-139.

besonderem Maße darauf aufmerksam gemacht hat, nennt folgende Stellen: Klgl 1,3 - Dtn 28,65; Klgl 1,5 - Dtn 28,13.44; Klgl 1,5.18 - Dtn 28,41; Klgl 1,9 - Dtn 28,43; Klgl 1,4 - Dtn 28,48[383].

Dtn 28 ist nun das Kapitel, in dem die dtn Fluchvorstellung eine herausragende Zusammenfassung fand. Bei diesem Text, der, wie die literarische Untersuchung zeigt, nicht aus einem Guß ist, muß mit mehreren Wachstumsschüben schon in vorexilischer Zeit gerechnet werden. In Dtn 28,45ff. aber häufen sich exilische Zusätze (dtr), in denen, im Unterschied zur bisherigen Darstellung in Dtn 28, Anklänge an prophetische Worte, namentlich des Jeremia, erkennbar werden[384]. Klgl 1, das Parallelen zu allen Schichten von Dtn 28 aufweist, zeigt nun, daß der Verfasser in der dtr Fluchverkündigung, die sich nach 586 in Auseinandersetzung mit der Gerichtsprophetie profiliert hat, beheimatet ist.

In diesem Zusammenhang fällt eine weitere Parallele auf, die für das theologische Profil von Klgl 1 von großer Bedeutung ist: die Übereinstimmung der Struktur von Klgl 1 mit dem Horizont der Klagen im Buch Jeremia. Diese Klagen, die Jeremia dem Volk (3,21-4,4; 4,8.10.13; 6,4.24-26; 9,9.16-21; 14,1-9.19-22), Zion (4,31; 10,17-22) oder sogar Jahwe in den Mund legt (12,7-13; 15,5-9) und die er selbst ausruft (4,19-21; 8,19-22; 13,17; 14,17-18), sind Weherufe, in denen er vorwegnehmend das zukünftige Gericht Jahwes beklagt. Sie dienen dazu, seine Gerichtsbotschaft zu untermalen und zu verschärfen. Mit diesen Klagen setzt sich auch die dtr Redaktion auseinander. Das dtr Werk, das unter dem Motto "wegen der Sünden" das zu bearbeitende Material sichtet, will auch über die

---

383 ALBREKTSON, 231-235.
384 Dtn 28,47f. - Jer 5,19; Dtn 28, 48b - Jer 28,14; Dtn 28,49 - Jes 5,26f.; Jer 5,15; Hos 8,1; Dtn 28,53 - Jer 19,8; Dtn 28,63 - Jer 32,41; Dtn 28,68 - Hos 8,13; 9,3.6. Zur literarischen Analyse von Dtn 28 vgl. J.G.PLÖGER, Literarkritische, formgeschichtliche und stilkritische Untersuchungen zum Deuteronomium, Bonn 1967, 130-217; G.SEITZ, Redaktionsgeschichtliche Studien zum Deuteronomium, Stuttgart 1971, 254-302.

KV in der Zeit des Gerichtes belehren; denn diese kann aufgrund des zu Recht ergangenen Gerichtes nicht einfach nur eine Notklage sein. Im Textzusammenhang Jer 14-15 wird eine solche Klage (14,1-9) deshalb auch durch ein entsprechendes Jahwewort (14,10ff.) abgewiesen. Bevor die Klage angestimmt werden kann, muß dem Volk eines klar sein: Jahwe hat das Gericht verfügt wegen der Sünden des Volkes. Betrachtet man unter dieser Hinsicht die von der Redaktion geordneten Klagen, so fällt folgendes auf: Im jetzigen Kontext des Buches Jeremia schließt die Klage des Volkes an die Gerichtsverkündigung des Propheten als Schilderung der Gerichtsnot (Jer 4,13; 6,24.26c; 8,14f.; 9,18f.; 10,19f.; 14,19f.) an; der Anklage des Volkes durch den Propheten aber folgt sie als eine Entfaltung des Sündenbekenntnisses (Jer 3,21f.; 14,20; 31,10f.). Wie sehr diese Momente für die Redaktion zusammengehören, zeigen die Eingriffe in die Klage Jer 8, wo der dtr Redaktor in der Klage des Volkes mit dem Hinweis auf den Götzendienst den Grund für die beklagte Not nachträgt (Jer 8,19). Die konstitutiven Elemente, die die redaktionelle Auffassung der Volksklage im Buch Jeremia bestimmen, sind somit folgende: Das Bekenntnis zum Gott des Gerichtes (Jer 4,8; 8,14; 14,19), das Sündenbekenntnis (Jer 3,25; 8,14; 10,21; 14,7.20; 31,19) und das Bekenntnis zu Jahwe als dem alleinigen Retter (Jer 3,22.23; 14,21.22; 31,18).

Diese Momente aber haben sich auch für den Verfasser von Klgl 1 als bestimmend erwiesen. Noch einmal bestätigt sich der dtr Horizont als der entscheidende Maßstab seiner Darstellung in Klgl 1. Auch die Form von Klgl 1 kann durch diese Parallele erklärt werden. Ähnlich wie Jeremia in seinen Klagen die kommende Gerichtsnot schildert und dann die vorweggenommene Klage des Volkes folgen läßt, so gestaltet auch der Verfasser von Klgl 1 sein Lied als Zuordnung von je zwei Sprecherrollen (V.1-9b/9c; 10-11b/11c-16; 17/18-22) in der kunstvollen Anordnung der konzentrischen Symmetrie.

Aufgrund der vorangegangenen Überlegungen darf es somit als sicher gelten, daß Klgl 1 nach 586, und nicht nach 597 ent-

standen ist. Das Lied wird aber kaum direkt nach den furchtbaren Ereignissen geschrieben worden sein. Dies beweist neben
der Tatsache, daß der dtr Bewertungsmaßstab in Klgl 1 wie
selbstverständlich zum Zuge gekommen ist, die Art der Darstellung: Der Akzent, der auf der Klage über die Wegführung
Zions liegt (V.3.5.6.18), läßt darauf schließen, daß die De-
portationen bereits vollständig durchgeführt sind[385].

Die durchgestaltete Form von Klgl 1 spricht dafür, daß dieses
Lied zunächst als schriftlich konzipierte Einheit bestanden
hat, die aber wohl bald für den Gottesdienst in Jerusalem[386]
benutzt wurde; denn da sie als Wechselgespräch eine Situation
des Redens und Hörens voraussetzt, eignete sie sich gut für
den gottesdienstlichen Vortrag. Es muß aber in Rechnung gestellt
werden, daß der Gottesdienst mit den Ereignissen von 586 eine
tiefgreifende Änderung erfahren hat. Zwar diente die Ruine des
Tempels trotz aller Zerstörung noch kultischen Zwecken. Nach
alter Anschauung blieb ja die Heiligkeit der Stätte über die
Zerstörung hinaus erhalten, so daß wohl auch Opfergaben dar-
gebracht wurden. Unbekannt ist allerdings, ob dies regelmäßig
geschah und ob ein Altar vorhanden war. Nur einmal wird erwähnt, daß Männer aus dem Gebiet des früheren Nordreiches mit
Speiseopfer und Weihrauch nach Jerusalem zogen (Jer 41,5f.).

---

385 Da die Klgl aufgrund der ihnen eigenen theologisch be-
    stimmten Art und Weise der Darstellung sowie aufgrund
    der Tatsache, daß es sich bei ihnen um klagende Schil-
    derungen handelt, keine historischen Daten nennen, kann
    es sich bei der Festlegung einer Chronologie der Lieder
    nur darum handeln, die Reihenfolge der einzelnen Lieder
    zu begründen.
386 In diesem Zusammenhang ist einmal darauf hinzuweisen, daß
    Klgl 1 und auch die übrigen Klgl nicht nur das wohl frü-
    heste Zeugnis einer Reaktion des Volkes auf den Reichs-
    untergang von 586 darstellen, sondern auch ein wertvolles
    Dokument für die geistige Entwicklung in Juda selbst sind.
    Daß viele Erklärer nicht mehr nur in der Exulantenschaft,
    sondern auch im Mutterland den Mittelpunkt der Geschichte
    Israels nach 586 sehen und dort auch eine eigenständige
    theologische Entwicklung annehmen, zeigen die Arbeiten von
    JANSSEN, Juda in der Exilszeit, Göttingen 1956 und S.HERR-
    MANN, Prophetie und Wirklichkeit in der Epoche des babylo-
    nischen Exils, Stuttgart 1967.

Aber die heilige Stätte war nicht mehr vornehmlich Stätte des
Opferkultes, sondern Ort der Klage. Unter dem Einfluß der Deuteronomisten, deren Ziel Geschichtsdeutung ist, erhält die Klage
von Klgl 1 den Charakter einer Antwort auf das Geschehene. Als
Wechselgespräch aufgebaut, bot sie die Möglichkeit, in der Sprecherklage Gerichtserkenntnis einzuüben und in der Klage der sündigen Mutter Zion die Schuldeinsicht zu Wort kommen zu lassen.

Damit enthält die Klage sowohl ein belehrendes Element, indem
sie Antwort gibt auf das Warum des Geschehenen, wie auch das
Moment eines Notschreis, indem mit der Belehrung die Voraussetzung dafür geschaffen ist, daß die klagende Mutter Zion ihre
Not als gerechtes Gericht dennoch vor Jahwe zu Gehör bringen
kann. So ist Klgl 1 auf der einen Seite wohl als ein Akt der
Buße gebetet worden, auf der anderen Seite aber als Klage über
das, was nicht hätte sein sollen; denn Zion, wo allein die ge-
nuinen Jahweüberlieferungen tradiert wurden, muß das Nein Jahwes
wegen der Sünden ertragen. In diesem Sinne ist Klgl 1 die Klage
über ein Scheitern, das zwar gerecht ist, aber umso schreckli-
cher, weil es nicht in der Intention des erwählenden Gottes lag.
Daher führt der Verfasser von Klgl 1 als redende Person nicht
das Volk, sondern Zion ein, das sowohl das Volk in seiner sündigen Verfaßtheit verkörpert als auch den Anspruch, den das
theologische Programm von Dtn ihm beimaß. In eben dieser Spannung ist das Auftreten Zions in den Kult eingegangen, wie Mi
7,8-10, ein gegenüber Klgl 1 späterer Text[387], deutlich macht:
Zion ist zwar die sündige Stadt, sie ist aber ebenso Träger
der Verheißungen Jahwes, auf die man trotz der Verschuldung hoffen kann, weil diese Verheißungen von Jahwe, dem Herrn der Geschichte seines Volkes, stammen.

---

387 Nach RUDOLPH handelt es sich in Mi 7,8-20 um eine aus der
     Zeit nach 586 stammende prophetische Liturgie. Die Glie-
     derung des Abschnittes (V.8-10: Ein Vertrauenslied Jerusa-
     lems; V.11-13: Ein Orakel über das künftige Glück Zions;
     V.14-17: Ein Gebet um Jahwes Eingreifen; V.18-20: Ein
     Hymnus auf Jahwes Gnade) zeigt, daß dahinter eine gottes-
     dienstliche Feier steht, die RUDOLPH aufgrund der Aussa-
     gen von V.11-14 in die frühe Zeit nach der Rückkehr der
     Exulanten verlegt (Micha, Gütersloh 1975, z. St.).

Das Wachhalten der Bedeutung Zions gerade in der Zeit seines Niederganges erklärt die maßgebliche Rolle, die Zion in
der Prophetie des zweiten und dritten Jesaja sowie im chro-
nistischen Geschichtswerk spielt[388]. An der Schwelle dieser
Entwicklung steht Klgl 1 mit seiner ganz in dtr Sinn geführten Klage um den gerichteten Zion.

Klgl_2

Klgl 2 gilt allgemein als das älteste Lied in der Sammlung
der Klagelieder. Als Grund wird die Unmittelbarkeit in der
Darstellung angeführt, die auf eine Nähe zu den beklagten
Ereignissen schließen lasse[389]. Allerdings zeigt auch hier
der konzentrische Aufbau, daß es nicht um eine Aufzählung
der schrecklichen Ereignisse geht, sondern um die Deutung
des Geschehenen als Zorngericht Jahwes. Der Gedanke der Vernichtung Israels ist ganz in den Vordergrund des zweiten
Liedes gerückt; Es ist die Rede von der unfaßbaren Schmähung
des Heiligtums und von grausamen Morden. Dementsprechend ist
auch der Leitgedanke, unter dem Klgl 2 gestaltet wurde, die
mitleidlose Erfüllung der prophetischen Gerichtsdrohungen,
die Jahwe zum Feind seines Volkes (V.4.5.22) werden ließ
(לֹא חמל V.2.17.21).

Das Thema "Zorngericht", das Klgl 2 mit Klgl 1 teilt, hat einige Erklärer veranlaßt, hier den gleichen Verfasser am Werk
zu sehen[390]. In der Tat fallen eine Reihe von Gemeinsamkeiten
zwischen beiden Liedern auf: Der gleiche Beginn mit dem Kennwort איכה , die Dreigliedrigkeit der alphabetisch geordneten Strophen, die konzentrische Symmetrie im Aufbau der einzelnen Teile. Dazu kommt, daß wie die Analyse der Form erwiesen hat, die Buchstabenfolge ע - פ in Klgl 2 sich als sekun-

---

388 Jes 49,14ff.; 51,3; 52,1-6; 60-62.
389 WEISER, 61; RUDOLPH, Klagelieder, 193; TREVES, 1; EISS-
     FELDT, 682.
390 LÖHR, Klagelieder, XV; MEEK, 5; KRAUS, Klagelieder, 15;
     KAISER, 326.

där erwiesen hat und Klgl 2 somit die gleiche Buchstaben-
folge wie Klgl 1 zeigt. Wie Klgl 1 kennt auch Klgl 2 drei
Teile. Im Gegensatz zu Klgl 1 kommt aber nur ein Sprecher
zu Wort. Es handelt sich aber, wie die Adressaten Volk, Zion,
Jahwe von Klgl 2 zeigen, um die gleichen Personen, die auch
für Klgl 1 wichtig sind. Daneben fallen direkte Berührungen
im Inhalt auf. RUDOLPH nennt in diesem Zusammenhang folgende
Bezüge: Klgl 1,4a - Klgl 2,6b.8c; Klgl 1,4c - Klgl 2,10c;
Klgl 1,7d.21b - Klgl 2,17c; Klgl 1,9b - Klgl 2,1b; Klgl 1,10 -
Klgl 2,7b; Klgl 1,11c.12a - Klgl 2,20a; Klgl 1,12a - Klgl
2,15a; Klgl 1,12b - Klgl 2,13; Klgl 1,15b - Klgl 2,7c.22a;
Klgl 1,20 - Klgl 2,11[391]. Des weiteren läßt sich auch in
Klgl 2 der schon für Klgl 1 maßgebliche dtr Horizont wiederfinden. Neben der Rede vom Zorngericht (V.22) begegnet in V.17
die dtr Vorstellung von der Realisierung der dtn Flüche (Dtn
28): Gott hat seine Gebote gegeben und im Fall des Ungehorsams
mit schweren Gerichten gedroht. Dies ist nach Klgl 2,17 einge-
troffen.

Neu gegenüber Klgl 1 ist die Anklage gegenüber den falschen
Propheten (Klgl 2,14), die in der Führung Zions versagt haben.
Hier verschafft sich die dtr Auffassung von der wahren Prophe-
tie ihren Ausdruck. Die Propheten sollten nämlich Israel da-
durch im Heilsstatus erhalten, daß sie das Volk zum Gehorsam
gegenüber dem Gotteswort aufforderten (Jer 7,23; 25,5; 35,15;
Neh 9,26f.). In genau diesem Punkt aber haben die Propheten
Zions versagt (V.14) und werden daher vom Verfasser mit den
Worten Jeremias und Ezechiels als Falschpropheten verurteilt[392].
Außer in V.14 und V.17 spielt die prophetische Gerichtsverkündigung in V.22 eine Rolle und erinnert an eine entsprechende
Schilderung des Gottesgerichtes im Buch Amos (9,1). Die Totalität der göttlichen Vernichtungsmaßnahmen bestimmt hier wie
dort die Auffassung vom Zorneshandeln Jahwes. In dieser Akzent-

---

391 RUDOLPH, Klagelieder, 193
392 Aus der Parallele zum Sprachgebrauch des Ezechiel eine
     Entstehung von Klgl 2 in Babel anzunehmen, wie dies LÖHR
     (Klagelieder, XV) tut, ist nicht nötig.

setzung tritt auch der Unterschied zwischen Klgl 1 und 2
zutage: Während in Klgl 1 das verdiente Strafgericht Jahwes
im Vordergrund der Darstellung steht, ist die Schilderung
des zweiten Liedes von der Maßlosigkeit des göttlichen Zornes bewegt. Zwar weiß auch der Verfasser von Klgl 2 um die
Schuld Zions (V.14) und um die Strafandrohung Jahwes (V.17);
das Geschehen bleibt aber für ihn dennoch unfaßbar: "Herr,
sieh doch und schau: Wem hast du solches getan" (V.20a)?.

Ähnliche Gedanken werden auch in Jer 10,25 laut, einer Stelle,
die kaum von Jeremia selbst stammt, sondern in die Zeit nach
586 gehört und die in der zeitgenössischen Klage Ps 79,6f.
aufgegriffen wird. Für diese Menschen und auch für den Dichter von Klgl 2 scheint es trotz aller Schuld Zions unbegreiflich zu sein, daß Jahwe eine so furchtbare Strafe verfügt hat.
Die Glaubensgeschichte des Volkes scheint damit an ihr Ende
gekommen zu sein.

Betrachtet man in diesem Zusammenhang die Ratlosigkeit und
den Schmerz des Sprechers (V.11ff.), so ist KRAUS recht zu
geben, wenn er den inneren Aufruhr des Dichters von Klgl 2
damit begründet, daß dieser in einem unüberbrückbaren Gegensatz zu seinen früheren Überzeugungen stehe und daher keinen
Ausweg wisse. Als früherer Heilsprophet bleibe ihm jetzt nur
das Schweigen über die Zukunft Zions[393]. Die letztgenannte

---

393 KRAUS, Klagelieder, 46. In diesem Zusammenhang sei auf
     die These von BRUNET hingewiesen, für den im Hintergrund
     der Klgl die Auseinandersetzung verschiedener Volksgrup-
     pen über das Schicksal und die Bestimmung des Gottesvol-
     kes steht. Mit den in Klgl gebrauchten Begriffen צר und
     אויב zur Benennung der Feinde Zions sind daher für ihn
     zwei verschiedene Gruppen anvisiert: צר meine den äuße-
     ren Feind, die Babylonier, während אויב für die Gegner
     Zions im Volk selbst stehe, nämlich für die probabyloni-
     sche Gruppe um Gedalja, die mehr oder weniger mit dem
     Kreis um Jeremia identisch sei. Aus dieser Unterscheidung
     zieht BRUNET die Schlußfolgerung, daß die Klgl von einem
     verfolgten Patrioten stammen, der zwar erkennen muß, daß
     der Prophet Jeremia mit seiner Gerichtsbotschaft und der
     Forderung einer Unterordnung unter Babel recht gehabt
     habe, der aber doch im Grunde seines Herzens antijeremi-
     anisch eingestellt sei (Les Lamentations contre Jérémie,
     1-50). Diese These von BRUNET läßt sich am Text der Klgl

Vermutung von KRAUS wurde schon in der semantischen Analyse
zurückgewiesen[394]. In bezug auf seine anderen Vermutungen
kann das Grundthema des Liedes: die Trennung Jahwes von dem
einst Erwählten, weiteren Aufschluß geben.

Hier ist zu bedenken, daß gerade die dtn Predigt in vorexilischer Zeit darum bemüht war, die Reinheit des Jahweglau-
bens gegen synkretistische Einflüsse zu verteidigen und Jahwe
als den Gott Israels und Israel als das Volk Jahwes herauszustellen (Dtn 26,16-19; vgl. 1 Kön 18,39)[395]. Ein solches Grund-
verhältnis schien diesen Kreisen unaufhebbar, weil Jahwe in
der Geschichte des sündigen Volkes immer zu seinen Verheißungen gestanden hat (vgl. Ex 32,7f.; dtn 9,12-14.26-29; Num 14,
11f.). Sie zogen daraus die Schlußfolgerung, daß Jahwe seinen
Vernichtungsbeschluß nicht blind durchführt, sondern ihm Grenzen setzt, die sein Heilsplan bestimmt. Da Jerusalem seine erwählte Stadt ist, kann Jerusalem nicht untergehen (2 Sam 24,
16). Auch Hosea hat als einziger der vorexilischen Propheten
dem Volk seiner Tage noch Jahwes Selbstbeherrschung verkündet,
als eine letzte Möglichkeit, das schuldige Volk zu bewahren
(Hos 11,8f.)[396]. Dahinter steht die Auffassung einer "lieben-
den" Verbindung Gottes mit seinem Volk. Wenn der Verfasser von
Klgl 2 diese Auffassung teilte, wird begreiflich, warum er nach
586 Gott als den Feind des Volkes beschrieb, das Ausgießen des

---

nicht verifizieren. Abgesehen davon, daß die Begriffe צר
und איב außerhalb von Klgl nie in dem von BRUNET postulierten Sinn gebraucht werden, verkennt er auch den
Sinn des hebräischen Parallelismus membrorum, der in Klgl
einen solchen Unterschied nicht nahelegt (vgl. bes. Klgl
1,5a; 2,17c). Außerdem spricht gegen diese Auffassung,
daß in Klgl 2,3f. die genannten Begriffe auf Jahwe selbst
angewandt sind und sich die Unterscheidung von BRUNET hier
überhaupt nicht anwenden läßt. Damit erweisen sich auch
seine Schlußfolgerungen über die Herkunft des Verfassers
der Klgl als falsch.

394 Vgl. die semantische Analyse von Klgl 2,14.
395 Vgl. hierzu M.ROSE, Der Ausschließlichkeitsanspruch Jahwes,
    Stuttgart 1975.
396 Zum Problemkreis einer Selbstbeherrschung Gottes angesichts
    des wegen seiner Sünden gerichtsreifen Volkes vgl. JEREMIAS,
    Die Reue Gottes, Neukirchen 1975, 60-65.

göttlichen Zornes zum Thema seines Liedes machte und Jahwe
sogar als denjenigen vorstellt, der die von ihm selbst gesetzte Natur- und Bundesordnung zerstört (V.6.7.20-22). Zion
wird darum auch in Klgl 2 nicht so sehr als eine das Volk
repräsentierende, sündige Größe gesehen, wie es in Klgl 1 der
Fall ist, sondern als die durch ihre Propheten verführte
Gottesstadt (V.14).

Das Verständnis des Gerichtes als Ende der Erwählung des Gottesvolkes und der tiefe Konflikt, in den der Verfasser durch
den Untergang des Reiches geraten ist, sind ein Zeichen dafür, daß Klgl 2 kurz nach 586 und somit vor Klgl 1 geschrieben wurde. Die unterschiedliche Einstellung zu dem Geschehenen, die in den beiden Liedern sichtbar wurde, läßt an einen
gegenüber Klgl 1 anderen Verfasser für Klgl 2 denken.

Klgl 2 hat, wie auch Klgl 1, aufgrund seiner durchgestalteten
Form zunächst schriftlich existiert, bevor es in den Klagegottesdiensten nach 586 einen Ort fand. Dafür spricht die Anrede
verschiedener Personen (Volk, Zion, Jahwe), die sich für eine
religiöse Besinnung gut eignete, sowie die eindeutige Sprache
des Liedes selbst, die geschichtsdeutend das Zorngericht Jahwes herausstellte (V.1-17), aber auch den flehenden Hilferuf
des von ihm gerichteten Zion (V.18-22)[397].

---

397 Nach KAISER enthält Klgl 2 wie schon vorher Klgl 1 keine
Aussagen, die dazu zwingen, in dem Verfasser einen Augenzeugen zu sehen. Der Rückgriff auf prophetisches Gedankengut sowie Parallelen zu Ps 35 sind für ihn Grund
genug, Klgl 2 in der ersten Hälfte des fünften Jahrhunderts entstanden zu denken (Klagelieder, 330). Schaut
man sich aber die genannten Übereinstimmungen zwischen
Klgl 2 und Ps 35 (vgl. 2,15.16 mit Ps 35,16.21.25) einmal genauer an, so stellt man fest, daß es sich hier um
Motive handelt, die zur Topik der Klagepsalmen gehören
und aus denen deshalb keine literarischen Abhängigkeits-
verhältnisse postuliert werden können. Ähnlich kurz-
schlüssig ist die Argumentation von KAISER, wenn er
aufgrund von Parallelen zum prophetischen Schrifttum
behauptet, die Redaktion der Bücher Jer und Ez habe dem
Verfasser von Klgl 2 vorgelegen.

Klgl 3

Wenn sich auch Klgl 3 auf dasselbe geschichtliche Ereignis
bezieht wie Klgl 1-2, so unterscheidet sich dieses Lied doch
aufs Ganze gesehen, grundlegend von den beiden ersten Liedern: In der alphabetischen Einkleidung erscheint jeder Buch-
stabe dreimal, es findet sich kein mit איכה eingeleiteter
Bezug zur Totenklage. Zion wird überhaupt nicht genannt, und
das Schicksal eines Einzelnen tritt über Gebühr in den Vordergrund der Klage. Trotz dieser Unterschiede lassen sich
aber zu Klgl 2 einige Beziehungen feststellen, die von Bedeutung sind. In עברתו (Klgl 3,1) knüpft Klgl 3 durch das
Suffix an die Thematik vom Zorngericht Gottes in Klgl 2 an,
und zwar sowohl formal wie auch material; denn Klgl 3 beginnt
im Anschluß an die Schilderung der "Feindschaft Jahwes" gegenüber Zion in Klgl 2 mit einer Darstellung des Gotteszornes im
Leben des Frommen. Textliche Berührungen verstärken die Verbindung beider Lieder; vgl. Klgl 2,4a - Klgl 3,12; Klgl 2,11a
- Klgl 3,48; Klgl 2,16a - Klgl 3,46; Klgl 2,18c - Klgl 3,49;
Klgl 2,21c - Klgl 3,43[398].

Trotz dieser Übereinstimmungen ist aber der Verfasser von
Klgl 2 und Klgl 3 nicht derselbe. Das zeigen orthographische
und linguistische Besonderheiten, wie die Schreibweise זעק in
Klgl 3,8 und צעק in Klgl 2,18 sowie הפוגות in Klgl 3,49
und פוגת in Klgl 2,18. Daneben fällt die unterschiedliche
Verwendung eines gleichen Aussageelementes auf: Wird in Klgl
2,3.4 die Not des Volkes dadurch verursacht, daß Jahwe seine
Hand zurückzieht, so rührt das Leid des Klagenden von Klgl 3
daher, daß Jahwe seine Hand gegen ihn kehrt (V.3). Endlich
ist das unterschiedliche Verständnis des göttlichen Strafgerichtes in Rechnung zu stellen: Klgl 3 knüpft zwar an die
Problematik des zweiten Liedes an, wenn es, analog der Darstellung vom Ende der Erwählung des Gottesvolkes in Klgl 2,
mit einer ähnlichen Schlußfolgerung des hier Klagenden für

---

398 RUDOLPH, Klagelieder, 194.

sein persönliches Glaubensleben beginnt (V.1-20). Weil aber
das Lied letztlich diese Anschauungen hinter sich läßt, darf
man annehmen, daß ein anderer Verfasser Klgl 3 gedichtet und
an Klgl 2 angeschlossen hat. Dort nämlich war der entscheidende Horizont für die besondere Problematik seines Liedes
dargestellt worden.

Bei dieser Gelegenheit hat der Verfasser von Klgl 3 in Klgl 2
die Alphabet-Akrostichie derjenigen von Klgl 3 angeglichen,
so daß jetzt im zweiten Lied die פ -Strophe vor der ע -
Strophe steht. Dies geschah jedoch nicht nur aus rein formalen Gründen. Wie in Klgl 3,45-46 zunächst von der Verachtung durch die Völker (V.45) und dann von der Verhöhnung
speziell durch die Feinde (V.46) gesprochen wird, so hat
auch Klgl 2 durch die Umstellung der פ -Strophe vor die
ע -Strophe eben diese Aussage erhalten. Dabei schloß sich
der Verfasser von Klgl 3 in seinem Lied eng an den Wortschatz des zweiten Liedes an: פצה פה על in Klgl 2,16a begegnet auch in Klgl 3,46. Der ihn bei dieser Angleichung
bewegende Gedanke entspricht jedoch nicht mehr der ursprünglichen Intention des Verfassers von Klgl 2. Dieser wollte in
der Versfolge Klgl 2,15.17.16 die Feinde des Volkes als Strafwerkzeug Jahwes vorstellen. Das aber war nicht mehr das Problem des Verfassers von Klgl 3. Dieser hatte sich, wie besonders Klgl 3,34-36 zeigen, mit der Situation des Volkes
unter der babylonischen Oberherrschaft und mit der Zerstreu-
ung Israels in die Völkerwelt auseinanderzusetzen. Daher betont er zunächst die Tatsache der Verachtung durch die Völkerwelt und beschreibt dann die Unterdrückung durch die
Feinde, die beide nach einer Vergeltung Jahwes rufen. Gleichzeitig hat er mit der Umstellung der Verse Klgl 2,17.18, wo
auf die Rede von der Erfüllung des göttlichen Zornes in V.17
dennoch in V.18 die Aufforderung an Zion zur klagenden Bitte
vor Jahwe ergeht, einen Gedankengang geschaffen, der ähnlich
dem von Klgl 3,1-20.21f. ist; denn während in Klgl 3,1-20 nur
der zornige Gott gesehen wird, erfolgt in V.21f. die Hinwendung zu Jahwe mit einer Vergewisserung seiner nie endenden

Gnade[399].

Daß in Klgl 3 ein anderer Verfasser am Werk ist, bestätigt
außerdem die Verwendung dtr Traditionselemente, die auf eine
gegenüber Klgl 1 und 2 erweiterte Vorstellung hinweisen. Wie
der Dichter von Klgl 1 und 2 hat auch der Verfasser von Klgl 3
die Beurteilung der Staatskatastrophe als Zorngericht Jahwes
wegen der Sünden übernommen (Klgl 3,42-47). Das Zorngericht
ist für ihn jedoch nicht mehr der Schlußpunkt, über den hinaus für die Geschichte Israels mit Jahwe nichts mehr gesagt
werden kann. In Klgl 3,31f.40f.52f. liegt eine Auffassung zugrunde, in der mit einer Umkehr durch Jahwe gerechnet wird,
der sein Volk vor den Feinden rehabilitieren und letztere bestrafen wird (vgl. Dtn 4,25-31; 30; 1 Kön 8,46-53). Damit bezeugt Klgl 3 eine Stufe dtr Gedankengutes, die gegenüber Klgl
1 und 2 entscheidend erweitert und somit später als diese an-
zusetzen ist. Daß Klgl 3 in einiger Ferne zu den Ereignissen
des Jahres 586 steht, läßt sich auch aus den in Klgl 3,34-36
angeführten Begebenheiten entnehmen, die auf die durch die
lange babylonische Besatzungszeit entstandenen Wirren hinweisen[400].

Entscheidend für die Herkunft des Verfassers von Klgl 3 ist
aber die Tatsache, daß er nicht vom Schicksal des Volkes, sondern dem des Einzelmenschen ausgeht. Nach dem Einzelschicksal
zu fragen, ist aber Sache der Weisheit. Daß Klgl 3 darüber
hinaus auch weisheitliche Tendenzen in der Verwendung der be-

---

399 Diese Übereinstimmungen wurden auch von RUDOLPH, der aber
     Klgl 2 und Klgl 3 für das Werk ein und desselben Verfas-
     sers hält, gesehen (Klagelieder, 239.242).
400 So auch RUDOLPH (Klagelieder, 193.237) und O.PLÖGER (Kla-
     gelieder, 149). Aufgrund der gedanklichen Nähe des drit-
     ten Klageliedes zu Worten des Psalters, des Jeremiabuches
     und des Ijobbuches setzt KAISER, gemäß seiner Methode,
     daß die Parallelen im jeweils jüngsten Buch die zeitliche
     Einordnung eines Textes markieren, eine entsprechende
     Kenntnis der genannten Bücher beim Verfasser des dritten
     Klageliedes voraus. Als Entstehungszeit für Klgl 3 kommt
     gemäß seiner Datierung des Ijobbuches das vierte Jahrhun-
     dert in Frage (Klagelieder, 352). Daß ein derartiges Vor-
     gehen in der Argumentation mehr als anfechtbar ist, wurde
     schon an anderer Stelle gesagt.

kannten Gattungen der Klage und des Dankliedes zeigt, hat
die Analyse des Aufbaus klar erwiesen.

Die weisheitliche Auseinandersetzung mit dem Untergang Judas
in Klgl 3 ist nach 586 kein singulärer Vorgang, wie eine dementsprechende Bearbeitung der Klage Jeremias über Juda in
Jer 9,1-10.16-21 mit dem Einschub V.11-15.22-23 und die Verbindung von Weisheit und Gesetz in den dtr bearbeiteten Kapiteln Dtn 4,6.7 und Dtn 32,28f. erkennen lassen. Wie die
weisheitliche Hilfestellung für die Zeit des Gerichtes aussieht, verdeutlicht der Schluß der Predigt Dtn 29,21-28.
V.28 lautet: "Was noch verborgen ist, steht bei Jahwe unserem Gott, was aber offenbar ist, gilt uns und unseren Kindern auf immer, daß wir alle Worte dieser Weisung erfüllen".
Wie in Klgl 3 werden auch hier die Freiheit Gottes und der
Ruf zur Umkehr bezeugt, der sich an der Tora als dem Rechts-
willen Jahwes bewähren soll. Alles andere aber bleibt verborgen und liegt in Gottes Hand (vgl. Klgl 3,29).

Klgl 3 stammt also von einem Verfasser weisheitlicher Pro-
venienz, der die dtr Geschichtstheologie aufgreift und für
das Leben des einzelnen Frommen in der Zeit des Gerichtes
fruchtbar macht.

Daß Klgl 3 schriftlich konzipiert wurde und keine sekundäre
Zusammenfügung kultischer Stücke darstellt[401], beweisen die
alphabetische Einkleidung sowie die konzentrische Anordnung
der einzelnen Teile von Klgl 3. Dieser Aufbau, der seinen
Zielpunkt in der Belehrung V.25-39 hat, zeigt, daß nicht
verschiedene Sprecherrollen in Klgl 3 laut werden, sondern
hier ein Problem im Vordergrund steht, zu dessen Darlegung
der Verfasser auf das Primärgut der Gemeindeerfahrung sowie
die von ihm als richtig erkannte dtr Auffassung von der Geschichte des Volkes zurückgreift.

---

401 KRAUS, Klagelieder, 59.

Klgl_4

Klgl 4 wird gewöhnlich als das Werk des Verfassers von Klgl 2
angesehen[402]. Gemeinsam ist beiden Liedern der Beginn mit
und die Gliederung in drei Teile. Inhaltliche Bezüge lassen
sich feststellen: Klgl 2,3c.4c - Klgl 4,11; Klgl 2,11c.12 -
Klgl 4,4; Klgl 2,14 - Klgl 4,13; Klgl 2,20b - Klgl 4,10[403].
Mit Klgl 2 teilt Klgl 4 weiterhin den gleichen Radikalismus
in der Darstellung des göttlichen Zorngerichtes sowie den
Rückgriff auf die Gerichtsschilderungen der Propheten. Aber
in der Art und Weise der Darstellung des Gerichtes wird auch
der Unterschied zu Klgl 2 sichtbar. In Klgl 4 steht sehr viel
stärker das Schicksal einzelner Volksgruppen im Vordergrund,
während es in Klgl 2 um das Leid des Volkes als ganzen geht,
das in Zion verkörpert ist. Mit seinem Interesse am Einzelschicksal aber rückt das vierte Lied in die Nähe des dritten
Klageliedes. Die Parallelen zu Klgl 3 werden noch viel deutlicher, wenn man das Kerygma des vierten Liedes ins Auge faßt,
das, worauf schon PLÖGER aufmerksam gemacht hat[404], eindeutig
dem von Klgl 3 entspricht. Die Übereinstimmung geht bis in die
Struktur beider Lieder: Die Schilderung der Not des Volkes,
die Erkenntnis der eigenen Selbsttäuschung in Klgl 4,1-19 laufen den Schwerpunkten von Klgl 3 parallel, wo in V.1-16 die
Not des Volkes und in V.42-47 das Sündenbekenntnis des Volkes
dargestellt werden. Dabei fällt auf, daß die Struktur der Notschilderung in Klgl 3,1-16 und Klgl 4,1-16 gleich ist. Zunächst erfolgt eine Einleitung und Themenangabe (Klgl 3,1-2;
4,1-2), die dann mit Beispielen belegt wird. Mit Klgl 3 teilt
Klgl 4 auch den hoffnungsvollen Ausblick am Schluß des Liedes.
Wie der Leidtragende von Klgl 3 auf die Gerechtigkeit Jahwes
und seine Hilfe vertraut, so kann auch das von seinen Gegnern
geschmähte Zion in Klgl 4 gewiß sein, daß seine Schuld abgebüßt ist, und Jahwe das Recht wieder herstellen wird.

---

402 LÖHR, Klagelieder, XV; MEEK, 5; KRAUS, Klagelieder, 15;
     KAISER, 326.
403 RUDOLPH, Klagelieder, 193f.
404 O.PLÖGER, Klagelieder, 159.

Gestützt wird die Übereinstimmung zwischen Klgl 3 und Klgl 4
letztlich auch durch die Tatsache, daß in beiden Liedern die
Reihenfolge der Buchstaben פ vor ע ursprünglich ist, und
der Dichter wie in Klgl 3,47 auch in Klgl 4,22 eine Neigung
zu Wortspielen zeigt.

Wie die Lieder Klgl 1-3 partizipiert auch das vierte Lied
an der Vorstellung des dtr Geschichtsbildes. Der Ungehorsam
des Volkes (Klgl 4,6) und das Strafgericht Jahwes (Klgl 4,11)
sind die Kategorien für eine theologische Bewältigung der
Katastrophe.

Gleichzeitig aber, und hier geht Klgl 4 über Klgl 1 und Klgl
2 hinaus, wird die Vergebungsbereitschaft Jahwes betont (V.
21-22). Auch in dieser Hinsicht steht Klgl 4 auf derselben
dtr Stufe wie Klgl 3. Aufgrund der Parallelen des vierten
Liedes sowohl zu Klgl 2 wie auch zu Klgl 3, wobei sich aber
diejenigen zu Klgl 3 als die entscheidenden erwiesen haben,
ist die Schlußfolgerung erlaubt, daß Klgl 3 und 4 von demselben Verfasser stammen. Dieser hat mit Klgl 4 bewußt ein Gegenstück zu Klgl 2 geschaffen und Klgl 3 somit einen Rahmen
gegeben[405].

Wenn beide Lieder von ein und demselben Verfasser stammen,
erklärt sich die Konzeption beider Stücke wie von selbst.
Nach Klgl 4,21-22 ist die Schuld Zions abgebüßt. Eine Wende
der Not rückt in das Blickfeld. Daher kommt es jetzt entscheidend auf das Verhalten des Volkes an. Dem trägt der Verfasser in Klgl 3 mit einer Belehrung des Einzelnen für das
Leben in der Zeit der noch andauernden Gerichtsnot bis zu
ihrer Wende Rechnung. Auf der anderen Seite wird in der Verbindung mit Klgl 3 auch der Skopus von Klgl 4 verständlich.
Weil im Hintergrund von 3,34-36 deutlich Zweifel des Volkes
an der Macht Jahwes stehen, schreibt der Verfasser in Klgl 4

---

405 Nach KAISER kommt auch für Klgl 4 nur eine späte Ent-
     stehungszeit in Frage. Das Thema eines degenerierten
     Priestertums (4,13-16) und der Passus über die Bestra-
     fung der Edomiter (4,21-22) verweisen auf Zustände,
     wie sie in Mal beschrieben werden (Klagelieder, 365f.).

nochmals eine Gerichtsklage über das, was 586 geschah, und
zwar mit folgenden Schwerpunkten: Die übergroße Not ist Folge
der übergroßen Schuld; die damaligen Hoffnungen des Volkes
auf fremde Mächte haben sich als Illusionen erwiesen; der
Zweifel an Jahwe führte in den Untergang. Weil er Gerichts-
erklärung geben und die Klage des Volkes als unbegründet zurückweisen will (3,39), gestaltet er Klgl 4 nicht als Gebet
an Jahwe, sondern als eine durchgehende Schilderung von dessen Gerichtshandeln.

Die schon von PLÖGER geäußerte Vermutung über die engere Verbundenheit der Lieder Klgl 2-4[406] wird hiermit zu einer Gewißheit: Der Verfasser von Klgl 3 schrieb Klgl 4, um in der
Redaktion mit Klgl 2 die Grundlage für seine Belehrung in
Klgl 3 zu schaffen.

Klgl 5

Klgl 5 unterscheidet sich dadurch von den Liedern Klgl 1-4,
daß es lediglich alphabetisierend ist und außerdem sehr viel
stärker den Charakter einer Volksklage bewahrt hat. RUDOLPH
will zwar aufgrund von inhaltlichen Bezügen für Klgl 4 und 5
den gleichen Verfasser annehmen[407], jedoch erweisen sich diese Parallelen (Klgl 4,1f. - 5,16a; Klgl 4,16b - 5,12; Klgl
4,17 - 5,6) als recht vage Verbindungen. Auch die Ähnlichkeit
in der Struktur - in beiden Liedern verbinden sich je zwei
Verse zu einer Einheit - kann die Annahme einer gemeinsamen
Verfasserschaft für beide Lieder nicht erhärten; denn während
Klgl 4 die Katastrophe von 586 selbst vergegenwärtigt, beschreibt Klgl 5 die Nöte des Volkes während der langen Zeit
der babylonischen Besatzung; und während Klgl 4 von der Gewißheit des göttlichen Eingreifens überzeugt ist, hat die Gemeinde von Klgl 5 die Befürchtung, für immer von Jahwe verstoßen zu sein. In dieser Hinsicht kommt Klgl 5 den ratlosen

---

406 O.PLÖGER, Klagelieder, 163
407 RUDOLPH, Klagelieder, 194.

Klagen, die im Hintergrund von Klgl 3,34-36 stehen, nahe.
Klgl 5 spiegelt somit die Krise in der Gemeinde wieder, auf
die Klgl 3 die Antwort gibt.

Auch im fünften Lied finden wir die Vorstellungsstruktur
des dtr Geschichtsbildes wieder: die Rede von den Sünden
des Volkes (Klgl 5,7.16) und dem Zorngericht Jahwes (Klgl
5,22); im Hintergrund von V.21 die Umkehrpredigt; die Vorstellung von einem möglichen Ende des Unheilszustandes, auf
der die Bitten in V.20.22 basieren. In der Verwendung dieser Traditionselemente geht auch Klgl 5 deutlich über Klgl 1
und 2 hinaus und entspricht der Stufe des dtr Bekenntnisses,
die wir in Klgl 3 und 4 vorfinden.

Die lange Elendsschilderung sowie die bangen Schlußfragen
sind jedoch Zeichen für die beginnende Krise der dtr Um-
kehr- und Heilspredigt; denn da Klgl 5 über den Gedanken
einer kollektiven Vergeltung nicht hinauskommt, kann das
Andauern der Notsituation nur verstanden werden als Verwerfung der jeweiligen Generation durch Jahwe. Daß Jahwe
im Regiment sitzt, ist dem Verfasser von Klgl 5 zwar gewiß
(V.19), die Hoffnung auf ein helfendes Eingreifen ist für
ihn jedoch in unerreichbare Ferne gerückt. Anhand von Klgl 5
lassen sich deutlich die Vor- und Nachteile der dtr Predigt
ablesen. Diese eröffnete zwar den Horizont für ein Verständnis der Katastrophe, bereitet aber mit der Freisprechung Jahwes, der ja die Sünden des Volkes bestrafen mußte, den Rück-
zug Jahwes aus dieser Sündengeschichte des Volkes vor. Das
andauernde Gericht wird daher als ein Schweigen Gottes begriffen (Klgl 5,20; vgl. Klgl 3,8.34f.44), als Zeichen einer
fortgesetzten Verwerfung von Generationen, die umkehrwillig
sind, aber der Sündengeschichte ihres Volkes verhaftet bleiben. Diese religiöse Not des Volkes wird in dem wohl zeitgenössischen Wort in Am 8,11-12, in dem die Erfahrung der Abwe-
senheit Gottes als ein vornehmliches Zeichen des Gerichtszustandes gilt, als göttliche Drohung angekündigt: "Siehe, Tage
kommen, spricht der Herr Jahwe, da sende ich Hunger in das
Land, nicht Hunger nach Brot, nicht Durst nach Wasser, son-

dern Hunger, das Wort Gottes zu hören. Dann werden sie irren
von Meer zu Meer und streifen von Norden nach Osten, um das
Wort Jahwes zu suchen, und werden es dennoch nicht finden"[408].

Die durchgestaltete Anlage von Klgl 5 zeigt, daß hier eine zunächst schriftliche Einheit konzipiert wurde, die auf Klgl 1
und 2 zurückgreift (Klgl 5,1 - Klgl 1,9c.11c.12a.20a; 2,20a;
Klgl 5,17 - Klgl 1,22c). Sie fand bald ihren Ort in den Klagegottesdiensten, die nicht mehr nur die Zerstörung Zions be-
dachten. Hier wurde auch einer Hoffnungslosigkeit Ausdruck
verliehen, die die bußfertige, aber dem gerichteten Volk zu-
gehörige Gemeinde nicht überwinden konnte (vgl. Ps 44; 74;
Jes 63,7-64,11); denn das Leiden der Gemeinde blieb nach wie
vor - so hatte es die dtr Predigt mit ihren Gedanken kollek-
tiver Vergeltung eingeübt - Strafe für die Sünden. Die andauernde Herrschaft der Feinde, die in Klgl 5 so ausführlich
geschildert wird, konnte daher nur die Fortdauer des göttlichen Gerichtes bedeuten.

2. Die Entstehung der Sammlung

Faßt man abschließend die vorangegangenen Überlegungen zusammen, so läßt sich über die Redaktion des Buches der Klgl folgendes sagen: Als erstes Lied entsteht bald nach 586 Klgl 2,
das eine erste Stellungnahme zu der Zerstörung des erwählten
Zion bietet und das Geschehene schon im Horizont des dtr GB
deutet. In der Folgezeit wird, ganz im Geiste des dtr Ge-
schichtsverständnisses, die Klage über Zion in Klgl 1 geschrieben. Die andauernden Nöte der babylonischen Besatzungszeit bilden den Hintergrund für die Entstehung des fünften
Liedes, das die ersten Anzeichen einer Krise des dtr Ge-
schichtsverständnisses widerspiegelt. Alle drei Lieder sind
zunächst als schriftliche Einheiten konzipiert worden. Dies
hängt damit zusammen, daß sie alle, in mehr oder weniger gro-

---

408 Vgl. hierzu E.HAAG, Das Schweigen Gottes: BiLe 10 (1969)
    157-164.

Bem Ausmaße, Geschichtsdeutung bieten wollen und damit nicht
nur, wie RUDOLPH meint, für die konkrete Not des Augenblicks
geschrieben wurden[409]. Abgesehen davon, bestand diese "Not
des Augenblickes", der man in den Klagegottesdiensten gedachte, nach einem Prophetenwort immerhin siebzig Jahre lang
(Sach 7,5). In den Gottesdiensten dieser Zeit fanden die Lieder einen ersten Ort.

Einen zweiten, literarischen Sitz erhielten diese drei Stücke
in der Redaktion des Buches der Klagelieder durch den Verfasser von Klgl 3 und 4. Für Klgl 4, das als Gegenstück zu Klgl
2 geschrieben und für Klgl 3, das bewußt an Klgl 2 angeschlossen wurde, kann daher vermutet werden, daß sie direkt für die
Anlage des Buches Klgl 1-5 geschrieben wurden und hier ihren
ersten Sitz erhielten, bevor sie eine Verwendung im Gottesdienst fanden.

Da der Verfasser von Klgl 3 das vierte Lied als Gegenstück zu
Klgl 2 verstand, ist es sehr wahrscheinlich, daß er auch in
der Stellung von Klgl 1 am Anfang und Klgl 5 am Ende des Buches eine Entsprechung der Aussagen vornehmen wollte. Die Art
und Weise der Zuordnung zeigt in der Tat deutlich die Hand
des Verfassers von Klgl 3. Wie schon der konzentrische Aufbau des dritten Liedes klar erkennen ließ, spiegeln die dort
einander entsprechenden Teile jeweils zwei Seiten ein und
derselben Situation wider. Diese Anlage des dritten Liedes
ist auch die des Buches der Klgl. Der äußere Rahmen (Klgl 1
und Klgl 5) befaßt sich mit der trostlosen Situation des
Volkes. Während aber Klgl 1 zur Gerichtsdoxologie führt, mündet Klgl 5 in die (An)klage. Der Stachel dieser beiden Klagen ist das Zorngericht Jahwes als Strafe für die Sünden des
Volkes. In Klgl 1 wird diese Tatsache im Blick auf die Sünden des Volkes akzeptiert, in Klgl 5 aber als die Zukunft mit
Jahwe zerstörend angesehen. Der innere Rahmen (Klgl 2 und
Klgl 4) greift genau dieses Problem, nämlich das des göttlichen Zornes, auf und schildert im vorgegebenen Stück Klgl 2
die Maßlosigkeit des richtenden Gottes Jahwe und seine Feind-

---

409 RUDOLPH, Klagelieder, 196

schaft dem Volk gegenüber. Klgl 4 greift den gleichen Radikalismus in der Darstellung des Gerichtes auf, um zu zeigen, daß
mit der übergroßen Strafe die Schuld abgebüßt ist und jetzt,
gemäß der Bitte von Klgl 1, die Feinde Zions zur Verantwortung
gezogen werden. Mit dieser Gegenüberstellung hat der Verfasser
von Klgl 3 unterschieden zwischen den Leiden als Strafe, die
Zion abgebüßt hat, und den Leiden, die als Folgen des Gerichtes auch der Umkehrwillige aufgrund seiner Zugehörigkeit zu
einem sündigen Volk ertragen muß. Für eben diese Zeit des Gerichtes, deren Dauer in Gottes Hand steht, schrieb er zur Orientierung und Belehrung Klgl 3.

Hat man die Anlage des Buches der Klgl in dieser Weise einmal
erkannt, so kann die in der Forschungsgeschichte umstrittene
Frage, ob die Klgl planmäßig angelegt oder nur lose aneinander-
gereiht wurden, zugunsten der ersten Auffassung beantwortet
werden. Hatten sich in der älteren Forschung alle jene Erklärer, die für einen einzigen Verfasser der Klgl plädierten,
auch für einen planvollen Aufbau des Buches entschieden, so
schien umgekehrt jenen Auslegern, die die Lieder mehreren Ver-
fassern zuschrieben, kein anderer Grund für eine Anordnung des
Buches vorzuliegen als der, daß man durch eine Sammlung dieser
fünf Stücke, wie es für die jüdische Synagoge ja der Fall ist,
die Texte für den Gedächtnistag der großen Katastrophe bereit
haben wollte[410]. Daß man zu keinen tieferen Einsichten in die

---

410   In diesem Zusammenhang sei auf die These von JANSSEN hin-
      gewiesen, der das Buch der Klgl als eine Klageliturgie
      verstehen will. Bei einer Klageliturgie gehe es nämlich
      nicht um einen Fortschritt des Gedankenganges - den die
      Lieder seiner Meinung nach auch nicht aufweisen -, son-
      dern um den Wechsel von Klage, Gebet, Orakel und Hymnus.
      In dieser Weise seien die Klgl eine Liturgie zu den in
      Sach 7,2ff. und 8,19 erwähnten Fastentagen. Der inhaltli-
      che Zusammenhang der einzelnen Lieder bestehe nur in dem
      gemeinsamen Thema der Klage über die Katastrophe, die das
      Land, seine Bewohner und vor allem den Tempel getroffen
      hat, und der Bitte um Errettung. Wie die Variationen ei-
      nes Musikthemas, so kreisen die Glieder der Liturgie um
      dieses Thema (97-101). Nun ist aber nach GUNKEL von ei-
      ner Liturgie nur da zu reden, "wo Stücke verschiedener
      Gattungen in der Absicht einer einheitlichen Wirkung im
      Gottesdienst von wechselnden Stimmen zur Aufführung ge-

Anlage des Buches kam, erklärt sich aus der Tatsache, daß
eine Untersuchung über die Form der Klage weitgehend fehlte
und auch nicht zwischen der kultischen Verwendung der Lieder und ihrem Sitz in der litararischen Anlage des Buches
unterschieden wurde. Letztere ist im jetzigen Kontext des
Buches allein zugänglich und zeigt den oben dargelegten,
vom Verfasser des dritten und vierten Liedes intendierten
Aufbau:

Klage	: Klage Zions und Gerichtsdoxologie	Klgl 1
Bericht	: Gerichtszorn Jahwes und Hoffnungs- losigkeit Zions	Klgl 2
Belehrung	: Das Verhalten in der Zeit des Gerichtes	Klgl 3
Bericht	: Gerichtszorn Jahwes und Hoffnung für Zion	Klgl 4
Klage	: Klage des Volkes und verzweifelte Fragen an Jahwe	Klgl 5

3. Zusammenfassung_und_Ausblick

Auf den ersten Blick erweist sich das Buch der Klgl somit als
eine Darstellung und Deutung der Ereignisse von 586 in dtr
Sicht. In einem tieferen Sinn ist es jedoch eine Einübung der
dtr Überzeugungen für die Glaubenspraxis in der Zeit der Gerichtsnot bis zu ihrer Wende durch Jahwe. Weil aber die Klgl
eine Belehrung über Jahwes Handeln im Gericht darstellen, so
wie die Propheten es angekündigt haben, wurden die fünf Lieder ihrer Zeit nicht enthoben und als exemplarische Gebete

---

bracht werden" (GUNKEL-BEGRICH, 407). Die Zusammenstellung der verschiedenen Stücke muß sich für GUNKEL nach
dem kultischen Vorgang richten und ist daher nicht be-
liebig, sondern hängt von bestimmten Gesetzen ab. Nun
hat aber die vorliegende Untersuchung erwiesen, daß die
Klgl primär keine kultischen Wechselreden sind und daß
daher auch keine kultische Situation, sonder ein bestimmtes Thema für die Entstehung der Lieder maßgeblich
gewesen ist. Das Buch der Klgl ist somit nicht als eine
Klageliturgie anzusehen.

in den Psalter eingebettet, sondern folgen mit gutem Grund
dem Buch des letzten vorexilischen Gerichtspropheten Jeremia. Nicht die Klage über eine Not als solche, sondern die
auf dem Hintergrund einer erkannten Verschuldung vergegen-
wärtigte Not ist das Problem der Klgl.

Am Schluß dieses Arbeitsganges ist für die weitere Untersuchung folgendes festzuhalten: Zu der in Klgl 3 erkannten
neuen Form einer "Gerichtsklage des leidenden Gerechten" gehört die Darstellung der Gerichtsnot konstitutiv hinzu.
Klgl 3 bildet daher mit den übrigen Klageliedern nicht nur
redaktionsgeschichtlich, sondern auch formgeschichtlich eine
eigene literarische Einheit.

Die Klage des leidenden Gerechten in Klgl 3 erfolgt nämlich,
wie es die Anknüpfung an Klgl 2 beweist, in einem Horizont
bereits im Glauben gedeuteter Geschichte: Der Zorn Jahwes,
der nach Klgl 2 das Ende des Gottesvolkes bedeutet, wird in
Klgl 3 als ebenso zerstörend für das Gottesverhältnis des einzelnen Menschen angesehen (3,1-20). Um mit dieser tiefen Glaubensanfechtung zurechtzukommen, stellt der Verfasser von Klgl 3
in einem ersten Schritt einen Kontext zusammen, wo der Charakter des göttlichen Gerichtes am Volk in verschiedener Hinsicht
bedacht und gedeutet wird (Klgl 1; 4; 5). Die Auseinandersetzung mit dem Handeln Gottes im Gericht an seinem Volk, die der
Verfasser von Klgl 3 auch eigenständig führt (3,40-47; 4), ist
für ihn die Basis, die ihm ein tieferes Verständnis der Wege
Gottes auch für die Situation des Einzelnen ermöglicht. In
einem zweiten Schritt verbindet er die Erkenntnis des Gerichtshandeln Jahwes in der Geschichte seines Volkes mit einer Reflexion über die Ordnung des geschichtlichen Handelns Gottes
im Zorn (V.31-33) und mit einer Besinnung auf das eigentliche
Wesen Jahwes (3,21-24). Mit dieser über die Erfahrung der gegenwärtigen Unheilsgeschichte hinausblickenden Erkenntnis, vermag der Verfasser von Klgl 3 das Gottesbild des von ihm vorgestellten גבר zu korrigieren (V.52-66).

Die Einbettung von Klgl 3 in den Zusammenhang von Klgl 1-5
läßt den grundsätzlichen Verlauf der Auseinandersetzung mit
der Verborgenheit Gottes im Leid erkennen: Das Problem des
leidenden Gerechten, das auf dem Hintergrund des göttlichen
Handelns in der Geschichte seines Volkes entstanden ist,
wird auch im Bedenken dieser Geschichte bewältigt. Aus diesem Grund ist in Klgl 3 die rein indivuduelle Komponente
des Gottesproblems überschritten: Im Horizont der Volksge-
schichte wird die persönliche Leiderfahrung des גבר neu
geortet, so wie die persönliche Sicht des göttlichen Zorneshandelns im Bedenken des göttlichen Wesens korrigiert wird.
Daraus aber folgt, daß das Vorkommen von individuellen und
kollektiven Partien in Klgl 3 und die Folge verschiedenartiger Formen sowie der Wechsel zwischen verschiedenen Situationen nicht auf eine sekundäre Zusammenstellung der einzelnen Teile von Klgl 3 hinweisen, sondern ein inhärierender
Bestandteil der besonderen Auseinandersetzung mit dem Klgl 3
zugrundeliegenden Problem darstellen.

Dabei durchläuft die Auseinandersetzung in Klgl 3 folgende
Stadien: Das Lied beginnt mit einem Bericht über die Leiderfahrung des גבר , der aber nicht eine Aufzählung bestimmter einzelner Nöte ist, sondern eine sich in ihrer Aussage steigernde Schilderung über ein feindliches Verhalten
Gottes (V.1-16). Nachdem so das Problem ohne jede Beschöni-
gung genannt ist, wird eine mögliche Reaktion des Menschen
auf diese Gegebenheit genannt, die sich naturgemäß zunächst
in einer Anklage Jahwes artikuliert (V.17-20). Erst dann
wird in der Erinnerung (V.21) an die bisherige Erkenntnis
des göttlichen Wesens die Hinwendung zu Gott als Kontrastelement gegenüber einer unheilvollen Erfahrungswelt als eine
gegenüber der Anklage zweite Möglichkeit in der Reaktion des
Menschen vorgestellt (V.22-24). Diese persönliche Glaubens-
erfahrung aber bedarf, da es sich um ein überindividuelles
Problem handelt, auch einer überindividuellen Verifikation.
Deshalb setzt in Klgl 3,25 eine ausführliche theologische
Besinnung ein, die unter der gegebenen Problemstellung die

Glaubenstradition durchforstet und zu neuen Erkenntnissen
über die unheilvolle Gegenwart (V.34-36) kommt (V.37-38),
die eine Aufforderung zur Korrektur des Verhaltens einlei-
ten (V.39). Jetzt wird die erste Reaktion einer Anklage Jahwes aufgrund seines Zorneshandelns (V.17-20) aufgehoben und
in eine Klage des Volkes, dem der Einzelne zugehört, über die
eigene Schuld (V.40-47) und Not (V.48-52) vor Gott hinüberge-
leitet. Bei der richtigen Einstellung zu Gott ist nämlich die
Klage dem Menschen nicht verwehrt. Ganz im Gegenteil, sie kann
die Angst vor einer zunächst ausweglosen Situation (V.1-16)
in eine neue und tiefere Glaubensgewißheit verwandeln: Jahwe,
der schon immer den Gerechten errettet hat (V.52-63), wird
zur Hoffnung für das im Gericht zerschlagene Volk (V.64-66).

Um die Struktur von Klgl 3 in ihren geistesgeschichtlichen
Voraussetzungen zu erklären, wird es nun die Aufgabe sein,
nach Texten im AT zu suchen, in denen das Verhalten eines Einzelnen im Gottesgericht eine maßgebliche Rolle spielt und in
denen der literarische Niederschlag dieser Problematik sich in
der oben genannten Weise wiederfindet. Beide Fragehorizonte
aber lenken, neben den von allen Erklärern immer schon festgestellten sprachlichen Anklängen, den Blick auf die Konfessionen des Propheten Jeremia und auf die Klagen des Gottesknechtes Ijob. Auf Jeremia deshalb, weil mit seinen Klagen
ein Novum in der Geschichte der Klage einsetzt: Der Prophet
ist der erste, der in der Zeit des Gerichtes sein Gottesverhältnis zu einem eigenen Thema macht[411]. Weil aber Klgl 3
sich nicht auf einen Propheten als Sprecher bezieht, sondern
auf einen גבר , ist nicht die mit den Konfessionen anhe-
bende prophetische Gerichtsklage in ihrer Nachgeschichte bei

---

411 Zwar haben auch schon die Propheten vor Jeremia in der
Schwere des ihnen aufgebürdeten Dienstes geklagt (vgl.
1 Kön 19,10.14; Am 7,2.5; Hos 9,7-9.14.17; Mi 3,8; Jes
6,11; 8,16-18). Ihre Anfechtung ist aber, weil ihre Gerichtsbotschaft noch auf ein Geschehen in der Zukunft
abzielt, nicht von der Erfahrung einer zunehmenden persönlichen Bedrohung und einem sich steigernden Empfinden
der Gottverlassenheit gekennzeichnet wie bei Jeremia,
der noch im Vollzug des göttlichen Gerichtes steht.

den nächstfolgenden Propheten zu untersuchen, sondern das
Augenmerk auf einen Text zu legen, wo das Gottesverhältnis
des gläubigen Menschen in einer von Gott gerichteten Welt
schlechthin zum Problem wird: das Buch Ijob.

Der Darstellung der Passion des Jeremia und des Ijob ist
darum der dritte Teil dieser Untersuchung über die Gerichtsklage des leidenden Gerechten gewidmet.

Es wird zunächst ein Überblick über den Grundbestand der
Konfessionen gegeben als dem traditionsgeschichtlichen Ausgangspunkt einer Auseinandersetzung, die mit der redaktionellen Bearbeitung dieser Texte durch die Deuteronomisten
ansetzt. Die hier erkannten Zusammenhänge werden dann über
Klgl 3 hinaus in der in dem Buch Ijob zum Ausdruck kommenden Klage des leidenden Gerechten[412] und ihrer Bewältigung
weiterverfolgt.

---

412 Eine von vornherein eingeschränkte motivgeschichtliche
Untersuchung über das Verfolgungs- und Bedrängnislei-
den des Gerechten findet sich bei L.RUPPERT, Der leidende Gerechte, Würzburg 1972. Während es dieser Arbeit
um die dem Gerechten von anderen Menschen zugefügten
Leiden geht, geht es in den der vorliegenden Arbeit zugrundeliegenden Texten um die von Jahwe selbst geschick-
ten Leiden und die darauf erfolgenden Äußerungen (Klagen) der Gerechten.

III. DIE GERICHTSKLAGE DES LEIDENDEN GERECHTEN

BEI JEREMIA UND IJOB

A. Die Konfessionen des Jeremia

1. Die Konfessionen Jer 11,18-23 und 12,1-6

Im Zentrum der Kapitelfolge Jer 11-12 stehen nacheinander
zwei Prophetenklagen (11,18-23 und 12,1-6), die von der
heutigen Forschung als kompositorische Einheit verstanden
werden. Als das entscheidende Bindeglied zwischen beiden
Texten gilt 12,6, das einerseits auf 11,21-23 zurückweist
und zum anderen 12,5 konkretisieren will. Die Texte verbindet ein gemeinsamer Ort des Geschehens: In Anatot kommen die Mordpläne einer bestimmten Menschengruppe (11,21)
und die Hinterhältigkeit der Familie des Propheten (12,6)
an den Tag[1].

Bezüglich der Frage nach dem Grundbestand und der Bearbeitung dieser Einheit besteht unter den Erklärern kein Konsens. Für die ältere Forschung war der in 11,21 und 12,6
erwähnte biographische Sachverhalt der eigentliche Grund,
warum zwei ursprünglich selbständige Prophetenklagen hier
zu einer Einheit verbunden worden sind: Ausgegangen wurde
in diesem Zusammenhang von der immer schon empfundenen
Schwierigkeit, daß in 11,18 nicht gesagt wird, was Jahwe
den Propheten wissen ließ und um wessen Taten es sich handelt. Daher wurde auch die Versfolge 11,18.19 als eine
unbefriedigende Tatsache vermerkt, weil die in 11,18 angekündigte Mitteilung, die infolgedessen in V.19 zu erwarten wäre, dort ausbleibt.

---

1   Zur Forschungsgeschichte von Jer 11,18-12,6 vgl. den
    ausführlichen Überblick bei F.D.HUBMANN, Untersuchun-
    gen zu den Konfessionen Jer 11,18-12,6 und Jer 15,10-
    21, Würzburg 1978, 17-46.

Einen ersten Beitrag zur Lösung dieser Schwierigkeiten leistete CORNILL mit seinem Vorschlag, die Reihenfolge beider Texte (11,18-23 und 12,1-6) zu vertauschen. 12,6 wird damit zu der Mitteilung, die 11,18 erwähnt[2]. In 12,6 sieht auch VOLZ die entscheidende Auskunft zu 11,18. Deshalb stellt er diesen Vers, der mit 12,1-5 ohnehin nur lose verbunden sei, hinter 11,18. Zu dem "persönlichen Rachegebet" Jeremias besser passend als zu der allgemein gehaltenen "Anfrage Jeremias über das Glück der Gottlosen" versetzt er ebenfalls 12,3 nach 11,18ff., weil dort (V.20) dasselbe Thema behandelt werde[3]. Die Frage nach dem Verhältnis von Bearbeitung und ursprünglicher Textgestalt sehen diese Forscher in der Untersuchung der Originalität der Versfolge beantwortet. Der Beitrag der Redaktion zu der von ihr erstellten Einheit 11,18-12,6 beschränkt sich lediglich darauf, zwei ursprünglich selbständigen und thematisch unterschiedlichen Konfessionen durch Versumstellung einen einheitlichen Ort der Handlung gegeben zu haben.

Einen größeren Anteil an der Ausgestaltung der Konfessio schreiben ihr dagegen jene Erklärer zu, für die eine formkritische Untersuchung des Textes im Vordergrund steht. Nach BAUMGARTNER lassen sich in 11,18-12,6 drei verschiedene Abschnitte erkennen, von denen nur 11,18-20 ein eigentliches Klagelied ist, V.21-23 aber ein Gottesspruch, der wegen seiner von V.19b unterschiedlichen Begründung in V.21b, mit 11, 18ff. nicht verbunden werden darf. 12,1-6 ist nach BAUMGARTNER ebenfalls kein Klagelied, sondern eine "Hiobdichtung". Der Grund für die Zusammenstellung dieser ursprünglich voneinander unabhängigen Stücke sieht er darin, daß der Gottesspruch 11,21-23 wohl als Antwort auf die in 11,18-20 beklagte Not und 12,1-6 als Steigerung dieser Not verstanden wurde[4].

---

2 C.H.CORNILL, Das Buch Jeremia, Leipzig [5]1905, 154.
3 P.VOLZ, Studien zum Text des Jeremia, Leipzig 1920, 101;
   DERS., Der Prophet Jeremia, Tübingen [2]1928, 136f.
4 W.BAUMGARTNER, Die Klagegedichte des Jeremia, Gießen 1917,
   33.53.

Die formkritische Methode, die BAUMGARTNER die Möglichkeit
bot, im Vergleich mit den Klagen des Psalters die prophetischen Elemente der Konfessionen herauszuschälen und so die
Echtheit der Prophetenklagen zu beweisen[5], führt bei REVENT-
LOW zu einem gegenteiligen Ergebnis. Auch er trennt in 11,18-
12,6 zwischen Teilen, die die Situation des Propheten Jeremia
betreffen (11,21-23; 12,6), und Abschnitten, die er als Klagelieder bezeichnet (11,18-20; 12,1-5). Diese Klagen stellen
den Grundbestand der vorliegenden Einheit dar und sind liturgische Formulare, die der Prophet nicht in eigenem Anliegen,
sondern als Repräsentant des Volkes sprach. Erst die Redaktion habe die Klagen mit Notizen aus dem Leben Jeremias auf-
gearbeitet und so die Vorstellung von einer persönlichen Konfessio des Propheten geschaffen[6]. Nach GUNNEWEG ist 11,18-
12,6 sogar gänzlich der Redaktion zuzuschreiben, die mittels
der Diktion der Klagelieder und den Informationen über das
Leben des Propheten "das Ich... Jeremias... als das exemplarische Ich des leidenden Gerechten" darstellt[7].

Eine ursprüngliche Einheit von 11,18-12,6 wird auch von THIEL
aufgrund der formalen Verschiedenheit der Stücke verneint. Mit
VOLZ teilt er die Überzeugung, daß 12,6 in einem ursprünglichen Zusammenhang mit 11,18 zu sehen ist. Die Redaktion hat
aber seiner Auffassung nach nicht nur durch diese Versumstellung die Einheit Jer 11,18-12,6 geschaffen, sondern auch durch
Eingriffe in den Grundbestand eine noch engere Verbundenheit
beider Texte besorgt. Zwar lasse sich die Übernahme von 11,20
aus 20,12 nicht sicher als die Arbeit eines Redaktors erweisen; in 11,18 aber und in 11,21-23 sei die Hand des Bearbeiters deutlich zu erkennen[8].

Daß in der Darstellung Jer 11,18-12,6 literarkritisch Spannungen und Unausgeglichenheiten vorhanden sind, ist unverkennbar.

---

5   BAUMGARTNER, 68-79.
6   H.GRAF REVENTLOW, Liturgie und prophetisches Ich bei Jere-
    mia, Gütersloh 1963, 242ff.254f.
7   A.H.J.GUNNEWEG, Konfession oder Interpretation im Jeremia-
    buch: ZThK 67 (1970) 395-416.399f.
8   W.THIEL, Die deuteronomistische Redaktion von Jeremia 1-25,
    Neukirchen 1973, 157ff. Noch weiter gehen U.EICHLER (Der

Die erste Konfessio (11,18-23) beginnt mit einem betont an
den Anfang gesetzten ויהוה . In Anlehnung an G streichen
eine Reihe von Auslegern, die keinen Zusammenhang von 11,
18ff. mit 11,17 annehmen, die Kopula waw[9]. Die Analyse des
Kontextes wird jedoch zeigen, daß die Kopula beibehalten
werden muß, sie ist Anzeiger eines von der Redaktion gewollten Anschlusses an den Textzusammenhang Jer 11,1-17.

Eine weitere Nahtstelle in Jer 11,18-23 läßt sich erkennen
an dem inhaltlichen Unterschied, der zwischen den beiden Zi-
taten in 11,19 und 11,21 besteht. Während im ersten Zitat
von Mordplänen die Rede ist, die im Geheimen ausgeheckt
werden, handelt das zweite Zitat von einer offen gegenüber
Jeremia ausgesprochenen Todesdrohung. Auch erfahren wir in
V.19 nicht, warum man Jeremia zu töten versucht, während in
V.21 ausdrücklich die prophetische Wirksamkeit (נבא בשם
יהוה) als Ursache der Anfeindungen genannt wird.

Diese Differenz hat schon CORNILL veranlaßt, V.21 als unnötige Wiederholung von V.19 für sekundär anzusehen[10], während
sie BAUMGARTNER als Bestätigung seiner These von zwei ursprünglich unabhängigen Einheiten (11,18-10 und 11,21-23)
galt[11]. Andere Forscher haben diese Schwierigkeit zwar auch
empfunden, jedoch beide Aussagen harmonisiert. V.21 spricht
ihrer Meinung nach entweder in direkter Rede die V.19 genannten Pläne und Gedanken aus[12] oder schildert die Reaktion

klagende Jeremia, Diss. masch., Heidelberg 1978, 68-71)
und im Anschluß an sie F.AHUIS (Der klagende Gerichtsprophet, Stuttgart 1982), der Jer 11,18-23 für eine von
den Deuteronomisten neu formulierte Klage hält, deren
Kern der aus der jeremianischen Überlieferung übernommene V.20 darstellt. Hier wird Jahwe in der 2. P. Sg.
angeredet, und allein dieser Vers ist in eine poetische
Form gekleidet. Alle anderen Verse dagegen zeigen den
Sprachstil späterer Zeit (86f.).

9   RUDOLPH, Jeremia, Tübingen ^{3}1968, WEISER, Das Buch Jeremia, Göttingen ^{6}1969 und E.W.NICHOLSON, The Book of the
Prophet Jeremiah, Cambridge 1973, z. St.
10 CORNILL, 152.
11 BAUMGARTNER, 33.
12 SCHNEEDORFER, Das Buch Jeremias, Wien 1903, z. St.;
J.SCHREINER, Unter der Last des Auftrages: BiLe 7 (1966)
180-192.189.

der Leute von Anatot, nachdem das Komplott aufgedeckt worden ist[13].

Eine erste Klärung zeichnet sich mit der Untersuchung der sprachlichen Seite von 11,18ff. ab. Die Vermutung einer redaktionellen Formulierung von V.21 findet hier ihre Bekräftigung[14]. Darüber hinaus weisen Überlegungen zur Struktur des Abschnittes, wie vor allem HUBMANN gezeigt hat, 11,21 endgültig als "Fremdkörper" der ursprünglichen Konfessio 11,18ff, aus. Der Aufbau von V.19f. und V.22f. zeigt folgende Parallelen: Die doppelte Aussage in V.19, den saftigen, bzw. fruchttragenden Baum vernichten zu wollen, entspricht dem zweifachen Hinweis auf das Sterben der jungen Leute in V.22; auch die Folge der Ausführungen des Planes nach V.19, wo die völlige Ausrottung von Jeremias Namen erwähnt wird, gleicht der Folge des Gerichtes in den Versen 22-23, die die völlige Ausrottung der Gegner ankündigen. Gemäß dieser Struktur ist kein Platz mehr für V.21. Dazu kommt, daß er inhaltlich gesehen keinen Anlaß für die in V.22 erwähnte Bestrafung der jungen Leute gibt. Deshalb ist V.21 als eine sekundäre Erweiterung der Konfessio anzusehen[15].

V.21 scheint allerdings im jetzigen Zusammenhang dem Text dadurch eingegliedert zu sein, daß die mit dem unbestimmten "sie" gekennzeichneten Feinde hier wie auch in V.23 mit den Leuten von Anatot identifiziert werden. Da aber V.21 als sekundär erkannt wurde, ist die entsprechende Erwähnung in V.23 mit gutem Grund dem Redaktor von V.21 zuzuschreiben[16].

---

13 F.GIESEBRECHT, Das Buch Jeremia, Göttingen [2]1907; LAMPARTER, Prophet wider Willen, Stuttgart 1964, z. St.
14 Vgl. THIEL, 159. THIEL nennt als Hinweise auf eine redaktionelle Bearbeitung der Verse 21-23 die doppelte Botenformel, den unvermittelten Übergang der Botenformel in die direkte Rede, die wörtliche Übereinstimmung von V.23b mit Jer 23,12b und die inhaltliche Berührung von V.21b mit Jer 18,21.
15 Zu einem Überblick über die Struktur der VV. 21-23 vgl. HUBMANN, 82.
16 Vgl. HUBMANN, 72.

Die Hauptschwierigkeit der zweiten Konfessio (12,1-6) ist
die schon eingangs als umstritten erkannte Zugehörigkeit
von V.6 zu 12,1-5. Auch nach HUBMANN hat 12,6 mit 12,1-4
inhaltlich nichts gemeinsam, sondern nur mit 12,5, insofern der Vers das dort in Bildsprache vorgestellte Schwerere konkretisieren möchte. Da aber das in 12,6 Gesagte
ganz auf der Linie dessen liegt, was in dem als sekundär
erkannten Vers 11,21 zur Sprache kommt, bezeichnet HUB-
MANN auch 12,6 als eine sekundäre Erweiterung. Beide Verse
gehen seiner Meinung nach auf eine Redaktion zurück, die
mit diesen Einsätzen die Stücke 11,18ff. und 12,1ff. nach
dem Modell von 12,5, wo von dem Leichteren zu dem Schwere-
ren übergegangen wird, miteinander verband. Die Vorauset-
zung dazu schuf sie mit der Formulierung von Vers 21, in
dem die in V.18f. erwähnten geheimen Mordpläne zu einer
offenen Drohung abgeschwächt werden, um so die Anfeindungen Jeremias in der in 12,6 berichteten Verfolgung durch
die eigene Familie des Propheten aufgipfeln zu lassen[17].

So überzeugend die Schlußfolgerungen von HUBMANN in einzelnen Punkten sind, so lassen sich doch gegen die redaktionelle Bewertung von 12,6 einige Einwände formulieren. Wenn
nämlich nach HUBMANN der Bezug beider Konfessionen auf die
Leute von Anatot ausschließlich das Werk eines Bearbeiters
ist, so erweckt diese Tatsache in zweierlei Hinsicht Bedenken: Einmal wird der Grund, warum der Redaktor zwei thematisch und formal so unterschiedliche Texte wie 11,18-
20.22-23[+] und 12,1-5 zu einer Einheit geformt hat, nicht
klar; zum anderen sprechen die konkreten Angaben von 12,6
gegen eine Abtrennung von 12,1-5 und eine gänzliche Zuweisung an die Redaktion[18]. Es fällt nämlich auf, daß in 12,6
zwei Aussagen mit המה גם beginnen. Wenn man den Text

---

17 Vgl. HUBMANN, 72. Als eine redaktionelle Erweiterung
   wird V.6 auch von AHUIS angesehen (85).
18 So schon CORNILL, 152. Diesem Einwand stellt sich auch
   HUBMANN. Er will die Aussage von 12,6 jedoch allein in
   der theologischen Absicht der Redaktion ansiedeln und
   vermutet deshalb hier keine historische Notiz (vgl. 73.
   169f.).

der zweiten Aussage nicht verändert und mit HUBMANN wohl
zutreffend übersetzt: "Auch sie rufen hinter dir her: Voll
ist's!"[19], dann ergibt sich gegenüber 11,21 eine nicht un-
wichtige Differenz. Während dort allgemein "die Männer von
Anatot" mit einer Todesdrohung gegen Jeremia auf den Plan
treten, bekennt hier die Familie des Propheten, daß er sich
durch sein ärgerniserregendes Verhalten des Todes schuldig
gemacht hat. Über diese innere Distanzierung von dem Propheten kann auch die nach außen zur Schau getragene Freund-
lichkeit nicht hinwegtäuschen, wie der Schluß von 12,6 eigens betont.

Bei diesem Verständnis von 12,6 ist eine ursprüngliche Zugehörigkeit zu 12,1-5 durchaus als möglich und sinnvoll zu
bezeichnen. Jeremia nimmt danach Anstoß an dem Glück der
Frevler (12,1f.), durch deren Treiben das ganze Land in ·
Mitleidenschaft gezogen wird (12,4). Bedrückt ihn schon
dieser Sachverhalt in seiner Frömmigkeit (12,3), so wird
ihn nach der Auskunft Jahwes (12,5.6) ein anderer Frevel
noch weit mehr in seinem persönlichen Glaubensleben treffen:

---

19 Schwierigkeit bereitet in der Phrase גם־המה קראו
    אחריך מלא das Verständnis von מלא, weil es erstens
    nicht eindeutig determiniert ist und weil zweitens die
    Bestimmung durch ein sonst übliches Objekt fehlt. Zu den
    Varianten innerhalb der Textzeugen vgl. HUBMANN, 56 A29
    und HUBMANN,zur Forschungsgeschichte der Übersetzungs-
    möglichkeiten, 97ff. HUBMANN selber sucht angesichts der
    kontroversen Forschungslage nach möglichen Vergleichs-
    stellen im Jeremiabuch und findet hier einige Beispiele,
    die im AT als Hintergrund eine Anzahl von Texten haben,
    die alle ein Voll-sein/werden der Tage bis zu einem be-
    stimmten Punkt hin aussagen (Jer 25,34; vgl. Gen 25,24;
    Lev 12,4.6; Jer 25,12; 29,10 u.ö.). Versteht man nun
    מלא als Verb mit Jeremia als Subjekt und ergänzt
    ימיו (vgl. Jes 65,20), so käme der Sinn der Aussage
    praktisch einer Verurteilung zum Tode gleich und würde
    so tatsächlich etwas Schwereres bedeuten als die Todes-
    drohung in 11,21. Dieser Vorschlag bringt eine Reihe
    von Vorteilen mit sich: Er kann sich auf eine in Jer
    bezeugte Verwendung von מלא stützen und trägt außer-
    dem dem sonstigen Gebrauch von קרא אחרי, nämlich als
    Beschreibung eines unmittelbaren Hinterherrufens, Rech-
    nung (104ff.). Die auf diesen Überlegungen beruhende
    Übersetzung von HUBMANN ergibt einen guten Sinn.

die Anfeindung durch seine eigene Familie.

Auch gegen die These von HUBMANN, daß 12,6 von der Redaktion
nach dem Modell von 12,5 gestaltet worden sei, ·allein um das
gegenüber 11,21 Schwerere zum Ausdruck zu bringen, wachsen
die Bedenken, wenn man einmal den Wortbestand von 12,6 untersucht. In diesem Zusammenhang ist die erste der mit גם
המה eingeleiteten Aussagen interessant. Diese bezieht
sich zwar durch den Gebrauch des Verbums בגד auf 12,1, jedoch in einem ganz anderen Sinn: בגד meint nämlich in
12,6 die Treulosigkeit im sozialen Bereich, während das Verb
in 12,1 und auch sonst im Jeremia-Buch eine besondere theologische Bedeutung hat: Es kennzeichnet nämlich den Abfall
von Jahwe[20]. Daher legt sich die Vermutung nahe, daß diese
Aussage in 12,6a[b] sekundär ist und sich hinter diesem Zusatz eine Aussageabsicht für die Komposition 11,18-12,6
verbirgt, auf die in einem späteren Zusammenhang noch zu-
rückzukommen ist.

Die literarkritische Analyse hat demnach als Grundbestand
von Jer 11,18-12,6 zwei voneinander unabhängige Texte erkennen lassen: 11,18-20.22-23[+] und 12,1-6a[a].b, die einen
gegenseitigen Bezugspunkt in der Erwähnung der Anfeindungen
des Propheten haben. Gattungsmäßig stellen beide Stücke einen Rechtsstreit dar. Im Sinne des in 11,20 erwähnten Rechts-
streites (ריב) werden Jahwe als der Richter, die Gegner
des Propheten als die Angeklagten und der Prophet als der
Ankläger vorgestellt. Das Zitat in V.19 hat dabei die Funktion, die Anklage zu entfalten, wobei die Übereinstimmung
von Mordplan (V.19) und Strafe (V.22-23[+]), wie HUBMANN bemerkt, genau den Bestimmungen über den Rechtsstreit in Dtn
19,16-19 entspricht. Damit wird deutlich angezeigt, daß
Jahwe wirklich gemäß der Bitte von V.20 die "Sache" Jeremias führt[21]. Ist 11,18ff. ein Rechtsstreit Jeremias mit seinen Gegnern, so 12,1ff. einer mit Jahwe. Ein Vergleich mit
den Rechtsvorgängen mag dies untermauern: Auf die Unschul-

---

20 Vgl. M.A.KLOPFENSTEIN, בגד: THAT I, 261-264.263.
21 Vgl. HUBMANN, 162.

digerklärung Jahwes in 12,1 (צַדִּיק אַתָּה) und die Anklage
Jahwes in 12,2 erfolgt in V.3 ein Schlichtungsvorschlag des
Propheten, weil Jahwe, der zugleich als Richter angerufen
ist, nichteinfach verurteilt werden kann. Zur Begründung
und Berechtigung dieses Vorschlages wird in V.4 das Ausmaß
der Katastrophe geschildert[22]. V.5 und V.6 bilden das abschließende Urteil von seiten Jahwes[23]. Ein Bearbeiter hat
sodann die beiden Texte 11,18-20.22-23[+] und 12,1-6a[a].b zusammengefügt und durch gezielte Erweiterungen in 11,21.23[+]
und 12,6a[b] zu einer einzigen Aussageeinheit gestaltet.

Hatte der erste Text ursprünglich davon berichtet, wie Jeremia durch göttliche Offenbarung von einem Mordanschlag auf
sein Leben Kunde erhält und wie er in einem Unschuldsbekenntnis Jahwe die Entscheidung in die Hände legt, wobei die
Gegner ungenannt bleiben, so bekommt dieser "Rechtsstreit"
durch die Einfügung von 11,21.23[+] einen völlig neuen Charakter: Die Männer von Anatot, der Heimat des Propheten, ver-
bieten Jeremia unter Androhung der Todesstrafe ein weiteres
Auftreten als Prophet im Namen Jahwes. Dahinter steht nach

---

22 Bei der Aussage über das Trauern des Landes handelt es
   sich um ein Motivthema (vgl. Hos 4,1-3; Jes 24,4-6; 33,
   7-9), das das gestörte Gottesverhältnis der Menschen zum
   Ausdruck bringen will (HUBMANN, 138-143), und nicht um
   eine Aussage, die in den Komplex der Klage über die Dürrekatastrophe von Jer 14 gehört, hier das eingetroffene
   Gericht nachträglich erklären will und damit sekundär
   ist, wie AHUIS meint (83). Auch N.ITTMANN bereitet diese Aussage Schwierigkeiten. Ihm zufolge wird so das Anliegen der Konfessio von der Person des Propheten auf
   die Unfruchtbarkeit der Natur verlagert und damit eine
   kollektive Problematik angesprochen, die nur als Ergebnis einer späteren Einfügung verständlich ist (Die Konfessionen Jeremias, Neukirchen 1981, 43f.). Daß aber
   beide Fragen der Konfessio (V.1f.4) nicht gegeneinan-
   der ausgespielt werden dürfen, hat HUBMANN überzeugend
   dargelegt. Der gemeinsame Beweggrund ist die gestörte
   Ordnung, wobei in V.1f. nach dem Grund einer nach dem
   Tun-Ergehen-Zusammenhang nicht möglichen Belohnung von
   Frevlern gefragt wird, in V. 4 aber nach der Dauer eines aus dem gleichen Grund nicht denkbaren straflosen
   Verhaltens aller Landesbewohner (143).
23 Zu Jer 12,1-4 im Vergleich mit den Rechtsvorgängen vgl.
   F.AHUIS, 81 ff.

HUBMANN die generelle Ablehnung der echten Jahweprophetie
durch das Volk, wobei in seltsamer Umkehrung der Bestimmung von Dtn 13,2-6 die für Jeremia zuständige Rechtsgemeinde, nämlich die Männer von Anatot, zu Handlangern des
Unglaubens werden, wenn sie gegen den "Aufrührerpropheten"
Jeremia vorgehen wollen[24]. Das Ergebnis nach 12,6a[b] ist
eine der Treulosigkeit gegenüber Jahwe (vgl. בגד in 12,1)
parallel verlaufende Treulosigkeit gegenüber dem Propheten,
die sich selbst bis in die Reihen seiner engsten Angehöri-
gen erstreckt (vgl. בגד in 12,6a[b]). Die Anfeindung des
Propheten durch die eigene Familie wird also von der Redaktion nicht nur, wie HUBMANN meint, als eine unerträg-
liche Erschwernis des schon vorhandenen Widerstandes angesehen. Mit dem Zusatz "auch sie handeln treulos an dir"
interpretiert der Bearbeiter im Hinblick auf 12,1 und 11,21
das Verhalten der Familie als letzte Konsequenz der Treulosigkeit und des Abfalls von Jahwe. Mit dieser Aussage
aber wird der Blick auf den größeren Kontext von 11,18-
12,6 gelenkt.

An 11,1-17 ist 11,18-12,6 durch das waw copulativum angeschlossen. Jer 11,1-17 ist eine durchgehend von der Redaktion formulierte Einheit, deren Gedanken sie den Propheten
Jeremia verkündigen läßt[25]. Sie liefert eine Begründung für
das Gericht am Bundespartner Israel-Juda, das auch der Prophet aufgrund der Widerspenstigkeit des Volkes, die als
Nicht-Hören-Wollen der Bundesworte beschrieben wird, nicht
aufhalten konnte. Der Bundesbruch gleicht daher einer Verschwörung gegenüber Jahwe (11,9), für die Gott das ganze
Volk verantwortlich macht und zur Rechenschaft zieht. Der
Bundesbruch äußert sich aber auch in einer Verschwörung
gegen Jeremia, der Jahwes Gegenwart (vgl. נבא בשם יהוה in
11,21) bezeugt[26]. Daher ist die in 11,18ff. geschilderte
Verfolgung des Propheten genau die Untermalung des Vorwurfes

---

24 Vgl. HUBMANN, 169f.
25 Zur Analyse des Textes vgl. THIEL, 140ff. und die Auseinandersetzung mit dessen Ergebnissen bei HUBMANN, 109ff.
26 Zur Wendung נבא בשם יהוה vgl. Jer 26,9.20.

vom Nicht-Hören-Wollen in 11,1ff. Der dort sichtbar gewordene
religiöse Gegensatz zwischen dem abtrünnigen Volk und Jeremia,
der als der einzige übriggebliebene Jahweanhänger dargestellt
wird, wird in der jetzigen Textfolge 11,1-17; 11,18-23 und
12,1-6 bis zu der in die Verfolgung ausmündenden Konsequenz
durchgezeichnet, die ihren Höhepunkt im Verhalten der treulosen Familie des Propheten hat[27]. Es legt sich daher die Vermutung nahe, daß der gleiche Bearbeiter, der die Einheit 11,18-
12,6 geschaffen hat, auch für die redaktionelle Verknüpfung mit
Jer 11,1-17 verantwortlich ist. Das aber heißt: Zum Verständnis
der Konfessionseinheit Jer 11,18-12,6 gehört 11,1-17 konstitutiv hinzu. Damit erhalten die "Klagen" des Propheten einen neu-
en Tenor: Die "unverstandene" Not des Propheten wird zu einer
im theologischen Sinn gedeuteten Anfechtung. Der Prophet als
der einzige übriggebliebene Jahweanhänger ist der aufgrund des
Bundesbruches seines Volkes leidende Gerechte. Für den religiösen Vollzug der Gemeinde bedeutet eine solche Wiederaufnahme
des Textes der prophetischen Mittlerklage eine Einübung in das
Bekenntnis der eigenen Schuld sowie das Hineinwachsen in ein
positives Verständnis vom Dienst des leidenden Gerechten überhaupt.

Der Entstehungsprozeß dieser Komposition stellt sich somit folgendermaßen dar: 12,1-6a^a.b, das sowohl den Gedanken der Treulosigkeit enthält (V.1f.) und um die Anfeindung des Propheten
durch seine eigene Familie weiß (12,6a^a.b), war der Anlaß, eine
Verknüpfung mit der allgemeinen Feindklage 11,18-20.22-23$^+$ zu
schaffen. Dazu formuliert der Bearbeiter 11,21, das den Angriff
auf den Propheten als Widerstand gegenüber Jahwe interpretiert
und damit die Textfolge 12,1ff. mit der Anklage Jahwes wegen
des Erfolges der treulosen und gottlosen Frevler verständlich
macht. Gleichzeitig verweist der Vers auf die Aussage von 11,1-
17, die vorgeschaltet wurde, um mit der Beschreibung des Widerstandes gegenüber Jahwe von seiten des Volkes, den Kontext zu
liefern für die Bedrohung des Propheten. Was dieser am eigenen

---

27 Vgl. HUBMANN, 165-167.

Leibe erfährt, sind nur die sichtbaren Konsequenzen der inneren Verschwörung gegenüber Jahwe. In diesem Zusammenhang ist 12,6 in jedem Fall, und nicht nur in bezug auf die Herkunft der Gegner und die Art der Anfeindung, wie es HUBMANN meint, eine Aufgipfelung: Weil das Wort Gottes vom Volk sowie den religiösen Instanzen verworfen wird (11,1-17; 11,21), zerbricht auch die Gemeinschaft im engsten mitmenschlichen Bereich. Das verdeutlicht der Redaktor mit dem Zusatz in 12,6a[b].

Mit diesem Aussagenzusammenhang orientiert sich die Redaktion an Erkenntnissen des Propheten, die im ersten Teil des Buches Jeremia gesammelt sind. Die z.B. in Jer 9,1-8 (vgl. 8,4f.) zum Ausdruck gebrachte gegenseitige Bedingung von religiöser und sozialer Treulosigkeit ist in 11,1-12,6 auf die Situation des Propheten in einem gerichtsreifen Volk angewandt.

Eine direkte Verknüpfung der Einheit Jer 11,18-12,6 mit den folgenden Abschnitten in Jer 12,7-13,27 liegt nicht vor; es läßt sich lediglich eine thematische Verbindung dieser Texte zu der in Jer 11,1-17 aufgezeigten Gerichtssituation feststellen. So knüpft die "Gottesklage" Jer 12,7-13 in 12,7 mit dem Stichwort ידידות an 11,15 und mit dem Stichwort בית an 11,10b.17a an. Die unfaßliche Tatsache eines Gerichtes am Gottesvolk wird hier mit dem Zorn Jahwes, der aufgrund der Sünde des Volkes Gottes Mitleid verstummen ließ, begründet.

Das Stichwort בית aus 12,7, das außerdem in 12,6 begegnet, lenkt den Blick auch auf eine Zusammenschau der Prophetenklage und der Gottesklage: Jeremias Schicksal unter dem abgefallenen Volk wird hier zum Anteil am Schicksal Jahwes und zugleich zum Ausdruck desselben. Wie Jeremia verstoßen ist von der eigenen Familie (12,6), so wird Jahwe verschmäht von seinem eigenen Volk (12,7)[28].

---

28 Vgl. hierzu HUBMANN, 172f., der allerdings die Klage 12,7ff. in einer Linie mit der Komposition Jer 11,1-12,6 sieht und sie dem gleichen Redaktor zuweist. Zur

Stichwortverknüpfung liegt auch vor zwischen der in Jer 13
berichteten Symbolhandlung und der Klage des Propheten in
12,1f. durch das Verbum צלח (13,7.10; 12,1). Wird mit diesem Verb in 12,1 das vermeintliche Wohlergehen der Frevler
beschrieben, so dient es in 13,10 (vgl. 11,8) dazu, das abschließende Vernichtungsurteil Jahwes anzudeuten. An die Ge-
richtsreflexionen knüpft ebenfalls der im Kapitelzusammenhang Jer 11-13 wohl späteste Text Jer 12,14ff. mit dem Stichwort "Erbe" (12,14 und 12,7) an, welcher das Gericht aber
schon als Durchgang zu einem neuen Anfang versteht.

Man darf in all diesen Texten weitere Bearbeiter am Werk sehen, die dem Aussagenkomplex Jer 11,1-12,6 Überlieferungs-
einheiten verschiedener Herkunft hinzugefügt haben, weil sie
darin eine weiterführende Illustration des vorher Gesagten
erblickt haben.

2. Die_Konfessio_Jer_15,10-21

In dem Konfessionstext Jer 15,10-21[29] findet sich eine ähnliche Zusammenstellung von Teilen, welche die Feindklage und
Anklage betonen, wie in Jer 11,18-12,6. Auch hier antwortet
Jahwe auf die Klage des Propheten und ebenfalls in zwei Re-
deeinheiten (V.11-14 und V.19-21). Text- und literarkritische
Fragen beziehen sich in der Hauptsache auf den ersten Teil
der Konfessio Jer 15,10-14, wobei die Übersetzung von V.11
und die Beurteilung der Verse 13-14, die in Jer 17,3-4 eine
Parallele haben, strittig sind. Beide Fragenkomplexe lassen
sich jedoch nicht auseinanderhalten, da die Antwort in einem
Fall Konsequenzen hat für den anderen.

V.11 ist nach der Überlieferung von M als eine Jahwerede gestaltet, die aus zwei parallel aufgebauten Schwursätzen besteht und die zu Jeremia gesprochen ist. Daran schließen sich,

---

Auslegung vgl. ZIMMERLI, Jeremia, der leidtragende Verkünder: "Communio" 4 (1975) 97-111.110f.
29 Einen Überblick über die Forschungsgeschichte bietet HUB-
MANN, 179-199.

scheinbar an denselben Adressaten gerichtet, die Verse 12-
14 an. Weil aber V.13-14 in Jer 17,3-4, wo diese Verse eine
Rede an das Volk darstellen, eine Parallele haben, werden
sie von den Auslegern auch in Jer 15 so verstanden. V.12
bereitet nach dieser Erklärung die Rede an das Volk in
V.13-14 insofern vor, als mit dem dort erwähnten nordi-
schen Eisen die unbrechbare Macht der heranstürmenden Babylonier gemeint ist[30].

Abgesehen davon, daß die Annahme eines Adressatenwechsels
innerhalb ein und derselben Jahwerede, der zudem nicht deutlich angezeigt wird, immer problematisch ist, sind damit
längst nicht alle Fragen, die der Abschnitt V.11-14 stellt,
genannt. Erhebliche Schwierigkeiten bereitet nämlich in V.11
das Verständnis der Verbformen, wobei besonders die Ablei-
tungsmöglichkeiten der Form שרותך vielfältig sind. Da die
Aussage in V.11a ersichtlich ein positives Ziel hat (לטוב),
legt sich auch eine Übersetzung mit positiver Konnotation
nahe: Die fragliche Form שרותך wird daher abgeleitet entweder von שרה ("lösen"), שאר ("übrig bleiben"), שרר
("festigen, stärken") oder von שרת ("dienen").

Dementsprechend ist הפגעתי in V.11b ebenfalls positiv ausgerichtet und hat die Bedeutung פגע ("bitten")[31]. Da aber
dieses Verständnis von פגע in der Konstruktion פגע ב "את
(V.11b) nicht gut möglich ist, wird פגע von einigen Auslegern mit "treffen auf" übersetzt[32]. Demgemäß kann auch das
schwierige שרותך nur mehr ein Wort negativer Konnotation
sein und ist von שרר ("anfeinden") her zu verstehen[33].

Da es für die Verbformen in V.11 nach M, wie es die Forschungsgeschichte ausweist, scheinbar keine befriedigende
Lösung gibt, helfen sich viele Ausleger damit weiter, daß
sie V.11 nach der Textüberlieferung von G verstehen; denn G

---

30 KEIL, Jeremia 193f.
31 KEIL, Jeremia, 192; SCHNEEDORFER, Jeremia, 294 A48.
32 GIESEBRECHT, Jeremia, 91; REVENTLOW, 212.
33 F.HITZIG, Der Prophet Jeremia, Leipzig 1841, 122.

läßt in der Einleitung des Verses (אמן יהוה) keinen Zweifel darüber aufkommen, wer der Sprecher und wer der Angeredete ist: Der Prophet Jeremia richtet hier das Wort an Jahwe.
Dann aber müssen die auf das Volk bezogenen Verse 13-14 als
den Zusammenhang störend empfunden werden. Ihr ursprünglicher
Platz ist daher nicht in Jer 15, sondern in Jer 17. V.12 gehört dann ebenfalls nicht in den Zusammenhang Jer 15,10ff.[34].
So bleibt gemäß dieser Erklärung nur eine Klage des Propheten
(V.10-11.15-18) mit einer Antwort Jahwes (V.19-21) übrig. Dieses Verständnis bestimmt im wesentlichen die Auslegung der
Konfessio Jer 15,10-21 bis heute[35]. Weil aber damit dem Textbestand von M in keiner Weise Rechnung getragen wird, muß geprüft werden, ob dem Verständnis von V.11 nach G tatsächlich
gegenüber M der Vorzug zu geben ist.

In diesem Zusammenhang ist die Beurteilung der Verse 13-14 neu
anzugehen. Hierbei tauchen mehrere Fragen auf, die nicht allein
text- und literarkritisch zu lösen sind; denn über einen ein-
fachen Vergleich mit der Parallelstelle Jer 17,3-4 muß, da das
Buch Jeremia eine Reihe solcher Doppelüberlieferungen aufweist,
nach dem Grund der Wiederverwendung einer Textstelle gefragt
werden.

Der komplizierte V.11 zeigt in seiner jetzigen Fassung noch
deutlich die Spuren einer Bearbeitung. Im Hinblick auf die
Bitte Jeremias in V.15 kommt der Einsatz der Jahwerede zu früh;

---

34 HITZIG, Jeremia, 123; C.W.E.NÄGELSBACH, Der Prophet Jeremia, Bielefeld, Leipzig 1868, 120; B.DUHM, Jeremia, 135;
GIESEBRECHT, Das Buch Jeremia, 90-92; RUDOLPH, Jeremia
106; ITTMANN, 44-48. Einen sehr viel größeren Anteil der
Redaktion sieht AHUIS in Jer 15,10-21, wenn er V.11-16.19a.
20b.21 den Dtr zuweist (90f.). Seine Kriterien - das Vorkommen des Qina-Metrums und die Unterscheidung von Prosa
und Poesie - dürften aber kaum ausreichend sein, um derart weitgehende Schlußfolgerungen zu rechtfertigen.
35 BAUMGARTNER will auch den restlichen Text Jer 15,10-12.
15-21 nicht mehr als eine Einheit verstehen, sondern
trennt den Text in zwei eigenständige Stücke, einen "Klageruf mit göttlicher Antwort" in 15,10-12 und ein Klagelied in 15,15-21 (61).

denn in V.15 geht die Prophetenrede ohne Berücksichtigung
der Jahwerede weiter. Nach G ist in V.11 deshalb auch keine
Jahwerede gegeben. G liest am Anfang von V.11 יהוה אמן
und versteht den Vers als eine Beteuerung der Unschuld des
Propheten. Doch ist die Lesart אמן יהוה mit Sicherheit
sekundär, da der ganze Abschnitt V.11-14 die gleiche Bearbeitung im Sinn einer Jahwerede aufweist wie V.11. Es legt
sich vielmehr die Vermutung nahe, daß in V.11-14 die Jahwerede einen sekundären Einschub in die Klage des Propheten
darstellt. Das schließt jedoch nicht aus - und hier liegt
die Wahrheit der Textüberlieferung von G -, daß in V.11
noch Teile aus der Rede des Propheten stehen. So darf man
annehmen, daß V.11 ursprünglich mit V.15a begonnen hat:
"Du, Jahwe, weißt (es)!". Einen Beweis dafür liefert der
Umstand, daß G in V.15a diesen Passus ausläßt, weil G diese
Beschwörung schon am Anfang von V.11, wohl analog zu der
Überlieferung von M אמר יהוה , mit אמן יהוה wiedergibt.

Der Einleitung folgen in V.11 zwei Aussagen mit beteuern-
dem Charakter, deren Übersetzung aufgrund der Verbformen,
wobei die erste in V.11a eine positive Aussage nahelegt,
die in V.11b aber eine negative, schwierig ist. Da aber die
erste Aussage durch לטוב eindeutig als eine positive Äußerung gekennzeichnet ist und nach der Klage des Propheten
in V.10 zudem in V.11 eine Unschuldsbeteuerung zu erwarten
ist, wird man übersetzen: "Wahrhaftig, ich habe dir zum Guten gedient!" Das fragliche Verb wäre dann von שרת piel
abzuleiten. Parallel dazu müßte die zweite Aussage auch positiv konzipiert sein und auf einen ähnlichen Vorgang hinweisen. Das ist in der Tat der Fall, wenn man zunächst das
Objekt האיב , das durch den Hinweis auf die Zeit der Not
zu weit vom Verb entfernt steht, streicht und den Satz in
Angleichung an Jer 36,25, wo das Verb פגע im gleichen
Sinn begegnet, übersetzt: "Wahrhaftig, ich bin eingetreten
bei dir zur Zeit des Unheils und zur Zeit der Not!".

Beide Aussagen von V.11 sind in Verbindung mit V.15a Fortsetzung der Prophetenrede von V.10. In der jetzigen Gestalt
ist V.11 jedoch eindeutig Jahwerede, wie der Anfang des Verses (יהוה אמר) unübersehbar klarmacht. Ein Bearbeiter
hat hier eine neue Einleitung geschaffen und den beiden Aussagen des Propheten, die jetzt als Jahwerede zu verstehen
sind, einen neuen Sinn gegeben. Mit der Hinzufügung von
האיב את in V.11b wird das Verständnis von פגע , das in
der Form פגע ב" את auch in Jer 53,6 begegnet, eindeutig festgelegt und ist folgendermaßen zu übersetzen: "Wahrhaftig, ich lasse auf dich treffen zur Zeit des Unheils und
zur Zeit der Not den Feind!". Das schwierige שרותך dagegen ist als ein Wort negativer Konnotation als Ketib von der
Wurzel שרד ("anfeinden") zu verstehen. Die Übersetzung lautet daher: "Wahrhaftig, deine Anfeindung (ist) zum Guten!"[36].

V.12 setzt die Jahwerede an Jeremia fort und ist eine in
bildhafter Rede vorgelegte Frage, die offensichtlich Jahwe
in seinem Handeln recht geben soll. Die Schwierigkeiten dieses Bildwortes liegen in der Erklärung, wer mit ברזל und
נחשת gemeint ist. Ein Großteil der Ausleger sieht in dem
"Eisen aus dem Norden und Erz" die unbrechbare militärische
Macht der Babylonier symbolisiert[37]. Eine Stütze findet diese
Auslegung in dem Zusatz מצפון , der auf die prophetische Ankündigung des "Feindes aus dem Norden" hinweist. Dieser Zusatz
ist aber nach HUBMANN der eigentlich kritische Punkt. צפון
erscheint nämlich im Jeremiabuch nie als ein selbständiger
Hinweis auf die Babylonier. Deshalb scheidet nach HUBMANN die
oben genannte Erklärung von V.12 aus. Er selber bezieht die
Begriffe ברזל und נחשת auf Jeremia und versteht V.12 in
Anlehnung an die Beistandsverheißung in Jer 1,18 als ein
Gleichnis, das sich der Prophet in eben diesem Sinne beantworten soll: Er selbst ist mit dem unbrechbaren Eisen und Erz
gemeint[38].

---

36 Vgl. HUBMANN, 206f. A5-9 und 262.
37 KEIL, Jeremia, 194; REVENTLOW, 215.
38 HUBMANN, 266f.

Gegen diesen Vorschlag von HUBMANN lassen sich mehrere Einwände erheben. Einmal nimmt ein solches Verständnis von V.12
die Antwort Jahwes in V.20f. vorweg und bringt in unbeding-
ter Zusage das, was in V.20 unter eine Bedingung gestellt
ist. Wie sich bei der Analyse des Textes herausstellen wird,
ist aber sowohl der Grundschicht wie der Bearbeitung von
Jer 15,10ff. der Gedanke einer bedingungslosen Heilszusage
an Jeremia fremd. Zum anderen würden, hätte HUBMANN recht,
zur Beschreibung der Festigkeit und Unüberwindlichkeit des
Propheten die Begriffe ברזל und נחשת durchaus genügen.
Darüber hinaus gilt es ins Auge zu fassen, daß nicht nur
der Prophet selber, sondern auch das abtrünnige Volk mit
eben diesen Begriffen charakterisiert wird (Jer 6,28). Die
Verbindung zum Berufungsbericht Jer 1 ist also nicht ganz
so eindeutig wie HUBMANN vorgibt, zumal die Hinzufügung
צפון der Deutung von V.12 sehr wohl eine andere Richtung
weisen kann.

צפון ist zwar nie selbständiger Hinweis auf die Babylonier, kann jedoch ein Bild sein für das von dort kommende
Unheil[39]. "Eisen" und "Erz" unterstreichen diese Vorstellung, indem auch sie nicht auf die Feinde, sprich Babylonier, selbst angewandt sind, sondern den Charakter einer
Unheilssituation verstärken[40]. In diesem Verständnis gibt
V.12 die Begründung zu V.11, insofern er in fragender Ma-
nier den Propheten auf das unausweichlich nahe Unheil hinweist. Diese Deutung fügt sich gut in den Kontext ein, da
in V.13f. geschildert wird, wie sich dieses Unheil in bezug auf Jeremia darstellt.

Betreffs der Verse 13-14, die zumeist als eine aus Jer 17,
3-4 übernommene Unheilsrede an das Volk verstanden werden,
läuft der forschungsgeschichtliche Konsens auf eine Streichung hinaus. Damit ist jedoch, wie HUBMANN in seiner Analyse richtig herausstellt, das Problem überhaupt nicht tan-
giert. Nicht nur, daß in Jer 15,20 wiederum eine Parallel-

---

39 Jer 1,14; 4,6; 6,1; 10,22; 13,20; 25,9.
40 Vgl. Jer 28,13.14; Dtn 28,23.48.

stelle zu Jer 1,18.19 vorliegt, auch das Buch Jeremia selbst
weist eine Reihe von Texten auf, die zwei- oder mehrfach,
verändert oder unverändert vorkommen. Die bisherige Einteilung dieser Doppelüberlieferungen in "ursprünglich" und "sekundär" sollte daher durch Überlegungen gestützt werden, welche die Art und den Grund der Wiederverwendung offenlegen. In
einer Darstellung dieser Problematik, aus der bis heute für
die Redaktion des Jeremiabuches noch keinerlei Konsequenzen
gezogen wurden, versucht HUBMANN Anstöße zu geben für eine
adäquate Bewertung der Doppelüberlieferungen in Jer 15[41].
Diese zeigen in ihrer Überlieferung deutliche Unterschiede
zu der jeweiligen Parallelstelle auf, die auf eine bewußte
Anpassung an den Kontext schließen lassen. Daher ist auch
vom gegebenen Text auszugehen und eine Textangleichung nach
Jer 17,3-4 unzulässig. Wenn aber der Redaktor ein Wort, das
ursprünglich an das Volk gerichtet war (17,3-4), auf Jeremia
anwendet (15,13-14), um dessen eigene Lage im Gottesgericht
zu erklären, so läßt sich zumindest einmal die Vermutung äußern, daß der Redaktor durch diese Angleichung eine Situation
beschreiben will, die sowohl das Volk wie auch den Propheten
betrifft.

HUBMANN hat in diesem Zusammenhang richtig herausgestellt,
daß das stilistische Merkmal der Doppelung in V.13 durch das
zweimalige וככל auch parallel wiedergegeben werden muß und
auf zwei beigeordnete Aussagen hinweist. Diese will HUBMANN
in dem Sinn verstehen, daß der Prophet seine Habe hingeben
muß sowohl für seine Sünden als auch für sein Land und daß
dieser Verlust für ihn wie für das Volk sühnende Wirkung haben wird[42].

---

41 HUBMANN gibt in einem Exkurs einen Überblick über die
    innerjeremianischen Doppelüberlieferungen und die Jere-
    miatexte, die in außerjeremianischen Schriften Paralle-
    len haben. Die Doppelüberlieferungen teilt er hinsicht-
    lich des Grades ihrer Veränderung in verschiedene Grup-
    pen ein und bezieht auch ihren Kontext in die Untersu-
    chung nach dem Grund der Veränderung mit ein (217-244).
42 HUBMANN, 268-269.

Die Schlußfolgerung von HUBMANN läßt jedoch einige Fragen
aufkommen. Seine Erklärung beinhaltet nämlich zwei verschiedene Aussagen, die nicht so einfach zu harmonisieren
sind; denn, wenn der Prophet für seine eigenen Sünden Sühne
leistet, so erfährt er damit das Strafgericht, leistet er
aber für sein Land Sühne, so wird ihm dadurch ein Opfer
auferlegt. Da aber in V.13ab^a eindeutig der Gedanke des
Strafgerichtes im Vordergrund steht, wird man den Vers
auch in 13b^b so verstehen müssen und folgendermaßen übersetzen: "Deine Habe und deine Schätze gebe ich hin zur
Beute, ohne Entgelt, sowohl wegen deiner Sünden als auch
wegen deines Landes!". Der Bearbeiter will sagen: Das
Strafgericht kommt über das ganze Land und trifft auch
den Propheten, der an der Verschuldung seines Volkes partizipiert.

V.14 ist ebenfalls nicht nach 17,4 zu korrigieren, sondern
so zu belassen, wie M ihn ausweist: "Aber deine Feinde lasse
ich gehen in ein Land, das du nicht kennst; denn ein Feuer
ist entbrannt in meinem Grimme, gegen euch lodert es!". Angesprochen ist auch in V.14a der in V.11f. in der 2. P. Sg.
angeredete Jeremia, während das Pluralsuffix bei עליכם in
V.14b sich auf den Propheten und seine Gegner (das Volk)
bezieht. Damit wird wiederum deutlich, wie der Redaktor in
der Übernahme von 17,3-4, wo das Wort an das Volk gerichtet ist, in 15,13-14 den Propheten in das Gerichtsgeschehen
(עליכם) einbezogen hat.

Die Verse 15b-18 sind die Fortsetzung von V.10.15a.11$^+$.
V.19 bringt in der Grundschicht erst hier das Jahwewort,
das gleichzeitig auch den Abschluß der Konfessio bildet;
denn der in V.19c genannten Mehrzahl von Personen steht in
V.20 das Kollektiv עם gegenüber. Außerdem bildet dieser
Text mit Jer 1,18-19 wieder eine Doppelüberlieferung, so
daß auch hier die Frage nach der Ursprünglichkeit oder
der Wiederverwendung zu stellen ist[43].

---

43 Vgl. H.W.JÜNGLING, Ich mache dich zu einer ehernen
    Mauer: Bibl 54 (1973), 1-24. Nach ihm ist die gedehn-
    tere Form von Jer 1,18f. der gegenüber Jer 15,20 jüngere

HUBMANN kann mit guten Gründen eine ursprüngliche Fassung des
Themas der Zurüstung in Jer 1,18.19 plausibel machen. Zwar
sind, wie schon THIEL festgestellt hat, auch dort redaktionelle Zusätze zu beobachten[44]; die Verankerung der Aussage
ist jedoch in 1,18.19 ursprünglich. Der Textzusammenhang von
15,19f. läßt sich dagegen erkennen, daß Jeremias Berufung aufgrund der Abkehr von Jahwe zumindest suspendiert ist. V.20
aber kann die Funktion einer Wiedereinsetzung in das prophetische Amt nur erfüllen, wenn ein Konnex zur Erstberufung
besteht.

Ist V.20 sekundär, dann auch V.21, der nämlich das in V.20 gebrauchte Stichwort נצל ("retten") aufgreift und auf der dort
geäußerten Wiedereinsetzung des Propheten in sein Amt aufbaut[45].

Zum Grundbestand der Konfessio Jer 15,10-21 gehören also 15,10.
(15a).11[+].15b-19, zur Bearbeitung 15,11[+].12-14.(15a).20-21. Der
Grundbestand zeigt einen klaren Aufbau:

Klage des Propheten	V.10
Unschuldsbeteuerung	V.15a.11[+]
Bitte	V.15b
Begründung	V.16-17
Anklage Jahwes	V.18
Antwort Jahwes	V.19

Nach diesem Grundbestand des Textes erfährt Jeremia eine echte
Krise seines Prophetenberufes: Er leidet unter der Ächtung durch
sein Volk, das ihn wegen seiner Botschaft haßt. So begreift er
seine Situation als die des eigentlichen, vor Jahwe Angeklagten.
Dabei hat er Jahwe die Treue gehalten: Er hat Freude an Jahwes

---

Text: Er ist entstanden aus einer Redaktion, die der Prophet selbst knapp vor der Niederschrift der Urrolle vorge-
nommen hat.

44 THIEL nennt in V.18f. die Wendung "eiserne Säule", die ausführliche Explikation des העם הזה in einer Aufzählung
der sozialen Klassen sowie die Tatsache, daß V.18f. aus der
Kombination von zwei Texten, nämlich Jer 15,20 und Jer 1,8,
besteht (77).

45 HUBMANN, 291-293.

Wort gehabt und nicht wie die Heilspropheten (רשעים) dem
Volk nach dem Mund geredet[46]. Daher fragt Jeremia in V.18
nach der Dauer (נצח) der ihm auferlegten Leiden und nach
dem Grund (למה) seiner Anfechtung; denn die Ausrichtung
der Botschaft Jahwes führt ihn in immer größere Leiden, so
daß es aussieht, als stünde er, der Prophet, unter dem Zorn
Jahwes und nicht die Masse derjenigen, an deren Adresse die
Gerichtsbotschaft sich wendet. So ist Jahwe für ihn zum
"Trugbach" geworden, der ihn nicht nur die Last der Gerichtsbotschaft tragen heißt, sondern auch das Dunkel des
ihm aufgebürdeten Weges.

Die Gottesantwort in V.19 enthält in ihrem ersten Teil die
Korrektur der Anklage Jeremias. Nur wenn Jeremia sich von
seiner Haltung abkehrt, kann er in seinem prophetischen
Dienst bestätigt werden. Der zweite Teil der Antwort Jahwes verweist den Propheten auf seinen Auftrag, indem Jahwe
ihn auf seinem Weg bestätigt und ihm sagt, wer die eigentliche Wende zu vollziehen hat: nämlich die mit המה an-
visierten Heilspropheten.

Die Bearbeitung der Grundschicht erfolgt in zwei Schritten:
In der Jahwerede V.11-14 wird dem Propheten klargemacht, daß
Jahwes Gericht einen Sinn hat und daß erst in diesem Gericht

---

46 Das Fernhalten von der Gruppe der רשעים (V.17) bedeutet, wie HUBMANN richtig erkannt hat, mehr als nur die
Tatsache einer gesellschaftlichen Ächtung (K.H.GRAF, Der
Prophet Jeremia, Leipzig 1862, 230: Einsames Sitzen in
"Kummer und Trauer"; RUDOLPH, Jeremia, 108; "das Ausge-
schlossensein von aller Freude"; vgl. ZIMMERLI, Jeremia,
106). Es kommt darin die Distanz zu jener Gruppe zum Vor-
schein, der die Situation des Volkes noch Anlaß zur Freude
gibt: den Heilspropheten. Das ist aus der Tatsache zu erschließen, daß Jeremia mit seinem im עם gründenden Verhalten vor Jahwe seine Rechtschaffenheit beteuert. Das
Verhalten der משחקים muß konsequenterweise das Gegenteil sein, etwas, das der Kritik Jahwes unterliegt, also
die leichtfertige Heilspredigt der falschen Propheten
(279-280). Trotz dieser überzeugenden Darstellung von
HUBMANN findet man bei AHUIS und ITTMANN, ohne einen Hinweis auf die oben genannte Deutung, wieder die gängige
Interpretation, daß Jeremia hier seinen Mangel an sozialen Kontakten beklagt (AHUIS, 92; ITTMANN, 158f.).

die Lösung heranreift, die der Prophet erbittet. Mit der Ein-
gliederung der Verse 13-14 wird ausgesagt, daß auch er als
Prophet das Gericht und seine Konsequenzen ertragen muß. Die
Verse 13-14 wurden deshalb aus Jer 17,3-4 übernommen und dem
Kontext von Jer 15,10ff. angepaßt, weil ihre Aussagen im
Grundbestand von Jer 15 vorbereitet waren. So konnte der Bearbeiter in V.13 von der Sünde des Propheten reden aufgrund
der in V.18 berichteten Anklage Jahwes durch Jeremia. Der
ebenfalls in V.13 angekündigte Verlust der Habe lehnt sich
thematisch an V.10 an, wo Jeremia vom Leihgeschäft spricht.
Die dort erwähnte Anfeindung des Propheten ist auch die Ver-
bindungslinie zu der Gerichtsankündigung an die Feinde in V.14.

Lag es in der Absicht der Verse 13-14 hervorzuheben, wie sich
das Gericht in bezug auf den Propheten und seine Feinde (das
Volk)darstellt, so betont die zweite Hinzufügung der Redaktion
in V.20-21 die besondere Stellung Jeremias. Ihm wird zugesi-
chert, daß Jahwe ihn nicht fallen läßt, sondern, wenn er das
Gericht auf sich nimmt, ihn in seinem Amt vor dem Volk bestätigt.

Mit der Komposition Jer 15,10-21 will der Bearbeiter die Krise
des Propheten, von der im Grundbestand der Konfessio die Rede
ist, deuten und gleichzeitig den Unterschied der Einstellung
des Propheten zu Jahwe gegenüber der des Volkes zum Ausdruck
bringen. Er ist der Mensch, der wie die anderen Menschen Jahwes Gericht erlebt, der aber wegen seiner durchgehaltenen
Treue in diesem Gericht schließlich die Bestätigung durch Jahwe
erfährt. Die besondere Stellung, die durch die Redaktion der
Verse 20.21 dem Propheten zugeschrieben wird, kommt noch deutlicher zum Ausruck, wenn man die dort erwähnte Zusicherung des
Beistandes in ihrer traditionsgeschichtlichen Verankerung untersucht. Sie gehört von Haus aus in den Umkreis der Retter-
beauftragung im Vollzug der Jahwekriege[47]. In der Frühzeit
war es jedoch nicht dieser, dem die Rettung zustand, sondern

---

47 Ri 6,16; Ex 3,12; 1 Sam 10,7.

die Jahwekriege sollten Jahwes Erweis zur Rettung seines
Volkes sein. Die Bearbeitung der Konfessio Jer 15 zeigt,
daß im sechsten Jahrhundert aufgrund des Gerichtes am sündigen Volk, der Prophet als der eigentliche Vertreter des
Gottesvolkes (vgl. Jer 11,1f.) und daher als der allein der
Rettung durch Jahwe Würdige verstanden wurde. Diese Polari-
sierung lenkt den Blick auf den größeren Kontext, dem die
Konfessio Jer 15,10-21 durch Stichwortverbindungen und thematische Anknüpfung eingegliedert ist.

In Jer 14,1ff.[48] rekonstruiert die Redaktion eine kultische
Szene. Auf die Klage des Volkes in V.2-9 folgen in V.10f.
eine Gerichtsankündigung Jahwes sowie das Verbot für den
Propheten, Fürbitte für das wankelmütige Volk zu leisten.
Die Wehklage Jeremias in V.17-18 nimmt, da das Unheil von
Jahwe beschlossen ist, das kommende Gericht vorweg. Die
Klage des Volkes, mit welcher der Kapitelzusammenhang Jer
14 schließt, setzt die Vernichtung des Reiches Juda voraus
und bringt die Glaubensnot des gerichteten Volkes zum Aus-
druck.

Auch Jer 15,1-4[49] ist vom Verbot der Fürbitte gestaltet
und zeigt durch die Nichtbeachtung der Bundesmittler[50] den
feststehenden Gerichtsbeschluß Jahwes mit dem Ziel der völ-
ligen Ausrottung der Schuldigen (vgl. 14,16; 16,4).

Das folgende Klagelied (15,5-9) knüpft an das Stichwort
ירושלם   in 15,4 an und schildert das Schicksal der Stadt
(V.5-6) und das des ganzen Volkes (V.7-9). Ein Bezug der
Konfessio zu 15,5-9 liegt in den Stichworten עמי   und ילד
vor, die 15,9 und 15,10 miteinander gemeinsam haben und die
wohl der Anlaß waren, die Konfessio nach 15,5-9 einzufügen.

Eine Verbindung mit Jer 16 mag im Stichwort זעם (16,8)
vorliegen, indem nämlich gemäß 15,17 in Jer 16 ein " זעם -
porträtierendes und daher symbolisches Verhalten geschil-

---

48   Zur literarkritischen Analyse vgl. THIEL, 178ff.
49   Zur literarkritischen Analyse vgl. THIEL, 189ff.
50   Zu Moses und Samuel als Fürbittern vgl. Ex 32,11f.
     31f.; Num 14,13-20; 1 Sam 7,9; 12,19.

dert" ist[51]. Es wird dadurch zumindest erklärlich, warum die
Redaktion Kapitel 16 auf die Konfessio Jer 15,10ff. folgen
läßt. Es finden sich also im Kontext Jer 14-15 genau die entscheidenden Themen wie in dem Grundbestand der Konfessio und
deren Bearbeitung: das Gottesgericht, die Feindesnot, die Un-
abänderlichkeit des göttlichen Gerichtsbeschlusses und die
Sündenschuld des ganzen Volkes als Grund des Gerichts. Die Redaktion hat darüber hinaus einen noch tieferen Zusammenhang
geschaffen, wenn nämlich gleiche Stichworte die Situation des
Propheten und die des Volkes kennzeichnen. Das Bekenntnis zu
Jahwe wird in Jer 14,9 (vgl. auch V.7.21) mit den gleichen
Worten, die ein Eigentumsverhältnis beschreiben, begründet
wie in Jer 15,16, wobei aber im Falle des Volkes der Bundesbruch diese Bindung zerstört hat, dem Propheten aber aufgrund
seiner Umkehr der Beistand zugesagt wird; weiterhin wird die
Situation des Volkes wie die des Propheten im Bild der "heil-
losen Wunde" charakterisiert (Jer 14,17.19-Jer 15,18); und
beide begreifen ihre Lage als Anfechtung (vgl. die Warumfrage
in Jer 14,8.9.19 und Jer 15,18).

Sachliche Parallelen finden sich in der Bitte des Volkes (Jer
14,21: "Gedenke deines Bundes mit uns und löse ihn nicht!")
und des Propheten (Jer 15,15c: "Bedenke, daß ich um deinetwillen Schmach leide!"), wo beide Male das Gottesverhältnis
als Grund für das Einschreiten Jahwes genannt wird. Auch in
der Beschreibung der Not liegen Parallelen vor, wenn das Volk
das Gericht Jahwes als "Dürrenot" beklagt (14,2-6) und Jeremia Jahwe wie einen "versiegenden Bach" erfährt (15,18).

Damit ist deutlich geworden, daß die Redaktion die Klage des
Propheten bewußt in den größeren Zusammenhang des Gottesgerichtes hineingestellt hat, um so dem Propheten eine exemplarische Bedeutung zu verleihen: Er ist derjenige, der das Gottesgericht auferlegt bekommt wie das Volk, der aber wegen
seiner durchgehaltenen Treue von Jahwe bestätigt wird. Die
Gestaltung der Konfessio Jer 15,10-21 und des Kontextes Jer
14-15 ist daher ein und demselben Redaktor zu verdanken. Wie

---

51 So HUBMANN, 305.

in der Konfessio Jer 11.12 erweist sich auch hier der Kontext für das Verständnis des Textes als einer Gerichtsklage
des leidenden Gerechten als konstitutiv. Neben einer Erkenntnis der eigenen Schuld zeigt auch die Wiederaufnahme
dieser Konfessio die Einübung in die Haltung des Glaubens
für die Zeit des Gerichtes, die als eine durchgehaltene Bewährung der göttlichen Bestätigung gewiß sein darf.

3. Die Konfessio Jer 17,12-18

In Jer 17[52] liegt ein Textzusammenhang vor, der aufgrund
einer Zusammenstellung von formal sowie inhaltlich unterschiedlichen Stücken in den Augen vieler Ausleger den "Eindruck eines Mosaiks"[53] erweckt: Ein Gerichtswort an Juda
(V.1-4), Weisheitssprüche (V.5-11), ein Lobpreis Jahwes und
seines Tempels (V.12-13) und eine persönliche Klage Jeremias (V.14-18) sind hier zu einer Komposition vereinigt worden.

Auf den ersten Blick fällt es schwer, das einer solchen Redaktion zugrunde liegende Prinzip zu erkennen. Als Erschwernis kommt noch hinzu, daß der Umfang der in diesem Aussagenkomplex enthaltenen Konfessio sehr verschieden beurteilt wird.
Strittig ist hier die Frage, ob die Verse 12-13 zu der Konfessio gehören oder nicht. Die Ausleger, die eine Echtheit
dieser Verse leugnen, begründen ihre Auffassung damit, daß
ein Hymnus auf den Tempel als Wohnsitz Jahwes im Munde eines
Propheten, der sich entschieden gegen das falsche Vertrauen
auf den Tempel gewendet habe, undenkbar sei[54]. Da aber die
besagten Stellen in Jer 7 und 26 den Mißbrauch und nicht eine
grundsätzliche Kritik der Tempelfrömmigkeit im Auge haben,

---

52 Zum Folgenden vgl. R.BRANDSCHEIDT, Die Gerichtsklage des
    Propheten Jeremia im Kontext von Jeremia 17: TThZ 92
    (1983) 61-78.
53 THIEL, 203.
54 Vgl. VOLZ, Jeremia, 186; RUDOLPH, Jeremia, 188; J.P.
    HYATT, The Book of Jeremiah, New York, Nashville 1956,
    188.

folgern andere Erklärer, daß Jeremia in seiner Not Halt an
einer richtig verstandenen Kultüberlieferung gefunden und
den Hymnus V.12-13 somit auch im Tempel gesprochen habe[55].

Nun enthält aber V.13 neben dem Lobpreis Jahwes und seines
Tempels sowie der allgemeinen Belehrung über das Ergehen
der Abtrünnigen in V.13b einen von allen Erklärern als Jahwerede gedeuteten Spruch. Diese Tatsache ist mit den oben
genannten Auffassungen nur schlecht zu vereinbaren; denn was
hat eine Jahwerede in einer hymnenartigen Sentenz zu suchen,
die zudem von vielen Erklärern als sekundär verstanden wird,
und was bedeutet sie andererseits als Einleitung einer Prophetenklage, in der sie aber nicht weiter berücksichtigt
wird? Daher versuchen einige Erklärer diese Diskrepanz zu
harmonisieren, indem sie die Jahwerede V.13b der allgemeinen Aussage von V.13 anpassen. So ändert BAUMGARTNER das
fragliche יְסוֹרַי in יְסוֹרֶיךָ [56]. Damit wird dem Text eine
Aussage unterschoben, die REVENTLOW zufolge seiner Gestalt
nicht gemäß ist. Für ihn sind die Verse 12 und 13a vielmehr
Klagerufe, auf die dann in V.13b das Gerichtswort Jahwes antwortet. Ein Einwand gegen die Lesart von V.13b[b] als Jahwerede ist aber die Tatsache, daß ihre Fortsetzung im Begrün-
dungssatz V.13b[c] dann völlig beziehungslos zum sprechenden
Subjekt Jahwe steht. Aus diesem Grund konnte sich die Auffassung von GRAF REVENTLOW zur Beibehaltung der Jahwerede
in V.13b nicht durchsetzen.

Ist aber M wirklich als Jahwerede zu verstehen? In diesem
Zusammenhang bedarf das übliche Verständnis von M als einer
allgemeinen Sentenz noch einer überzeugenderen Beweisführung.
Der Vers beginnt in V.13a mit einem Bekenntnis: Jahwe ist die

---

55 BAUMGARTNER, 40f.; J. BEGRICH, Die Vertrauensäußerungen im
    israelitischen Klageliede des Einzelnen und in seinem baby-
    lonischen Gegenstück: ZAW 46 (1928) 221-259.249; WEISER,
    Jeremia, 153; REVENTLOW, 230f.
56 BAUMGARTNER, 40.
57 REVENTLOW, 234.

Hoffnung Israels[58]. Diese Aussage wird in V.13b[a] expliziert und in V.13b[c] begründet. Wie eng die beiden Versteile aufeinander bezogen sind, zeigt die jeweilige Verwendung des Verbums עזב ("verlassen"). Die klare Abfolge des Textes aber wird durch V.13b[b] unterbrochen, der überdies einen ähnlichen Gedanken wie V.13b[a] zum Ausdruck bringt. Aber nicht nur diese Tatsache läßt hier die Vermutung einer Glosse aufkommen; entscheidend ist auch, daß für den gleichen Sachverhalt ein anderes Verb gebraucht wird: statt עזב (V.13b[ac]) steht hier סור (V.13b[b]). Wenn aber die Wortfolge יסורי בארץ יכתבו tatsächlich sekundär ist, sollte dann ein Glossator mit dem gewaltigen Anspruch einer Jahwerede in den authentischen Text eingegriffen haben? Die von M dargebotene Form יסורי ist deshalb neu zu überprüfen. In diesem Zusammenhang ist es mehr als aufschlußreich, daß ein Nomen יסור nur von Jer 17,13 rückgeschlossen wird und sonst im ganzen Alten Testament nicht vorkommt[59]. Aus diesem Grund dürfte es nicht ganz unwahrscheinlich sein, in 17,13 ein Abschreiberversehen in Rechnung zu stellen, das, wie die folgende Verbesserung annimmt, auf der Verwechslung eines einzigen Buchstabens, des י mit ו beruht. In Angleichung an die Form יכתבו , die ja von יסורי abhängt, läßt sich יסורי ohne allzu große Eingriffe als יסורו lesen. Die Wortfolge 13b[b] ist dann als ein asyndetischer Relativsatz mit Subjektfunktion zu verstehen: "diejenigen, die weichen, sollen auf die Erde geschrieben werden". Es handelt sich somit um einen Fluch, den ein Glossator zur Verstärkung der Aussage von V.13b[a] hier eingefügt hat. Dabei läßt sich der Entstehungsprozeß in literarischer Hinsicht noch recht gut verfolgen. Mit Bezug auf den Kontext nämlich und seine Aussage

---

58 In Anbetracht der engen Zugehörigkeit von V.13 und V.12 übersetzt ITTMANN V.13a nicht als direkte Anrede, sondern als einen bekenntnishaften Nominalsatz: "Die Hoffnung Israels (ist) Jahwe" (50).

59 W.GESENIUS/F.BUHL, Hebräisches und aramäisches Handwörterbuch über das Alte Testament, Heidelberg [17]1962, 304.

sind die Worte gewählt: סור lenkt zurück auf die entsprechende Aussage in V.5, ארץ erinnert an ארץ מלחה aus V.6
und כתב verweist auf das entsprechende Wort in V.1.

Wohin aber gehören die Verse 12-13? Hat sie der Prophet selbst
zu Beginn seiner Notklage gesprochen oder meldet sich hier ein
Späterer zu Wort? In Richtung der letzteren Vermutung weisen
folgende Beobachtungen: Die Verse sind durchsetzt von Wendungen, die erst in späten Texten des Alten Testamentes wieder
begegnen (zu כסא כבוד vgl. Jer 14,21; zu מרום vgl. Jer
25,30; Ez 20,40; zu מקום מקדשני vgl. Jes 60,13). Außerdem
zeigt die feierliche liturgische Sprache alle Merkmale eines
Lobpreises des gerechten Gottes, wie sie gerade für die späte
Phase der Geschichte der Klage, nicht aber für den Klagepsalm
des Einzelnen, kennzeichnend sind: Elemente der Gerichtsprophetie sind mit der Psalmensprache verschmolzen[60]. In diesem
Zusammenhang sind die Rückgriffe auf andere Worte der Jeremia-
Überlieferung (zu מקוה – ישראל vgl. 14,8.21; zu מקור מים
חיים vgl. 2,13) eine weitere Stütze der Annahme, daß in
V.12-13 ein Redaktor am Werk gewesen ist.

Welche Funktion aber haben die Verse 12-13? Einigen Erklärern
zufolge wurden sie geschrieben, um die Konfessio mit 17,1-4
zu verklammern: Hätte das Volk sich an den im Tempel gegenwärtigen Gott gehalten, so wäre die Drohung in V.1-4 nicht
in Erfüllung gegangen[61]. So richtig diese Beobachtung ist,
der Sinn des Fragmentes V.12-13 als beabsichtigte Einleitung
der Prophetenklage ist damit nicht erklärt. Was nämlich hat
die Redaktion bewogen, diese Worte dem Propheten Jeremia in
den Mund zu legen? Die Erklärer, die V.12-13 als jeremianisch
ansehen, haben da folgerichtiger gedacht. Nach WEISER läuft
die Aussage jener Verse auf die Bitte in V.14 zu, wo der Prophet die in V.12-13 explizierte Erkenntnis auf seine Person
hin verifiziert[62].

---

60 So AHUIS, 118; vgl. auch RUDOLPH, 117.
61 RUDOLPH, 117; AHUIS, 118.
62 WEISER, 148.

In Anbetracht dieser Tatsache stellt sich folgende Frage:
Ist möglicherweise V.14 der Prüfstein, an dem sich die Zugehörigkeit bzw. Abtrennung der Verse 12-13 in bezug auf die
Prophetenklage endgültig erweist? In V.14 erbittet der Prophet Heilung (רפא) und Rettung (ישׁע) mit Berufung auf
Jahwe, seinen Lobpreis (תחלה). תְּהִלָּתִי wird zwar mit
DUHM[63] vielfach in תְחַלְתִּי geändert, jedoch ist diese Änderung von den textlichen Voraussetzungen her nicht zwin-
gend. Daß V.14 von den Erklärern so selbstverständlich als
zu der Konfessio gehörig betrachtet wird, liegt daran, daß
sie die konkrete Situation dieser Bitte in V.15-18 nachge-
liefert sehen. Auch der Unterschied dieser Bitte, die ein
allgemeines Bekenntnis der Zuversicht darstellt, zu den Bitten in V.17 und V.18, die deutlich eine konkrete Not im Auge
haben, scheint ihnen nicht weiter gravierend, da V.14 als
ein üblicher Topos der Klagepsalmen (vgl. Ps 6,3; 22,22;
31,17; 41,5; 60,4) auch als Einleitung einer Prophetenklage
dienen könne[64].

Dieser Vers fügt sich dennoch nicht so gut in die Konfessio
ein, wie es zunächst den Anschein erweckt; denn was bedeutet
hier die ausdrücklich an Jahwe gerichtete Bitte um Heilung
und Rettung, deren Erfüllung der Sprecher so gewiß ist? רפא
("heilen")[65] hat neben einer verallgemeinerten Bedeutung als
Heilung von jedweder Not besonders in der Prophetie einen
speziellen Wortsinn erhalten. Die entsprechenden Stellen im
Buch Jeremia, wo von Jahwe als demjenigen gesprochen wird,
der Israel heilt (Jer 3,22; 30,17; 33,6), zeigen, daß es um
die Wiederherstellung eines Verhältnisses geht, das mit dem
Gottesgericht wegen der Sünden des Volkes zerbrochen ist (Jer
8,22; 14,19), und das deshalb nur von Jahwe selbst wieder neu
geschaffen werden kann. Diesen Hintergrund hat auch die Bitte
um Rettung (ישׁע), die im Buch Jeremia vornehmlich als
Bitte des klagenden Volkes erscheint (Jer 2,27; 8,20; 11,12;
14,18) und die, wie die Aussage von der Heilung des Volkes,

---

63 DUHM, 147.
64 Vgl. GUNNEWEG, 406.
65 Vgl. STOEBE, Art. רפא , in: THAT II, 803-809.806f.

in einem Kontext steht, der deutlich macht, daß eben kein
anderer als Jahwe hilft und helfen kann[66]. Deshalb nennt
der Sprecher in V.14 Jahwe als den Gegenstand seines Rüh-
mens. Mit einem solchen Bekenntnis (vgl. Ps 71,6; 109,1)
deckt der Betende auf, was sein Leben von Grund auf bestimmt. So meint also die Aussage von V.14 als Ganze eine
Bitte um die Überwindung einer Gerichtssituation, die der
Beter als ein Bekenntnis der Zuversicht formuliert. Mit der
persönlichen Not des Propheten Jeremia, der sich in der folgenden Klage mit seinen Feinden auseinandersetzt und sich
ausdrücklich in das Gericht miteinbezieht (V.17), hat diese
Bitte nichts zu tun. Im Gegenteil, es ist die gleiche kultische Atmosphäre zu spüren wie in V.12 und V.13. Man darf
daher vermuten, daß die Verse 12-14 zusammengehören und der
Konfessio erst sekundär zugefügt wurden.

In der verbleibenden Prophetenklage V.15-18 ist es vor allem
V.16, der den Erklärern immer wieder Anlaß gibt, einen Eingriff in den Textbestand vorzunehmen. Der masoretische Text
wirkt unverständlich und die Punktation von מרעה als
מֵרְעֶה ist dem Gedankengang derart inkongruent, daß die
übliche Abänderung nach einer Form רעע , zumal sie von
den Textzeugen nahegelegt wird, unvermeidlich erscheint[67].
Daß die masoretische Lesart damit von vorneherein als "unmöglich" disqualifiziert wird[68], hat vor allem zwei Gründe:
Einmal scheint der Hinweis auf den Hirtendienst in Verbindung mit dem Dienst des Propheten ungewöhnlich. In diesem
Zusammenhang stellt dann auch ITTMANN fest, daß sonst im
Jeremiabuch das Amt des Hirten ausschließlich eine Chiffre
für das königliche Amt darstellt[69]. Eine weitere Schwierigkeit zeigt sich bei jener Übersetzung, die מן vor רעה

---

66 Vgl. STOLZ, Art. ישע , in: THAT I, 785-790.788.
67 Nach Aq., Sym., Syr. ändern in מֵרְעֶה oder בְּרָעָה
    GIESEBRECHT, 101; CONDAMIN, 145. Andere Erklärer schla-
    gen in Angleichung an Jer 15,11 לטוב die Lesart
    לרעה vor: NÖTSCHER, 278; RUDOLPH, 116; BRIGHT, 116;
    ITTMANN, 126 A 444; AHUIS,115.
68 VOLZ, 188.
69 ITTMANN, 126 A 444.

zum vorangehenden Verb אֵרוֹץ zieht und M folgendermaßen
versteht: "Ich aber habe mich nicht entzogen dem Amt des
Hirten in deinem Dienst"[70]. Obwohl dieser Übersetzungsvor-
schlag den masoretischen Text ernst zu nehmen versucht,
konnte er sich nicht durchsetzen. Es erhebt sich nämlich die
Frage: Wie ist das Amt des Hirten in bezug auf den prophetischen Dienst mit Inhalt zu füllen? WEISER sieht hier den
Propheten in einem Zwiespalt mit den eigenen Wünschen und
dem Gehorsam, den das Prophetenamt in seelsorgerlicher Fürbitte (=Amt des Hirten) und Drohungen in Gottes Dienst ihm
auferlegte[71]. Daß die meisten Erklärer eine derartige Interpretation des prophetischen Hirtendienstes in den Bereich der
Vermutung verwiesen, ist nicht verwunderlich. Bleibt also nur
die Kapitulation vor der masoretischen Lesart in V.16? Hier
hilft zunächst eine wortgetreue Übersetzung weiter: "Ich habe
mich nicht gedrängt weg vom Hirtendasein hinter dich (d.h. in
deine Nachfolge)". Diese auf den ersten Blick recht merkwürdige Aussage vom Hirtendasein in bezug auf den Propheten hat
bei RUDOLPH eine Assoziation hervorgerufen, die dieser jedoch
nicht weiter verfolgt hat. So gibt er lediglich zu bedenken,
ob der masoretische Text "weg vom Hirte-sein" nicht vielleicht
in Erinnerung an Am 7,15 ("hinter der Herde weg") geschrieben
worden sei[72].

Mit der Bedeutung eben dieser Stelle, die zu den in Am 7,14
genannten Berufen in einem sichtlichen Widerspruch steht,
setzt sich eine Untersuchung von H.SCHULT auseinander. Wie
SCHULT zeigen kann, steht Am 7,15 in einer Reihe weiterer
Texte, die ein und derselbe Zug miteinander verbindet: Ein
(unbegüterter) Hirt oder Landmann wird bei oder unmittelbar
aus seiner beruflichen Alltagsarbeit von höchster Stelle
(Gott oder seinem Mittelsmann, Repräsentanten des Volkes) zu
politisch führender Tätigkeit, zum Dichter oder zum Propheten berufen. Unter den hier in Frage kommenden alttestament-

---

70   GIESEBRECHT, 102; WEISER, 143.
71   WEISER, 148.
72   RUDOLPH, 116.

lichen Stellen - SCHULT führt darüber hinaus auch Beispiele
altorientalischer und klassischer Literatur an - sind außer
Am 7,15 folgende zu nennen: 2 Sam 7,8; Ex 3,1ff.; 1 Sam 11,
5ff.; 1 Kön 19,19-21; Ri 6,11f. Aus der Gleichförmigkeit dieses Materials geht deutlich hervor, daß es sich bei der "Berufung zum Hirten" um ein literarisches Motiv handelt, bei
dem an einen historisch-biographischen Sachverhalt, der im
Einzelfall nicht ausgeschlossen ist, kaum zu denken ist. Es
ist vielmehr die Funktion des Motivs, einen Außenseiter, der
keine Rückendeckung durch historische Kontinuität hat, als
Berufenen zu legitimieren. Es soll betont werden, daß Gott
ihn zu dem gemacht hat, was er ist, als er ihn aus dem Nichts
(Hirtendasein) erhob[73]. Über SCHULT hinaus muß jedoch noch
ein zweiter entscheidender Grund für die Verwendung und Wei-
tergabe des Motivs in so verschiedenen Zusammenhängen genannt
werden. Bei einem Vergleich der in Frage kommenden Texte
stellt man nämlich fest, daß es sich in ihnen um die Legitimation des Retters oder des von Jahwe Beauftragten im Krieg
gegen die Fremdvölker und somit um eine Entscheidung gegenüber den Gegnern handelt. Das ist auch der Grund, warum das
Motiv nicht nur bei den Rettergestalten der Frühzeit, sondern
auch bei den als Retter verstandenen Propheten im umgekehrten
Jahwekrieg, dem Krieg Jahwes gegen sein eigenes Volk, begegnet. Vor diesem Hintergrund tritt nun das Aussageprofil der
hier zur Diskussion stehenden Stelle Jer 17,16 - die SCHULT
übrigens in seiner Textsammlung nicht anführt - deutlich hervor. Wenn Jeremia in seiner Klage auf das Hirtenmotiv an-
spielt, will er sagen: Ich habe mich nicht gedrängt in die
Position desjenigen, der einen Jahwekrieg gegen Juda herbei-
führen soll und, so fährt der Text in V.16b jetzt sinngemäß
fort, ich habe auch den Unglückstag nicht herbeigesehnt. Unter diesem Blickwinkel ergibt der masoretische Text einen
hervorragenden Sinn und darf auf keinen Fall geändert werden.
Wenn man dazu bedenkt, daß die von SCHULT angeführten alttesta-

---

73 H.SCHULT, Am 7,15a und die Legitimation des Außenseiters,
    in: Probleme biblischer Theologie, FS G.VON RAD, München
    1971, 462-478.

mentlichen Stellen in die deuteronomische Zeit gehören, in
deren Kontext ja auch die Verkündigung des Propheten Jeremia zu orten ist, dann hat sich damit eine zusätzliche Stütze
der oben geführten Argumentation gefunden. Die allgemein fa-
vorisierte Übersetzung לרעה ("zum Bösen"), wie sie die
alten Übersetzungen nahelegen, kann jetzt nur noch als eine
Textglättung der nicht mehr verstandenen masoretischen Vor-
lage begriffen werden.

Gewöhnlich wird der sachliche Zusammenhang der Verse 15 und
16 dahingehend interpretiert, daß die Gegner höhnisch die
Drohworte Jeremias in Frage stellen (V.15) und dieser in V.16
kundtut, daß er keine Freude an einer solchen Unheilsverkün-
digung habe[74]. Deutet man aber die Klage Jeremias in dieser
Weise, so fällt auf, daß der Prophet überhaupt nicht auf den
an seine Adresse gerichteten Vorwurf eingeht. Die Erklärer
rechtfertigen diese Diskrepanz damit, daß der Prophet ja
sicher sei, daß das göttliche Wort einträfe. Was ihn schmerze,
sei die Verkennung seines Wesens, als ob er sich freute, daß
seine Weissagungen sich erfüllten. Im Gegenteil, er habe stets
Fürbitte für seine Gegner geleistet[75]. Unterlegt man V.16
eine solche Deutung, so besteht eine Diskrepanz zu den in
V.18 geäußerten Verwünschungen der Feinde; denn hier tut Jeremia ausdrücklich, was er in seinem Unschuldsbekenntnis von
sich wies. RUDOLPH löst diesen Widerspruch folgendermaßen:
In V.16 handelt es sich um das Unheil für sein ganzes Volk,
das er zwar verkündigt, aber nicht von Jahwe erfleht hat, in
V.18 dagegen um die Genugtuung seinen Feinden gegenüber, die
ihm an dem unabwendbar kommenden Unheilstag zuteil werden
möge[76]. Andere Erklärer deuten den Zusammenhang so, daß Jeremia das, was er früher nie getan hat, eben jetzt tut, weil
seine Geduld mit den Gegnern zu Ende ist[77]. Da aber in diesen

---

74 Vgl. KEIL, Jeremia, 211f.; BAUMGARTNER, 42f.; RUDOLPH,
    Jeremia, 119; WEISER, Jeremia, 148.
75 Vgl. BAUMGARTNER, 43; RUDOLPH, Klagelieder, 119; WEISER,
    Klagelieder, 148.
76 RUDOLPH, Jeremia, 119; vgl. A.CONDAMIN, Le Livre de Jéré-
    mie, Paris ³1936, 145.
77 BAUMGARTNER, 43.

Erklärungsversuchen die Anklage des Propheten sowie sein Unschuldsbekenntnis und seine Wünsche einen jeweils versie-
denartigen Bezugspunkt haben, lassen sie sich kaum aufrecht-
erhalten, zumal sich die Gedankenfolge in V.15-18 durchaus
einheitlich verstehen läßt.

Das in V.15 herausgestellte "jene" und in V.16 betonte "ich"
weisen auf den Gegensatz zweier Parteien hin. Ihr Thema ist
das nicht eingetroffene Wort Jahwes. Wenn man davon ausgehen
darf, daß das Unschuldsbekenntnis, in dem Jeremia sich mit
"jenen" vergleicht, eine entsprechende Anklage voraussetzt,
so ergibt sich folgender Zusammenhang: אוץ und אוה in
V.16 bezeichnen eine Haltung, von der sich der Prophet ab-
setzen will. Die Doppelung der Aussage "Ich habe mich nicht
in deine Nachfolge gedrängt" (אוץ) und "Ich habe den Unglückstag nicht herbeigewünscht" (אוה) entspricht in der
Negation aber genau dem zweifachen Wunsch der Gegner. "Wo
bleibt das Wort Jahwes" und "Es komme doch" in V.15. Um welches Wort Jahwes geht es hier? Um das von dem Propheten zu
verkündigende Gerichtswort Jahwes, wie es die meisten Erklärer annehmen? דבר meint zunächst ganz allgemein die Kund-
gabe des göttlichen Willens[78]. Gegenüber diesem דבר aber
nehmen Jeremia und seine Gegner eine verschiedene Haltung
ein. Die Haltung Jeremias wird in V.17 verdeutlicht, wo er
Jahwe bittet, ihm nicht zum Schrecken zu werden, wenn das
Gericht eintrifft. Im Gegensatz dazu steht die Furchtlosig-
keit und Selbstsicherheit, mit der seine Gegner das Kommen
Jahwes erwarten (vgl. Jer 5,22f.; 7,4.10). Das Verb אוה
wird so auch in Am 5,18 zur Charakteristik des Volkes gebraucht, das in der kultischen Bitte um das Erscheinen Jahwes seinen Tag herbeisehnt (אוה), weil es des Heiles für
Israel gewiß ist. Gewißheit über die Art des Kommens Jahwes
zeigt auch der Prophet, wenn er den "Tag des Unheils" erwartet. Was ihm fehlt, ist jene Selbstsicherheit, mit der die
Gegner das göttliche Wort herbeiwünschen. Im Hintergrund
dieser Klage steht also wiederum die Auseinandersetzung des

---

78 Vgl. GERLEMANN, Art דבר , in: THAT I, 433-443.441.

Propheten mit seinen Gegnern (vgl. Jer 11,18f.; 15,10f.;
23,9f.; 27ff.). Nicht deren Spott - davon redet der Prophet sehr viel deutlicher in Jer 20,7f. - trifft Jeremia,
sondern ihre Heilsgewißheit, mit der sie an seiner Botschaft vorbeigehen und immer noch sagen: Das Wort Jahwes
- nämlich das Heilswort - komme doch! Vor dieser Frivoli-
tät erschauert der Prophet, denn er weiß, daß nicht das
Heil, sondern das Gericht eintreffen und daß keiner frei
ausgehen wird.

Der Prophet, der in seiner Klage das Ausmaß des göttlichen
Zornes zu erahnen beginnt, erschrickt aber nicht allein vor
den kommenden Ereignissen, sondern vor Gott selber. Ist das
noch der Gott der Verheißung, der alle Wege des Volkes be-
gleitet und mit seinem Wort dessen Geschichte durchlichtet
hat? Obschon Mitwisser der göttlichen Zukunft, bleiben dem
Propheten doch die Schickungen Jahwes unbegreiflich. Deshalb wünscht sich Jeremia, der nicht nur sein Wissen um Gott
gefährdet sieht, sondern der auch Gefahr läuft, von seinen
Gegnern, die er in V.18 ausdrücklich "meine Verfolger" nennt,
ausgelöscht zu werden, daß Jahwe doch denen zum Schrecken
werde, die in ihrer Anmaßung meinten, an seinem Wort vorbeigehen zu können: "Meine Verfolger sollen zuschanden werden,
nicht ich will zuschanden werden, verderben sollen sie, nicht
ich will verderben. Bringe über sie den Tag des Unheils, mit
einem doppelten Schlag zerbrich sie" (V.18). Wenn Jeremia
jetzt den Tag des Unheils herbeiwünscht, so liegt hierin kein
Abfall von der Haltung vor, deren er sich in seinem Unschuldsbekenntnis V.16 noch rühmte. Nicht selbstsüchtige Rachewünsche
bilden den Hintergrund seiner Bitte, sondern die Hoffnung, daß
Jahwes Gerechtigkeit, die das Volk als Ganzes strafen wird,
dem Jahwetreuen und dem Frevler in einer je anderen Weise er-
fahrbar werde: ersterem zum Heil, letzterem zum Unheil.

Auch die Mittlerklage Jer 17,15-18 hat durch die Bearbeitung
in den Versen 12-14 eine Bedeutung für die Gemeinde nach 586
v.Chr. erhalten. Die Konfessio beginnt jetzt mit einem Lobpreis des Tempels, der, gelesen auf dem Hintergrund der Kla-

gen um den zerstörten Tempel (Jer 14,21; Jes 64,10), erst
seine theologische Bedeutsamkeit zeigt. Hier wird die Zeit
des zweiten Tempels - denn nur aus dieser Zeit heraus wird
V.12f. begreiflich - zum Zeichen einer Kontinuität der Zuwendung Jahwes zum Volk, der deshalb auch als die "Hoffnung Israels" (V.13) bezeichnet werden kann. In diesem Zusammenhang
muß auffallen, daß die Aussage von V.13 sich auf ein authen-
tisches Jeremiawort stützt: "Denn mein Volk hat ein doppel-
tes Unrecht verübt: Mich hat es verlassen, den Quell lebendigen Wassers, um sich Zisternen zu graben, Zisternen mit
Rissen, die das Wasser nicht halten" (Jer 2,13). Was dort
Anklage gegen ein von Jahwe abgefallenes Volk war, ist in
der Reflexion zu einer grundsätzlichen Erkenntnis über Jahwes richtende Gewalt geworden. Diese aber braucht nur der zu
fürchten, der sich von Gott abwendet. Dieser, vom Redaktor
für den Frommen der nachexilischen Zeit komponierte und der
authentischen Prophetenklage vorangestellte Gebetstext Jer
17,12-14 ist es, der auch das redaktionelle Prinzip des Kontextes Jer 17,1-11 verstehen läßt. Die Feststellung der Ver-
derbtheit Judas (V.1-4)[79], die im weisheitlichen Tenor gehaltenen Sprüche über Menschen, die sich an Jahwe halten bzw.
von ihm abwenden (V.5-8), die Aussage über Jahwe den Herzensprüfer (V.9f.) und die Warnung vor dem durch Unrecht erwor-
benen Reichtum (V.11) sind eine einzige Explikation dessen,
was V.13 zusammenfaßt[80]. Im Stil der im Exil entwickelten
Alternativpredigt werden hier die Umstände des von Jahwe
verfügten Gerichtes an Juda einer grundsätzlichen Betrachtung unterworfen, um das Beispiel des Propheten als die einzig sinnvolle Alternative herauszustellen. Noch deutlicher
als in Jer 12 und 15 wird in der Klage des leidenden Gerechten Jer 17,12-18 erkennbar, daß hier eine Gemeinde ihr reli-
giöses Bewußtsein am Dienst des Propheten aufrichtet und seinen Weg, sich trotz aller Anfechtung zu Jahwe zu bekennen, als
den einzig möglichen begreift, und das in einer Weltsituation,

---

79 Zur literarkritischen Analyse vgl. BRANDSCHEIDT, 64-68.
80 Vgl. BRANDSCHEIDT, 75-78.

die den Gläubigen ständig in eine neue Glaubensbewährung
stellt.

4. Die Konfessionen Jer 18,18-23 und Jer 20,7-18

Betrachtet man die Kapitelfolge Jer 18 und Jer 19-20, so
fällt auf, daß die Redaktion hier eine Einheit geschaffen
hat, die in zwei einander entsprechende Teile zerfällt.
Jer 18 enthält einen Eigenbericht über Jeremias Besuch beim
Töpfer (V.1-12), ein Gerichtswort (V.13-17), einen Hinweis
auf die Verfolgung des Propheten (V.18) und eine Klage desselben (V.19-23). Ähnlich gliedert sich Jer 19-20 in einen
das Thema von Jer 18,1ff. aufgreifenden Bericht über eine
symbolische Handlung mit einer Gerichtspredigt (19,1-15),
in eine Erzählung über die Verfolgung und die Bestrafung
Jeremias (20,1-6) sowie in eine Klage des Propheten (20,7-
18). Diese parallel aufgebaute Anlage der Kapitel 18-20 ist
von Bedeutung für das reaktionelle Verständnis der in sie
eingebetteten Konfessionen.

Jer 18,18-23

Bei der im Mittelpunkt von Jer 18 stehenden Konfessio handelt es sich um eine Feindklage des Propheten. Sein Auftreten als Gerichtsprophet (vgl. Jer 11,18.21; 15,11; 17,15)
ist der Grund dafür, daß im Volk heimtückische Pläne gegen
ihn geschmiedet werden. In diesem Zusammenhang wird von den
meisten Erklärern V.18 als der geschichtliche Anlaß für die
Klage in V.19-23 verstanden und auch von ihr her interpretiert: Die in V.18 erwähnten "Pläne" seien identisch mit
den in V.23 beklagten "Mordplänen"[81]. Trotz dieser scheinbar folgerichtigen Verbindung fällt auf, daß V.18 einige

---

81 VOLZ, Jeremia, 197; RUDOLPH, Jeremia, 124; WEISER, Je-
    remia, 157f.

Besonderheiten enthält, die ihn von den übrigen Versen der
Konfessio abheben: Er ist einmal in Prosa abgefaßt und stellt
zum anderen einen Bericht dar, während die weiteren Aussagen
in V.19-23 ein Gebet des Propheten sind. Ein Problem bildet
außerdem die Negationspartikel אל vor נקשיבה , die in
Anlehnung an G von vielen Auslegern gestrichen wird[82]. Die
Aussage von M ist nach VOLZ schon deshalb unmöglich, weil es
unvorstellbar erscheine, daß die Gegner des Propheten einander ermahnt hätten, nicht auf die Worte Jeremias zu hören.
Was diese planten, sei eindeutig aus V.19f. ersichtlich und
laufe auf eine Lebensbedrohung für Jeremia hinaus. Dementsprechend ändert VOLZ die Aussage נַקְשִׁיבָה ("wir wollen acht-
geben") in das ähnlich klingende נִשְׁקְדָה von שקד ("wachen,
wachsam sein"). Diese Aussage passe besser zu dem Vorgehen der
Feinde als das neutrale נקשיבה . Weiterhin übernimmt VOLZ
von G die Lesart בלשונו als die ursprüngliche und erklärt
das allgemeine בלשון in M damit, daß das hier fehlende waw
als Kopula zu der folgenden Aussage versetzt worden sei. V.18
übersetzt er dann folgendermaßen: "Kommt, laßt uns einen Anschlag gegen Jeremia ausdenken; denn noch ist die Weisung nicht
gewichen vom Priester, der Rat vom Weisen, die Offenbarung vom
Propheten; kommt, wir wollen ihn in seiner Zunge treffen, ihm
auf jedes Wort auflauern". Gemeint sei damit die heimtückische
Art und Weise, mit der die Gegner den Worten des Propheten auflauern wollen. Ein aus dem Zusammenhang gerissenes Wort aus
seinem Mund soll ihnen den Rechtsgrund liefern, um ihn - ähnlich wie im Prozeß Jesu - eines todeswürdigen Verbrechens zu
überführen[83].

Diese in der Auslegung von Jer 18,18f. übliche Erklärung ist
jedoch unannehmbar, da sie den Textbestand von M grundlegend
verändert. Dabei läßt sich der strittige Text in der Fassung
von M ohne Schwierigkeiten übersetzen: "... Auf, schlagen wir

---

82 NÖTSCHER, Jeremias, 281; WEISER, Jeremia, 151.
83 Vgl. VOLZ, Jeremia, 198; NÖTSCHER, Jeremias, 286; WEISER,
    Jeremia, 157; RUDOLPH, Jeremia 124.

ihn mit der Zunge und achten wir nicht auf seine Worte".
Es fällt nun deutlich auf, daß hier, im Gegensatz zu V.19f.,
von einer Lebensbedrohung des Propheten nicht die Rede ist.
Worum aber geht es? Der etwas ungewöhnlich klingende Ausdruck "schlagen mit der Zunge" gibt hierüber Aufschluß. Er
meint nämlich nicht, wie es die meisten Erklärer verstehen,
"jemanden hereinlegen", sondern bedeutet "jemanden mit Worten bekämpfen", ähnlich dem Ausspruch der Gottlosen in Ps
12,5: "Durch unsere Worte sind wir stark". Deshalb sagen
die Gegner Jeremias auch, daß sie den Propheten "nicht hören wollen" (נַקְשִׁיבה — אל); denn sie haben ja, was sie
brauchen: Weisung, Rat und Wort. So ergibt V.18 nach M einen durchaus plausiblen Sinn, der sich allerdings nicht mit
den in V.19-23 vorausgesetzten Mordplänen harmonisieren
läßt. Es handelt sich nach V.18 nicht um einen Anschlag
auf Leib und Leben des Propheten, sondern um den Versuch,
den Unheilsverkündiger mundtot zu machen. Deshalb kann auch
die Tatsache, daß V.18 und V.19 durch das gleiche Verb,
nämlich הקשׁיב , miteinander verbunden sind, nicht als
Indiz für eine ursprüngliche Zugehörigkeit von V.18 zu
V.19ff. gewertet werden. Sie ist vielmehr Ausdruck einer
Bearbeitung, die durch diese Verbparallele den V.18 in die
Klage des Propheten einfügen wollte.

Die Konfessio enthielt ursprünglich nur die Verse 19-23
und läßt folgenden Aufbau erkennen:

Hilferuf an Jahwe   V.19
Klage und Unschuldsbekenntnis Jeremias   V.20
Bitten um die Bestrafung der Gegner   V.21-23

In V.19-23 klagt der Prophet im Sinn des Tun-Ergehen-Zusam-
menhanges über die Feinde, die ihm Gutes mit Bösem vergelten, und ruft Jahwe als Garanten dieser Ordnung um Hilfe an.
Die folgende Bitte um die Bestrafung der Gegner, die in ihrem Beginn mit לכן deutlich an die Einleitung einer Gerichtsverkündigung erinnert, spiegelt sichtlich die Situation des Gerichtspropheten Jeremia wider. Seine in eine

Gerichtsverkündigung eingekleidete Bitte soll das Urteil Jah-
wes gleichsam vorwegnehmen (vgl. Jer 11,22-23). Ein anderer
Vorschlag zum Verständnis der Konfessio findet sich in einer
neuen Untersuchung von HUBMANN. Für ihn ist die Frage in V.20a
("Darf man denn Gutes mit Bösem vergelten?") ein Zitat der
Gegner des Propheten, von deren Gerede V.19 spricht. Dabei
geht es in der Aussage von V.20a darum, welche Vergeltung von
Gott her zu erwarten ist. Der Streitpunkt zwischen Jeremia
und seinen Gegnern ist somit ein theologischer, nämlich die
Frage, ob Jahwe anstelle von Gutem wirklich Böses erstatten
kann. Es geht also in V.20a nicht um eine ungerechte Behand-
lich des Propheten, wenngleich für Jeremia, der diese Frage
nicht im Sinne seiner Gegner beantwortet und Unheil von Jahwe
verkündet, daraus eine bedrohliche Situation erwächst (V.20b).
Ihr kann Jeremia nur entkommen, wenn Jahwe für seinen Propheten eintritt. So bittet Jeremia, daß Gott sich erinnern möge
an seinen Einsatz zur Abwendung des göttlichen Zornes (V.20c)
und anerkennen möge, daß er damit der besonderen Aufgabe eines
Propheten entsprochen hat. Hinzu kommt, daß dieser fürbitten-
de Einsatz jetzt Jeremia offensichtlich zum Nachteil gereicht,
weil er die Position seiner Gegner stärkt und somit die eigene
Situation in der Auseinandersetzung verschärft. Deshalb bittet
Jeremia Jahwe, die Position seiner Gegner Lügen zu strafen, indem er das in ihren Augen Unmögliche tut und das Gericht herbeiführt (V.21f.). In V.23 befaßt Jeremia sich dann ausdrücklich mit seinen Gegnern und erfleht ein Strafhandeln Jahwes
an ihnen[84]. In Bezug auf die grundlegende These von HUBMANN,
daß V.20a ein Zitat der Gegner des Propheten ist, erheben sich
jedoch einige Fragen. Da V.20a als solcher nicht zu erkennen
gibt, wem das ungerechte Verhalten zur Last gelegt wird, kann
er nur kontextgebunden verstanden werden. Wenn aber der Textzusammenhang in V.19 ähnlich wie in Jer 12,6 von der aus dem
Reden der Gegner resultierenden Gefahr spricht, und wenn in
V.23 die Mordpläne der Feinde ausdrücklich genannt werden, darf

---

84 HUBMANN, Jer 18,18-23 im Zusammenhang der Konfessionen, in:
    P.M.BOGART (Hrsg.), Le Livre de Jérémie, Löwen 1981, 271-296.

man dann nicht mit gutem Grund annehmen, daß eben dieses
Verhalten der Kontrahenten Jeremias auch der Gegenstand
der Klage in V.20a ist? Werden nicht erst jetzt die Begründung der Klage in V.20b, daß die Feinde ihm eine Grube
gegraben haben - ein Bild für größte Not und unentrinnbares Unheil (vgl. Ps 7,16; 40,3) - und das sich anschlie-
pende Unschuldsbekenntnis, in dem der Prophet auf seine
Fürbitte für die Feinde verweist, vollauf begreiflich?
Eine Bestätigung dieser Auffassung gibt in diesem Zusammenhang die Konfessio Jer 15, wo in V.10f. mit der gleichen Logik wie hier argumentiert wird. Während aber in
Jer 15 die Feststellung der Ungeheuerlichkeit der Verfolgung und Ablehnung Jeremias in eine heftige Anklage Jahwes mündet, wird in Jer 18 eben diese Anfeindung selbst
zu einem theologischen Thema. Wenn HUBMANN meint, dazu
wäre keine theologische Diskussion vonnöten[85], so läßt
er außer acht, daß nach dtn Tradition derjenige, der den
Propheten als Mittler Gottes ablehnt, sich dem Gericht
übergibt (Dtn 18,19). Dieser Hintergrund öffnet erst den
Blick für die Brisanz der Konfessio Jer 18. Denn wer sich,
wie die genannten Gegner Jeremias, dem fürbittenden Propheten entgegenstellt und so die Möglichkeit einer Aufhebung
des Gerichtes verhindert, der muß eben jene fürchterlichen
Konsequenzen auf sich nehmen, die in der stereotypen Gerichtsschilderung V.21ff. in Aussicht gestellt werden[86].

Der in der Konfessio Jer 18,19-23 beklagte feindliche Mordplan ist durch die Bearbeitung in V.18 auf eine andere Situation gelenkt: Hiernach konzentriert sich das Vorgehen
der Gegner auf den Kampf mit dem Wort. Der Grund für diese
redaktionelle Umdeutung ist in der Verbindung der Konfessio
zu der in 18,1-17 berichteten Widerspenstigkeit Israels,
das lieber auf seine eigenen Pläne baut als auf das Wort

---

85 HUBMANN, Jer 18, 286 A 88.
86 Man fühlt sich in diesem Zusammenhang an die ungewöhn-
    lich harte Aussage Jesu erinnert, daß die Sünde gegen
    den Heiligen Geist nicht vergeben werden kann (Mt 12,
    31f.).

Jahwes, zu suchen; denn das waw copulativum zeigt deutlich,
daß der Redaktor die Konfessio in die Situation von 18,1-17
hineingestellt wissen wollte.

In 18,1-17[87] ist von dem souveränen Geschichtsplan Jahwes
die Rede, dem sich der Mensch durch die Umkehr zu stellen
hat. Jer 18,1-6 ist als Eigenbericht gestaltet und legt ein
Gleichnis zugrunde. Die Arbeit eines Töpfers, der mißratene
Gefäße neuformt, wird hier verglichen mit der Situation des
Volkes in der Hand Jahwes. Auf dem Hintergrund der prophetischen Gerichtsverkündigung hat dieses Bild drohenden Charakter und läuft auf eine Ankündigung der Vernichtung des Volkes hinaus. Erst die in 18,7-10 angefügte Reflexion über
Jahwes Handeln an den Völkern fördert die Doppeldeutigkeit,
die in der Arbeit des Töpfers liegt, zutage. Die Zerstörung
des mißratenen Gefäßes auf der einen Seite und die Neufor-
mung desselben auf der anderen, werden hier zu einer Belehrung über Jahwes Zorn und Jahwes Gnade im Verhältnis zur
Umkehrbereitschaft des jeweiligen Volkes. Die Verse 11-12
lenken auf die Situation des Volkes Israel zurück, wobei die
Reden der Leute von Juda, die ihren eigenen Plänen folgen
wollen und nicht dem Wort Jahwes, zeigen, daß ihnen die Umkehrbereitschaft fehlt, die nach V.7-10 die Voraussetzung
für die Begnadigung eines Volkes bildet. Deshalb erfolgt in
V.13-17 mit der Einleitung   לכן כה אמר יהוה   das Gerichtswort an ihre Adresse.

V.18 knüpft nun in   ויאמרו   an das Selbstzitat der Leute
von Juda und Jerusalem an und konkretisiert das in V.12 dargestellte Verhalten in seiner Auswirkung gegenüber dem Propheten: Weil die Abwehr seiner Prophetie ihren tiefen Grund
in der mangelnden Umkehrbereitschaft des Volkes hat, will es
den Jahwepropheten nicht hören (V.18) und geht ihm dann, um
sein Wort gänzlich auszuschalten, ans Leben (V.19-23). Auch
in Jer 18 hat sich also der Bearbeiter der Konfessio als identisch erwiesen mit dem Redaktor des ganzen Kapitels. Er hat

---

87 Zur literarkritischen Analyse von Jer 18,1-17 vgl. THIEL,
    210ff.

die Klage des Propheten (V.19-23) mittels einer Interpretation der hier vorausgesetzten Situation (V.18) in einen Zusammenhang mit der Gerichtssituation des Volkes gebracht
(V.1-17). Das Vorgehen gegen den von Gott bestellten Mittler bestimmt das Schicksal des Volkes. Jeremia ist der vom
Volk verworfene leidende Gerechte.

Jer 20,7-18

Die Konfessio Jer 20,7-18 ist das letzte und zugleich lei-
denschaftlichste Stück, das über die inneren Kämpfe des
Propheten Aufschluß gibt. Auffällig an dieser Prophetenklage ist aber die Tatsache, daß anklagende Partien (V.7-
9.14-18) und Vertrauensäußerungen (V.10-13) einander un-
vermittelt ablösen. Daher läßt sich mit gutem Grund die
Frage nach der Einheitlichkeit der Prophetenklage stellen.
Ein deutlicher Einschnitt, der zumindest auf zwei verschiedene Klagesituationen hinweist, läßt sich nach V.13 erkennen; denn nach den Vertrauensäußerungen in V.10-13 setzt
in V.14 eine Selbstverfluchung ein, die doch ein sehr star-
kes Kontrastelement bildet. Wie V.14-18 beinhalten auch die
Verse 7-9 eine Anklage des Propheten, die aber im Gegensatz
zu V.14-18 an die Adresse Jahwes gerichtet ist. Daher ist
es nicht verwunderlich, daß innerhalb der Forschungsgeschichte die Zusammengehörigkeit der Teile von Jer 20,7-18
stark umstritten ist.

BAUMGARTNER will infolge der formalen Verschiedenheit den
Abschnitt in drei selbständige Stücke gliedern: Eine Klage
über den Prophetenberuf in V.7-9, eine Auseinandersetzung
mit den Gegnern in V.10-13 und eine Selbstverfluchung in
V.14-18[88]. Auch VOLZ kann keine psychologische Vermittlung
zwischen den Stücken V.7-9.V.10-13 und V.14-18 finden. Er

---

88 BAUMGARTNER, 48-51.63-67; ähnlich STOEBE, Seelsorge
    und Mitleiden bei Jeremia: WuD 4 (1955) 116-134.119.

hält sie daher für drei Aussprüche aus verschiedenen Tagen ein und derselben Zeit[89]. RUDOLPH dagegen will den ganzen Abschnitt (V.7-18) als eine einheitliche Darstellung der Seelenkämpfe des Jeremia verstehen, in der das "Hin- und Herwogen vom Rand der Verzweiflung zum Jubel über Gottes Nähe und wieder hinab in die tiefste Nacht der Trostlosigkeit" zum Ausdruck gebracht werden soll. Über diesen Einblick in die innerste Persönlichkeit des Propheten könne und dürfe der Exeget kein Machtwort sprechen[90]. WEISER wendet hier mit Recht ein, daß ein solches Urteil die Absicht des Propheten doch zu sehr modernisiere und höchstens für die vorliegende Zusammenstellung des Ganzen gelten könne. Seiner Auffassung nach haben wir es in Jer 20,7-18 mit einer Komposition aus zwei Einheiten zu tun, deren Nahtstelle hinter V.13 liege. V.7-13 betrachtet er als eine Einheit von Klage- und Danklied, in welcher V.7-9 die Funktion einer Noterzählung zukomme, wohingegen V.10-13 die Aufgabe hätten, von der Errettung des Propheten zu künden. Die Verse 7-13 bilden seiner Meinung nach somit eine innere und äußere Einheit, die nicht auseinander gerissen werden dürfe[91].

Als eine zusätzliche Stütze für die Annahme einer ursprünglichen Einheit von V.7-9 und V.10-13 können sogar eine Reihe von Wortverbindungen angeführt werden: In V.10 greift die Wendung יפתה auf פתיתני und ראפת in V.7 zurück, ונוכלה auf ותוכל in V.7 und לאוכל in V.9[92]. Daß aber die Zusammengehörigkeit von V.7-9 und V.10-13 doch nicht so stimmig ist, wie es WEISER darstellt, beweisen die Einwände jener Erklärer, die richtig erkannt haben, daß den beiden Abschnitten eine jeweils verschiedene Situation zugrunde liegt: Geht es in V.7-9 um eine Auseinandersetzung

---

89 VOLZ, Jeremia, 211.
90 RUDOLPH, Jeremia, 130; vgl. KEIL, Jeremia, 236; LAMPAR-
    TER, Jeremia, 184.
91 WEISER, Jeremia, 169; ähnlich gliedert auch GUNNEWEG, 409f.
92 Als einen Beweis für eine ursprüngliche Zusammengehörig-
    keit der Verse 7-13 werden die Stichwortverbindungen von
    D.J.A.CLINES - D.M.GUNN betrachtet (Form, Occasion and Re-
    daction in Jeremiah 20: ZAW 88 (1976) 390-409.396.

des Propheten mit Jahwe, so sprechen die Verse 10-13 von der
Verfolgung des Propheten durch seine Gegner und von seiner
Errettung durch Jahwe. In diesem Zusammenhang ist nicht einzusehen, inwiefern V.10-13 eine Antwort auf die in V.7-9 beklagte Not ist. Dann sind aber auch die oben genannten Wortverbindungen lediglich stichwortartiger Natur und ein Indiz,
das auf eine redaktionelle Verknüpfung beider Texte hinweist.

Auch die Querverbindungen von Jer 20,12 zu dem Jeremia-Wort
in Jer 11,20 tragen nichts zum Erweis der Echtheit von V.10-
13 bei. Bei genauem Hinsehen fällt nämlich auf, daß die Verse sich nicht gänzlich entsprechen. Jer 11,20 blickt auf Jahwe
als den gerechten Richter (צדק שפט), während Jer 20,12
auf Jahwe als denjenigen schaut, der den Gerechten prüft
(בחן). Diese Aussage erinnert vielmehr an die in Jer 17,10
gebrauchte Vorstellung von Jahwe als dem Herzensprüfer.

Für die endgültige Bestätigung einer redaktionellen Gestaltung von V.10-13 lassen sich schließlich die aus der Analyse der übrigen Konfessionen gewonnenen Einsichten fruchtbar machen: Kennzeichnend für die Redaktion war hier die
Bildung von Redepartien, welche die jeweilige Konfessio in
den Kontext einbanden (vgl. 11,21; 18,18). Auch in Jer 20,10
stellt der Ausspruch der Feinde "Grauen ringsum" die Verbindung zum Kontext (Jer 20,3) her.

Die Konfessio umfaßt ursprünglich also nur die Verse 7-9.
14-18. GUNNEWEG dagegen erklärt auch noch V.14-18 als ein
sekundäres Stück, das auf derselben Ebene wie die Weisheitssprüche in 17,5-11, wo es um den Segen Gottes für die
Frommen und den Fluch für die Frevler gehe, liege. In Anlehnung an 17,5-11 deute die Redaktion in 20,14-18 den
Propheten als den leidenden Weisen, der ob des unverdien-
ten Unglückes den Tag seiner Geburt verfluche, dem aber
einmal sein Recht wiedergeschenkt werde[93]. Daß die Verse
14-18 jedoch zu der Konfessio V.7-9 gehören und ein echtes

---

93 GUNNEWEG, 411f.

Jeremia-Wort darstellen, wird die innere Struktur beider
Texte erkennen lassen.

In Jer 20,7-9 beschreibt Jeremia seine prophetische Sendung
als Verführung und Überwältigung durch Jahwe. Das hier entscheidende Verb פתה wird allgemein von der Situation eines
von seinem Liebhaber verführten und getäuschten Mädchens
verstanden (Ex 22,15), das sich in seiner Einfalt ausgenutzt und in Schande sitzen gelassen sieht[94]. Es ist jedoch
äußerst fraglich, ob eine böswillige Täuschung durch Jahwe
die Aussageabsicht von V.7 ist, zumal das Verb פתה in dem
genannten Sinn nur einmal im AT vorkommt (Ex 22,15). Daher
schlagen CLINES/GUNN die Übersetzung "überreden, überzeugen" (vgl. Spr 1,10; 24,28; 25,15 u.ö.) vor. Jeremias Protest gegen Jahwes פתה findet nicht aufgrund eines vorgängi-
gen Betruges oder einer Täuschung von seiten Gottes statt,.
sondern weil Jahwe Jeremia mit seinen "starken Argumenten
überredet und überwältigt" hat[95]. Die Folge für Jeremia ist,
neben der Verspottung durch seine Hörer, die Tatsache, daß
er bei seinem prophetischen Reden (דבר) gezwungen ist,
"Gewalttat und Bedrückung" (חמס ושד) zu schreien. Dieser Ausruf ist sehr verschieden interpretiert worden. Gewöhnlich wird er als Protest des Propheten gegen die Unterdrückung der Armen verstanden[96]. Andere Erklärer wiederum
verstehen diese Aussage als einen an Jahwe gerichteten Hilferuf des von seinen Gegnern verfolgten Propheten[97]. Es ist
jedoch schwer einzusehen, inwiefern Jeremias prophetisches
Reden nur aus Protest und Anschuldigungen besteht, wie es

---

94 Vgl. WEISER, Jeremia, 170; RUDOLPH, Jeremia, 130f.
95 CLINES-GUNN, "You Tried to Persuade me" and "Violence!
    Outrage!" In Jeremiah XX 7-8: VT 28 (1978) 20-27.21.
    Ohne diesen für das Verständnis von Jer 20 so hilfrei-
    chen Versuch von CLINES-GUNN zu erwähnen, votieren AHUIS
    (108) und ITTMANN (172) für den in bezug auf das Verhält-
    nis Jahwe - Prophet problematischen Sprachhorizont aus dem
    Bereich eines Sexualdeliktes.
96 J.BRIGHT, "Jeremiah's Complaints: Liturgy, or Expressions
    of Personal Distress?", in: Proclamation and Presence,
    London 1970, 189-214.212.
97 DUHM, 165; BAUMGARTNER, 64; WEISER, Jeremia, 170; RUDOLPH,
    Jeremia, 120; GUNNEWEG, 409.

die erste Erklärung meint. Aber auch die zweite Auslegung
stellt vor Probleme; denn es bleibt hiernach unklar, was der
Hilferuf des Propheten wegen seiner Bedrohung durch die Feinde
mit seiner Anklage Jahwes zu tun hat. Eine Untersuchung der
Begriffe kann hier weiterhelfen. זעק meint zumeist den Hil-
feschrei eines Unschuldigen angesichts seiner Bedrücker (Ex
2,23; Ri 3,9.15 u.ö.). חמס bezeichnet die Verletzung der
von Jahwe gesetzten Ordnungen (Jes 60,18; Jer 6,7; Ez 45,9;
Hab 1,3 u.ö.) שד ist ein Ausdruck der Bedrückung und Mißhandlung (Jer 6,7; Hab 1,3 u.ö.). Im Verlauf der Anklage
Jahwes will Jeremia in V.8 somit sagen: Jedesmal, wenn ich
prophetisch rede, muß ich gleichzeitig zu Jahwe um Hilfe
schreien; ich rufe "Gewalt, Bedrückung" zum Zeichen einer
von Jahwe gegenüber mir verletzten Ordnung. So enthält diese
Aussage neben einem an Jahwe gerichteten Hilferuf in erster
Linie einen Protest gegen Jahwe, der ihn ungerechtfertigt in
die Lage eines verhöhnten Propheten gebracht hat[98]. Trotz
dieser an Jahwe gerichteten Anklage weiß der Prophet aber
auch, daß dieser ihn wieder und wieder überwältigen wird;
denn Jeremia kann und will sich nicht von Jahwe lossagen
(V.9).

Diese grundsätzliche Reflexion über seinen Prophetenberuf
bildet den Hintergrund der in V.14 einsetzenden Selbstverwünschung Jeremias. Er verflucht den Tag seiner Geburt sowie
den Bringer dieser Kunde, den er unter die gleiche Unheilssituation stellt wie Jahwe jene Städte, denen er den Untergang angedroht hat. Das Motiv für den Fluchwunsch liefert
V.18: "Warum denn kam ich hervor aus dem Mutterschoß, um nur
Mühsal und Kummer zu erleben und meine Tage in Schande zu be-
enden?". Damit ist V.14-18 eine Art Daseinsklage, in welcher
Jeremia sich weder mit seinem prophetischen Auftrag noch mit
speziellen Anfeindungen auseinandersetzt, sondern den Sinn,
das Wozu seiner Existenz als leidender Prophet reflektiert.
Da dieses Leiden aber mit seiner Existenz als Gerichtsprophet

---

98 CLINES-GUNN, "You Tried to Persuade me", 26.

in der Zeit des Unterganges zusammenhängt, ist die Selbstverwünschung nur die Kehrseite der in V.7-9 zum Ausdruck gebrachten Ohnmacht vor Jahwe. Jeremia, der sich immer wieder von
Jahwe überwältigen läßt und dafür Mühsal und Kummer in Kauf
nehmen muß, weiß in beiden Fällen keinen Ausweg.

Ein Bearbeiter hat den Textzusammenhang V.7-9.14-18 durch die
Einschaltung der Verse 10-13 unterbrochen und hier eine Antwort auf Jeremias Anfechtung durch die Feinde gegeben. Mit dem
Aufruf zum Lobpreis Jahwes in V.13 gestaltet er diese Aussage
gleichzeitig zu einem Bekenntnis der Gemeinde zu dem gerette-
ten Propheten.

Die Verse 10-13 haben folgenden Aufbau:

Noterzählung	V.10
Vertrauensäußerung	V.11
Erhörungsgewißheit	V.12
Aufruf zum Lobpreis Jahwes	V.13

Wenn BAUMGARTNER und RUDOLPH in diesem Zusammenhang V.12 als
eine Glosse zu 11,20 ausschalten[99], so übersehen sie, daß V.12
ganz dem Kontext von V.10-13 angepaßt und durch das Stichwort
נקם entscheidend mit V.10 verknüpft ist.

In V.10-13 will der Redaktor eine grundsätzliche Stellungnahme
zu der Feindbedrohung im Leben des Propheten geben. Dann wird
nämlich auch die starke Entsprechung der Verse 10-13 zu den
Vorstellungen und der Sprache der Psalmen, die ja in erster
Linie keinen individuellen, sondern einen exemplarischen Fall
im Auge haben, verständlich: "Viele" verbünden sich gegen
"einen" (V.10; vgl. Ps 3,3; 4,7; 31,14; 55,19; 56,3); die "näch-
sten Freunde" machen mit dem "Feind" gemeinsame Sache (V.10;
vgl. Ps 38,12; 41,10; 88,9.19; Ijob 19,13-19), Jahwe aber errettet die "Armen" (V.13; Ps 31,8; 35,9.10.28). Darüber hinaus
besteht eine wörtliche Übereinstimmung zwischen Jer 20,10 und
Ps 31,14a sowie Jer 20,13 und Ps 9,12f.; 22,24f.

---

99 BAUMGARTNER, 48; RUDOLPH, Jeremia, 133.

Als "starker Held" aber hat Jahwe das Vertrauen Jeremias in
seine Führung bestätigt. In ähnlicher Weise hat die Redaktion auch in Jer 32 eine Anklage des Propheten zu einem Gebet an Jahwe, der wie in Jer 20 als starker Held angesprochen wird (32,18), umgewandelt.

In Jer 20 will der Redaktor also folgendes sagen: Jeremia,
der alle feindlichen Angriffe überlebt hat, besitzt nicht
nur einen Anlaß zur Klage, sondern vor allem einen Grund
zum Lobpreis Jahwes. Jeremia wird zwar immer wieder von
Jahwe überwältigt werden (V.7-9), aber niemals von seinen
Gegnern (V.10-13). Deshalb knüpft der Redaktor mit dem Ausspruch מגור מסביב in V.10 an die gefährliche Bedrohung
Jeremias durch den Oberpriester Paschhur an (20,1-6). Hier
findet er die Konkretisierung seiner grundsätzlichen Aussage
in V.10-13.

Damit aber ist das Problem der letzten Konfessio noch nicht
ganz gelöst; denn warum hat der Redaktor den Zusammenhang
der Verse 7-9.14-18 unterbrochen, so daß nach der Aufforderung der Gemeinde zum Lobpreis des Rettergottes Jahwe in
V.13, wieder die Klage des Propheten fortfährt und diese
sogar in einem Ton tiefster Verzweiflung endet?

Einigen Erklärern schien diese Tatsache so unglaubwürdig,
daß sie die Reihenfolge der Textabschnitte änderten und
V.10-13 auf die Klage V.7-9.14-18 folgen ließen[100]. Damit
aber ist die Eigentümlichkeit der Konfessio Jer 20,7-18
grundlegend verkannt. Es spricht nämlich für die Feinfüh-
ligkeit des Redaktors, daß er die Anfechtung des Propheten
nicht einfach auf das Feindproblem hin harmonisierte und
glättete.

Hier gilt es, die Verbindung mit dem zu Jer 19-20 parallel
gestalteten Aussagenkomplex in Jer 18 zu beachten. Die dort
erwähnte mangelnde Umkehrbereitschaft der Judäer führte zu
den Anschlägen gegen den Jahwepropheten, weil sie nämlich
eine ganz andere Auffassung von den "Plänen Jahwes" hatten

---

100   So CONDAMIN, 161.165.

(18,12.18). Auch Jeremia versteht "Jahwes Pläne" in bezug
auf seine Person nicht. Er wird jedoch auf eine ganz andere
Weise an der geschichtsmächtigen Führung Jahwes irre als
seine Gegner: War es dort nur der Eigensinn des sündigen
Menschen, der die Umkehr und das Verstehen Jahwes verhin-
derte, so ist es bei Jeremia die absolute Andersartigkeit
der göttlichen Pläne, die, verbunden mit den Verfolgungen
der Gegner, zu einer menschlich nicht mehr zu bewältigenden
Lage des Propheten führten. Die Vertrauensäußerung in V.10-
13 erstreckt sich auf die Belastung, die durch die Verfolgung von seinen Gegnern entstand, nicht aber auf die Belastung, die durch die Rätselhaftigkeit der Führung Jahwes
selbst hervorgerufen wurde. Deshalb ist es ein Mißverständnis der Konfessio, wenn RUDOLPH am Ende seiner Auslegung
von Jer 20 die Klage des Propheten relativiert und in dem
beginnenden Eintreffen der Unheilsweissagungen den bitter-
sten Stachel aus dem Erleben Jeremias genommen sieht[101].
Dies kann in einem eingeschränkten Sinn nur für das redaktionelle Verständnis der Konfessio gelten. Die Klagen des
Propheten sprechen dagegen: Er hat seiner leidenden Existenz
aufgrund seiner Berufung zum Propheten keinen Sinn abgerun-
gen. Diesem schmerzlichen Erleben des Propheten mit seinem
Gott trägt die Redaktion in Jer 20 insofern Rechnung, als
sie ihre eigene Interpretation (V.10-13) mit dem authentischen Wort des Propheten beschloß (V.14-18).

Damit wird auch abschließend deutlich, in welchem Horizont
die Redaktoren der Konfessionen diese als Gerichtsklagen des
leidenden Gerechten verstanden haben: Jeremia ist der leidende Gerechte, der in aller Bedrohung, in die ihn das Gericht Gottes gebracht hat, standgehalten hat und standhalten
konnte, weil der leidende Gerechte überhaupt - und in dieser
Aussage liegt die Übertragung der prophetischen Situation auf
die Gemeinde - des göttlichen Beistandes gewiß sein darf (V.10-
13). Die Frage, die der Prophet selber bezüglich des Gottes-
verständnisses hatte, nämlich wozu sein Leben überhaupt gut

---

101 RUDOLPH, Jeremia, 134.

gewesen sei, ist von der Redaktion zwar nicht ausdrücklich
zum Thema gemacht, aber, wie die redaktionelle Anordnung
der Konfessio zeigt, durchaus gesehen worden. Dies bestätigt auch die redaktionelle Reihenfolge der Konfessionen:
Während in der ersten Konfessio Jer 11,18-23 die Leute von
Anatot die physische Existenz des Propheten bedrohen und
zerstören wollen, wünscht sich in der letzten Konfessio
Jer 20 der Prophet selbst, daß seine Existenz nie stattgefunden hätte. Mit dieser "Rahmung" zeigen die Redaktoren,
daß sie darum wissen, daß für Jeremia "das Dunkel wächst
und sich von Mal zu Mal tiefer in den Propheten hinein-
frißt"[102] und daß Jer 20,14-18 den Gipfel der prophetischen Not darstellt[103].

5. Zusammenfassung und Ausblick

a. Der Grundbestand: Die Klagen des Mittlers

Die Klagen des aufgrund seiner Leiden in seinem Gottesverhältnis angefochtenen Propheten haben stets eine zweifache
Ausrichtung: Die Klage über die Feindbedrohung und die Anklage des dem Propheten in seinem Handeln an ihm unbegreiflichen Gott. Dies hängt damit zusammen, daß Jahwe in den
Augen des Propheten ein Geschehen zuläßt, daß für Jeremia
mit seinem Auftrag nicht vereinbar ist: Gott sendet seinen
Boten, aber er schützt den seiner Sendung gehorsamen Die-
ner nicht. Im Gegenteil, er führt ihn in immer größeres Leid,
so daß es den Anschein hat, als konzentriere sich der gerechte Zorn Jahwes über das sündige Gottesvolk in unge-
rechtfertigter Weise ganz allein auf den seine Gerichtsbotschaft verkündenden Propheten. Diese Erfahrung seines

---

102 VON RAD, Theologie des AT II, 211.
103 Damit erledigen sich letzte Zweifel an der Zugehörigkeit von Jer 20,14-18 zu den Konfessionen. Wer diese
Selbstverfluchung aus dem Kreis der Konfessionen streicht
(so ITTMANN, 25f.), hat zumindest nach Ansicht der Redaktoren den Sinn der Konfessionen nicht verstanden.

prophetischen Dienstes prägt die Klagen Jeremias in einer
dreifach charakteristischen Weise.

<u>Erstens:</u> In allen Klagen Jeremias läßt sich eine Steigerung
der oben genannten Problematik beobachten. In Jer 11,18ff.
ist es noch Jahwe selbst, der dem Propheten die Anschläge
seiner Gegner enthüllt, so daß es durchaus den Anschein hat,
als hielte Jahwe seine schützende Hand über seinen Boten.
Auch in Jer 18,19ff. ist Jeremia davon überzeugt, daß Jahwe
seinen Propheten nicht im Stich lassen kann, selbst wenn er
in der Gegenwart noch keinen Erweis göttlichen Beistandes
sieht. In Jer 17,15ff. dagegen schwindet diese Sicherheit.
Die Bedrohung und Verfolgung allerorten, verbunden mit der
religiösen Selbstsicherheit der Gegner gegenüber seiner Gerichtsbotschaft, lassen Jeremia ahnen, daß Jahwe auch in seinem Fall kein anderes Gesicht zeigt und zeigen wird als das
eines richtenden Gottes. Von diesem Wissen sind auch die Anklagen Jeremias geprägt. In Jer 12,1ff. beginnt das Rechten
des Propheten mit Jahwe in Form einer Klage über den Erfolg
der Frevler allgemein und steigert sich dann in Jer 15 von
der Enttäuschung über den eigenen Mißerfolg zu einer heftigen
Anklage Jahwes bis hin zu der verzweifelten Selbstverfluchung
in Jer 20, wo Jeremia, weil er den Sinn seines leidvollen
Dienstes nicht versteht, wünscht, er wäre nie geboren.

<u>Zweitens:</u> Die wachsende Belastung seines Gottesverhältnisses
aber macht die Konfessionen zu mehr als nur den Klagerufen
eines verzweifelten Herzens. Wenn Jeremia, der von Jahwe in
besonderer Weise gerufen wurde, jetzt in der Ausübung seines
Dienstes den ihn Beauftragenden anklagt, so stellt er damit
den Auftrag Jahwes und seinen eigenen Dienst in Frage. Es
geht also in den Konfessionen nicht allein um die vielfälti-
gen Leidsituationen des Propheten. Daß Prophetsein kein ge-
sichertes Leben bedeutet, dürfte Jeremia im Blick auf die
Propheten vor ihm gewußt haben. Wonach er fragt, ist vielmehr
das Wozu (למה) seines Leidens (Jer 15,18; 20,18). Das

heißt: Er will den Zweck, das Ziel seines Standhaltens im
Leid erkennen. In diesem Zusammenhang sind die Antworten
Jahwes von entscheidender Bedeutung, weil sie den Prophe-
ten in dieses "Wozu" einführen. So korrigiert Jahwe in Jer
12,5.6 des Propheten Klage über eine in Abkehr von Gott
sich gestaltende, scheinbar erfolgreiche Lebensweise der
Frevler, die, von Gott her gesehen, nach des Propheten
Auffassung keinen Bestand haben dürfte. Ein derart mecha-
nisches Verständnis von Sünde, das anhand sicherer Zeichen
den von Gott gestraften Sünder und den von Gott gesegneten
Frommen erkennen will, zeigt, daß Jeremia sich mit seiner
Klage an der Oberfläche bewegt und daß er das Ausmaß einer
sündigen Welt sowie die Abgründigkeit der Sünde selbst noch
gar nicht begriffen hat. Am Beispiel des Verhaltens seiner
eigenen Familie enthüllt ihm Gott diese Zusammenhänge und
rüstet ihn mit dieser Warnung gleichzeitig zum Bestehen kom-
mender Nöte aus.

Was aber hat es für einen Sinn, wenn der an Gott Glaubende
in einer sündigen Welt zerrieben wird? Ist Gott dann nicht
letzten Endes doch der "versiegende Bach", das "unzuverlässige Wasser", wie es Jeremia in Jer 15,18 Jahwe entge-
genschreit? Auch hier gibt Gott seinem Propheten eine Antwort, die aber zunächst in der Weise eines Tadels ergeht;
nicht, weil Jeremia seine Nöte vor Gott bringt, sondern weil
er Jahwe verleumdet und zu einem Verräter abstempelt, der
den Menschen an sich bindet und ihn dann in einer entsetzlichen Weise täuscht und im Stich läßt, wenn dieser auf
eine Antwort von ihm angewiesen ist. Das ist von Gott her
gesehen das "Gemeine", das Jeremia redet, wenn er nach der
Weise der von ihm verklagten Gegner Gott ebenfalls nach seinen eigenen Vorstellungen bemißt. Deshalb bedarf es hier des
Tadels, den Gott aber in der Form einer Mahnung zur Umkehr
ergehen läßt. Erst dann darf Jeremia wieder "Mund Jahwes"
sein (Jer 15,19). Das aber heißt als eine Korrektur der heftigen Anklage Jeremias: Wenn Gott einen Menschen beruft, so
ist jeder Hintersinn ausgeschlossen. Als "Mund Jahwes" steht

Gott diesem Menschen in auszeichnender Weise nahe.

Es ist also nicht richtig, wenn von einigen Forschern behaup-
tet wird, daß Jahwe in seinen Antworten von den Leiden des
Propheten kaum Notiz nähme[104]. Die Hilfe Jahwes wird zugesagt:
Aber nicht als Zusage der Befreiung von allem Leid, sondern
als Gewährung des Mitseins Jahwes durch alles Leid hindurch.
Die Aufgabe des Propheten jedoch ist es, in einer von der
Sünde gekennzeichneten Welt ein Zeichen zu sein, ein Zeichen,
das in seiner Standfestigkeit von Gott garantiert und das
deshalb vom Bösen nicht überwunden wird. Wenn diese Zusagen
Gottes die Klagen des Propheten dennoch nicht zum Verstummen
bringen, so deshalb, weil Jeremia eine solche Nähe Gottes nur
schwer erträgt, denn sie bürdet ihm letztlich eine Teilnahme
an den "Leiden Gottes" auf. Diese Erkenntnis aber verlangt
dem Propheten eine grundsätzliche Entscheidung ab.

Drittens: Wenn die obigen Ausführungen richtig sind, so muß
sich die besondere Problematik des Propheten auch auf die Art
seiner Klage auswirken. In diesem Zusammenhang ist die Gestalt
der letzten Konfessio in Jer 20 von großer Bedeutung. Sie enthält weder ein Unschuldsbekenntnis des Propheten noch eine Vertrauensäußerung noch eine Bitte. Auch eine antwortende Jahwerede fehlt. Diese Elemente aber waren in den übrigen Prophetenklagen geradezu entscheidende Elemente. Wenn sie jetzt in Jer 20
fehlen, so ist dies ein Zeichen dafür, daß der Prophet erkannt
hat, daß es in den ihm auferlegten Leiden gar nicht um seine
Schuld oder Unschuld geht, sondern um einen Auftrag, zu dem
der Mensch nur ja oder nein sagen kann, den er aber auf keinen
Fall bis in die letzten Konsequenzen für seine Zwecke durch-
schauen kann. So hat die Klage des Propheten angesichts der
Verborgenheit Gottes im Leid einen über die Anklage und das
Verklagen hinaus neuen Charakter bekommen: Sie ist zu einem
Ort der Entscheidung für oder gegen Jahwe geworden (vgl. Jer
20,9). Aus diesem Grunde ist in Jer 20 auch kein Platz für eine

---

104 Vgl. BAUMGARTNER, 38; VOLZ, Jeremia, 175 ; WEISER, Jere-
     mia, 134 ; RUDOLPH, Jeremia, 109 .

dem Propheten antwortende Gottesrede.

Weil es aber hier um einen Auftrag geht, der dem Propheten
jede Sicherung seines Lebens verwehrt und ihm trotz der
grundsätzlichen Entscheidung für Jahwe (Jer 20,9) das Ertragen der sich daraus ergebenden Konsequenzen nicht leich-
ter macht, wünscht sich Jeremia in Jer 20,14-18 eine Auflösung seines Daseins in das Nichts. Daß sein Leben zu kei-
nem positiven Vollzug seiner selbst kommt, bleibt ihm letztlich unbegreiflich.

Diese Spannung zwischen Bekenntnis und Anklage hat der Prophet Jeremia zeit seines Lebens nicht überwinden können.
Daß er sie aber beantwortet hat, zeigt der Blick auf seinen
Lebensvollzug. Dieser aber war für die Redaktoren Grund genug, um im Blick auf die Person des Propheten eine theologische Standortbestimmung der Situation des gerichteten Gottesvolkes in die Wege zu leiten.

In diesem Zusammenhang ist für die Beschreibung der formalen
und inhaltlichen Gestalt der Konfessionen und ihrer späteren
Bearbeitung eine Erkenntnis von WESTERMANN wichtig, die dieser im Zusammenhang mit seiner Untersuchung über die Struktur und Geschichte der Klage gewonnen hat. Als eine Sonder-
form der KE nennt WESTERMANN hier die Klage des Mittlers,
die er folgendermaßen definiert: "Ein Einzelner bringt nicht
sein persönliches Leid vor Gott, sondern das durch sein
Mittlerwirken am Volk bewirkte Leid"[105]. Diese grundlegende
Charakteristik einer Mittlerklage wird von der Struktur der
Konfessionen bestätigt: Hier tritt die Ich-Klage, der Ausdruck jeder persönlichen Not und daher ein Hauptbestandteil
der individuellen Klagepsalmen (vgl. Ps 6,7-8; 22,7-9.15f.
18a; 38,4-11.18f.), nur in Verbindung mit der Feindklage
(Jer 11,19; 15,10) oder der Anklage Gottes (Jer 15,16f.;
20,7b.8b) auf. Endgültig bestätigt wird die Erkenntnis von
WESTERMANN allerdings erst auf der redaktionellen Ebene, wo

---

105 WESTERMANN, Die Rolle der Klage in der Theologie des AT,
    München 1974, 250-268.264; DERS., Struktur, 49.67.

zum vollen Verständnis der Konfessionen als Mittlerklagen
der Kontext der Gerichtsverkündigung an das Volk konstitutiv dazugehört.

b. Die Bearbeitung: Die Gerichtsklagen des leidenden Ge-
rechten

Mit der Deutung des Reichsuntergangs als Gericht Jahwes
hatte die offizielle Religion des Volkes einen tödlichen
Schlag erhalten. Für die dtr Kreise war das nach 586 Grund
genug, auf die vergangene Geschichte zurückzuschauen, um
so die Erkenntnis der tiefen Verschuldung eines erwählten
Volkes und zugleich eine theologische Standortbestimmung in
die Wege zu leiten. In diesem Zusammenhang nimmt die Beschäftigung mit der Prophetie einen hervorragenden Platz ein.
Dabei geht die Bearbeitung der jeremianischen Konfessionen
einen dreifachen Weg: Sie versucht, den Hintergrund für die
Not des Propheten zu erhellen (1) und im Blick auf seinen
Dienst das Handeln Jahwes zu verstehen (2), um mittels einer
solchen Besinnung einen Weg für den Glaubensvollzug der gerichteten Gemeinde zu bahnen (3).

Erstens: Die Widerspenstigkeit Israels, das auf das Wort Jahwes im Mund des Propheten Jeremia nicht hören wollte, zeigt
sich für die dtr Redaktion in besonderem Maße in der Verfolgung des Jahwepropheten. Jahwes Wort nicht hören wollen, bedeutet hierbei aber, den Verkünder des Wortes, Jeremia, stumm
machen, nämlich töten. Diese letzte Konsequenz der religiösen Verblendung haben die Deuteronomisten mit aller Deutlichkeit dem Gewissen des Volkes vorgehalten, das sich so selbst
als Ursache für das Leiden des unschuldigen Propheten wiedererkennen sollte. Nicht allein den Menschen Jeremia aus Anatot
wollte es ausschalten, sondern den ihnen ein ungefälliges Wort
Gottes verkündenden Propheten Jeremia (Jer 11,21; 18,18) und
damit letzten Endes die Wirklichkeit Gottes selber. Um eben
diesen Gegensatz zwischen dem bundbrüchigen Volk und dem jah-

wetreuen Propheten geht es, wenn die dtr Redaktion die Klagen Jeremias in eine größere Textfolge stellt, die jeweils
die Situation im gerichtsreifen Volk in die Interpretation
der Situation des Propheten als des leidenden Gerechten ein-
bezieht[106]. Mit dieser Kontrastierung aber war der Weg ge-
wiesen nicht nur für eine positive Bewertung des prophetischen Dienstes, sondern zugleich für eine differenzierte
Sicht des göttlichen Gerichtes.

Zweitens: Hatte schon der Grundbestand der Konfessionen in
den Antworten Jahwes zum Ausdruck gebracht, daß sich hier
ein leidender Prophet in einer neuen Weise vor Gott bewähren
muß (Jer 12,5.6; 15,19), so reflektiert die dtr Redaktion
eben diesen von Gott für die Zeit des Gerichtes geforderten
Dienst. Entscheidend ist hier die Bearbeitung in Jer 15,11-14,
wo die Anfeindungen Jeremias und damit seine scheinbare
Gleichsetzung mit dem sündigen und deshalb gerichtsreifen
Volk als notwendig erklärt werden, weil nur durch das Gericht hindurch der Weg zu einem Neubeginn von Gott her eröffnet wird. Dabei betont die Redaktion, daß die Anfeindung
Jeremias "zum Guten" (Jer 15,11) ist; denn während das Volk
das Gericht Gottes als Strafe für seinen Bundesbruch und des-

---

106 In einem nur eingeschränkten Sinn kann hier der Auffassung von THIEL zugestimmt werden, der die Konfessionen
in Szenenfolgen eingebettet sieht, die nach einem bestimmten Schema gestaltet sind: Zunächst wird der Anlaß für die Gerichtsverkündigung genannt: Jer 11,1-6;
14,1-9.19-22; 18,1-4; 19,1-2; es schließt sich das Gerichtswort an: Jer 11,7-17; 14,10-18; 15,1-9; 18,5-17;
19,3-15, dann ein Bericht über die Verfolgung des dieses Wort verkündenden Propheten: Jer 11,18-23; 15,10.15;
18,18; 20,1-6 und letzlich die Klage des leidenden Got-
tesboten: Jer 12,1-5; 15,10-21; 18,18-23; 20,7-18 (160f.
287). Abgesehen davon, daß diese Gliederung der dtr Kom-
positionen sich auf Jer 17 nicht ganz so gut anwenden
läßt, zeigt die in dieser Arbeit vorliegende Deutung
der dtr Redaktion der Konfessionen, daß es sich bei
THIEL um eine mehr äußere Einteilung der Textfolgen
handelt, welche die theologische Prägnanz von Dtr nicht
deutlich genug in den Vordergrund treten läßt. Zur Kritik an THIEL vgl. auch HUBMANN, Untersuchungen zu den
Konfessionen, 166.

halb als das Ende all seiner Lebensformen erleidet, wird Jeremia, wenn er seinen Auftrag durchhält und somit Gott gehorsam ist, von der Bosheit seiner Gegner nicht überwunden werden (Jer 15,20.21; vgl. 20,10-13). Damit aber ist Jahwe nicht
mehr der unbegreifliche Gott, dessen Zorneshandeln Schuldige
sowie Unschuldige vernichtet, sondern der Gott, der das Zeugnis des leidenden Gerechten selbst ermöglicht und garantiert.
Von dieser Einsicht in die Zusammenhänge von Gotteszorn und
Menschenleid her ist es nur folgerichtig, wenn die dtr Redaktion jetzt die Wegmarken steckt für eine Anwendung der Gerichtsklage des leidenden Gerechten auf die Situation der gerichteten Gemeinde.

Drittens: Nach 586 erhält die geschlagene Gemeinde im Blick
auf die Leiden des Propheten die Gewißheit, daß Gott auf der
Seite seiner Getreuen auch in lebensbedrohender Not steht,
und daß somit für den auf diesen Gott vertrauenden Gerechten
die Rettung nicht ausbleiben kann (Jer 20,10-13). Wer dem
Beispiel des Propheten folgt, und das heißt, wer in Erkenntnis seiner Schuld den von Gott gewiesenen Weg auf sich nimmt,
der kann auch seine Not betend vor Gott bringen, der eben kein
"Trugbach" (Jer 15,18), sondern die "Hoffnung Israels" (Jer
17,13) ist.

B. Die Passion des Gerechten im Buch Ijob

1. Die Rahmenerzählung: Ijob 1,1-2,13; 42,7-17

Das Buch Ijob zerfällt, wie man auf den ersten Blick erkennt,
in zwei größere, jetzt ineinander gearbeitete Teile: die Rahmenerzählung (1,1-2,13; 42,7-17) und die Ijobdichtung (3,1-
42,6). Während die Rahmenerzählung nach Ansicht der Erklärer
die alte Ijoblegende enthält, die in der Weisheitstradition
Israels schon länger bekannt war, stellt die Ijobdichtung de-

ren jüngere, theologisch schwer befrachtete Bearbeitung
dar[107].

Die Frage, ob die Rahmenerzählung in ihrer jetzigen Gestalt
noch die alte Ijoblegende vollständig wiedergibt, wird von
den Erklärern meistens verneint. Als Hauptgrund gilt ihnen
die Uneinheitlichkeit der Darstellung in dem Schlußteil der
Erzählung. Während in Ijob 42,7-10 noch mit einem deutlichen
Blick auf die vorausgegangenen Dialoge die Freunde Ijobs Ta-
del erfahren, weiß der Abschnitt Ijob 42,11-17 offenbar
nichts mehr von ihnen. Außerdem berichtet dieser Abschnitt
erneut die schon vorher in Ijob 42,7-10 geschilderte Wiederherstellung Ijobs. Da überhaupt den Freunden Ijobs in
der Rahmenerzählung keine nennenswerte Bedeutung zukommt,
haben einige Erklärer vermutet, daß erst der Ijobdichter
die Freunde in die Rahmenerzählung eingefügt hat, um so die
für ihn wichtigen Dialoge vorzubereiten. Außerdem fällt auf,
daß im Schlußteil (42,11-17) von der in der Einleitung (2,7f.)
berichteten Krankheit Ijobs keine Rede mehr ist. Auch findet
die in der Einleitung so ausführlich dargestellte Wette zwischen Gott und dem Satan (1,6-11; 2,1-7) im Schlußteil kein
Echo mehr. All diese Spannungen weisen deutlich darauf hin,
daß die Rahmenerzählung nicht aus einem Guß, sondern das
Werk einer Bearbeitung ist[108].

---

107 Die folgende Untersuchung verdankt viele Anregungen den
    Kommentaren von B.DUHM, Das Buch Hiob, Freiburg 1897;
    P.VOLZ, Das Buch Hiob, Göttingen 1911; P.DHORME, Le
    livre de Job, Paris 1926; H.JUNKER, Das Buch Job, Würz-
    burg 1951; G.HÖLSCHER, Das Buch Hiob, Tübingen 1952;
    LAMPARTER, Das Buch der Anfechtung, Stuttgart ³1962;
    FOHRER, Das Buch Hiob, Gütersloh 1963; R.GORDIS, The
    Book of God and Man, Chicago 1965; A.WEISER, Das Buch
    Hiob, Göttingen ⁵1968; F.HORST, Hiob, Neukirchen 1968.
108 Zur Vorgeschichte und Rekonstruktion der Rahmenerzäh-
    lung vgl. D.B.McDONALD, The Original Form of the Le-
    gend of Job: JBL 14 (1895), 63-73; F.BUHL, Zur Vorge-
    schichte des Buches Hiob: BZAW 41 (1925), 52-61; A.ALT,
    Zur Vorgeschichte des Buches Hiob: ZAW 55 (1937) 265-
    268; G.FOHRER, Zur Vorgeschichte und Komposition des
    Buches Hiob: VT 6 (1956) 249-267; H.P.MÜLLER, Hiob und
    seine Freunde, Zürich 1970.

Einen beachtenswerten Versuch zur Lösung des hier vorliegenden literarkritischen Problems hat in neuerer Zeit SCHMIDT
in einer Studie zu der Rahmenerzählung des Buches Ijob ange-
stellt. Ausgangspunkt für SCHMIDT ist das auffällige Nebeneinander der beiden Gottesbezeichnungen Jahwe und Elohim, das
er als einen Hinweis auf das Vorhandensein zweier literarischer Schichten in Ijob 1 bewertet. So steht in Ijob 1,1-5.
13-22 mit Ausnahme von V.21 immer Elohim, während in Ijob
1,6-12 die Gottesbezeichnung Elohim nur in den zusammenge-
setzten Begriffen בְּנֵי אֱלֹהִים (V.6) und יְרֵא אֱלֹהִים
(V.8f.) begegnet; sonst erscheint in diesem Abschnitt Gott
immer als Jahwe. Auffällig ist weiterhin, daß nach dem Gespräch, das Jahwe mit dem Satan führt, die Erzählung in V.13
eindeutig an V.5 anknüpft, wie das Suffix in בָּנָיו und
בְּנֹתָיו beweist. Das heißt aber, daß die Himmelsszene und
damit der Jahwe-Bericht sekundär sind. Es kommt der Umstand
hinzu, daß die Nachricht von Ijobs Schicksalsschlag in Ijob
1,16 Elohim und nicht, wie man erwarten würde, Satan (vgl.
1,12) als den verantwortlichen Urheber des Unglücks bezeichnet. Daraus folgt, daß auch die zweite Himmelsszene in Ijob
2,1-7 ebenso wie alle jene Teile, die sich auf die Krankheit
Ijobs beziehen wie Ijob 2,9-10 und 2,11-13, nicht mehr zu der
Grundschicht der Rahmenerzählung gehören. Ist aber Elohim die
geläufige Gottesbezeichnung der alten Ijoblegende, dann geht
auch der Lobpreis Jahwes in Ijob 1,21b ebenso wie der Hinweis
auf Ijobs Beten in Ijob 1,20b auf eine Bearbeitung zurück. Zu
der alten Ijoberzählung gehören demnach in Ijob 1 nur die Verse
1-5.13-20a.21a[a].22.

Im Unterschied zu der Einleitung läßt sich jedoch im Schlußteil das Kriterium der beiden Gottesbezeichnungen nicht mehr
zur Geltung bringen; denn hier ist als Gottesbezeichnung durchgehend Jahwe gebraucht. Andererseits benötigt die alte Ijoberzählung, wie SCHMIDT sagt, unbedingt einen Schluß, der von der
Restitution Ijobs spricht. Dieser Schluß kann nach SCHMIDT nur
in dem Abschnitt Ijob 42,11-17 vorliegen, weil die erste Variante eines Schlußteils in Ijob 42,7-10 von den sonst in der

Erzählung nicht erwähnten Freunden Ijobs spreche und mit der
Aussage, daß Ijob im Gegensatz zu den Freunden recht über
Gott gesprochen habe, nicht zu dem Thema des Grundbestandes
paßt. Zu der älteren Ijoberzählung gehöre demnach als Schluß,
wenn auch in stark überarbeiteter Form, der Abschnitt Ijob 42,
11-17. Diese Erzählung habe Israel, wie die Lokalisierung des
Helden im Lande Uz anzeige und die allgemeine Gottesbezeichnung Elohim dazu bestätige, aus seiner Umwelt übernommen. Ihr
Thema sei das Verhalten des wahren Frommen im Unglück. Ijob,
der die Vorläufigkeit des Reichtums erkennen müsse, nehme
sein Schicksal in dem Bewußtsein an, daß es auf jeden Fall
einen, wenn auch ihm persönlich verborgenen Sinn haben müsse.
So enthalte der Grundbestand von Ijob 1 nichts spezifisch Is-
raelitisches. Sein Bild von einem wahrhaft weisen Menschen sei
international gültig gewesen und deshalb von Israel höchstens
in unwesentlichen Punkten verändert worden[109].

SCHMIDT hat zweifellos richtig erkannt, daß der Gebrauch der
verschiedenen Gottesnamen in der Rahmenerzählung des Buches
Ijob ein gültiges Kriterium für eine mögliche Quellenschei-
dung ist. Bei richtiger Anwendung dieses Kriteriums läßt sich
aber über SCHMIDT hinaus sogar die ganze Grundschicht der alten Ijoblegende rekonstruieren. In Ijob 42,11 fällt nämlich
auf, daß hier Ijobs Brüder, Schwestern und Verwandte erwähnt
sind, die sonst im Verlauf der Rahmenerzählung keine Rolle
mehr spielen. Das aber ist ein Hinweis darauf, daß es sich
hierbei um ein ursprüngliches Erzählungsmoment handelt. Wichtig ist weiterhin der Umstand, daß die Verwandten Ijobs her-
beikommen, um ihn in seinem Unglück zu trösten. "Trösten"
(נחם) meint aber nicht nur gutes Zureden, sondern auch ein
persönliches Bereitsein zu konkreter Hilfeleistung für den
notleidenden Menschen. Das Trösten hat daher deutlich den Charakter der Wiedergutmachung eines vorliegenden Schadens[110].

---

109 L.SCHMIDT, De Deo. Studien zur Literarkritik und Theolo-
    gie des Buches Jona, des Gesprächs zwischen Abraham und
    Jahwe in Gen 18,22ff. und von Hi 1, Berlin 1976, 165-188.
110 Vgl. THAT II, 59ff.

Nun können die Verwandten Ijobs zwar, wie es in Ijob 42,11
geschildert wird, den Unglücklichen materiell trösten und
ihm durch ihre Zuwendung die Geborgenheit der Sippe schenken; was sie jedoch nicht aufzubringen vermögen; ist der
adäquate Trost für das Unheil, das Jahwe selbst über Ijob
hat kommen lassen. Von diesem Trost spricht die Bearbeitung
der alten Ijoblegende in Ijob 42,10.12-17. Mit gutem Grund
läßt sich daher sagen, daß in Ijob 42,11[+] der Abschluß der
alten Ijoblegende vorliegt (ohne: "daß Jahwe über ihn gebracht hatte").

Die Rahmenerzählung des Buches Ijob enthält demnach zwei
verschiedene Überlieferungsschichten, die jeweils auf ihre
Art die Auseinandersetzung mit dem Schicksal des unglücklichen Ijob wiedergeben. In der Grundschicht (1,1-5.13-
21a.22; 42,11[+]) liegt eine weisheitliche Lehrerzählung vor,
die am Beispiel des weisen und gerechten Ijob das Verhalten
des Menschen im Leid demonstriert. Der Gebrauch der Gottesbezeichnung Elohim, das Fehlen eines Bezuges zur Heilsgeschichte Israels und die Lokalisierung des Geschehens im
für den Jahweglauben heidnischen Ausland müssen nicht zu
der von SCHMIDT gezogenen Schlußfolgerung führen, daß die
Ijoblegende außerhalb Israels entstanden sei[111]. Wie MÜLLER
vielmehr in einer Untersuchung über die weisheitliche Lehrerzählung gezeigt hat, gehört es zum Wesen derartiger Darstellungen, daß sie die für den Jahweglauben spezifischen
Züge Gottes beiseite lassen; denn der weisheitlichen Lehrerzählung geht es allein um die Bewährung einer Tugend, deren Befolgung als sinnvoll dargestellt wird und die darum
von paradigmatischer Bedeutung ist[112]. Die Bearbeitung der
Grundschicht (1,6-12.21b; 2,1-13; 42,7-10.11[+].12-17) hat dagegen das Ziel, das Verhältnis Ijobs zu seinem Gott von der
für den Jahweglauben charakteristischen personalen Seite her
darzustellen. Darauf weist allein schon der Umstand hin, daß

---

111 SCHMIDT, De Deo, 177.
112 H.P.MÜLLER, Die weisheitlichen Lehrerzählung im Alten
     Testament und seiner Umwelt; Welt des Orients 9 (1977)
     77-98.

Jahwe die Frömmigkeit seines Knechtes Ijob ausdrücklich bestätigt (1,8; 2,3). Primär geht es jedoch dem Bearbeiter um
ein theologisches Problem, nämlich um die Bedingungen menschlicher Frömmigkeit in einer vom Bösen gestörten Welt. Die Erklärung der Grundschicht, daß Gutes und Böses unmittelbar von
Gott kommen, reicht für den Verfasser der Himmelsszenen nicht
mehr aus. Auch für ihn hat die Macht des Bösen noch ihren
Platz in Gottes Plan: doch hat sie gerade hier ein solches
Eigengewicht erhalten, daß der Verfasser ihrer Darstellung
auf die Gestalt des Satans zurückzugreifen genötigt war.

Wie die Begriffsuntersuchung zu der Wurzel שטן zeigt[113],
hat das Verb שטן die Bedeutung "anfeinden", während das von
dem Verb abgeleitete Substantiv שטן den Gegner in allen
möglichen Widerfahrnissen meint (vgl. 1 Sam 19,4; 1 Kön 5,18;
Ps 109,6). Nur an drei Stellen im Alten Testament dient das
Substantiv שטן zur Bezeichnung eines überirdischen Wider-
sachers, der im Rahmen der himmlischen Ratsversammlung Gottes auftritt (Sach 3,1-8; Chr 21,3; Ijob 1,6-12; 2,1-7). Der
Satan meint hier den Widersacher Gottes, der zwar der Macht
Jahwes untergeordnet ist, aber es auch in der Hand hat, den
Menschen mit Unheil jeder Art zu schlagen.

Im Buch Ijob greift der Satan die Beziehung Ijobs zu seinem
Gott an, indem er die Frömmigkeit des Gerechten als bloßen
Eigennutz diffamiert. Für den Satan ist die Beziehung zwischen Gott und Mensch klar zu umschreiben: Gott gibt seinen
Segen, und der Mensch verehrt ihn aus Dankbarkeit dafür.
"Umsonst" (1,9) findet zwischen Gott und Mensch nicht das
Geringste statt. Mit dieser Auffassung wendet sich der Satan
zunächst gegen Jahwe, indem er dessen Urteil über Ijob (1,8)
als falsch hinzustellen versucht, aber dann auch gegen Ijob
selbst, dessen Frömmigkeit er als solche bestreitet: "Geschieht es etwa ohne Grund, daß Ijob Gott fürchtet" (Ijob
1,9)? Mit dieser Frage hat der Satan jedoch eine echte Beziehung zwischen Gott und dem Menschen praktisch unmöglich
gemacht. Eine solche Infragestellung des Verhältnisses von

---

113 Vgl. WANKE, Art. שטן , in: THAT II, 821-823.

Gott und Mensch kann daher nach der Ansicht des Verfassers
auch nicht mehr von Jahwe kommen, der sonst die Züge eines
Dämons annehmen würde, sondern nur von einem überindividuellen Widersacher Gottes und des Menschen. So läßt sich
Jahwe zwar durch die Frage des Satans bewegen und liefert
tatsächlich Ijob dem Leiden aus. Doch schon bald kann Jahwe
die Forderung des Satans als "grundlos" demaskieren (2,3).
Denn Ijob hat in seinem Verhalten gezeigt, daß er bereit ist,
seine ganze Existenz unter den Willen Gottes zu stellen.
Seine Frömmigkeit ist wahrhaftig "umsonst", sie liegt aber
auf einer anderen Ebene als der von Satan behaupteten. Das
Wort "umsonst" kann nämlich die beiden radikalen Haltungen
des Menschen gegenüber der Sinnproblematik umfassen. "Umsonst" kann die Bilanz der totalen Sinnlosigkeit eines
menschlichen Lebens bedeuten, zugleich kann es aber auch
eine Chiffre für vollendete Sinnerfahrung im menschlichen
Handeln sein, die sich weder berechnen läßt noch unter
Nutzen und Zweck befragbar ist. "Umsonst" (חנם) heißt daher für Ijob, durch nichts als die frei geschenkte Liebe Gottes (חן) bestimmt[114]. Ijob hat Gott nicht mit dem konkreten
Segenserweis identifiziert und gibt ihn frei, einen solchen
auch zurückzunehmen. Seine Frömmigkeit ist nur durch Gott selber bestimmt, und dieser rechtfertigt das Vertrauen seines
Knechtes, indem er sein Geschick wendet.

Dem Dichter der Himmelsszenen geht es also darum, die Art der
Anfechtung, die Ijob nach Aussage der Grundschicht erfuhr, zu
deuten. Die Anfechtung, die durch das Unheil in der Welt auf
den Menschen zukommt, ist die drohende Entfremdung zwischen
Gott und Mensch, verursacht von der Unheilsmacht unter Gott,
dem Satan. Es ist deshalb ein Mißverständnis der Funktion des
Satans, wenn SCHMIDT diesem lediglich eine literarische Rolle
zugesteht, nämlich Gott die Gelegenheit zu geben, die Wahrheit

---

114 Vgl. P.SCHMIDT, Sinnfrage und Glaubenskrise: GuL 45 (1972)
     348-361.358f.; U.HEDINGER, Chinnam oder die Infragestel-
     lung Hiobs, in: FS.K.BARTH, Zürich 1966, 192-212.193.

und Sachgemäßheit seines Urteils über Ijob zu erweisen[115].
Auch geht es nicht in erster Linie um die Frage nach einer
utilitaristischen Frömmigkeit des Menschen, nämlich ob der
Mensch alles für Gott aufgeben könne[116]. So lautet die Infragestellung des Menschen nur im Munde Satans. Der Verfasser
wollte vielmehr neben der Macht des Bösen, die sich unter
Gottes schmerzlicher Erlaubnis austoben darf (2,3), gleichzeitig auch den Weg zu einer Bewältigung der ganzen Unheilssituation zeigen; denn hat sich auch die Anfechtung Satans
als grundlos erwiesen, so doch nicht das Vertrauen Ijobs auf
Jahwe: Er rechtfertigt seinen Knecht.

Unter diesen Voraussetzungen wird deutlich, warum der Ijobdichter seine Dialoge mit der alten Ijoblegende verbunden
hat. Der Anknüpfungspunkt für ihn war nicht nur das über die
Gebühr große Leiden Ijobs, sondern auch die Frage, wie die
Macht des Bösen im Plan Gottes vom Menschen erfahren und bewältigt wird. Im Anschluß an das Denkmodell der Himmelsszenen
sind der rechtschaffene Ijob der Rahmenerzählung und der kla-

---

115 Ebenso falsch und abwegig ist es, wenn V.MAAG in dem Satan nur die Möglichkeit sieht, den "unheimlichen Aspekt"
Jahwes ins Gedächtnis zu rufen und so in Gott den Urheber von Unverständlichem und Undurchschaubarem zu sehen.
Andernfalls gerät man nämlich nach MAAG in einen gefährlich Dualismus, der die Einheit von Jahwes Welt zerreißt
und dem guten Jahwe als dunkle Gegenmacht den Teufel zu-
gesellt. Diese Gefahr hat, wie MAAG betont, der Dichter
der Ijoblegende erkannt, indem er die in der nachexilischen Theologie entwickelte Satansgestalt aufgegriffen
und dem Wesen Jahwes inkorporiert hat. Was daher dem Satan übrigbleibt, ist einzig die Rolle eines der Gottwe-
sen zu spielen und als Inbegriff der dem Menschen be-
fremdlichen Wesensseite Jahwes zu gelten (Hiob, Göttingen 1982, 73f.). Daß jedoch die Annahme der Eigenstän-
digkeit der hier von dem Satan repräsentierten bösen
Macht für die Erfassung des Ijobproblems unerläßlich
ist und keinesfalls zu dem von MAAG befürchteten Dualismus führt, versucht die vorliegende Untersuchung zu
beweisen.

116 Vgl. HÖLSCHER (Hiob, 13) und FOHRER (Hiob, 83), die beide
die "uneigennützige Frömmigkeit" als theologischen Schlüs-
selbegriff zum Verständnis von Ijobs Pein nennen.

gende Ijob der Dialoge nur die beiden Seiten ein und derselben Problematik. Es läßt sich daher mit gutem Grund annehmen,
daß der Dichter der Dialoge selbst die Ijoberzählung mit seinem eigenen Werk verbunden hat und daß nicht ein späterer Kom-
pilator die beiden Teile zusammenfügte. Dabei kann es hier außer Acht bleiben, wie groß der Anteil des Ijobdichters an der
Bearbeitung der Ijoberzählung zu bemessen ist. Wichtig ist allein die Tatsache, daß er im Ergehen des Frommen Ijob die Gerichtssituation erkannte, die den Ijob der Dialoge zu seinen
Klagen veranlaßte. Wie schon in den Konfessionen des Jeremia
und in Klgl 3 weitet sich aber auch hier der Horizont in der
Auseinandersetzung mit dem gerechten Walten Gottes: Die Leiden des Frommen Ijob werden im Dialog gesehen als die Anfechtung des unter der Verborgenheit Gottes schlechthin leidenden
gläubigen Menschen. Zum dritten Mal begegnen wir daher der
"Gerichtsklage des leidenden Gerechten".

2. Das Streitgespräch: Ijob 3,1-31,40
a. Die Klage Ijobs am Anfang: Ijob 3

Mit Ijob 3 beginnt die Ijobdichtung und damit eine Auseinandersetzung mit dem Leiden, das nach der Aussage der Rahmenerzählung Ijob zunächst ohne Klage angenommen hat (1,21), weil es
von Gott geschickt war. Nach sieben Tagen des Schmerzes aber
ergreift Ijob das Wort, und jetzt verflucht er "seinen Tag"
als den Anfang seines Elends. Dieser Fluch, in dem er seinen
Geburtstag und sogar die Empfängnisnacht und damit sein ganzes
Dasein in die Dunkelheit zurückwünscht (יהי חשׁק) (3,4a)
und in dem er zugleich die Gegner Jahwes, die "Tagverflucher"
(3,8), um Hilfe angeht, klingt nicht mehr wie der Todeswunsch
eines Leidenden, sondern wie das Gegenwort zu dem die Schöpfung einleitenden: "Es werde Licht" (יהי – אור) (Gen 1,3).
Ijob will sagen: Das chaotische Dunkel, das vor der Schöpfung
über der Welt lag, hätte sein Dasein einfordern und ihm so
die Erfahrung des Leidens ersparen sollen (3,1-10)[117]. Seinen

---

117 Darauf, daß dem יהי חשׁק von Ijob 3,4 das יהי – אור von
Gen 1,3 gegenübersteht und es somit in Ijob 3 um mehr
geht als um den persönlichen Todeswunsch eines Leidenden,
hat besonders D.COX hingewiesen (The Desire for Oblivions

Todeswunsch begründet Ijob mit der Ruhe und Sorgenfreiheit
in der Scheol, wo weder die Verbrecher noch ihre Opfer als
solche existieren (3,11-17). Mit dieser Aussage wird klar,
was Ijob das von Gott geschenkte Leben bedeutet: Ein Nebeneinander von Unterdrückern und Unterdrückten, gekennzeichnet durch das daraus resultierende Elend (3,18-19). Warum
also, und hier zeigt sich deutlich das Grundsätzliche in
der Klage Ijobs, schenkt Gott den Elenden das Leben und
warum erhält er sie, indem er ihnen das ersehnte Sterben
verwehrt? Warum, so will Ijob sagen, kehrt diese chaotische Welt nicht in das Chaos zurück und ist dadurch der
Verbindung mit Gott entledigt? Warum ruft Gott den Menschen
ins Leben und hält ihn dann wie einen Feind im Leid gefangen (V.20-23), in einem Dasein, das durch eine unaufhörli-
che Folge von Schrecken und Ungemach gekennzeichnet ist
(V.24-26)?.

Der Aufbau dieser Selbstverfluchung erweist sich als wohl-
gegliedert. Das Grundthema, Ijobs Todeswunsch wegen seiner
leidvollen Existenz (V.3-10), wird anhand zweier Themafra-
gen (V.11-12; V.20a und V.23a) reflektiert.

Wie ist nun die Form von Ijob 3 zu bestimmen? Nach WESTER-
MANN lassen sich in der Selbstverwünschung Ijobs deutlich
die drei Glieder einer Klage wiederfinden: die Ich-Klage
(V.11-19.24-26), die Anklage Jahwes (V.20-23) und die Klage
über die Feinde, an deren Stelle aber hier der Geburtstag
und die Empfängnisnacht getreten seien (V.3-9). Kennzeichnend für die Struktur dieser Klage ist nach WESTERMANN jedoch nicht die herkömmliche Psalmenklage der Königszeit, in
der die oben genannten drei Komponenten ausgewogen nebeneinander stehen, sondern die Klage der Frühzeit, die aus
einer bloßen, aus dem Schmerz des Getroffenen kommenden
Warumfrage besteht (Gen 25,22; 27,46; Jos 7,7-9; Ri 21,3;
15,18 u.ö.)[118].

---

in Job 3: Studii Biblici Franciscani Liber Annuus 23
(1973) 37-49.48; DERS., The Triumph of Impotence, Rom
1978, 41.
118 Vgl. WESTERMANN, Der Aufbau des Buches Hiob, Stuttgart
1977, 57-59; DERS., Struktur, 66-71.

Bei näherem Hinsehen fällt jedoch auf, daß der Kontext dieser frühen Klagen ein anderer ist. Sie setzen eine ganz konkrete Not und eine einmalige Situation voraus und stellen,
wenn sie als Anklage Jahwes formuliert sind, auch eine Anrede Gottes dar oder haben zumindest eine Gottesbefragung
zur Folge. Die Klage Ijobs erfolgt zwar auf den im Prolog
geschilderten Verlust der Habe und der Gesundheit, hat jedoch als solche keinen direkten Bezug zu diesem Geschehen.
Vielmehr wird hier ganz allgemein von "dem Leid" (עמל)
(3,10) gesprochen. Was aber die Not verursacht hat und wie
sie sich konkret auswirkt, bleibt ungesagt. Vielmehr kommt
das Exemplarische einer solchen Belastung zum Ausdruck, wenn
über die Situation Ijobs hinaus generell das Los der Elenden zum Thema gemacht wird (V.20f.)[119].

Ein weiterer entscheidender Unterschied zu der Struktur der
frühen Klagen ist die Tatsache, daß das Ziel der Klage Ijobs
nicht die Besserung seiner Lebenssituation ist, sondern das
genaue Gegenteil, nämlich das Auslöschen seines Daseins. Auch
die Warumfrage, die ja ein entscheidendes Element der alttestamentlichen Klagen darstellt, erhält in Ijob 3 einen anderen Charakter. In den Klagen der Frühzeit sowie des Psalters
stellt sie eine Form der Anklage Jahwes, und das bedeutet:
der Rede mit Gott, dar. Sie hat den Sinn des Zurechtfindens
angesichts einer Not, die als Abwendung Gottes verstanden
wird, und ist somit Ausdruck einer Suche nach dem Angesicht
Gottes (vgl. Jer 14,8; Hab 1,1f.; Ps 44,24f.; Ps 74,1)[120].
Die Warumfragen Ijobs aber sind weder eine Anrede Jahwes noch
der Ausdruck einer Suche, sondern eine Art Herausforderung,
die, einer These in Frageform vergleichbar, jeweils in eine
Begründung einmündet. Damit ist klar erwiesen, daß Ijob 3

---

119 Aus diesem Grund hat F.BAUMGÄRTEL gemeint, daß Ijob 3
    nicht zum ursprünglichen Ijobdialog gehören könne, wie
    er überhaupt alle die Teile der Klagen Ijobs ausschei-
    det, von denen er meint, sie seien zu allgemein und be-
    zögen sich nicht auf den Fall Ijobs (Der Hiobdialog,
    Aufriß und Deutung, Stuttgart 1933).
120 Vgl. WESTERMANN, Struktur, 52f.

nicht auf dem Hintergrund dessen, was das AT unter Klage
versteht, zu interpretieren ist[121]. Als Vergleich können
allenfalls die Todeswünsche jener Menschen herangezogen
werden, deren Lebensglück in sein Gegenteil gekehrt wurde
und die daher keine Kraft mehr zum Leben finden (vgl.1 Kön
19,4; Jon 4,3; Jer 15,10; 20,14-18).

An wen aber ist die Herausforderung Ijobs gerichtet? Von
wem verlangt Ijob eine Erklärung für das unbegreifliche Handeln Jahwes? Wenn Ijob die radikale Frage nach dem Rechtsgrund für sein Leiden stellt, so erwartet er darauf eine
ebenso radikale Antwort; diese kann jedoch nur von Gott kommen. Insofern - und die Richtung der späteren Anklagen Ijobs
weist es ja aus - ist Ijob 3 an Gott gerichtet, den Ijob zur
Rechenschaft zieht wie jemand, der gleichberechtigt neben
Gott steht. Deshalb nimmt auch die Selbstverwünschung in
Ijob 3 einen so großen Raum ein (V.3-9) und ist in Anti-
these zu dem Schöpfungswort Gottes in Gen 1,3 formuliert.
Von daher ist WESTERMANN zuzustimmen, wenn er sagt, daß in
Ijob 3 eine Auseinandersetzung Ijobs mit Gott beginnt, die
in der Herausforderung Gottes am Ende von Ijob 3 zu ihrem
Schluß kommt[122].

Ijob 3 ist aber auch an die Freunde gerichtet. Zwar hat WE-
STERMANN recht, wenn er herausstellt, daß Ijob 3 keinen Angriff auf die Freunde enthalte. Daß dieses Kapitel aber deshalb nicht zum Streitgespräch gehöre[123], ist doch zu bezwei-
feln. In diesem Zusammenhang ist nämlich die Situation zu
berücksichtigen, in die der Dichter Ijob 3 gestellt hat.

---

121 Daß Ijob sich anders verhält als die Beter der Psalmen,
     stellt auch F.CRÜSEMANN (Hiob und Kohelet, in: Werden
     und Wirken des Alten Testamentes, FS WESTERMANN, Göt-
     tingen 1980, 373-393) heraus (375). Zur Frage des Ver-
     hältnisses von Psalmen- und Weisheitselementen im Ijob-
     buch vgl. MÜLLER, Das Hiobproblem. Seine Stellung und
     Entstehung im Alten Orient und im Alten Testament,
     Darmstadt 1978, 98ff.120ff.
122 WESTERMANN, Aufbau, 32.
123 WESTERMANN, Aufbau, 36.

Nach Auskunft von 2,11-13 sind Ijobs Freunde zu einem Trost-
gespräch herbeigeeilt und warten nun darauf, daß Ijob zu reden beginnt. Wenn aber Ijob in seiner einleitenden Rede der
Meinung ist, das Leben sei von Jahwe unsinnig gestaltet, weil
er den Menschen, indem er ihn ins Leben ruft, täuscht und dann
mit Leiden quält, so vollzieht Ijob damit keine Ich-Klage, auf
die ein Trost der Freunde eingehen kann, sondern eine Herausforderung, welche die Freunde notgedrungen bekämpfen müssen.
In diesem Sinne ist es daher Ijob, der das Streitgespräch eröffnet, und nicht erst Elifas, der Wortführer der Freunde.
Ijob 3 hat also deutlich einen doppelten Adressaten: Gott und
die Freunde.

Ihrer Intention nach ist diese Klage eine Herausforderung,
eine radikale Frage nach dem letzten Grund in Gottes Weltenplan. Aufgebrochen ist diese Klage aufgrund einer Spannung im
Verhalten Gottes, die für den Ijob der Dichtung nicht mehr
wie noch für den Ijob der Rahmenerzählung mit der Gotterge-
benheit eines Weisen und Gerechten zu harmonisieren ist. Mit
3,1 knüpft der Dichter daher bwußt an die alte Ijoberzählung
an. Dort war Ijobs Leben als ein Schutzraum Gottes beschrieben (1,10), jetzt aber erscheint es als ein verzäunter Weg,
dem Gott jeden Ausgang aus der Not versperrt hat (3,23). Das
aber bedeutet Ohnmacht und Rechtlosigkeit, in die Gott den
einst Gesegneten gestoßen hat. Dieser Gegensatz zeigt deutlich, daß es in Ijob 3 weder um die Frage des unschuldig Leidenden geht[124] noch um die rein individuell verstandene Anfechtung des Menschen (vgl. Gen 25,22; Jer 20,18). Auch die
Frage nach dem Sinn des Leidens[125] kann man in Ijob 3 nur
entdecken, wenn man das Kapitel als ein ganz isoliertes Stück
betrachtet. Dann ist es nämlich nur noch ein kleiner Schritt

---

124 Vgl. V.MAAG: "Gott handelt unsinnig, sagt er (Hiob),
     wenn er einen Menschen ins Leben ruft und ihn dann ohne
     dessen eigene Schuld dem Leiden preisgibt" (Das Gottes-
     bild im Buche Hiob, in: Vorträge über das Vaterproblem
     in Psychotherapie, Religion und Gesellschaft, Stuttgart
     1954, 83-98.94).
125 MAAG: "Hier ertönt das Warum. Es ist das Warum der Theo-
     dikee" (92).

zu der von COX vertretenen Auffassung, Ijob sei ein Typus,
der eine absurde Weltsicht beklage, weil er einen Sinn in
dieser Welt nicht entdecken kann, und der deshalb das ganze
Leben für wertlos halte[126]. In diesen Erklärungen wird die
Spannung, die dem Kapitel Ijob 3 zugrunde liegt, entweder
verharmlost oder auf die allgemeine Ebene der Sinnfrage verlegt. Israels Gott aber ist Person, und deshalb wird alle
Gebrochenheit menschlicher Existenz "persönlich" erfahren.
Das heißt im Falle Ijobs: Seine Not resultiert aus der
Spannung, in die ihn der Gegensatz, wie er in Gottes Tun
vom gläubigen Menschen erfahren wird (er erschafft den Menschen, aber er erstickt ihn im Leid), geführt hat. Die Art
und Weise der Klage, nämlich die an Gott gerichtete Herausforderung und die Frage nach dem Rechtsgrund des göttlichen
Handelns, resultieren jedoch aus der Beobachtung Ijobs, daß
sein Schicksal nicht bloß individuell, sondern auch allgemeines Menschenlos ist und daß folglich Gott dem einzelnen
Menschen einen unerträglichen Widerspruch aufbürdet: nämlich
das von Gott kommende Gute auch mit dem von ihm gesandten
Bösen zu vereinbaren.

b. Die Streitreden: Ijob 4-20

Mit der Antwort des Elifas auf Ijobs Selbstverwünschung beginnt in Ijob 4 das Streitgespräch zwischen Ijob und seinen
Freunden, in dem beide Parteien in Rede und Gegenrede ihren
Standpunkt verteidigen. Dabei ist zu beachten, daß Ijob, im
Gegensatz zu seinen Freunden, während des Dialogs auch Gott
selber anspricht (Ijob 7,7.8.12-14.16.17-21; 9,27-28.30-31;
10,2-14.16-17.18-20; 13,19.20-27; 14,3.5-6.13.15-17.19-20;
16,7.8; 17,3.4). Insofern wird die schon in Ijob 3 zum Ausdruck gekommene Herausforderung Gottes auch während des

---

126 COX, Triumph of Impotence, 50f. In diesem Zusammenhang
     sei darauf hingewiesen, daß sich die Sinnfrage, die von
     der Betrachtung der Welt zu Gott stößt, so für Israel
     nie gestellt hat, das von dem Glauben an Jahwe auf die
     Auseinandersetzung mit der Welt eingeht.

Streitgespräches fortgesetzt und der abschließende Dialog
zwischen Ijob und Gott in Ijob 29-31.38-41 langsam vorbereitet. Zugleich ist mit dieser Tatsache über die Art und
Weise des Streitgespräches entschieden: Alle Antworten der
Freunde können für Ijob nur einen vorläufigen Charakter haben; denn ein Reden über Gott kann für ihn, der von Gott
selbst eine Rechtfertigung verlangt (13,3), bloß ein lei-
diger Trost sein (16,2). Deshalb ist es auch nicht verwunderlich, wenn das Gespräch zwischen Ijob und seinen Freunden in eine unverhüllte gegenseitige Beschuldigung mündet:
Für die Freunde ist Ijob der Frevler, der Gottlose, der
aufgrund seiner vielen Sünden von Gott so hart gestraft
wurde. Aus diesem Grund führen sie ihm das Schicksal der
Frevler vor Augen (15,17-35; 18,5-21; 20,4-29). In den Augen Ijobs dagegen sind die Freunde "leidige Tröster" (16,2),
"Verräter" (6,21), "Lügentünscher" und "untaugliche Ärzte"
(13,4).

Ausschlaggebend für alle Reden der Freunde ist das Argument
vom Untergang der Gottlosen und dem Glück der Frommen. Von
der Basis dieser Vergeltungslehre aus werden belehrende und
mahnende Worte an Ijob gerichtet, um diesen von seiner Schuld
zu überzeugen und zu einem Sündenbekenntnis vor Gott zu führen. Ijob selber wird durch diese Auffassung in eine Gegenpo-
sition gedrängt, die er genauso entschieden vertritt wie seine
Freunde die ihrige. Der Grund seines Leidens liegt für ihn
nicht in etwaigen Verfehlungen Gott gegenüber, sondern hat
seine Ursache in Gott selber, den der von seiner Unschuld
überzeugte Ijob, herausgefordert durch die beharrende Argumentation seiner Freunde, der Feindschaft dem Menschen gegenüber sowie der willkürlichen Ausübung seiner Herrschaft be-
zichtigt.

Die Auseinandersetzung zwischen Ijob und seinen Freunden vollzieht sich in zwei Redegängen[127], in denen die Freunde jeweils

---

127 Der sogenannte dritte Redegang wird aus der hier vorlie-
     genden Untersuchung ausgeklammert. Das hat seinen Grund
     darin, daß dieser sich parallel zu den beiden ersten Re-
     degängen nicht rekonstruieren läßt und daß in der Dar-

von neuem die Klagen Ijobs beantworten. Dabei trägt, wie die
folgende Analyse zeigen wird, jede Gesprächsstufe in eigener
Weise dazu bei, die in der abschließenden Herausforderung
Gottes durch Ijob (Ijob 31,35f.) liegende Spannung weiter
vorzubereiten.

In der folgenden Darlegung werden entsprechend den zwei Stufen des Streitgespräches jeweils die Reden Ijobs sowie die
seiner Freunde als Ganzheit auf ihre Form und Aussage hin befragt.

Der erste Redegang: Ijob (3) 4-11

Im ersten Redegang versuchen die Freunde in persönlicher Anrede an Ijob, die aus einer Bestreitung (4,2-6; 8,2-4; 11,2-
4) sowie einer Ermahnung (5,8.17.27; 8,5-7.20-22; 11,12-14)
besteht, diesen zu bewegen, seine Schuld vor Gott einzugestehen[128].

In seiner ersten Rede in Ijob 4,1-5,27 versucht Elifas auf
verschiedenen Wegen, die Anklage Ijobs zurückzuweisen. Indem
er Ijob an seine Lebensgrundsätze erinnert (4,1-5), meint er,
in überzeugender Weise die von ihm als Ich-Klage mißverstan-
dene Rede in Ijob 3 relativiert und so die Basis für die Bestreitung der Auffassung Ijobs, daß Gott die Menschen mit
Leiden quält (3,20ff.), vorbereitet zu haben. Das von Elifas
angeführte Argument vom Untergang der Gottlosen und von der
Hilfe Gottes für die Frommen formuliert er in zwei rhetorischen Fragen (4,7; 5,1), um auf diese Weise Ijobs Zustimmung
zu erhalten. Überhaupt ist diese Redeform von Anfang an kennzeichnend für die Reden der Freunde (vgl. 4,7.17; 5,1; 8,3.11;
11,2f.10 u.ö.). Ijobs Schicksal ist für sie deshalb keiner

---

stellung Ijobs als des Lehrers seiner Freunde, dessen Reden darüber hinaus Parallelen zu den allgemein als Einschub in das Ijobbuch angesehenen Elihureden aufweisen,
eine weisheitliche Tradition zum Tragen kommt, die noch
einer eigenen Untersuchung bedarf.
128 Zum Aufbau der Freundesreden vgl. WESTERMANN, Aufbau, 40ff.

echten Befragung würdig, weil die Erklärung seines Leidens
sie nicht vor etwaige Schwierigkeiten stellt. Ihre Fragen
haben allein den Zweck, Ijob die Schlußfolgerung und Zustimmung zu erleichtern[129]. Für Ijob kann eine Einsicht in die
Vergeltung Gottes ihrer Meinung nach nur ein Trostgrund sein,
da er ja selber sein Leben bisher in Gottesfurcht gestaltet
hat. Wenn er sich also auch jetzt, im Wissen um seine Schuld,
Gott zuwendet und seine Züchtigung annimmt - schließlich ist
vor ihm kein Mensch gerecht (4,17) -, so wird Gott seiner
Strafe ein Ende setzen (5,8-26). Diese Einsicht aber, so betont Elifas, ist kein subjektiver persönlicher Rat, den Ijob
nach Belieben befolgen oder zurückweisen kann, sondern der
Inhalt einer von Gott selber geoffenbarten (4,12-21) und durch
die Erfahrung vieler Generationen bestätigten (5,27) Glaubens-
erkenntnis.

Die Rede des Elifas hat einen klaren Aufbau. In zweimaliger
Anrede (4,2-6; 5,1-8) wird Ijob das Argument vom Untergang
der Gottlosen und der Rettung der Bußwilligen vorgeführt,
damit Ijob im Rahmen dieser Lehre seine eigene Situation wie-
dererkennt und im Schuldbekenntnis vor Jahwe einen Ausweg findet.

Im Vergleich mit der geduldigen Ermahnung des Elifas läßt die
erste Rede des Bildad in Ijob 8,1-22 eine andere Einstellung
gegenüber dem klagenden Ijob erkennen. Bildad beginnt mit einem strengen Verweis (V.2), weil er den seiner Meinung nach
zerstörerischen, nämlich Gott angreifenden Reden Ijobs Ein-
halt gebieten will. Warum die Reden Ijobs für ihn ein "starker Wind" sind, wird deutlich in der Zusammenfassung dessen,
was Ijob seiner Ansicht nach gesagt hat, nämlich: Gott beugt
das Recht (V.3).

Hier wird eine zweite, für die Auseinandersetzung der Freunde
mit Ijob charakteristische Redeform sichtbar. Bildad und die

---

129 Zum Charakter der rhetorischen Frage im Buch Ijob vgl.
     H.D.PREUSS, Jahwes Antwort an Hiob und die sogenannte
     Hiobliteratur des alten vorderen Orients, in: FS W.ZIM-
     MERLI, Göttingen 1977, 323-343.339.

Freunde nach ihm abstrahieren vom Klagecharakter der Reden
Ijobs und fassen diese in einer theoretischen Behauptung
zusammen. Der Grund für ein solches Vorgehen hat schon die
Rede des Elifas enthüllt: Die Klage ist für die Freunde als
solche schon ein Aufbegehren gegen Gott, der dem Menschen
seinen Weg doch klar vorgezeichnet hat: seine Unreinheit zu
erkennen und Gott zu suchen. Wenn Bildad aber Ijobs Klage
thesenartig zusammenfaßt, so ist dies eine gefährliche Ver-
engung, die aus einer Suche nach Gott und dem Ausbreiten
der Not vor ihm, mag es auch wie bei Ijob in Form einer heftigen Anklage geschehen, eine grundsätzliche Behauptung über
Gottes Wesen macht. Von daher wird auch begreiflich, warum
Bildad im Fortlauf seiner Rede keine Rücksicht mehr auf Ijob
nimmt. Wenn dieser sich zu einer derart massiven Anklage Gottes versteigen kann, so muß ihm ebenso massiv klar gemacht
werden, woher der im Hintergrund seiner Klage stehende Verlust seiner Kinder rührt: Sünde und Frevel haben ihnen den
Untergang beschert (V.4). An diese Zurechtweisung schließt
sich, nicht mehr als Trostgrund wie bei Elifas, sondern als
Warnung die Ermahnung an, Gott zu suchen und um Gnade zu
flehen; denn nur den Bußwilligen gehört die Hilfe Gottes (V.
5-7). Den Charakter einer Warnung nimmt auch die abschließende Berufung auf die Erfahrung früherer Generationen an.
Ausführlich beschreibt Bildad hier den Untergang der Frevler, damit Ijob, abgeschreckt durch eine solche auch für ihn
in Frage kommende Bedrohung, erkenne: Wer Gott verschmäht,
hat keine Zukunft (V.8-22).

Gegenüber der Rede des Elifas in Ijob 4-5 bringt Bildad
keine neuen Argumente. Dies zeigt deutlich, daß mit der ersten Rede des Elifas die Stellungnahme der Freunde zu Ijobs
Klagen im Grunde schon erschöpft ist. Weil aber Ijob auf seinem Standpunkt beharrt, müssen alle folgenden Reden der
Freunde den freundlich ermahnenden Ton des Elifas notgedrungen fallenlassen und sich gemäß ihrer Grundüberzeugung vom
Untergang der Frevler und vom Glück der Frommen auf folgende
Alternative zuspitzen: Entweder folgt Ijob ihren Ermahnungen,

so kann er ihres Trostes sowie der göttlichen Hilfe gewiß
sein, oder aber er beharrt in seinen Anklagen und weist sich
damit als Frevler vor Gott und den Menschen aus. So enthält
die Rede Bildads im Vergleich zu der Rede des Elifas nur noch
einen Beweisgang, der zwar dieselben Aufbauelemente enthält,
aber insgesamt durch einen neuen, die Ausführungen begleiten-
den warnenden Unterton gekennzeichnet ist.

In der ersten Rede des Zofar in Ijob 11,1-20 wird vollends
deutlich, daß die Freunde beginnen, Ijob in die Nähe der Frevler zu rücken. Wie Bildad beginnt auch Zofar seine Rede mit
einer Zurechtweisung Ijobs, die jedoch mehr eine Schelte, ja
geradezu eine Beschuldigung Ijobs darstellt. Ein "Maulheld"
ist dieser in den Augen Zofars, der "Geschwätz" und "Spott"
von sich gibt (V.2-3). Aus den Klagen Ijobs greift sich Zofar
dessen Beteuerung der Unschuld heraus, der er, als ein Ausdruck von Ijobs Unwissen und Bedenkenlosigkeit, eine Belehrung über die Größe Gottes entgegensetzt, der sich nicht be-
reden läßt und das Unrecht unfehlbar wahrnimmt (V.5-11). Die
indirekte Anschuldigung Ijobs ist unüberhörbar, zumal eine
lange Ermahnung an Ijob folgt, doch endlich seine Schuld zu
beseitigen und sich Gott zuzuwenden (V.12-19). Mit einem
Blick auf das Schicksal der Gottlosen, denen nur noch der
Tod bleibt (V.20), endet die Rede des Zofar. Auffällig daran
ist, daß Zofar keinerlei Legitimation für seine Ausführungen
angibt. Daran wird deutlich, daß Ijob in den Augen der Freunde
immer mehr zu einem Angeklagten wird, der, nachdem ihn schon
Bildad in Ijob 8 entscheidend gewarnt hat, nun von Zofar eine
letzte, intensive Ermahnung erfährt.

In den Reden Ijobs fällt, wie schon eingangs erwähnt worden
ist, eine doppelte Zielrichtung auf: Einmal antworten die Reden Ijobs auf die Argumente der Freunde (6,1-30; 9,1-26; 12,1-
13,12; 16,1-5; 19,1-29; (21; 23-24; 26-28)), zum anderen bestehen seine Äußerungen aus direkt an Gott gerichteten Klagen
(7,7.8.12-14.16.17-21; 9,27-28.30-31; 10,2-14.16-17.18.20;
13,19.20-27; 14,3.5-6.13.15-17.19-20; 16,7.8; 17,3.4; 30,20-
23). Da aber die letzteren sich vornehmlich auf die erste Hälfte

der Dialoge beschränken, ist ein besonderes Augenmerk auf sie
zu richten[130].

Die Antwort Ijobs auf die Rede des Elifas beginnt ·in Ijob 6,1
mit einer breiten Ich-Klage, in der zunächst die Schwere (V.2-
4), dann die niederdrückende Realität des Leides geschildert
wird (V.5-7), gefolgt von Ijobs Wunsch nach einem baldigen Tod
(V.8-10). Sein Leiden ist deshalb so unerträglich (V.11-12),
weil die Freunde, von denen er sich Zuspruch und Trost erwartet hat (V.13-14), sich als ein "Trugbach" erwiesen haben (V.
15-20). Weil sie von vorneherein seine Verschuldung vor Gott
behaupten, klagt er sie der Treulosigkeit an (V.21-23) und
führt ihnen nochmals seine Erfahrung des Leidens vor Augen
(V.24-27). In einer abschließenden Beteuerung seiner redli-
chen Absicht bittet er daher um ihre vorurteilslose Zuwendung
(V.28-30).

In Ijob 7 setzt wiederum eine Ich-Klage Ijobs ein, in der er
sein eigenes Leid (V.3-6) mit der Nichtigkeit des Menschen-
lebens überhaupt verbindet ·(V.1-2) und so zu einem Beweggrund
der an Gott gerichteten Bitte macht (V.7). Dabei fällt auf,
daß die Entgegnung Ijobs an die Freunde und seine Rede an Jahwe
den gleichen Aufbau haben. Will er die Freunde auf die Realität seines unbegreiflichen Leidens hinlenken (6,1-7), so geht
es in der Anklage Jahwes darum, diesem die von ihm gesandten
Qualen für den ohnehin vergänglichen Menschen vorzuhalten (7,1-
6). Auf die Rede des Elifas reagiert Ijob nur insofern, als er
diesen zu einer Überprüfung seiner Position aufruft, wohingegen er in der Anklage Gottes die schon in Ijob 3 geäußerten
Vorwürfe fortsetzt. In diese Anklage Gottes bezieht er auch
die Argumente Elifas, daß jeder Mensch vor Gott unrein sei
(4,17), mit ein, indem er Gott anklagt, pausenlos auf der Suche
nach einer Schuld des Menschen zu sein, um ihn dann mit Leid
zu überschütten (7,16-21).

---

130 Einen Überblick über das Vorkommen der direkten Anreden
     Jahwes in den Reden Ijobs gibt D.PATRICK, Job's Adress
     of God: ZAW 91 (1979) 268-282.

In dieser ersten Entgegnung Ijobs auf die Rede des Elifas
wird deutlich, welchen Gang das Streitgespräch nimmt. Alles
Reden der Freunde über Gott, das für Ijob Trost und Rettung
bedeuten soll, schlägt bei Ijob in sein Gegenteil um, indem
es die Anklage Gottes, die als Reaktion auf die Freundesreden deshalb auch am Ende der Klage Ijobs steht, als die einzige Antwort hervorruft.

Die dritte Rede Ijobs in Ijob 9,1-10,22 beginnt mit einer
Bestreitung. Hatte Bildad das Recht Gottes in seinem Handeln
an den Menschen verteidigt (8,3ff.), so stellt Ijob aufgrund
seiner Erfahrung demgegenüber die Behauptung auf, daß kein
Mensch im Angesicht Gottes recht behält (V.2). Ijob begründet diese Auffassung mit der Übermacht Gottes in seinem Zorn,
die ihn unheimlich und unberechenbar erscheinen läßt (V.3-
13). Die folgende Ich-Klage Ijobs über seine Ohnmacht vor
Gott (V.14-16) mündet daher in eine Anklage Gottes ein, die
in einer derartigen Heftigkeit in den Reden Ijobs sonst nicht
mehr vorkommt: Jahwe ergießt seinen Zorn willkürlich über
Schuldige wie Unschuldige, und weil sein Handeln durch keine
Instanz nachprüfbar ist, befindet sich die Welt demgemäß in
Frevlerhand (V.17-24). Dem Menschen bleibt neben dem Gefühl
der Ohnmacht im Angesicht eines solchen Gottes nur mehr Angst
und Schrecken (V.25-33). Ijob 10 ist eine einzige Anklage
Gottes, in der Ijob diesen nach den Gründen seiner Feindschaft
befragt, die umso grausamer erscheinen muß, als Gott ihm den
letzten Ausweg, nämlich den Tod verwehrt.

Am Ende des ersten Redegangs sind die Positionen Ijobs und
seiner Freunde in entscheidender Weise zugespitzt. Hatte Elifas die Unreinheit des Menschen vor Gott sowie dessen gerechte Vergeltung herausgestellt (4,7-17), so haben Bildad
und Zofar je einen dieser beiden Punkte vor Ijob verteidigt
(8,3; 11,4) und somit die entscheidenden Elemente ihrer Lehre
vorgeführt. Weil aber Ijob nicht auf ihre Ermahnung eingeht,
wandelt sich der zunächst mahnende und warnende Charakter ihrer Reden zu einer indirekten Anschuldigung Ijobs als Frevler.
Ijob selber wird durch die Behauptung seiner Freunde immer

tiefer in die Anklage Jahwes getrieben, die mit der Beschuldigung Gottes als Frevler in 9,24 ihren Höhepunkt erreicht.
Damit aber wird es für ihn immer unmöglicher, Gott seine
Sache weiter vorzulegen. Weil aber Ijob auch seinen Freunden
die Treue und Zuverlässigkeit abgesprochen hat (6,14ff.),
kommt in das Streitgespräch auf die Dauer eine fast uner-
trägliche Spannung: Ist das Leiden Ijobs ebenso wie seine
Klage vor Gott und den Menschen grundsätzlich aussichtslos?

Der zweite Redegang: Ijob 12-20

In seiner vierten Rede in Ijob 12,1-14,22 beginnt Ijob als
Antwort auf die Anschuldigung Zofars mit einer grundsätzlichen Bestreitung der bisher angeführten Argumente seiner
Freunde. Er weist ihre Weisheit zurück, weil sie ihn zu einem verachteten und verspotteten Menschen degradiert und
weil sie überdies angesichts der unbegreiflichen und unwider-
stehlichen Macht Gottes eine nur kümmerliche Vorstellung von
Gott zu entwickeln vermag. Daher sind es eigentlich die Freunde, die der Warnung bedürfen und Ijob kündigt ihnen folgerichtig das Gericht Gottes an (12,1-13,12).

In der anschließenden Rede an Gott fällt auf, daß die Heftigkeit in der Anklage Gottes merklich zurücktritt. Ein Bekenntnis zu Gott, auf dessen Eingreifen Ijob trotz allem
harrt (13,15), leitet jetzt seine Herausforderung Gottes zum
Rechtsstreit ein, zu dem Ijob sich wohlgerüstet weiß (13,16-
19). Nur um zwei Dinge bittet er Gott: ihm ein fairer Gegner zu sein (13,20-22) und ihm den Grund seiner Feindschaft
zu nennen (13,23-28). Ijob 14 stellt diese Herausforderung
Gottes auf den Hintergrund des allgemeinen Menschenschicksals,
das vom Todesgefälle (V.1-6) und der Hoffnungslosigkeit bestimmt ist (V.7-12). Angesichts dieser Lage bittet Ijob Gott,
dieser möge ihn doch vor seinem eigenen Zorn verstecken (V.
13-14), schließlich bestünde doch die Möglichkeit, daß Gott
von sich aus den Bund mit ihm erneuern wolle. Mit diesen Ge-

danken kommt in die Reden Ijobs an Jahwe ein ganz neuer Ton.
Nicht mehr die aggressive Anklage bildet das Charakteristikum seiner Klagen, sondern die Ahnung einer durch das Leid
verstellten anderen Beziehung zwischen Gott und Mensch. Zwar
sind die Äußerungen Ijobs noch sehr verhalten, zu sehr steht
ihm die zerstörerische Macht Gottes vor Augen (V.18-22), jedoch erklären sie allein, warum Ijob nach den bitteren Anklagen in 9,22f. überhaupt noch ein Gespräch mit Gott weiterführt.

Die Rede Ijobs hat einen wohldurchdachten Aufbau. Der doppelten Bestreitung der Freunde (12,2-25 und 13,1-12) entspricht die zweifache Herausforderung Jahwes zum Rechtsstreit
(13,13-27 und 13,28-14,22). Wie in allen Reden Ijobs wird die
Auseinandersetzung mit Gott von der Erfahrung der eigenen Not
sowie der Vergänglichkeit des Menschen allgemein angegangen.

Die grundsätzliche Ablehnung der Freunde in Ijob 13 läßt die
Auseinandersetzung Ijobs mit Gott immer mehr in den Vordergrund treten. So finden wir in der fünften Rede Ijobs in Ijob
16,1-17,16 lediglich eine kurze Beschuldigung der Freunde,
deren leere Reden Ijob in Bausch und Bogen ablehnt (16,1-6).
Danach wendet er sich gänzlich Gott zu, dessen Angriff er,
wie zuvor den seiner Freunde (6,13-20), in Form einer Feindklage schildert (V.7-14). Diese geht über in eine Ich-Klage
(V.15-16) und endet mit einem Gott anklagenden Unschuldsbekenntnis Ijobs (V.17). So ausführlich diese Anklage Gottes
ist, es muß auffallen, daß sie nur zu einem geringen Teil
Anrede Gottes ist (V.7f.) und als solche auch nicht mehr das
Charakteristikum der Reden Ijobs mit Gott darstellt. Sie bildet im zweiten Redegang nur den spannungsvollen Gegensatz zu
einem Element, das schon in Ijob 12-14 anklang und jetzt immer deutlicher in den Vordergrund tritt: das Bekenntnis der
Zuversicht. So folgt nach einem bitteren Verzweiflungsschrei
(V.18) ein Vertrauensbekenntnis Ijobs zu dem Gott, der ihn
allein hören und erretten kann, obwohl er die Ursache seines
Leidens ist (V.19-22). Wie der größte Teil der zuvor ergangenen Anklage Gottes, so ist auch das Bekenntnis der Zuversicht

nicht in der Form eines Gebetes, nämlich als Anrede Gottes, ausgesprochen. Dies macht deutlich, daß hier zwei verschiedene Weisen des Nachdenkens über Gott vorgestellt werden, und zwar mit gutem Grund: Der Ijob der Dialoge hat, weil er Gott wie einen bösen Dämon erfährt, die Fähigkeit verloren, zu diesem Gott zu beten. Sein Vertrauensbekenntnis ist, wie die diesem entsprechende Bitte in 16,18-22 zeigt, ein Hoffen gegen alle Hoffnung, ja gegen Gott selber: "Hinterleg die Bürgschaft (vgl. 16,19) für mich bei dir! Wer würde sonst den Handschlag für dich leisten" (17,3); denn seine Freunde haben ihn verraten (17,4-10), und sein Leben ist jeder Hoffnung bar (17,11-16).

Die sechste Rede Ijobs in Ijob 19,1-29, die im Grunde nur aus einer Folge von Äußerungen der Anklage und der Zuversicht besteht, bestätigt die bisherige Analyse, daß es im zweiten Redegang entscheidend um das Vertrauensbekenntnis Ijobs, gewonnen auf dem Hintergrund einer alles zerstörenden Anklage Gottes, geht. Die Rede beginnt mit einer Anschuldigung der Freunde (V.1-6) und geht über in eine zweifache Anklage, wobei zunächst der feindliche Angriff Gottes (V.7-12), dann die Entfremdung der Brüder und Verwandten (V.13-20) geschildert werden. Als Kontrast erfolgt ein entsprechender Hilferuf an die Freunde (V.21-22), dem sich das für die Exegese des Buches Ijob so entscheidende Vertrauensbekenntnis Ijobs, worin er die Gewißheit des Eintretens Gottes für ihn ausspricht (wiederum keine Anrede Gottes!), anschließt[131]. Mit einer an die Freunde gerichteten Gerichtsdrohung, die als solche kennzeichnend ist für das Verhältnis Ijobs zu seinen Freunden im zweiten Redegang (vgl. 13,10-12; 17,4), endet die Rede Ijobs.

Wie die Reden Ijobs erhalten auch die Reden der Freunde im zweiten Gesprächsgang einen neuen Charakter. So hat WESTERMANN treffend beobachtet, daß in ihnen keine Mahnung mehr an Ijob vorkommt, sondern nur noch die Bestreitung (15,2-13;

---

131 Auf die breite Diskussion zu dieser Stelle braucht im Zusammenhang dieser Untersuchung nicht eingegangen werden.

18,2-4; 20,2-5), und diese noch in einer eigentümlichen
Form: Es werden keine Auffassungen Ijobs mehr zitiert,
weil die Freunde es nämlich aufgegeben haben, Ijob im einzelnen zu widerlegen. Was übrig bleibt, ist eine Zurechtweisung Ijobs und eine konzentrierte Darstellung ihres eigenen Standpunktes[132].

So beginnt die zweite Rede des Elifas in Ijob 15,1-35 mit
einer Zurechtweisung Ijobs, der durch eine Ablehnung der
belehrenden und mahnenden Worte der Freunde, die Weisheit
geschmäht habe (V.2-3). Diese grundsätzliche Ablehnung der
Weisheit und damit der Gottesfurcht enthülle nur zu gut
die Absicht Ijobs, nämlich dadurch seine Schuld zu ver-
decken (V.4-5). Deshalb sei Ijob einer grenzenlosen Über-
heblichkeit anzuklagen, die es wage, sich sogar gegen Gott
zu richten (V.6-16). Um Ijob die Folgen eines solchen Fre-
vels vor Augen zu stellen, beschwört Elifas unter nochmali-
gem Hinweis auf die Erfahrung der Weisen (V.17-18) das
Schicksal der Frevler, wobei er zur Abschreckung nicht nur
deren gewaltsames Ende, sondern auch deren schmachvolles
Leben schildert (V.19-35). Auffällig ist, daß gegenüber den
Reden des ersten Gesprächsganges das Glück der Frommen und
die Hilfe Gottes für diese nicht mehr erwähnt werden. Diese
Tatsache macht deutlich, daß die Freunde längst begonnen
haben, Ijob in die Kategorie der Frevler einzuordnen.

Auch die zweite Rede des Bildad in Ijob 18,1-21 beginnt mit
einem Vorwurf an Ijob: Was dieser in seiner Selbstzerflei-
schung wolle, sei der Zusammenbruch der Weltordnung schlechthin (V.2-4). Aber so gewiß diese Weltordnung bestehe, so gewiß sei auch der Untergang der Frevler (V.5-21).

Die zweite Rede Zofars in Ijob 20,1-29 besteht, nach einer
kurzen Verteidigung in V.2-3, lediglich aus einer überlangen
Belehrung über das Schicksal der Gottlosen (V.4-29). Damit
wird deutlich, daß Ijob für die Freunde in die Kategorie der
Frevler, deren Schicksal besiegelt ist, eingeordnet wird.

---

132 WESTERMANN, Aufbau, 42f.

Die schon im ersten Redegang zu erkennende Entfremdung zwischen Ijob und seinen Freunden ist am Ende des zweiten Redeganges offenkundig: Wie Job seine Freunde in Bausch und Bogen verurteilt hat, lehnen auch diese die Berechtigung seiner Klagen ab und bringen seine persönliche Not nicht mehr zur Sprache. Indem sie ihm das Schicksal der Frevler vorhalten, zeigen sie ihm überdeutlich, was sie von ihm halten.

Auch das Verhältnis Ijobs zu Gott ist im zweiten Redegang ein anderes. War die Herausforderung Gottes im ersten Teil der Dialoge bestimmt von den maßlosen direkten Anklagen Gottes, so im zweiten von dem Bekenntnis der Zuversicht, das eine neue Spannung in die Dialoge bringt: Das Hoffen auf Gott gegen Gott[133]. Ein weiterer Dialog mit den Freunden kann daher nicht mehr stattfinden.

c. Die Klage Ijobs am Ende: Ijob 29-31

In Ijob 29 und 30 beschreibt Ijob mit dem Kontrastschema Vergangenheit-Gegenwart sein einst von Gott beschirmtes und gesegnetes Dasein (Ijob 29,1-25), dem jetzt ein feindliches Handeln eben dieses Gottes gegenübersteht (Ijob 30,1-31). Gerade weil Ijob keinen Grund angeben kann für die in Feindschaft gewandelte Freundschaft Gottes, begegnet hier wieder die Du-Klage, eine Anklage, die sich direkt an den unbegreiflich handelnden Gott wendet (Ijob 31,20-23). Aus diesem Grunde erfolgt auch in Ijob 31,1-34 eine einzige große Rechtfertigung Ijobs über sein gottesfürchtiges Dasein.

WESTERMANN will diese Reden als eine Erwiderung Ijobs auf die Beschuldigung des Elifas (Ijob 22) verstehen, angesichts derer er Gott als richterliche Instanz anrufe[134]. Diese Auffassung geht aber an dem eigentlichen Sinn die-

---

133 Vgl. PATRICK, 275f.
134 WESTERMANN, Aufbau, 59f.

ser Reden vorbei. Denn Ijob spricht seine Unschuldsbeteuerung in Kap. 31 in Form einer explizierten Selbstverfluchung
aus. Damit aber hat er Gott nach alttestamentlicher Vorstellung auf eine ganz ungewöhnliche Weise als richtende Instanz
herausgefordert: ihn nämlich zu töten, falls er einen Mein-
eid geschworen habe, oder aber selber als schuldig zu gelten[135]. Wenn Ijob sich in seinem "Beichtspiegel" in Kap. 31
darüber hinaus der Gottesfurcht rühmt, die Gott selber dem
Menschen aufgetragen hat (vgl. auch Ijob 28,28), so hat Ijob
dadurch erreicht, was all seine Klagen nicht vermochten, nämlich Gott zu einer Antwort zu nötigen. Gleichzeitig hat Ijob
Gott damit vor dessen eigenes Gericht gebracht (vgl. Ijob
9,32). Seine Haltung gegenüber Gott hat sich jedoch seit der
Eingangsklage in Ijob 3 nicht gewandelt: Wie jemand, der
gleichberechtigt neben Gott steht, hat er diesen zur Rechenschaft gefordert. Indem sich Ijob durch die Bestreitung der
Vergeltungslehre und einer Lehre über das göttliche Walten
überhaupt aber jeder Möglichkeit eines Verstehens von Gott
beraubt hat, ist die Spannung zwischen der Anklage Gottes
und dem Vertrauen auf ihn praktisch unaufhebbar geworden.
Mit der großen Verteidigungsrede am Ende der beiden Rede-
gänge sind die Worte Ijobs im wahrsten Sinne des Wortes zu
Ende (31,40b). Dem Dichter geht es am Ende des Streitgespräches darum, die Klagen Ijobs aufgrund der ihr innewohnenden
Anklage in das Dilemma jeglichen Redens über Gott hineinzu-
führen und dadurch, daß Ijob nicht nur eine Antwort Gottes
erhofft, sondern diese, weil er ohne sie nicht leben kann,
gleichsam erzwingen will, bis an die Grenze eines Redens
zu Gott stoßen zu lassen.

---

135 Vgl. SH.H.BLANK, An effective literary Device in Job
     XXXI: JJSt 2 (1951) 105-107; vgl. auch H.RICHTER, Er-
     wägungen zum Hiobsproblem: EvTh 18 (1958), 302-324.
     317f.; FOHRER, Hiob, 486.

3. Die Gottesreden: Ijob 38-42

Mit dem Auftreten Jahes am Ende des Streitgespräches sowie dem großen Reinigungseid Ijobs tritt die Wende ein:
In zwei Reden (Ijob 38,1-40,2 und Ijob 40,6-41,26) entspricht Jahwe dem Wunsch Ijobs nach einer Antwort.

Die Gottesreden sind in der Forschung immer wieder als ein
Problem empfunden worden. So hat man ihren Inhalt scharf
kritisiert, entweder weil Ijobs persönliches Problem keine
Lösung erfahre[136], oder weil ihr Inhalt - "drei Stunden
Naturkunde für Hiob" - dürftig und leer sei[137]. Angesichts
dieser Abwertung ist es nicht verwunderlich, daß die Gottesreden, wenn nicht ganz[138], so doch zumindest teilweise
für die Arbeit irgendeines Ergänzers erklärt wurden[139]. In

---

136 Vgl. VOLZ, Hiob 85; STAMM, Das Leiden des Unschuldigen
in Babylon und Israel, Zürich 1946, 54; EICHRODT, Theologie 2/3, 363; eine Reihe ähnlicher Stimmen bei KUHL,
ThR 50 (1953) 265f.; DERS., Vom Hiob-Buch und seinen
Problemen: ThR 51 (1954) 261-316.304f.

137 Vgl. L.STEIGER, Die Wirklichkeit Gottes in unserer
Verkündigung, in: FS H.DIEM, München 1965, 143-177.160.

138 H.SCHMIDT, Hiob, Tübingen 1927, 52; vgl. KUHL, ThR 50
(1953), 270f.; ThR 51 (1954) 305-307.314.

139 Vgl. KUHL, ThR 50 (1953) 257, der in der ersten Rede
den Abschnitt über den Strauß (39,13-18) ausscheidet,
weil er als reine Schilderung die Fragen an Ijob un-
terbreche und auch keine Anrede an diesen enthalte.
Aus ähnlichen Gründen eliminieren KUHL (ThR 50 (1953)
267) und FOHRER (Hiob, 39) die gesamte zweite Gottesrede; vgl. H.P.MÜLLER, Hiob und seine Freunde, 40f.;
J.LÉVÊQUE, Job et son Dieu, Paris 1970, 528. MAAG,
Das Gottesbild im Buche Hiob, 93f., scheidet die zweite

dieser Ablehnung zeigen sich deutlich die Früchte der Auffassung, die im Buch Ijob ein rein existentielles und individuelles Problem zur Sprache gebracht sieht und der somit
das subjektive Erlebnis einer Gottesvision als entscheidende
Antwort genügt[140]. Demgegenüber hat schon die Eingangsklage
in Ijob 3 mit aller Deutlichkeit gezeigt, daß Ijobs Leiden
in einem Gottesproblem gipfeln. In seinen gesamten Reden
rückte daher neben den Klagen über sein unschuldiges Leiden
immer mehr das Problem einer gerechten Weltordnung als die
entscheidende Schwierigkeit in den Vordergrund (vgl. Ijob
9,22-24; 24,1ff.). Insofern ist das Problem Ijobs ebenso
essentiell wie existentiell. In diesem Zusammenhang ist ebenfalls zu bedenken, daß zu einer persönlichen Begegnung notwendig auch das Angesprochensein gehört. Ijob selber hat in
seiner letzten großen Herausforderung (Ijob 29-31) ausdrücklich eine Erklärung von Jahwe verlangt. Dann aber ist der
Inhalt der den Höhepunkt der Dichtung bildenden Gottesreden
für die Beantwortung der von Ijob gestellten Fragen sowie
für das Gesamtverständnis der Dichtung von entscheidender
Bedeutung. Das Verdienst, eine in diesem Sinne neue Sicht
der Gottesreden in die Wege geleitet zu haben, gebührt den
Arbeiten von KEEL[141] und KUBINA[142], deren Ergebnissen sich
die folgende Darlegung verpflichtet weiß.

Theophanie aus, weil sie in einer bloßen Machtvorführung
Gottes gipfele. WESTERMANN will eine Rede mit zwei Teilen (38/39-40,6-14 und 40,25-41,3) erkennen, in denen
die beiden Motive des Gotteslobes, Lob des Schöpfers und
Lob des Herrn der Geschichte, entfaltet werden. Die Abschnitte 40,15-24 und 41,4-26 sind, weil bloß noch Schilderung, sekundäre Erweiterungen (Aufbau, 82-98); ähnlich
E.RUPRECHT, Das Nilpferd im Hiobbuch: VT 21 (1971) 209-
231.

140 Vgl. KUHL, ThR 50 (1953), 270f.; ThR 51 (1954) 305-307.
314; FOHRER, Hiob, 549.
141 O.KEEL, Jahwes Entgegnung an Ijob. Eine Deutung von Ijob
38-41 vor dem Hintergrund der zeitgenössischen Bildkunst, Göttingen 1978.
142 V.KUBINA, Die Gottesreden im Buche Hiob, Ein Beitrag zur
Diskussion um die Einheit von Hiob 38,1-42,6, Freiburg
1979.

Wie die beiden Reden Jahwes an Ijob zu verstehen sind, zeigt
ihre Einleitung in 38,1 und 40,6: Jahwe antwortet Ijob aus
dem "Wettersturm" (שערה). Hier sind zwei Dinge bedeutsam.
Im Unterschied zu dem gesamten Dialogteil wird hier der Got-
tesname Jahwe eingeführt und damit an das Handeln dieses Gottes in Israel, das Wortcharakter hat, erinnert. Indem nun Gott
zu Ijob spricht, erweist er sich für diesen als Jahwe. Daß
Gott "aus dem Wettersturm" antwortet, wird von den Auslegern
als Hinweis auf eine Theophanie verstanden[143]. Es handelt
sich um die Verwendung eines traditionellen Bildes, das das
Wirken Gottes, sein Kommen oder seine Schrecken erregende Gegenwart sinnfällig darstellen will. Insbesondere charakterisiert dieses Element Jahwes Handeln im Gericht (vgl. 1 Kön
19,11f.; Ex 19,16; Ez 1,4; Nah 1,3; Sach 9,14; Ps 18,11f.16;
50,3)[144]. Dann aber hat die Gottesbegegnung, die Ijob zuteil
wird, von vorneherein den Charakter einer Bestreitung, eines
Angriffes auf Ijob. Gott fordert Ijob, wie das in 38,3 (vgl.
40,7) beschworene Bild eines gegürteten Ringkämpfers bestätigt, als seinen Gegner zum Kampf heraus[145].

Ijob 38,2 nennt als Thema der ersten Gottesrede die עצה
Jahwes. עצה kommt in Verbindung mit Gott sehr häufig vor
und bedeutet in der Prophetie den Plan Gottes, der aller Geschichte zugrunde liegt (vgl. Jes 5,19; Jer 49,20; 50,45;
Mi 4,12; Ps 33,11)[146]. Daß aber ein solcher Plan bestehe, hat
Ijob geleugnet und Gott sogar vorgeworfen, daß dieser in völliger Willkür am Menschen handele und jede Norm vermissen
lasse (Ijob 9,22-24; 24,1ff.). Jahwe disqualifiziert diese
Position Ijobs: "Wer erklärt da den (Welt-) Plan für dunkel
mit Worten ohne Sachverstand?" (38,2). Mit dem Vorwurf des
Verdüsterns knüpft die Gottesrede an Ijobs Eingangsklage an
wo dieser seine eigene Existenz in das Chaosdunkel zurück-
wünschte, weil er das Vorhandensein einer sinnvollen Welt

---

143 Vgl. FOHRER, Hiob, 498f.; LÉVÊQUE, 509.
144 Vgl. JEREMIAS, Theophanie, Neukirchen ²1977, 69.162.
145 Vgl. PREUSS, Jahwes Antwort an Hiob, 338f.
146 Vgl. LÉVÊQUE, 510-513; J.FICHTNER, Jahwes Plan in der
    Botschaft des Jesaja: ZAW 63 (1951) 16-33.18.

nicht zu erkennen vermochte (Jjob 3,4.5.9). Darauf gibt ihm
Jahwe jetzt in einer unerwarteten Weise Antwort: Er stellt
Ijob Gegenfragen, die die Schöpfung und ihre Ordnung betref-
fen[147].

Zunächst beschwört Jahwe das Wunder der Schöpfung, als er
die Erde fest gründete und so den ersten Schritt zu einer
heilvollen, geordneten Welt schuf (V.4-7; vgl. Ps 24,1f.;
90,1f.), und verkündet dann die Bändigung des Meeres, die
Verkörperung der Chaosmacht, als sein Werk (V.8-11; vgl. Ps
74,13f.; 89,10f.). Ordnung schafft er in der Welt auch, wenn
er jeden Morgen aufs neue die in der Nacht ihr Unwesen trei-
benden Frevler in die Schranken weist (V.12-15). Damit gibt
Jahwe den Vorwurf Ijobs zurück, Mörder, Diebe und Ehebrecher
könnten ungestraft ihren Machenschaften nachgehen (24,13-17).
Die folgenden Strophen (V.16-24) demonstrieren die Ordnung
der unterirdischen und himmlischen Räume, die für Ijob un-
durchdringlich sind. Auch in ihnen ist der geordnete Kosmos
zu finden, ebenso wie im Bewässern der Wüste sich Jahwe als
der erweist, der das Chaos (vgl. Jer 51,42f.) zurückdrängt
(V.25-30). Mit der Frage, ob Ijob die himmlischen Ordnungen
bestimmen könne (V.31-38), endet der erste Teil der Gottesrede, der Ijob die nötige Einsicht (דעת) zur Beurteilung
der Welt abspricht.

Im zweiten Teil der ersten Gottesrede (38,39-39,30) tritt an
die Stelle der zuvor behandelten kosmischen Vorgänge das Handeln Gottes an bestimmten Tieren. Genannt sind hier: Löwe,
Rabe, Steinbock, Hirsch, Wildesel, Wildstier, Strauß, Kriegs-
pferd, Wanderfalke, Geier. Gemeint sind Tiere, die nach altorientalischer Auffassung der Mensch nicht zu domestizieren

---

147 Bei diesen Fragen handelt es sich um rhetorische Fragen,
     deren Evidenz von vorneherein klar ist. Am häufigsten be-
     gegnet die persönlich konstruierte Satzfrage (38,12.32.
     39 u.ö.), in der Ijob gefragt wird, ob er Jahwes Schöp-
     ferhandeln je ausgeführt hat oder ausführen kann. Die
     zweite Gruppe stellen die Wer-Fragen dar (38,5.25.29.36
     u.ö.), die erkennen lassen, daß Jahwe die Welt erschaffen
     hat und sie regiert.

vermag, über die sich aber Jahwe als Herr manifestiert[148].

In welchem Sinn ist nun die gesamte erste Gottesrede zu verstehen? Soll Ijob hier von Gott auf seine Grenzen, auf sein mangelhaftes Urteil aufmerksam gemacht werden, wie es einige Erklärer meinen[149]? Dann würde sich die Gottesrede nicht von dem abheben, was die Freunde immer wieder behauptet haben (4,21; 11,7f.; 15,7f.; (22,12f.) u.ö.) und was auch Ijob längst wußte (9,3f.): Vor Gott kann kein Mensch bestehen. Die Rede Jahwes will Ijob jedoch nicht im "Sturm niederreißen" - so lautete Ijobs Anklage im Streitgespräch (9,17) -, sondern das chaotische Bild, das Ijob von der Welt hat, korrigieren. Jahwe stellt sich hier vor als derjenige, der einen geordneten Kosmos geschaffen hat und immer wieder neu erschafft. Wenn sich auch böse Gewalten als eigenmächtig erweisen, so ist es dennoch Jahwe, der die Welt fest in der Hand hält.

Nach dieser Antwort fordert Jahwe Ijob zu einer Antwort auf (40,1-2). Dabei knüpft die Frage Jahwes: "Mit dem Allmächtigen will der Tadler rechten?" bewußt an die Herausforderung Gottes durch Ijob: מי יריב עמדי (13,19; vgl. 31,35) an. Wer mit Jahwe rechten will, der muß sich auch seinen Fragen stellen.

Im Verlauf dieser Dialoge hatte Ijob bekundet, vor Gott das Recht ausbreiten und seinen Mund mit Beweisen füllen zu können (13,3) und hatte sich außerdem gebrüstet, daß niemand seine Rede zum Schweigen bringen könne (13,15). Vor der Anrede Jahwes aber erfährt er seine eigene Bedeutungslosigkeit. Er weiß den Fragen Jahwes nichts entgegenzusetzen und bekennt daher, daß er die Hand auf "seinen Mund" legen und demütig schweigen wolle (40,3-5). Ijob erkennt Jahwe als den

---

148 Zu einer ausführlichen Behandlung des Motivbereiches der hier genannten Tiere vgl. KEEL, 63-125.

149 Vgl. FOHRER, Hiob, 558f.; VON RAD, Weisheit in Israel, Neukirchen 1970, 291; LÉVÊQUE, 517-520; ALBERTZ, Weltschöpfung und Menschenschöpfung, Stuttgart 1974, 145; MÜLLER, Altes und Neues zum Buch Hiob: EvTh 37 (1977) 284-304.295; KUHL ThR 51 (1954) 310 und die weiteren dort genannten Autoren.

Schöpfer der Welt wieder und tritt deshalb von einem Rechtsstreit mit ihm zurück.

Doch da setzt Jahwe ein zweites Mal ein (40,6-41,26) und
greift nun den massivsten der Vorwürfe Ijobs auf, in dem er
Gott als einen Frevler beschuldigt hatte (9,24). Damit aber,
daß Ijob sich ein Urteil über Gott anmaßte, hat er das Grund-
verhältnis zwischen Schöpfer und Geschöpf verkehrt und sich
zum Widerpart Gottes aufgeworfen. Wenn Ijob jedoch meint, Gott
beuge das Recht (9,22f.; 16,9; 19,6f.), so mag er sich jetzt
selber als Gott erweisen und die Hochmütigen und die Frevler
richten (vgl. Jes 2,12.17; 5,15; 10,33). Kann er die Über-
heblichkeit dieser Menschen brechen, dann besteht sein Anspruch, sich mit Gott messen zu wollen, zu Recht, und Jahwe
wird ihn als ebenbürtig anerkennen (40,8-14). Was dagegen
Jahwe selbst im Kampf gegen die bösen Mächte leistet, demonstriert der Dichter an der Überwindung des Behemoth (40,15-
24) und des Leviathan (40,25-41,26), zweier schreckenerre-
gender Geschöpfe, mit denen kein Mensch es wagen kann, sich
zu messen.

Hier fällt zunächst auf, daß hinter der Schilderung dieser
beiden Wesen deutlich die Tiere Nilpferd[150] und Krokodil stehen. Warum sind diese aber dann nicht mit dem eindeutigen zoo-
logischen Namen genannt? Weil es nicht, wie einige Erklärer
annehmen[151], um die Darstellung zweier, wenn auch sehr mächtiger Tiere geht. Schon in der Beschreibung dieser Tiere wird
deutlich, daß weder Behemoth noch Leviathan einfach mit Nilpferd und Krokodil identisch sind (vgl. 40,19.20.25f.31f.;
41,10f.17.18-21.22.25f.), zumal es anders nicht einsehbar
wäre, warum diese Tiere unbesiegbar sein sollten. Das Vorkommen der Namen Behemoth und Leviathan im AT weist vielmehr auf
einen mythischen Vorstellungsbereich, in dem diese und andere
Wesen als den Kosmos bedrohende Urmächte erscheinen. Als Ein-

---

150 Die Deutung Behemoths auf das Nilpferd geht zurück auf
     das Werk von S.BOCHARTUS, Hierozoicon sive bipartitum
     opus de animalibus Sacrae Scripturae, Frankfurt ²1675.
151 Vgl. FOHRER, Hiob, 527.

zelwesen werden Behemoth in Jes 30,6 und Leviathan in Jes
27,1; Ps 74,14; Ps 104,26; Ijob 3,8 genannt. Da aber in
zweien dieser Texte ein weiteres "Untier", nämlich Tannin
genannt wird (Jes 27,1; Ps 74,14) und im Kontext des letzteren der Name Rahab auftaucht (Jes 51,9), tragen auch
Texte, in denen diese Tiere aufgezählt werden, zur Erklärung von Behemoth und Leviathan bei. Die Bezeichnung Leviathan und die dafür verwandten Synonyme verweisen auf den
Mythos vom Kampf eines Gottes gegen das Chaos, das Böse, der
im ganzen Orient in verschiedenen Versionen bekannt war[152].
Mythische Anspielungen im Buch Ijob zeigen, daß dem Dichter
Mythenfragmente vom Chaoskampf bekannt waren (3,8; 7,12; 9,
13; 26,12)[153]. In der Gottesrede greift er auf Elemente aus
dem ägyptischen Mythos vom Kampf des Horus gegen Seth sowie
dem ugaritischen Mythos vom Kampf Baals gegen Jam zurück[154].
Es geht ihm jedoch nicht darum, einen neuen Mythos zu er-
zählen. Kein vergangener Kampf der Urzeit steht im Vordergrund, sondern, wie auch bei den sonstigen Anspielungen auf
den Chaoskampf im AT, ein geschichtliches Handeln Gottes:
sein wiederholter Kampf gegen die gottfeindlichen Mächte.

Dem eingangs genannten Vorwurf Ijobs, die Welt bzw. Gott sei
böse, wird somit in der zweiten Gottesrede das Bild Jahwes
entgegengesetzt, der den Kampf gegen das Böse, dargestellt
in Behemoth und Leviathan, siegreich bestanden hat und immer wieder besteht.

Auch nach dieser Rede ist Ijob gezwungen, Konsequenzen aus
dem Gehörten zu ziehen. In seiner zweiten Antwort aber tritt
Ijob aus der Haltung des Schweigens heraus und bekennt, in
unangemessener Weise von Gott gesprochen zu haben (42,1-6).
Zweimal bedient er sich dabei eines Wortes, das zuvor Gott
selber gesprochen hat. In 42,3a nimmt Ijob die Frage vom
Anfang der ersten Gottesrede (38,2b) auf, worin Gott Ijob
vorgeworfen hat, seine עֵצָה zu verdunkeln. Jetzt greift

---

152 Zu einer ausführlichen Darlegung vgl. KUBINA, 45-59.
153 Vgl. KUBINA, 59-64.
154 Vgl. KUBINA, 68-76; KEEL, 132-154.

Ijob in seinem Schuldbekenntnis diesen Vorwurf auf und gibt
Gott dadurch recht. In 42,4b wiederholt Ijob die Aufforderung
Gottes am Anfang seiner Reden: "Ich will fragen und du stehe
Rede..." (38,3b, 40,7b). Mit eben diesen Worten hatte auch
Ijob während des Streitgespräches Gott zum Rechtsstreit her-
ausgefordert (13,22f.;(21,2f.)u.ö.). Weil aber Ijob Gott ge-
schaut hat, kann er sein Verhalten bereuen und jetzt zu einem
Bekenner Jahwes werden.

Die beiden Gottesreden erweisen sich als eine klar struktu-
rierte Einheit. Das Hauptthema ist die עצה Jahwes (38,2;
42,3), die in den beiden Reden unter einem je anderen Aspekt
entfaltet wird: In Ijob 38/39 unter dem Gedanken des göttlichen Waltens in der Natur und in Ijob 40-41 unter dem Aspekt
der geschichtlichen Lenkung. Jede Rede beginnt mit einer The-
mafrage, die den Anklagepunkt nennt: 38,2 die Verdunkelung
der עצה und 40,8 die Absprechung des göttlichen Heilswil-
lens. In je zwei Schritten werden diese Punkte in den Reden
entfaltet. Gleichzeitig wird Ijob dadurch zu einer Stellungnahme genötigt. Im ersten Fall (40,3-5) nimmt Ijob ein demü-
tiges Schweigen an, im zweiten Fall bekennt er ausdrücklich
sein Vergehen und kann dann einen Lobpreis auf den jetzt
nicht mehr fremden Gott Jahwe anstimmen (42,1-6)[155].
Die formale Eigenart dieser Kapitel beschreibt KUBINA folgendermaßen: Es handelt sich um einen literarischen Dialog,
der eine theologische Frage in Form einer Streitrede zwischen
Prozeßgegnern in doppeltem Ansatz entfaltet und einer Lösung
zuführt[156]. Die Gattung der Gottesreden umschreibt sie als
einen "nachgeahmten prophetischen Rechtsstreit". Mit den prophetischen Gerichtsreden[157], wozu auch die Rechtsverhandlun-

---

155 Zur Struktur der Gottesreden vgl. KUBINA, 120. Nach die-
     sen Analysen bedeutet es einen Rückschritt, wenn CRÜSE-
     MANN ältere Auffassungen modifiziert und als Fazit der
     Gottesreden die "unendliche Distanz" zum Ausdruck ge-
     bracht sieht, die zwischen Gott und Mensch besteht. Da-
     mit wird seiner Auffassung nach ein Gott gezeigt, ange-
     sichts dessen die Frage nach einer erfahrbar-gerechten
     Ordnung verstummen muß (382f.).
156 KUBINA, 133.
157 Vgl. Jes 3,3f.; Jer 2,5f.; 25,30f.; Jos 4,1f.; 12,3f.;
     Mi 6,1f.; Mal 3,5.

gen zwischen Jahwe und den Völkern sowie Jahwe und Israel bei Dt-Jesaja[158], gehören, teilen die Gottesreden die klare Struktur von Vorladung, Verhandlung und Urteil. Beide Partner kommen zu Wort: Gott mit Anklage, Verteidigung und Schiedsspruch, Ijob mit Streitverzicht und Anerkennung des Urteils[159]. Es fällt aber auf, daß das, was in Ijob 38ff. geschieht, keine ausdrückliche Verurteilung, sondern mehr eine Bestreitung Ijobs ist. Allerdings ist in dieser Bestreitung das Urteil insofern angelegt, als Ijob gezwungen wird, aus dem Gehörten die Konsequenzen zu ziehen, und er sich damit selbst verurteilt[160].

Die Beziehung des Ijobdichters zum zweiten Jesaja ist nicht nur formaler, sondern auch inhaltlicher Natur; denn das für ihn entscheidende Thema der Schöpfung war ebenfalls für Dt-Jesaja ein Thema von herausragender Bedeutung. Die Verbindung von Schöpfung und Heilsgeschichte hatte bei ihm die Funktion, seine Botschaft eines neuen Anfangs für Israel zu untermauern. Das durch das Gericht erschütterte Vertrauen des Volkes auf Jahwe kann er mit dem Hinweis darauf festigen, daß Jahwe, der der Weltschöpfer und -lenker seit Anbeginn ist, willens und im stande ist, das Heil für Israel ins Werk zu setzen. Die Schöpfung wird somit zum ersten Ereignis der Heilsgeschichte, die dadurch zur universalen Heilsgeschichte wird. Daher gibt es viele Stellen bei Dt-Jesaja, in denen Jahwe, wenn er an seine früheren Heilstaten erinnert, zugleich vom Heil Israels und von der Schöpfung als von zwei Aspekten einer einzigen Handlung spricht[161]. Das Reden von Jahwe als dem Schöpfer Israels und der Welt ist

---

158 Jahwe-Völker: Jes 41,4-5; 41,21-29; 43,8-15; 44,6-8; 45,20-25; Jahwe-Israel: Jes 43,22-28; 50,1-3.
159 Zu einer ausführlichen Darlegung vgl. KUBINA, 124-143.
160 Daß diese Selbstverurteilung "in Form einer Exhomologese" gefaßt ist, qualifiziert die Gottesrede in besonderer Weise. Hiobs Bekenntnis verbietet es, die voraufgehenden Worte als Demonstration selbstherrlicher göttlicher Macht zu interpretieren (KUBINA, 148).
161 Jes 41,8-29; 42,5-9; 43,1-14.16-44,5; 49,7-26; 51,15-16.

somit klar auf die Gegenwart ausgerichtet. Nicht eine Belehrung über Vergangenes wird gegeben, sondern der Glaube an
Jahwes auch gegenwärtige Weltlenkung soll neu begründet und
wieder gestützt werden[162].

Auch in den Gottesreden des Buches Ijob ist das Thema "Schöpfung" dem Thema "Geschichte" zugeordnet. In der ersten Gottesrede war bei dem Bild des den Kosmos schaffenden Gottes
auffällig, daß dieser Kosmos nicht ein für allemal, sondern
immer wieder neu geschaffen wird. Ebenso bezieht sich die
Schilderung vom Sieg Jahwes über Behemoth und Leviathan nicht
nur auf eine Tat Jahwes "am Anfang", sondern auf ein Geschehen, das in dieser Welt zwischen Gott und den gottfeindlichen
Mächten immer wieder stattfindet.

Warum holt der Ijobdichter derart weit aus, um Ijob zur Einsicht zu bringen? Einmal deshalb, weil es nicht nur um eine
singuläre Glaubensanfechtung geht. Das Leiden des Menschen
wird hier zum ersten Mal die Vorbedingung für eine Auffassung, der es unmöglich ist, die Welt als Schöpfung zu erfahren. Der Widerspruch, der zwischen dem jetzigen tötenden und
dem früheren erschaffend-behütenden Handeln Jahwes besteht,
weitet sich für Ijob zu einem Kontrast, der Jahwes Schöpfer-
wirken im Weltganzen in Frage stellt. Deshalb tritt Ijob in
seinen Reden gleichsam als ein "Antigott" auf, der in seiner
Qual der Gottesferne allen Maßstab verliert und sich dabei
ein Urteil darüber anmaßt, was Gott zu tun habe. Und weil Ijob
die Relation zwischen Schöpfer und Geschöpf verkehrt, kann er
Gott und seine Weltordnung, die ihm jetzt pervertiert erscheint, nicht mehr erkennen. Jahwes Gott-sein und Herr-sein
steht somit auf dem Spiel. Deshalb greift der Ijobdichter zu
mythischen Bildern, um dadurch die Norm der Geschichte darzulegen. Hiermit setzt Jahwe dem von Ijob behaupteten Un-Sinn

---

162 Vgl. VON RAD, Das theologische Problem des alttestament-
     lichen Schöpfungsglaubens: BZAW 66 (1936) 138-147; EICH-
     RODT, Theologie 2/3, 57-74; E.HAAG, Gott als Schöpfer
     und Erlöser in der Prophetie des Deuterojesaja: TThZ 85
     (1976) 193-213.

einen universalen Sinn entgegen. Dieser Sinn kann aber nur
erfahren werden in grundsätzlicher Übereinstimmung mit dem
Schöpfer, das bedeutet, in der uneingeschränkten Anerkennung von Gottes freiem Tun und seiner vollkommenen Überle-
genheit. Der Bund, der zwischen Gott und Ijob bestand (Ijob
29), wird in den Gottesreden neu bestätigt, und zwar als
ein das All umgreifendes Versprechen Jahwes. Diese Verbindung eines "individuellen" Schicksals mit dem Gedanken vom
universalen Heil entgrenzt und erweitert den Bundesgedan-
ken[163]. Soll aber von dem Geheimnis der Schöpfung, der verborgenen Präsenz Gottes in der Welt sowie der Treue Gottes
im Verhältnis zum Menschen und seiner Welt etwas sichtbar
werden, dann muß es Menschen geben, die durch ihre Beteiligung die Wahrheit an den Tag bringen und sei es, wie bei
Ijob, im Kampf mit Gott. Gerade dieser Aspekt lenkt noch
einmal zurück auf die Theologie des Dt-Jesaja, der in den
Gottesknechtsliedern eine klare Vorstellung vom Heilsuni-
versalismus und seiner Vermittlung entfaltet hat (vgl. Gen
12,1-3). So wird Ijob im Epilog von Jahwe ausdrücklich als
"Knecht" bestätigt (41,8; vgl. 1,8; 2,3). Dieser Titel, der
in erster Linie den Patriarchen, Mose und den Propheten verliehen wird, bezeichnet zunächst ein Zugehörigkeitsverhält-
nis und ein Geborgensein bei Gott, darüber hinaus aber die
Beauftragung mit einem Dienst[164]. Mit der Bezeichnung Ijobs
als Knecht lenkt der Ijobdichter auf die alte Ijoberzählung
in Ijob 1-2 zurück. Dort war es die Aufgabe Ijobs, das Urteil Jahwes gegenüber dem des Satan als richtig zu erweisen. Die Tatsache aber, daß Ijob "Knecht" geblieben ist,
wird von dem Ijobdichter zu einem eigenen Thema gemacht.
In 42,7-10 stellt Jahwe Ijob gegenüber den Freunden als denjenigen heraus, der recht über ihn gesprochen hat. Diese Bestätigung Ijobs ist aber nicht nur auf das Schuldbekenntnis
und den Lobpreis Ijobs in 42,1-6 zu beziehen[165], sondern hat

---

163 So KUBINA, 155.
164 Vgl. WESTERMANN, Art. עבד , in THAT II, 182-200.192f.
165 Gegen KUBINA, 157f.

Ijobs Klagen und sein Ringen um eine Antwort Gottes während
des ganzen Streitgespräches im Blick. Dieses Ringen des Menschen um Gott und damit um das עבד -Verständnis als persönliche Beziehung, hatten die Freunde Ijobs abgetan, indem
sie den Menschen als einen Wurm (4,19; vgl. 25,6) beschrieben, der Gott nichts nützt (15,14f.), sondern von ihm lediglich für seinen Gehorsam entlohnt wird. Damit aber haben sie
aus Gott den Inbegriff eines "vergötzten, beziehungslosen
summum ius" gemacht[166]. In diesem Zusammenhang ist auch die
Beobachtung von ALBERTZ einzubringen, daß in den Freundesreden das Lob Jahwes als Menschenschöpfer keine Rolle spielt.
Dies kommt daher, daß für sie das Geschöpfsein des Menschen
allein in seiner Begrenztheit besteht (10,9; 4,17.19). Das
im Hinblick auf das Lob Jahwes als dem Schöpfer der Menschen
so entscheidende Moment eines urtümlichen Vertrauensverhält-
nisses hat für die Freunde keine Bedeutung, weil sie ein solches Verhältnis zwischen Gott und Mensch nicht kennen. Was
sie allein beschwören, ist das Lob des majestätischen Welt-
schöpfers, um die Größe Gottes und den unüberbrückbaren Gegensatz zwischen Gott und Mensch aufzuzeigen[167]. Weil aber
eine so verabsolutierte Macht Gottes notwendig dazu führt,
diesen, wie es Ijob dann auch tut (9,23f.), als einen Dämon
anzusehen, werden die Freunde verurteilt und bleiben von dem
Zorn Jahwes nur dadurch verschont, daß Ijob die von Gott gewollte Fürbitte leistet (40,8). Auch diese Tatsache ist ein
Hinweis darauf, daß Ijobs Leiden nicht für ihn allein geschah.
Damit ist von seiten Gottes selber ein letzter Schlag gegen
die Vergeltungslehre der Freunde geführt: Die, welche nach ihrer eigenen Lehre die Verurteilung verdient hätten, werden gerettet durch den, dem sie das Gericht Gottes in Aussicht gestellt hatten.

Ijob ist aber nach der Auskunft des Dichters der Knecht Jahwes, weil er die Entfremdung, in die er durch die Theologie
seiner Freunde immer tiefer getrieben wurde, als etwas Nicht-

---

166 HEDINGER, 199.
167 ALBERTZ, Weltschöpfung, 136f.

sein-sollendes begreift. Sein Kampf um eine Antwort Gottes
hat die Nähe Gottes für den Menschen wieder konkret erfahr-
bar gemacht. Aus diesem Grund hat der Ijobdichter Jahwes ab-
schließendes Urteil mit dem Schluß der alten Ijoberzählung
verbunden. In 42,10 berichtet der Ijobdichter in eigenen
Worten von der Wende im Ergehen Ijobs und läßt dann das alte
Erzählstück über Ijobs neuen Segen durch Jahwe folgen. Damit soll Ijobs Leiden nicht gerechtfertigt werden oder durch
den wieder erfolgten Gottessegen harmonisiert sein. Maßgebend ist hier folgendes: Die heilvolle Nähe Gottes zu der
Welt des Menschen, welche die Gottesreden als Selbstoffen-
barung des Schöpfers dargestellt haben, muß sich für Ijob,
der Gottes Zuwendung konkret erfahren hat (1,1-5; 29f.),
auch konkret erweisen. Oder sollte der Gott, der in der Natur das Chaos zurückdrängt und in der Geschichte die Gottes-
feinde vernichtet, Ijob im Chaos seines Leidens belassen?
Wenn auch nach der Aussage der Gottesreden das Böse, das
Unheil, einen Platz in Jahwes Weltenplan erhält, so war doch
der entscheidende Punkt derjenige, daß Jahwe dieses Böse zurückdrängt und vernichtet, im Gegensatz zu den Vorwürfen
Ijobs, der eine Übermacht des Bösen in der Welt sah (9,22ff.).
Daher entspricht es "der tiefen Anteilnahme Gottes an den Leiden seines Knechtes, daß er keine rückblickende Pädagogik reden läßt, wohl aber - das Geschick Ijobs wendet"[168]. In diesem Zusammenhang gewinnt das anschließende alte Erzählstück
von der Restitution Ijobs (42,11-17) gewissermaßen eine
eschatologische Dimension, in der die Wiederherstellung des
Knechtes den endgültigen Sieg des Guten im Blick hat, der in
dem von Jahwe in die Schöpfung hineingesprochenen Bundes-
heil auf Erfüllung hin angelegt ist[169].

---

168 HEDINGER, 201.
169 Wenn CRÜSEMANN an der Inkongruenz der Ijobdichtung zur
    Rahmenerzählung festhält und die Wiederherstellung am
    Ende im Grunde das für den Ijobdichter von Gott her
    nicht zu Erwartende ist, und wenn CRÜSEMANN daher in An-
    lehnung an J.G.WILLIAMS ("You have not spoken the Truth
    of me". Mystery and Irony in Job: ZAW 83 (1971) 231-
    254) das vorgegebene "happy end" durch die Aussage der
    Gottesreden gesprengt und in ein ironisches Licht ge-

4. Zusammenfassung und Ausblick

An der Frage nach der Gerechtigkeit Jahwes gegenüber denen,
die sich im Glauben um den rechten Weg bemühen, entzündet
sich auch die Auseinandersetzung mit dem Handeln Gottes im
Buch Ijob. Als Anknüpfungspunkt dient hier aber nicht mehr
ein geschichtliches Beispiel, sondern die weisheitliche Überlieferung von einem Gerechten namens Ijob. Dieser Mann zeigt
in seinem Verhalten die Art von Gottesfurcht, die die Deuteronomisten vom Volk und der Dichter von Klgl 3 für die Zeit des
Gerichtes von dem einzelnen Israeliten gefordert hatten: das
Leid aus der Hand Jahwes ohne Murren anzunehmen. Der Ijob-
Dichter problematisiert in seiner Darstellung Ijobs nicht nur
dessen Verhalten, sondern auch das Zorneshandeln Gottes im
Fall Ijobs. Dies war deshalb nötig, weil die zu seiner Zeit
bereitgestellten Lösungen ein Problembewußtsein in eben diesen Punkten vermissen ließen (1). Deshalb bricht in Ijob die
schon aus den Konfessionen und Klgl 3 bekannte Klage des leidenden Gerechten mit aller Heftigkeit auf (2).

Zum ersten Punkt: Die Not Ijobs, daß nämlich Gott ihn ohne er-
sichtlichen Grund mit allen erdenklichen Leiden niederdrückt,
ist im theologischen Weltbild seiner Zeit nicht vorgesehen.
Was die Deuteronomisten das schuldige Gottesvolk nach 586 lehr-
ten, hatte nichts von seiner Aktualität eingebüßt: Gott straft
den Menschen wegen seiner Sünden. Dieser beuge sich daher der
Strafe und bekenne seine Schuld. Diese dtr Auffassung hatte
schon der Verfasser von Klgl 3 als richtig erkannt und zur
Grundlage seiner eigenen Belehrung gemacht. Zur Zeit des Verfassers der Ijob-Dichtung aber zeigte sich die dtr Paränese
außerstande, auch nur das Problem zu erkennen, geschweige denn
zu bewältigen. Dies hat folgende Gründe: Die dtr Paränese hatte

---

taucht sieht (384), so zeigen sich hier die Schwächen seiner
Auffassung am deutlichsten. Das Buch Ijob zerfällt nämlich so
in eine Reihe der Aussage nach gegensätzlicher Blöcke, die in
eine Gesamtschau des Buches nicht eingebracht werden können.
Gänzlich unverständlich bleibt, warum der Ijobdichter sein
Werk mit der alten Legende gerahmt hat.

ihre Einsichten im Zusammenhang mit einem ganz bestimmten historischen Faktum, dem Untergang des Staates Juda 586, ausgebildet. Die hier erkannten Ordnungen und Gesetzmäßigkeiten mußten sich aber mit zunehmendem Abstand von ihren geschichtlichen Bedingungen angesichts der veränderten Lage des Volkes nach dem Exil zumindest als ungenügend für eine Bewältigung von Leiderfahrungen erweisen. Die Krise, die sich für die volksgebundene Religion ergab, die vergebens auf die Erfüllung der großen Verheißungen einer nationalen Restitution Israels gehofft hatte und sich statt dessen dem wechselnden Druck der Fremdvölker preisgegeben sah, ergriff auch das religiöse Empfinden des Einzelnen, der sich zudem mit dem wachsenden Abfall seiner Volksgenossen und dem Erfolg der Gruppe der Gottlosen auseinanderzusetzen hatte[170]. Für die religiöse Unterweisung des Einzelnen aber wurde das dtr Gedankengut von großer Bedeutung, das sich jetzt in einem bestimmten Gewand darbot: Als eine weisheitliche, die geschichtlichen Phänomene übergreifende Lehre, hatte es sich zu einem den individuellen Frömmigkeitsbereich reglementierenden Ordnungsdenken entwickelt. Seine Prinzipien finden wir im Mund der Freunde Ijobs wieder:

a. Die nach 586 von den Deuteronomisten eingeübte Erkenntnis, daß Jahwe die Sündengeschichte seines Volkes gerichtet hat, wandelt sich zu der Lehre von einem über die Geschichte des Menschen wachenden majestätischen Richtergott (Ijob 11,7ff.).

b. Die von den Deuteronomisten für die Zeit des Gerichtes geforderte Schuldeinsicht und Gerichtsdoxologie wird in die Lehre von einer grundsätzlichen Unreinheit des Menschen vor Gott umgesetzt (Ijob 4,17; 15,14).

c. Der der dtr Paränese und schon der prophetischen Verkündigung zugrunde liegende Tun-Ergehen-Zusammenhang verliert seine für die Interpretation geschichtlicher Phänomene dienende Funktion und wird der Maßstab zur Erklärung von Zu-

---

170 Vgl. zu diesem Thema ALBERTZ, Persönliche Frömmigkeit, 190-198.

ständen schlechthin, wobei es dann auch möglich ist, von
dem Ergehen auf die Tat zurückzuschließen (Ijob 4,7; 8,
5f.; 11,6). In Verbindung mit den ethischen Forderungen
des Hoffen und Harrens auf Jahwe entwickelt sich hier das
Dogma einer Vergeltungslehre, die den Lohn für die Frommen
und den Untergang für die Frevler zu verkünden weiß (Ijob
8,13ff.; 11,18ff.; vgl. Ps 94; 103,8f.; Spr 10,3).

d. Schon die dtr Paränese hatte mit ihren Einsichten einen
Hang zur Systematisierung erkennen lassen[171], jetzt aber
war die individuelle Lebensführung absolut erklärbar und
berechenbar: Gott, der erhabene Richter, prüft den unreinen Menschen und straft ihn durch das Leid. Nur wenn der
Mensch seine Schuld bekennt und umkehrt, kann er die Rettung von Gott erhoffen.

Dieses System, so geschlossen und praktikabel es dem Gläubigen dargeboten wurde, hatte fatale Folen. Unter der Hand
war das Verhältnis zwischen Gott und Mensch seines persönlichen Charakters beraubt. Gott ist allein der majestätische
Richter, der sogar "seinen Engeln mißtraut" (Ijob 4,18). Er
ist es, aus dessen Hand alles Geschehen, Gutes wie Böses, resultiert und das der Mensch, dem aufgrund seiner Vergänglichkeit und Unreinheit jeder Blick in die Zubemessung seines Ge-
schickes verwehrt ist, in duldender Weise anzunehmen hat.

Hatte schon die dtr Paränese nach 586 die Anklage Jahwes zum
Schweigen gebracht (vgl. Esr 9,6-15; Neh 9), so verschwindet
jetzt die Klage gänzlich aus dem Gebet[172] und gilt sogar als
Zeichen des Aufbegehrens gegen Gott; denn schließlich war das
Leid von Gott selber in Gang gesetzt, der auf diese Weise auf

---

171   In dem von den Deuteronomisten so betont in den Vorder-
      grund gestellten Tun-Ergehen-Zusammenhang, hinter dem
      die Frage nach den Gründen in Gottes Handeln steht, liegt
      denn auch der Grund für die Verbindung von geschichtli-
      chem und weisheitlichem Denken, das es ja mit der Suche
      nach Ordnungen und Regeln in der Welterfahrung zu tun hat.
172   Zum Phänomen der Verdrängung der Klage aus dem Gebet vgl.
      WESTERMANN, Struktur 72ff., RUPRECHT, Leiden und Gerech-
      tigkeit bei Hiob, ZTh K 73 (1976) 424-445.434.

das Handeln der Menschen reagiert. Jegliche Unheilserfahrung
wurde somit unter moralischen Kategorien bewertet. Da es demgemäß keine Spannung gab zwischen der Vorstellung von einem
gnädigen Gott und den Kontrasterfahrungen im menschlichen Leben, konnte auch kein Bewußtsein vorhanden sein für das Wirken einer bösen, chaotischen Macht und die Anfechtung für die
Glaubenshaltung des Menschen. Hinter einer solchen Auffassung
steht im Grunde eine resignierende Weltsicht, in welcher der
Glaube lediglich bewahrende, aber keine gestaltende Funktion
mehr hat. Insofern hat SCHMIDT recht, wenn er schreibt, daß
es den Freunden letztlich nicht um die Rechtfertigung Gottes,
sondern um die Rechtfertigung des Menschen geht; die Argumente, die sie für Gott und im Namen Gottes vorbringen, dienen in Wirklichkeit nur ihrer eigenen Absicherung gegen jene
beunruhigenden Fragen und Zweifel, die in Ijob einen besonders beredten Ausdruck gefunden haben[173].

Aus diesem Grund bricht im Buch Ijob erneut die Klage des leidenden Gerechten auf. Wenn Ijob in der Rolle dieses leidenden
Gerechten gegen den von den Freunden vorgestellten Gott klagt,
so geht es nicht mehr allein um seine subjektive Unschuld, sondern auch um den Sinn der Schöpfung überhaupt. Unter dieser
Hinsicht ist die für die Themabestimmung des Buches Ijob gängige Alternative, theologisches Problem oder Frage der Existenz, nicht nur unfruchtbar sondern auch falsch. So sehr es
sich um einen konkreten, individuellen und existentiellen
Einzelfall handelt - was sehr einseitig von WESTERMANN betont wird[174] -, so geht es doch nicht allein um diesen.

Zum zweiten Punkt: Schon in seiner Einzelklage (Ijob 3)
bleibt Ijob nicht bei der Frage der Existenz, nämlich warum
er Leiden bestehen müsse, sondern er fragt auch nach dem Bild
der Welt und ihres Schöpfers. Seine Selbstverwünschung erinnert nicht ohne Grund an die Daseinsklage Jeremias in Jer

---

173 P.SCHMIDT, Sinnfrage und Glaubenskrise, 354.
174 WESTERMANN, Aufbau, 27-29; ähnlich WEISER, Hiob, 9f.

20,14-18[175]. Daß die Verbindung von Fluchwunsch und Klage in
Ijob 3 zu einem ausgedehnten literarischen Gebilde geworden
ist, liegt an der verschiedenen Ausgangslage. Jeremia fragt
nach dem Grund der Leidensfülle in seinem eigenen Leben,
Ijob dagegen nach dem Grund, warum der so hoch über dem Menschen stehende Gott diesem das ohnehin nur kurze Leben durch
die Schickung von Leid so unerträglich macht. Die Allgemein-
heit der Fragestellung ist das gegenüber .den Klagen Jeremias
und des גבר von Klgl 3 Neue. Aus diesem Grunde müssen auch
die Antworten neu gesucht werden. Gefunden werden sie aber
nur, wenn ein Mensch sich auf den Weg macht und sie erleidet.
Diese Konzentration auf das Schicksal eines Einzelnen ist
wohl der Grund, warum WESTERMANN beim Vergleich der Klagen
Ijobs mit der Struktur der Einzelklage meint, es handele sich
auch bei Ijob um die "Klage, die die Beter der Psalmen klagen"[176]. Damit ist aber die eigentliche Absicht der Klagen
Ijobs verkannt. Dabei hat WESTERMANN richtig beobachtet, daß
der Horizont der Klagen Ijobs sich von dem der Psalmenklage
in entscheidender Weise abhebt. So geht die Ich-Klage, der
Ausdruck für jede persönliche Not, allmählich in die Klage
über das Todesschicksal des Menschen allgemein über und verstummt dann. Die Anklage Jahwes aber verbindet sich mit der
Feindklage und mündet schließlich in die Herausforderung Gottes zum Rechtsstreit ein[177]. Wenn die Klagen Ijobs also darauf hinauslaufen, Gott als den Feind des Menschen und seiner
Welt anzuklagen, so ist hier nicht mehr die Situation des
Psalmenbeters gegeben. Erst der Vergleich mit der Klage des
leidenden Gerechten, in Jer und in Klgl 3, kann die Struktur
der Klagen Ijobs verstehen helfen.

Wichtig für die Klage des leidenden Gerechten in den Konfessionen war neben der Anklage Jahwes das Unschuldsbekenntnis

---

175 WESTERMANN, der auf die Motivparallelen in Ijob 3 und
     Jer 20 aufmerksam macht, zieht daraus jedoch keine Kon-
     sequenzen für die Bestimmung der Klage in Ijob 3 (Auf-
     bau, 58).
176 WESTERMANN, Aufbau 65.
177 WESTERMANN, Aufbau 66-81.

des Propheten und das Bekenntnis zu Gott. In der Verwendung
dieser Elemente bei Ijob zeigt sich ein paralleler Horizont.
So ist die Anklage Jahwes nicht mehr in erster Linie Ausdruck
einer Suche nach Gott, sondern bedeutet eine Infragestellung
des göttlichen Wesens. Wenn Jeremia daher Jahwe als einen
Trugbach (Jer 15,18) anklagt (vgl. Klgl 3,10), so spricht
hieraus nicht nur die Qual einer leidenden Existenz, sondern auch die Sinnverneinung des von Gott gewollten prophetischen Daseins. Ebenso verneint auch Ijob den Sinn der göttlichen Schickungen, darüber hinaus aber zugleich den Sinn
der sich ihm darbietenden Welt, wenn er Gott als einen Frevler und Willkürherrscher (Ijob 9,24) anprangert. Auch das
Unschuldsbekenntnis zeigt in den genannten Texten die gleiche
Art der Darbietung. Es verbindet sich in beiden Fällen mit
der Anklage Jahwes. "Um deinetwillen leide ich Schmach" heißt
es bei Jeremia (Jer 15,15; vgl. Klgl 3,17) und bei Ijob: "Ich
muß nun einmal schuldig sein" (Ijob 9,29). Wie Jeremia und
der   גבר in Klgl 3 hört aber auch Ijob nicht auf, dennoch
auf diesen Gott zu setzen. Wie für Jeremia das Ereignis seiner Berufung ausschlaggebend ist für seine Treue zu Gott
(Jer 15,16; 20,7-9; vgl. Klgl 3,22f.), so hört auch Ijob
nicht auf, um die ihm einst geschenkte Freundschaft mit Gott
(Ijob 29) zu ringen. Weil aber die Anklage Gottes im Falle
Ijobs größere Dimensionen einnimmt als bei Jeremia und dem
גבר   in Klgl 3, ändert sich auch die Funktion des dieser
Anklage entgegentretenden Bekenntnisses zu Gott. Jeremia
kann trotz all seines Elends Gott dennoch als Herrn der Geschichte wiedererkennen (Jer 11,21f.; 12,1; 18,21f.) und
sich selbst deshalb zu diesem Gott in persönlicher Anrede
bekennen (Jer 11,20; 17,17; 20,10f.; vgl. Klgl 3,24). Ijob
aber, der im persönlichen Bereich wie in der Welt den "Frev-
lergott" am Werk sieht, kann seine Hoffnung nur auf "Ihn"
richten, nämlich auf den ihn von seiner jetzigen Erfahrung
von Gott erlösenden Gott (Ijob 16,20f.; 19,23f.).

Auch in der formalen Struktur der Klagefolgen in Ijob lassen
sich Parallelen zur Klage des leidenden Gerechten bei Jeremia

und in Klgl 3 feststellen. Wie in diesen Texten die beiden
Elemente Anklage Jahwes und Bekenntnis einander folgen (vgl.
Ijob 3,1-24; Jer 15,16-18; 20,7-9), so sind diese auch ein
jeweils kennzeichnendes Element der Reden Ijobs in den ersten beiden Gesprächsgängen. Eine weitere Übereinstimmung
liegt in der Art der göttlichen Antwort, die den Kagenden
tadelt und zugleich aufrichtet; denn weil Ijob mit der Verurteilung Jahwes nicht mehr die Stelle eines leidenden und
aus dem Übermaß seiner Not heraus klagenden Menschen einnimmt, sondern wie ein "Gegengott" Jahwe herausfordert, beginnt die Antwort Jahwes, wie in den Konfessionen des Jeremia, mit einem Verweis. Dies muß auch WESTERMANN zugeben,
der allerdings gemäß seinem Vergleich mit der Einzelklage
die Antwort Jahwes mit dem Heilsorakel in den Psalmen in
Verbindung bringt[178] und daher mit dem Gerichtscharakter
der Gottesreden nichts anzufangen weiß. Erst von der Klage
des leidenden Gerechten her gewinnt man einen Blick für die
doppelte Intention der Gottesreden in Ijob, die auf der einen
Seite Ijob tadeln und ihn auf der anderen Seite einer hilf-
reichen Antwort auf seine Not würdigen. Der Prophet Jeremia
wird von Jahwe getadelt, weil er die rechte Haltung eines
Propheten vermissen läßt (Jer 15,19; vgl. Klgl 3,39). Ebenso wird Ijob zurechtgewiesen, weil er seine Stellung als Geschöpf Jahwes vergißt. Wie aber Jahwe gleichzeitig seinen Boten Jeremia warnt (12,5.6) und ihn ausrüstet, seine Aufgabe
zu bestehen (Jer 15,19-21; vgl. Klgl 3,51ff.), so wird auch
Ijob durch Jahwes Reden über seine Schöpfung in die Lage versetzt, den Gott wiederzuerkennen, den er braucht, um seine persönliche Leidensgeschichte auf sich zu nehmen: Jahwe, den
machtvollen sowie gütigen Herrn der Schöpfung und der Geschichte. Und weil Jeremia sowie auch Ijob sich trotz ihrer
Anklage Jahwes auf einem grundsätzlich richtigen Glaubensweg

---

178 WESTERMANN, Aufbau, 109; vgl. H.GESE, der das ganze Ijob-
     Buch der Gattung des Klageerhörungsparadigmas zurechnet,
     sieht in den Gottesreden ebenfalls eine Entsprechung zu
     den Heilsorakeln am Schluß dieser Gattung (Lehre und Wirk-
     lichkeit in der alten Weisheit, Tübingen 1958, 74-78).

befinden, erfolgt bei beiden ihre ausdrückliche Bestätigung
durch Jahwe angesichts der sie anfeindenden Menschen (Jer
15,19-21; 20,10-13; Ijob 42,7-10). Im Buche Ijob liegt somit die am weitesten entfaltete Darstellung der Gerichtsklage des leidenden Gerechten vor.

IV. DIE GERICHTSKLAGE DES LEIDENDEN GERECHTEN IN KLGL 3 UND
IHRE STELLUNG IM RAHMEN DER ALTTESTAMENTLICHEN TRADITION

A. Die literarische Gestalt von Klgl 3

Bei der Erforschung der Glaubensdichtung von Klgl 3 hat sich
die vorliegende Untersuchung zunächst dem Text von Klgl 3,
aber dann auch in gleicher Weise dem Kontext in Klgl 1-2.4-5
zugewandt, weil sich dessen Berücksichtigung für die Erkenntnis der literarischen und theologischen Eigenart von Klgl 3
als unbedingt notwendig erwies. Gestützt auf text- und formkritische, semantische sowie redaktions- und kompositionskri-
tische Analysen konnte in diesem ersten Arbeitsgang ein Ergebnis gewonnen werden, das sowohl die Entstehung des ganzen
Buches der Klagelieder wie auch insbesondere die Einordnung
von Klgl 3 in den Kontext der übrigen Lieder verständlich
macht. Dabei hat sich gezeigt, daß die in Klgl 3 beschriebene
Not nicht mit der aus den Klagen des Einzelnen und des Volkes
bekannten Leidenserfahrung gleichgesetzt werden darf; bezeich-
nend für die in Klgl 3 beschriebene Leiderfahrung ist vielmehr die auf dem Hintergrund einer Verschuldung als Ausdruck
des Gerichtszornes Gottes erkannte Not, die den sich um Gerechtigkeit mühenden Menschen in schwerste Glaubensanfech-
tungen stürzt. Als Umschreibung der literarischen Gestalt von
Klgl 3 hat sich daher die Bezeichnung "Gerichtsklage des leidenden Gerechten" als sachlich angemessen erwiesen. Für diese
Form der Klage ist die Schilderung der Gerichtsnot konstitutiv. Das heißt aber, daß der Kontext von Klgl 3 in Klgl 1-2.
4-5 mit der Gerichtsklage des leidenden Gerechten zusammen
nicht nur redaktionsgeschichtlich, sondern auch formgeschichtlich eine eigene literarische Einheit darstellt. Im Verlauf
dieser Untersuchung konnten sodann für die eingangs im Forschungsüberblick genannten speziellen Probleme des Buches der
Klgl Lösungen vorgestellt werden: So wurde die in den Akrosticha von Klgl 2-4 unterschiedliche Reihenfolge der Buchstaben פ und ע redaktions- und kompositionskritisch begründet,

der Aufbau der Lieder als geordnet und zielgerichtet erkannt und die Anlage des Buches der Klgl als planmäßig bestimmt.

Bei der Bemühung, weitere Einsichten in die literarische Eigenart der Gerichtsklage des leidenden Gerechten zu gewinnen, hat sich die Untersuchung in einem traditionsgeschichtlichen Arbeitsgang den Klagen des Jeremia und des Ijob in den nach ihnen benannten Büchern zugewandt. Hierbei konnte, wiederum auf entsprechende Analysen gestützt, der Nachweis erbracht werden, daß in der dtr Redaktion der Konfessionen des Jeremia und in der Passion des Gerechten, wie sie die Bearbeitung des Buches Ijob repräsentiert, die gleiche literarische Konzeption wie bei Klgl 3 und seiner Einbindung in den Kontext des Buches der Klagelieder vorliegt.

Insbesondere konnte bei der Untersuchung der Konfessionen des Jeremia aufgezeigt werden, daß die Gerichtsklage des leidenden Gerechten sich aus der in der Forschung zwar schon bekannten, doch bisher nicht weiter untersuchten Klage des Mittlers[1] entwickelt hat, bei der es im Unterschied zu der Klage des Einzelnen nicht mehr um das Leid des Menschen als solches, sondern um das mit diesem Leid verbundene Gottesproblem geht. Diese Klage des Mittlers liegt, wie die Untersuchung deutlich gemacht hat, in dem Grundbestand der Konfessionen des Jeremia vor. Bei der Redaktion dieser Klage durch die Dtr hat dann die ursprüngliche Situation des von Gott gesandten Mittlers eine für die Existenz aller Jahwegläubigen bedeutsame Ausweitung erfahren, deren Kerygma jeweils durch eine das Gericht Gottes vergegenwärtigende Rahmendarstellung untermalt wird.

Die Untersuchung der Klagen des Jeremia und des Ijob hat sodann auch die Entwicklung der Gerichtsklage des leidenden Gerechten von ihren Anfängen bis hin zu ihrem Höhepunkt im Alten Testament aufweisen können. Danach hat die Entwicklung der Gerichtsklage des leidenden Gerechten mit der dtr Redaktion der ursprünglich als Klagen des Mittlers gedachten Konfessio-

---

1 Eine auf die Klagen der alttestamentlichen Gerichtspropheten bezogene Untersuchung findet sich bei AHUIS, Der klagende Gerichtsprophet, Stuttgart 1982.

nen des Jeremia begonnen. In der Glaubensdichtung von Klgl 3
hat dann die Gerichtsklage des leidenden Gerechten ein für die
ausgehende Exilszeit und die Jahre danach entscheidendes Stadium gefunden. Schließlich hat die Gerichtsklage des leidenden
Gerechten in der Komposition des Buches Ijob aus Ijoblegende
und Ijobdichtung ihren inneralttestamentlichen Gipfel erreicht[2].

Konstitutiv für die literarische Gattung der Gerichtsklage des
leidenden Gerechten ist demnach die Ausweitung der Klage des
Mittlers auf die Situation des leidenden Gerechten schlechthin
und die Schilderung einer von Gott verfügten Drangsal als Offenbarung seines Gerichts, in dessen Horizont die Glaubensnot
eines nach Gott fragenden Menschen präsentiert und reflektiert
wird. Gotteszorn und Menschenleid sind daher die Pole, zwischen
denen sich die Gerichtsklage des leidenden Gerechten bewegt.

B. Die theologische Aussage von Klgl 3

1. Der Zorn Gottes in der Schilderung des Gerichts

Man kann nicht sagen, daß innerhalb der alttestamentlichen Theologie das Reden vom Zorn Gottes ein bevorzugtes Thema sei. Der
Grund für diese Zurückhaltung mag darin liegen, daß die Konzentration auf den Zorn Gottes allem Anschein nach der beherrschen-
den Heilsoffenbarung von Jahwes Barmherzigkeit und Erlöserliebe
störend im Weg steht und die für den Glauben mißliche Vorstellung eines Gottes der Rache hervorruft. Auf der anderen Seite
darf man jedoch nicht die Tatsache übersehen, daß im Alten Testament fast vierhundertmal von dem Zorn Jahwes in sehr verschiedener Form die Rede ist[3]. Man kann darum die alttestament-

---

2 Daß diese traditionsgeschichtliche Linie in der Forschung zu
  Klgl 3 bisher so nicht gesehen wurde, lag einmal daran, daß
  dieses Lied in einem Zusammenhang mit der Klage des Einzelnen
  im Psalter erklärt wurde, und zum anderen an der Tatsache, daß
  die Untersuchung der Geschichte der Mittlerklage auf die verschiedenen Mittlerpersonen selbst beschränkt blieb.
3 Vgl. WESTERMANN, Boten des Zorns, in: Die Botschaft und die
  Boten (FS H.W.WOLFF), Neukirchen 1981, 147-156.

lichen Aussagen von dem Zorn Gottes nicht ohne eine schwerwiegende Beeinträchtigung des Verständnisses von Jahwe und
seinem Handeln in der Geschichte übergehen.

Ausgangspunkt für das Reden von dem Zorn Gottes im Alten Testament ist die von EICHRODT mit Nachdruck hervorgehobene
Tatsache, daß der Zorn Jahwes als eine Reaktion des Unwillens
auf die Sünden der Menschen nie zu einem feststehenden Prädi-
kat Jahwes wie etwa seine Heiligkeit und Gerechtigkeit geworden ist, sondern stets im Horizont der alles umfassenden
Heilsoffenbarung Jahwes seinen, wenn auch zeitweise beherr-
schenden, so doch letzten Endes untergeordneten Platz gefunden hat. Gleichwohl ist innerhalb der alttestamentlichen Tradition eine bemerkenswerte Entwicklung in der Beurteilung des
Zornes Gottes zu verfolgen. Gehörte es zu der Auffassung Israels in der ältesten Zeit, daß der Zorn Jahwes sich vorwiegend in einzelnen Strafakten Gottes seinen Ausdruck ver-
schaffte und noch nicht das Kennzeichen eines durch die un-
gesühnte Schuld des ganzen Volkes verursachten Unheilszustandes war, so trat mit dem Auftreten der klassischen Prophetie
eine tiefgreifende Veränderung ein. Denn diesen Unheilsboten
schloß sich, wie EICHRODT sagt, unter dem Eindruck des zum
Gericht herannahenden Gottes die ganze Geschichte ihres Volkes zu einem großen Bild der hartnäckigen Abkehr von Jahwe
zusammen, die in der Gegenwart als eine furchtbare, von Menschen nicht wiedergutzumachende Schuld enthüllt und gerichtet
wird. Die ganze Vergangenheit erschien dadurch als eine Zeit
des Zuwartens Jahwes bis zu dem Tag der letzten endgültigen
Abrechnung im Gericht; alle bisherigen Strafakte Jahwes gal-
ten daher aus Ausdruck der Läuterung und Erziehung seines wi-
derspenstigen Volkes, wurden aber dann auch ein Hinweis auf
die drohende letzte Offenbarung des Zornes Gottes, die als
eine Auswirkung des radikalen Gegensatzes zwischen der Heiligkeit Jahwes und einer sündigen Menschheit das Vernichtungsgericht herbeiführt. Aus einem zeitweiligen Unglück ist somit im
Lauf der Geschichte durch die Verkündigung der Propheten der
Zorn Gottes zu einem unabwendbaren eschatologischen Verhängnis

geworden, das etwas Endgültiges über die Einstellung Jahwes zu seinem Volk und der Welt auszusagen schien. Der Tag Jahwes als Machtoffenbarung Gottes wurde zu einem Tag des Zornes für das erwählte Gottesvolk[4].

Mit der historischen Wirklichkeit des Zornestages Jahwes und den dadurch aufgeworfenen Problemen für das gerichtete Gottesvolk befaßt sich das Buch der Klagelieder, dessen Mitte und Höhepunkt die Glaubensdichtung von Klgl 3 ist. Das Buch der Klagelieder bestätigt nämlich im Rückblick auf den Untergang von Jerusalem und Juda die Erfüllung der von den Propheten vermittelten Gerichtsdrohung Jahwes, daß er sein Volk wegen des fortgesetzten Abfalls von ihm ohne Schonung zur Rechenschaft ziehen werde (Klgl 2,17). Diese Darstellung des Gerichts an Zion und dem auserwählten Volk Jahwes umschließt wie eine Klammer die Klage des leidenden Gerechten (Klgl 3), der sich im Glauben mit dem Gericht Gottes und seiner Bedeutung für ihn allseitig auseinandersetzt. Gotteszorn und Menschenleid ist somit das Thema des leidenden Gerechten in seiner Klage über das konkret in dem Untergang von Jerusalem und Juda erfahrene Gottesgericht.

Wenn auch die Unmittelbarkeit der erlebten Schrecken am Zornestag Jahwes in der Gerichtsschilderung des Rahmens, der sich um die Klage des leidenden Gerechten legt, eine systematische Behandlung des Themas erschwert, so lassen sich doch einige für die Erkenntnis der Gerichtssituation wichtige Schwerpunkte benennen:

a. An erster Stelle steht das Erschrecken über die Fremdartigkeit Jahwes bei der Durchführung des Gerichtes, wo er wie ein Feind seinem Volk mit Grausamkeit und Vernichtung entgegengetreten ist (Klgl 1,15; 2,4.22; 3,10f.). Der offensichtliche Gegensatz zu dem Zustand der Erwählung führt hier zu einer tiefen Erschütterung bei dem gläubigen Volk (Klgl 1,2.12.16.22; 2,10f.20f.; 5,20f.).

b. Zu dem Erlebnis des Gegensatzes von Einst und Jetzt gehört auch die Enttäuschung über den Zusammenbruch einer angeblich

---

4   EICHRODT, Theologie des AT I, 168-176.

heilen Welt, die das Böse in der Welt und die Sündhaf-
tigkeit des Volkes nicht hat wahrhaben wollen (Klgl 2,14)
und die sich deshalb recht gefährlichen Illusionen über
ihren wahren Zustand hingab (Klgl 1,9; 4,17f.). Besonders
schmerzte hierbei der Jubel der Feinde (Klgl 1,21; 2,15f.;
3,45f.) und die damit zum Ausdruck kommende scheinbare Bestätigung der Widersacher Gottes und seines Volkes (Klgl
1,5.10; 2,7; 4,12; 5,1ff.).

c. Großen Raum nimmt sodann die Schilderung der Einsamkeit
des im Zorngericht Jahwes gedemütigten Gottesvolkes ein,
das sich wegen des Verlustes der Heilsgemeinschaft mit
Jahwe ohne Trost (Klgl 1,2.9.16f.21; 2,13) und am Abgrund
der Verwerfung durch den Bundesgot sieht (Klgl 5,22; 3,17f.).

d. Trotz der Heillosigkeit der durch den Zornesausbruch Jahwes
geschaffenen Gerichtssituation (Klgl 2,13) fehlt es im Volk
nicht an der Bemühung um die nur durch Gott zu erreichende
Kraft der Umkehr (Klgl 3,40f.; 5,21), die nach prophetischer
und deuteronomistischer Auffassung allein die Chance des
Heils enthält. In diesem Zusammenhang werden die vormals als
"Retter" angesehenen Fremdmächte disqualifiziert (Klgl 1,2.
8.19; 4,17 f.; 5,6), und das Bekenntnis der eigenen Schuld
nimmt einen hervorragenden Platz ein (Klgl 1,5.8.14.18.20.22;
2,14; 3,40f.; 4,6; 5,16).

Im Horizont dieser durch den Zorn Jahwes hervorgerufenen Unheilssituation sucht der leidende Gerechte nach einer Neuorien-
tierung seines Glaubens, die ihm vor Gott und in der Welt eine
sinnvolle und mit Hoffnung ausgestattete Existenz ermöglicht.

2. Das Leid des Menschen in der Klage des Gerechten

Das Leid des Menschen hat innerhalb der alttestamentlichen Tradition immer wieder Aufnahme in das Beten des Gottesvolkes und
eine entsprechende Behandlung bei der Glaubensdiskussion über
Jahwes Heilssorge und Führungsmacht gefunden. Die Klagelieder
des Einzelnen und des Volkes legen für diese Feststellung ein
höchst eindrucksvolles Zeugnis ab. Die aus der Mittlerklage
entstandene Gerichtsklage des leidenden Gerechten stellt jedoch, wie die Untersuchungen zum Buch der Klagelieder, zu den

Konfessionen des Propheten Jeremia und schließlich zum Buch
Ijob gezeigt haben, eine über die Klage des Einzelnen und des
Volkes hinausgehende Form der Klage dar, die für das Selbstverständnis des Gläubigen im Gottesvolk der Exils- und Nach-
exilszeit von hoher Bedeutung gewesen ist. Was nämlich die
Gerichtsklage des leidenden Gerechten von der Klage des Einzelnen und des Volkes unterscheidet, ist die Tatsache, daß
hier die spezifische Leidenserfahrung des prophetischen Mittlers eine für den Glauben des ganzen Gottesvolkes paradigma-
tische Auswertung gefunden hat. Der Grund für diese auffällige
Konzentration auf das Schicksal des prophetischen Mittlers mag
in der für das nachexilische Gottesvolk charakteristischen
Glaubensvorstellung beschlossen sein, daß der aus dem Gericht
Gottes gerettete heilige Rest Israels eine Mittlerstellung zwischen Gott und der übrigen Völkerwelt einnimmt[5]. Jedenfalls hat
im Rahmen dieser Entwicklung das im Mittlerdienst für Gott erfahrene Leid gleichsam den Rang eines heilsgeschichtlich bestimmten Existentials erhalten, das zu dem Weg des Gläubigen in der
Geschichte gehört.

Die für die Entstehung der Gerichtsklage des leidenden Gerechten
wichtige Konzentration auf den prophetischen Mittler hat sachlich
ihre Voraussetzung in der Tatsache, daß sich von der mittleren
Königszeit an in Israel ein tiefgreifender Strukturwandel im Wirken und im Selbstverständnis der Prophetie vollzogen hat. Denn
aufgrund der Erkenntnis, daß sowohl die Könige wie auch das Volk
durch ihren Abfall von Gott zu Widersachern Jahwes geworden sind,
treten die Propheten von Amos an als die Künder eines umgekehrten, nämlich gegen Israel selbst gerichteten Jahwekrieges auf, in
dem sich der Zorn Gottes auf sein eigenes Volk entlädt. In Verbindung mit diesem Geschehen erfährt der einzelne Prophet, daß
er als Mittler zwischen Gott und Volk und wegen seiner frei be-
jahten Solidarität mit beiden in ein Spannungsverhältnis gerät,
das ihn in seiner Eigenschaft als Mensch und Geschöpf Gottes sowie als Glied seines Volkes bis an den Rand der körperlichen und

---

5 Vgl. Ex 19,6. In die gleiche Richtung weist auch das kollek-
   tive Verständnis des Gottesknechtes in der Bearbeitung der
   Ebed-Jahwe-Dichtung. Zur näheren Begründung vgl. E.HAAG,Die
   Botschaft vom Gottesknecht, in: Gewalt und Gewaltlosigkeit im
   Alten Testament, hg. von N.LOHFINK, Freiburg 1983, 159-213.

seelischen Belastbarkeit bringt. Während nämlich der Mittler
einerseits mit der Masse des Volkes zusammen das Strafgericht
Jahwes erfährt und hierbei die Züchtigung der Sünder in ihrer
ganzen Furchtbarkeit erleidet, ist er andererseits kraft seiner Sendung durch Gott streng verpflichtet, gegenüber dem Volk
Festigkeit im Glauben, Wegweisung in der Not und Verantwortung
für die Vielen, die ihm anvertraut sind, zu bezeugen. Ezechiel
hat diese Mittlerstellung des Propheten mit dem auf ihn persönlich bezogenen Wächtergleichnis beschrieben: Gott hat den
Propheten zum Wächter für Israel bestellt; doch der Feind, vor
dem Ezechiel warnen soll, ist kein äußerer Widersacher Judas,
sondern Jahwe selbst. Ihm haftet der Prophet mit seinem Blut
für das Leben der ihm Anvertrauten, die Gott auf jeden Fall
retten will (Ez 33,1-9).

Nachdem diese Entwicklung die sachliche Voraussetzung für die
Entstehung der Gerichtsklage des leidenden Gerechten geliefert
hatte, bedurfte es nur noch eines geschichtlichen Anstoßes, um
der Leidenserfahrung des prophetischen Mittlers den ihr entsprechenden Ausdruck zu verleihen. Dieser Anstoß erfolgte durch
das Auftreten des Propheten Jeremia und das Echo auf sein
Schicksal bei dem Untergang von Jerusalem und Juda. Neben einer
Reihe biographisch aufschlußreicher Berichte über das Auftreten des Jeremia ist es vor allem der Grundbestand seiner Konfessionen, der in der Form der Mittlerklage Einblicke in das
Spannungsverhältnis eröffnet, das zwischen Gott und Jeremia
bestanden hat und an dem dieser Mittler als Mensch und Glau-
bender fast zerbrochen ist. Gleichwohl hat Jeremia nicht nur
die Katastrophe Jerusalems und Judas überlebt, sondern auch
die unerhörte Belastung seiner Sendung bis zum Ende durchge-
standen. So kam es, daß die Dtr als die geistigen Führer ihres Volkes im Exil auf das Vorbild dieses Propheten blickten
und hier das Paradigma des leidenden Gerechten erkannten, der
in dem Zorngericht Jahwes trotz schwerster persönlicher Anfechtung seinen Glauben an Jahwe nicht verlor. Die Dtr haben
darum die Mittlerklage in dem Grundbestand der Konfessionen
zu der Gerichtsklage des leidenden Gerechten umgeformt und
diese anschließend in einen Kontext hineingestellt, der die

Gerichtssituation Israels im Exil reflektierte und damit der
redigierten Klage des Propheten eine für alle Glaubenden im
Volk neue Aktualität verlieh.

An dieser Stelle setzt die Komposition des Buches der Klagelieder ein. Im Unterschied zu den älteren Konfessionen des
Jeremia stellt die Gerichtsklage des leidenden Gerechten in
Klgl 3 nicht mehr die Äußerung einer bestimmten historischen
Persönlichkeit, sondern eines גבר dar, der die Leidenser-
fahrungen des Propheten Jeremia auf die Ebene der Allgemein-
gültigkeit für das von dem Zorn Gottes auch weiterhin bedroh-
te Volk erhebt. Gemeint ist nämlich mit dem גבר der Fromme,
der kraft seiner Gottesfurcht in einem Verhältnis der Zugehörigkeit zu Jahwe steht, der aber nach der Katastrophe seines
Volkes sich in eine tiefe Anfechtung seines Glaubens gestürzt
sieht, weil das Gericht Gottes ihm keinen Raum mehr für seine
Beziehung zu Gott übrigzulassen scheint. Diesen Bericht über
die Anfechtung des גבר hat der Verfasser von Klgl 3 in einen Kontext gestellt, der dem von den Dtr geschaffenen Textzusammenhang zu den Konfessionen des Jeremia entspricht. Haben
die Deuteronomisten das Prophetenschicksal im Horizont der Gerichtsverkündigung an das Volk interpretiert, so bringt der
Verfasser von Klgl 3 die Situation des leidenden Gerechten in
einen Zusammenhang mit dem Gottesgericht an Zion. Er selbst
ist es, der, wie die Deuteronomisten bei der Redaktion der jeremianischen Konfessionen, den Kontext gestaltet, indem er als
Gegenstück zu Klgl 2 das vierte Klagelied schreibt und die Lieder 1-5 in einem konzentrischen Aufbau anordnet. Damit sieht
auch der Verfasser von Klgl 3 im Verstehen der geschichtlichen
Strukturen einen Weg, das Problem eines Leidens an Gott und
durch Gott zu bewältigen. Dabei orientiert er sich deutlich an
den Einsichten, welche die Deuteronomisten in der Auseinandersetzung mit dem Leiden des Propheten Jeremia gewonnen haben.
Im einzelnen macht der Dichter von Klgl 3 folgende Punkte für
seine Belehrung fruchtbar:

a. Für die Zeit des Gerichtes wurde Jeremia die Forderung zum
   Gehorsam im Leid als Gottes Wille auferlegt. Dabei wird der
   Prophet auf immer härtere Belastungen vorbereitet (Jer 12,5.6;

Jer 15,11-14) und in ein immer tieferes Dunkel geführt, das
die Deuteronomisten, wie die Folge der Konfessionen es ausweist, als das besondere Schicksal des Jeremia erkannt und
gewürdigt haben. In gleicher Weise betont Klgl 3 den Sinn,
der in der Annahme des gottgesandten Leidens liegt (Klgl
3,25ff.) und stellt in V.30 eine Forderung auf, die nicht
nur Geduld im Leid, sondern sogar die Sättigung mit Schmach
verlangt.

b. Nach Jer 15,11-14 muß der jahwetreue Prophet, bevor er die
Hilfe Gottes erfahren kann (Jer 15,20.21; 20,10-13), im Gericht Jahwes am Volk standhalten. In gleicher Weise hat
nach Klgl 3,39.41ff. der einzelne Gläubige, der inmitten
des gerichteten Volkes steht, ohne Murren dessen Schuld mit-
zutragen: erst dann kann er der Hilfe Jahwes gewiß sein
(Klgl 3,25f.52-66). Denn wie allein im Bestehen der Unheilssituation für Jeremia die Lösung heranreift, so ist es auch
für den im Exil lebenden Frommen, der wissen muß, daß Gott
nicht aus Freude den Menschen plagt (Klgl 3,33).

c. In diesem Zusammenhang erfährt der גבר , wie zuvor der
leidende Prophet, daß der Widerstand der Feinde und seine
Machenschaften gegen den Jahwetreuen (Jer 11,19ff.; 15,10;
17,18; 18,18f.; 20,10; Klgl 3,14.60f.) keinen Bestand haben
werden (Jer 15,20.21; 20,11; Klgl 3,64-66).

d. Die Glaubensanfechtung selbst, die für den Propheten Jeremia
sowie den Leidtragenden von Klgl 3 zunächst irreparabel erscheint - Jahwe ist der Feind, der seine Macht auf die Vernichtung des Propheten und des גבר konzentriert (Jer 15,18;
17,17; 20,8; Klgl 3,1-3ff.) - kann dagegen nur in der richtigen Einstellung Gott gegenüber bewältigt werden. Jeremia
wird in Jer 15,19 ermahnt, "Edles" und nicht "Gemeines" zu
reden, der Leidtragende von Klgl 3 ruft sich angesichts der
Bitternis seines Leidens an Gott in Klgl 3,21-24 dessen eigentliches Wesen ins Gedächtnis zurück.

An diesen Übereinstimmungen wird deutlich, in welchem Maße
Klgl 3 seine Einsichten dem schon vorangegangenen Nachdenken

der deuteronomistischen Redaktion über die Stellung des Propheten Jeremia im Gottesgericht verdankt. Hat man aber diesen traditionsgeschichtlichen Bezug von Klgl 3 auf die Klage des Mittlers erkannt, so erklären sich in Klgl 3 formale wie inhaltliche Besonderheiten, die in der Linie der Geschichte der Einzelklage zumindest ungewöhnlich blieben. Gemeint ist hier neben der positiven Einschätzung des Leidens (Klgl 3,27-30) die Tatsache, daß die Annahme des von Gott bestimmten Gerichtszustandes einen Gehorsam bedeutet, der von Jahwe selbst zum Guten geführt wird. Aus diesem Grund endet Klgl 3 mit einer besonderen Antwort Jahwes, der den גבר mit dem Zuspruch "Fürchte dich nicht" (Klgl 3,57) gleichzeitig zum Durchhalten ermahnt und ausrüstet.

Damit aber ist die Klage des leidenden Gerechten noch nicht endgültig beantwortet. Die in Klgl 3 erkannten theologischen Einsichten versagen angesichts einer neuen Konstellation von Menschenleid und Gotteszorn. Was der Gerechte im Buch Ijob erfährt, hat mit persönlicher Verschuldung allein nichts zu tun. Hier geht es vielmehr um die Erfahrung einer Welt, in der Frevler wie Gerechte ein oft nicht durchschaubares und daher scheinbar nicht verdientes Los erfahren. Das ist der Grund, warum Ijob nicht mehr weiß, wer Gott ist; denn wenn Gott die Welt geschaffen hat, diese aber keine Anzeichen einer gerechten Ordnung birgt, gibt es dann überhaupt Gerechtigkeit bei Gott? Ijob erweist sich darin als der leidende Gerechte, daß er, indem er dieses Problem erleidet, dennoch nicht aufhört, seinen Gott zu suchen. So erfährt er auch die Antwort, die ihn trösten kann: zu wissen, daß das Leid und all das Böse dieser Welt in Gottes Plan eingeordnet sind, ohne Gott als "Jahwe" zu verändern. Das vierte Stadium der Gerichtsklage des leidenden Gerechten, die Frage nämlich, wo der Gerechte ist, der Gott die Frage der Überwindung aller Widrigkeiten dieser Welt abringt und die Aussöhnung einer sündigen Schöpfung mit Gott sichtbar werden läßt, ist nicht mehr im Alten Testament zu finden, sondern im Neuen Testament, im Zeugnis des leidenden Gerechten Jesus.

A B K Ü R Z U N G E N

ANEP	The Ancient Near East in Pictures relating to the Old Testament, hg. von J.B.PRITCHARD, Princeton 1954.
AOB	Altorientalische Bilder zum Alten Testament, hg. von H.GRESSMANN, Berlin, Leipzig ²1927.
ATD	Das Alte Testament Deutsch, hg. von V.HERNTRICH und A.WEISER, Göttingen.
AThANT	Abhandlungen zur Theologie des Alten und Neuen Testamentes, Zürich.
AusBiR	Australian Biblical Review, Melbourne.
BASOR	Bulletin of the American Schools of Oriental Research, New Haven.
BAT	Die Botschaft des Alten Testamentes. Erläuterungen alttestamentlicher Schriften, Stuttgart.
BBB	Bonner Biblische Beiträge.
BC	Biblischer Commentar über das Alte Testament, Leipzig.
BHK	Biblica Hebraica, hg. von R.KITTEL, Stuttgart 1937.
BHS	Biblica Hebraica Stuttgartensia, hg. von K.ELLIGER und W.RUDOLPH, Stuttgart 1968ff.
Bibl	Biblica, Rom.
BiLe	Bibel und Leben, Düsseldorf.
BK	Biblischer Kommentar. Altes Testament, begründet von M.NOTH, hg. von S.HERRMANN und H.W.WOLFF, Neukirchen.
BS	Bibliotheca Sacra, Dallas.
BSt	Biblische Studien, Neukirchen.
BWANT	Beiträge zur Wissenschaft vom Alten und Neuen Testament, Stuttgart.
BWAT	Beiträge zur Wissenschaft vom Alten Testament, hg. von R.KITTEL, Leipzig.
BZAW	Beiheft zur Zeitschrift für die alttestamentliche Wissenschaft, Berlin.
CBQ	Catholic Biblical Quarterly, Washington.
CNEB	Cambridge Bible Commentary on the New English Bible.

CTM	Calwer Theologische Monographien, Stuttgart.
DE	Danklied des Einzelnen.
dtn	deuteronomisch.
dtr	deuteronomistisch.
dtr GB	deuteronomistisches Geschichtsbild
EB	Echterbibel, Würzburg.
EK	Evangelische Kommentare, Stuttgart.
EvTh	Evangelische Theologie, München.
FRLANT	Forschungen zur Religion und Literatur des Alten und neuen Testamentes, Göttingen.
FS	Festschrift.
fzb	forschung zur bibel, Würzburg.
G.K.	W.GESENIUS' Hebräische Grammatik völlig umgearbeitet von E.KAUTZSCH [28]1909; Nachdruck: Hildesheim 1962.
GuL	Geist und Leben, Würzburg.
HAT	Handbuch zum Alten Testament, hg. von O.EISSFELDT, Tübingen.
HKAT	Handkommentar zum Alten Testament, hg. von W.NOWACK, Göttingen.
IKZ	Internationale Katholische Zeitschrift "Communio", Rodenkirchen.
JBL	Journal of Biblical Literature, Missoula.
JJSt	The Journal of Jewish Studies, London.
JQR	Jewish Quarterly Review, Philadelphia.
KAT	Kommentar zum Alten Testament, hg. von E.SELLIN, Leipzig 1913ff.; fortgeführt von W.RUDOLPH - E.ELLIGER - F.HESSE, Gütersloh 1962ff.
KBL	KOEHLER - BAUMGARTNER (Hg.), Lexicon in Veteris Testamenti Libros, Leiden 1953.
KE	Klage des Einzelnen.
KEH	Kurzgefaßtes exegetisches Handbuch zum Alten Testament, Leipzig.
KHC	Kurzer Hand-Commentar zum Alten Testament, hg. von K.MARTI, Freiburg, Leipzig, Tübingen.
KV	Klage des Volkes.

OLZ   Orientalische Literaturzeitung, Leipzig.

RGG   Die Religion in Geschichte und Gegenwart. Handwörterbuch für Theologie und Religionswissen-
schaft, hg. von H.GUNKEL und L.ZSCHARNAK,
Tübingen.

RheinMusPh Rheinisches Museum für Philologie, Frankfurt.

SAT   Schriften des Alten Testamentes in Auswahl übersetzt und erklärt von H.GUNKEL u.a., Göttingen.

SBS   Stuttgarter Bibelstudien.

SEÅ   Svensk Exegetisk Årsbok.

STh   Studia Theologica, Oslo.

THAT   Theologisches Handwörterbuch zum Alten Testament, hg. von E.JENNI - C.WESTERMANN, München I
^{2}1975, II 1976.

ThB   Theologische Bücherei, begründet von E.WOLF,
hg. von G.SAUTER, München.

THBW   Theologisch-homiletisches Bibelwerk, Bielefeld, Leipzig.

TheolSt   Theologische Studien, Zürich.

ThG   Theologie und Glaube, Paderborn.

ThPQ   Theologisch-Praktische Quartalschrift, Linz.

ThQ   Theologische Quartalschrift, Tübingen.

ThR   Theologische Rundschau, Tübigen.

ThWBAT   Theologisches Wörterbuch zum Alten Testament,
hg. von G.J.BOTTERWECK und H.RINGGREN, Stuttgart.

ThWBNT   Theologisches Wörterbuch zum Neuen Testament,
begründet von G.KITTEL, hg. von G.FRIEDRICH,
Stuttgart.

TThZ   Trierer Theologische Zeitschrift.

UF   Ugarit-Forschungen, Kevelaer, Neukirchen.

VT   Vetus Testamentum, Leiden.

WuD   Wort und Dienst, Bethel.

WMANT   Wissenschaftliche Monographien zum Alten und
Neuen Testament, Neukirchen.

ZAW   Zeitschrift für die alttestamentliche Wissenschaft, Berlin.

ZDMG	Zeitschrift der Deutschen Morgenländischen Gesellschaft, Wiesbaden.
ZKTh	Zeitschrift für katholische Theologie.
ZThK	Zeitschrift für Theologie und Kirche, Tübingen.

L I T E R A T U R

ACKROYD, P.R., Exile and Restoration. A Study of Hebrew
   Thought of the Sixth Century B.C., London 1968.

AHUIS, F., Der klagende Gerichtsprophet, Studien zur Klage
   in der Überlieferung von den alttestamentlichen Gerichtspropheten, CTM 12, Stuttgart 1982.

ALBERTZ, R., Weltschöpfung und Menschenschöpfung. Untersucht
   bei Deuterojesaja, Hiob und in den Psalmen, CTM 3, Stuttgart 1974.

---, Persönliche Frömmigkeit und offizielle Religion. Reli-
   gionsinterner Pluralismus in Israel und Babylon, CTM 9,
   Stuttgart 1978.

ALBREKTSON, B., Studies in the Text and Theology of the Book
   of Lamentations. With a Critical Edition of the Peshiṭta
   Text, Lund 1963.

ALBRIGHT, W.F., Alphabetic Origins and the Idrimi Statue:
   BASOR 118 (1950) 11-20.

---, The Origin of the Alphabet and the Ugaritic ABC again:
   BASOR 119 (1950) 23-24.

---, From Stone Age to Christianity, Baltimore [2]1957.

ALT, A., Jerusalems Aufstieg: ZDMG 79 (1925) 1-19.

---, Zur Vorgeschichte des Buches Hiob: ZAW 55 (1937) 265-268.

---, Judas Gaue unter Josia, Kleine Schriften zur Geschichte
   des Volkes Israel II, München 1959.

AUBERT, L., Le livre des Lamentations de Jérémie, Études
   théologiques et religieuses, Montpellier 1932.

BAUMBÄRTEL, F., Der Hiobdialog. Aufriß und Deutung, BWANT
   61 (1933).

BAUMGARTNER, W., Die Klagegedichte des Jeremia, Gießen 1917.

BECKER, J., Israel deutet seine Psalmen. Urform und Neuinter-
   pretation in den Psalmen, SBS 18, Stuttgart 1966.

BEGRICH, J., Die Vertrauensäußerungen im israelitischen Kla-
   geliede des Einzelnen und in seinem babylonischen Gegenstück: ZAW 46 (1928) 221-259.

BERGLER, S., Threni V - Nur ein alphabetisierendes Lied?
   Versuch einer Deutung: VT XXVII (1978) 304-320.

BERGMANN, J. - RINGGREN, H. - MOSIS, R., Artikel גדל , in:
   ThWBAT I, Stuttgart 1973, 927-956.

BERTHOLET, A., Die Macht der Schrift in Glauben und Aber-
   gläuben, Berlin 1949.

BETTAN, I., The five Scrolls, The Jewish Commentary for
   Bible Reader, Cincinnati 1950.

BLANK, Sh.H., An effective literary Device in Job XXXI:
   JJSt 2 (1951) 105-107.

BOCHARTUS, S., Hierozoicon sive bipartitum opus de animali-
   bus Sacrae Scripturae, Frankfurt ²1675.

BRANDSCHEIDT, R., Die Gerichtsklage des Propheten Jeremia
   im Kontext von Jer 17: TThZ 92 (1983) 61-78.

BRIGHT, J., Jeremiah's Complaints: Liturgy or Expressions of
   Personal Distress?, in: J.J.DURHAM and J.R.PORTER (Hg.),
   Proclamation and Presence, London 1970, 189-214.

BROCKELMANN, C., Hebräische Syntax, Neukirchen 1956.

BRUNET, G., L'auteur des "Lamentations". Une recherche "dia-
   lectique": Cahiers du Cercle E. Renan 12,50 (1966) 26-33.

---, Les Lamentations contre Jérémie. Réinterprétation des
   quatre premières Lamentations, Paris 1968.

BUBER, M., Die Schriftwerke, Köln 1962.

BUDDE, K., Das hebräische Klagelied: ZAW 2 (1882) 1-52;
   ZAW 3 (1883) 299f.; ZAW 50 (1932) 306-308.

---, Die Klagelieder, in: Die fünf Megillot, erklärt von
   K.BUDDE, A.BERTHOLET und G.WILDEBOER, KHC XVII, Freiburg
   1898.

BUHL, F., Zur Vorgeschichte des Buches Hiob: BZAW 41 (1925)
   52-61.

CANNON, W.W., The Authorship of Lamentations: BS LXXXI
   (1924) 42-58.

CHRIST, H., Blutvergießen im Alten Testament. Der gewaltsame
   Tod des Menschen untersucht am hebräischen Wort dām,
   Basel 1977.

CLINES, D.J.A. - GUNN, D.M., Form, Occasion and Redaction
   in Jeremiah 20: ZAW 88 (1976) 390-409.

---, "You Tried to Persuade me" and "Violence! Outrage!"
   in Jeremiah XX 7-8: VT 28 (1978) 20-27.

CONDAMIN, A., Le Livre de Jérémie, Paris [3]1936.

COX, D., The Desire for Oblivions in Job 3: Studii Biblici Franciscani 23 (1973) 37-49.

---, The Triumph of Impotence. Job and the Tradition of the Absurd, Analecta Gregoriana 212, Rom 1978.

CROSS, Jr.F.M., "The Divine Warrior in Israel's Early Cult", Biblical Motifs: Origins and Transformations, ed. by A.ALTMANN, Cambridge 1966, 11-30.

CRUESEMANN, F., Studien zur Formgeschichte von Hymnus und Danklied in Israel, WMANT 32, Neukirchen 1969.

---, Hiob und Kohelet. Ein Beitrag zum Verständnis des Hiobbuches, in: Werden und Wirken des AT, FS C.WESTERMANN, Göttingen 1980, 73-93.

DAHOOD, M., Is "Eben Yisrael" a Divine Title? (Gen 49,24): Bibl 40 (1959) 1002-1007.

---, Textual Problems in Isaia: CBQ 22 (1960) 400-409.

---, Proverbs and Northwest Semitic Philology, Scripta Pontificii Instituti Biblici 113, Rom 1963.

---, Ugaritic Lexicography, Mélanges Eugène Tisserant I (=Studi et Testi 231), Rom 1964.

---, New Readings in Lamentations: Bibl 59 (1978) 174-197.

DALMANN, G., Arbeit und Sitte in Palästina II: Ackerbau, Gütersloh 1932.

DHORME, P., Le livre de Job, Etudes bibliques, Paris 1926.

DIETERICH, A., ABC-Denkmäler: RheinMusPh (1901) 77-105.

DOMMERSHAUSEN, W., Artikel חלל , in: ThWBAT II, Stuttgart 1977, 972-986.

DORNSEIFF, F., Das Alphabet in Mystik und Magie, Leipzig [2]1925.

DRIVER, G.R., Hebrew Notes on "Song of Songs" and "Lamentations", in: FS A.BERTHOLET, hg. von W.BAUMGARTNER - O.EISSFELDT u.a., Tübingen 1950, 134-146.

DUHM, B., Das Buch Hiob, KHC XVI, Freiburg, Tübingen, Leipzig 1897.

---, Das Buch Jeremia, KHC IX, Freiburg, Tübingen, Leipzig 1901.

EHRLICH, A.B., Randglossen zur hebräischen Bibel VII, Leipzig 1914.

EICHRODT, W., Theologie des Alten Testamentes 1 Göttingen
   [8]1968, 2/3 Göttingen [6]1974.

ENGELHARDT, W., Die Klagelieder Jeremiä, Leipzig 1867.

EISSFELDT, O., Einleitung in das Alte Testament, Tübingen
   [3]1964.

EWALD, H., Die Dichter des Alten Bundes I/2, Göttingen [3]1866.

FAHLGREN, K.H., Sedākā nahestehende und entgegengesetzte Begriffe im Alten Testament, Uppsala 1932.

FALKENSTEIN, A. - SODEN W., (Hg.), Sumerische und akkadische
   Hymnen und Gebete, Zürich, Stuttgart 1953.

FICHTNER, J., Jahwes Plan in der Botschaft des Jesaja: ZAW
   63 (1951) 16-33.

FOHRER, G., Zur Vorgeschichte und Komposition des Buches
   Hiob: VT 6 (1956) 249-267.

---, Studien zum Buche Hiob, Gütersloh 1963.

---, Das Buch Hiob, KAT 16, Gütersloh 1963.

---, Artikel Σιων , in: ThWBNT VII, Stuttgart 1964, 291-318.

---, Geschichte der israelitischen Religion, Berlin 1969.

FRAINE J. De, Adam und seine Nachkommen. Der Begriff der kor-
   porativen Persönlichkeit in der Heiligen Schrift, übers.
   von R.KOCH und H.BAUSCH, Köln 1962.

FRANKEN, H.J., The Mystical Communion with JHWH in the Book
   of Psalms, Leiden 1954.

FREDERIKSON, H., Jahwe als Krieger, Lund 1945.

FRIES, S.A., Parallelen zwischen den Klgl IV, V und der
   Makkabäerzeit: ZAW 13 (1893) 110-124.

GADD, C.J., The Second Lamentation for Ur, Oxford 1963.

GALLING, K., Textbuch zur Geschichte Israels, Tübingen [2]1968.

---, Biblisches Reallexikon, HAT 1,1, Tübigen [2]1977.

GERLACH, E., Die Klagelieder Jeremiae, Berlin 1868.

GERLEMANN, G., Artikel דבר , in: THAT I, München [2]1975, 433-443.

---, Artikel ישראל , in: THAT I, München [2]1975, 782-785.

GERLEMANN, G. - RUPRECHT, E., Artikel דרש , in: THAT I, München
   [2]1975, 460-467.

GERSTENBERGER, E., Der klagende Mensch, in: Probleme biblischer
   Theologie, FS G.VON RAD, München 1971, 64-72.

---, Artikel עצב , in: THAT II, München 1976, 1051-1055.

GESE, H., Lehre und Wirklichkeit in der alten Weisheit, Studien zu den Sprüchen Salomons und zu dem Buch Hiob, Tübingen 1958.

GIESEBRECHT, F., Das Buch Jeremia, HKAT III, 2, Göttingen
^{2}1907.

GORDIS, R., The Book of God and Man. A Study of Job, Chi-
kago 1965.

---, The Song of Songs and Lamentations. A Study, Modern
Translation and Commentary, New York ^{3}1974.

GOTTLIEB, H., A Study on the Text of Lamentations, Acta
Jutlandica XLVIII, Theology Series 12, Arhus 1978.

GOTTWALD, N.K., Studies in the Book of Lamentations, Studies
in Biblical Theology 14, London 1954.

---, Lamentations: Interpretation. A Journal of Bible and
Theology, Richmond 1955, 320-338.

GRADWOHL, R., Die Farben im Alten Testament: BZAW 83 (1963).

GRAF, K.H., Der Prophet Jeremia, Leipzig 1862.

Gray, J., The Day of Jahwe in Cultic Experience and Eschatological Prospect: SEA 39 (1974) 5-37.

GRESSMANN, H., Der Ursprung der israelitischen Eschatologie,
Göttingen 1905.

GUNKEL, H., Klagelieder Jeremiae: RGG III, Tübingen ^{2}1929,
1049-1052.

GUNKEL, H. - BEGRICH, J., Einleitung in die Psalmen, Göttingen 1933.

GUNNEWEG, A.H.J., Konfession oder Interpretation im Jeremia-
buch, ZThK 67 (1970) 395-416.

GUREWICZ, S.B., The Problem of Lamentations 3: AusBiR 8
(1960) 19-23.

HAAG, E., Das Schweigen Gottes. Ein Wort des Propheten Amos
(Am 8,11-12): BiLe 10 (1969) 157-164.

---, Die Botschaft vom Gottesknecht, in: Gewalt und Gewaltlosigkeit im Alten Testament, hg. von N.LOHFINK, Freiburg
1983, 159-213.

---, Der Tag Jahwes im Alten Testament: BiLe 4 (1972) 238-248.

---, Gott als Schöpfer und Erlöser in der Prophetie des Deuterojesaja: TThZ 85 (1976) 193-213.

HALLER, M., Klagelieder, in: Die fünf Megilloth, Ruth, Hohes-
    lied, Klagelieder, Esther, HAT 18, Tübingen 1940.
HEDINGER, U., Chinnam oder die Infragestellung Hiobs, in:
    Parrhesia, FS K.BARTH, Zürich 1966.
HERDNER, A., (Hg.), Corpus des tablettes en cuneiformes al-
    phabétiques, Mission de Ras Shamra X, Paris 1963.
HERRMANN, S., Prophetie und Wirklichkeit in der Epoche des
    babylonischen Exils, Arbeiten zur Theologie 32, Stuttgart
    1967.
HERRMANN, S., Geschichte Israels in alttestamentlicher Zeit,
    München ^{2}1980.
HILLERS, D.R., Lamentations, Anchor Bible 7 A, New York 1972.
HITZIG, F., Der Prophet Jeremia, KEH 3 Leipzig 1841.
HOELSCHER, G., Das Buch Hiob, HAT I/17, Tübingen 1952.
HORST, F., Die Doxologien im Amosbuch, in: Gottes Recht..
    Gesammelte Studien zum Recht im Alten Testament, ThB 12,
    München 1961, 155-166.
---, Hiob, BK XVI/1, Neukirchen 1968.
HUBMANN, F.D., Untersucheungen zu den Konfessionen Jer 11,18-
    12,16 und Jer 15,10-21, fzb 30, Würzburg 1978.
HYATT, J.P., The Book of Jeremiah, The Interpreters Bible Vol.
    V, ed. by N.B.HARMON, New York, Nashville 1956.
JAHNOW, H., Das hebräische Leichenlied im Rahmen der Völker-
    dichtung, Gießen 1923.
JANSSEN,E., Juda in der Exilszeit. Ein Beitrag zur Frage der
    Entstehung des Judentums, FRLANT 69, NF 51, Göttingen 1956.
JEREMIAS, A., Das Alte Testament im Lichte des Alten Orients,
    Leipzig ^{4}1930.
JEREMIAS, J., Kultprophetie und Gerichtsverkündigung in der
    späten Königszeit Israels, WMANT 35, Neukirchen 1970.
---, Die Reue Gottes. Aspekte alttestamentlicher Gottesvor-
    stellung, BSt 65, Neukirchen 1975.
---, Theophanie. Die Geschichte einer alttestamentlichen Gat-
    tung, Neukirchen ^{2}1977.
JUENGLING, H.W., Ich mache dich zu einer ehernen Mauer. Lite-
    rarkritische Überlegungen zum Verhältnis von Jer 1,18-19
    zu Jer 15,10-21: Bibl 54 (1973) 1-24.

JUNKER, H., Das Buch Job, EB IV, Würzburg 1951.

KAISER, O., Einleitung in das Alte Testament, Gütersloh ³1975.

---, Klagelieder, ATD 16, Göttingen 1981.

KATZOFF, L., Who is afraid of Edom. Reflections on a Theme in Lamentations; Dor le Dor V/4 (1977) 178-182.

KEEL, O., Jahwes Entgegnung an Ijob. Eine Deutung von Ijob 38-41 vor dem Hintergund der zeitgenössischen Bildkunst, Göttingen 1978.

KEIL, C.F., Biblischer Commentar über den Propheten Jeremia und die Klagelieder, BC III/2, Leipzig 1872.

KIRST, N., Formkritische Untersuchungen zum "Fürchte dich nicht" im Alten Testament, Hamburg 1968.

KLOPFENSTEIN, M.A., Artikel בגד , in: THAT I, München ²1975, 261-264.

KNIERIM, R., Die Hauptbegriffe für Sünde im Alten Testament, Gütersloh 1965.

---, Artikel פשע , in: THAT II, München 1976, 488-495.

---, Artikel חטא , in: THAT I, München ²1975, 541-549.

---, Artikel עון , in: THAT II, München 1976, 243-249.

KOCH, K., Gibt es ein Vergeltungsdogma im Alten Testament?: ZThK 52 (1955) 1-42.

---,(Hg.), Um das Prinzip der Vergeltung in Religion und Recht des Alten Testamentes, Darmstadt 1972.

KOCH, K., Artikel אהל , in: ThWBAT I, Stuttgart 1973, 128-141.

KOEHLER, L., Formula revelationis: Schweizer Theologische Zeitschrift (1919) 33-39.

---, Der hebräische Mensch. Mit einem Anhang: Die hebräische Rechtsgemeinde, Darmstadt 1976.

KOEHLER, L. - BAUMGARTNER, W. (Hg.), Lexicon in Veteris Testamenti Libros, Leiden 1953.

KOPF, L., Arabische Etymologien und Parallelen zum Bibel-wörterbuch: VT 8 (1958) 161-215.

KOSMALA, H., Artikel גבר , in: ThWBAT I, Stuttgart 1973, 901-919.

KRAMER, S.N., Lamentation over the Destruction of Ur, 1940.

KRAUS, H.-J., Klagelieder, BK XX, Neukirchen ^{3}1968.

---, Geschichte der historisch-kritischen Erforschung des Alten Testamentes, Neukirchen ^{2}1970.

---, Psalmen II, BK XV/2, Neukirchen ^{5}1978.

KRECHER, J., Sumerische Kultlyrik, Wiesbaden 1966.

KUBINA, V., Die Gottesreden im Buche Hiob. Ein Beitrag zur Diskussion um die Einheit von Hiob 38,1-42,6, Freiburger Theologische Studien 115, Freiburg 1979.

KUHL, C., Neuere Literarkritik des Buches Hiob: ThR 50 (1953) 163-205.257-317.

---, Vom Hiobbuch und seinen Problemen: ThR 51 (1954) 261-316.

KUSCHKE, A., Die Menschenwege und der Weg Gottes im AT: STh 5 (1952) 106-118.

LACHS, S.T., The Date of Lamentations V: JQR 47 (1966) 46-56.

LAMBERT, W.G., Babylonian Wisdom Literature, Oxford 1960.

LAMPARTER, H., Das Buch der Anfechtung. Hiob, BAT XIII, Stuttgart ^{3}1962.

---, Das Buch der Sehnsucht. Ruth, Hoheslied, Klagelieder, BAT XVI/2, Stuttgart 1962.

---, Prophet wider Willen. Der Prophet Jeremia, BAT XX, Stuttgart 1964.

LANAHAN, W.F., The Speaking Voice in the Book of Lamentations: JBL 93 (1974) 41-49.

LAURIN, R.B., Lamentations, Broadman Bible Commentary Vol. VI, ed. by C.J.ALLEN, Nashville 1971.

LÉVÊQUE, J., Job et son Dieu. Essai d'exégèse et de théologie biblique, Paris 1970.

LOEHR, M., Der Sprachgebrauch des Buches der Klagelieder: ZAW 14 (1894) 31-50.

---, Threni III und die jeremianische Autorschaft des Buches der Klagelieder: BZAW 24 (1904) 1-16.

---, Alphabetische und alphabetisierende Lieder im Alten Testament: ZAW 25 (1905) 173-198.

---, Die Klagelieder des Jeremias, HKAT III/2, Göttingen ^{2}1906.

LOHFINK, N., Gottes Erbarmen in der Erfahrung des Alten Testamentes: GuL 29 (1956) 408-416.

(LOHFINK, N.,) ---, Enthielten die im Alten Testament be-
    zeugten Klageriten eine Phase des Schweigens; VT 12
    (1962) 260-277.

MAAG, V., Das Gottesbild im Buche Hiob, in: Vorträge über
    das Vaterproblem in der Psychotherapie, Religion und Ge-
    sellschaft, hg. von W.BITTER, Stuttgart 1954, 83-98.

---, Hiob. Wandlung und Verarbeitung des Problems in Novelle,
    Dialogdichtung und Spätfassungen, Göttingen 1982.

MAASS, F., Artikel חלל , in: THAT I, München [2]1975, 570-575.

MAC DONALD, D.B., The Original Form of the Legend of Job:
    JBL 14 (1895) 63-73.

MC DANIEL, Th.F., Philological Studies in Lamentations I-II:
    Bibl 49 (1968) 27-53.199-220.

---, The alleged Sumerian Influence upon Lamentations: VT 18
    (1968) 198-209.

MEEK, Th.J., The Book of Lamentations, The Interpreters Bible
    Vol. VI, ed. by N.B.HARMON, New York, Nashville 1956.

MILLER, P., "God the Warrior": Interpretation 19 (1965) 39-46.

MOOR, J.C.de, Ugaritic hm - Never "Behold": UF 1 (1969) 201f.

MOWINCKEL, S., Psalmenstudien II. Das Thronbesteigungsfest
    Jahwäs und der Ursprung der Eschatologie, Oslo 1922.

MUELLER, H.P., Ursprünge und Strukturen alttestamentlicher
    Eschatologie, BZAW 109 (1969).

---, Hiob und seine Freunde. Traditionsgeschichte zum Ver-
    ständnis des Hiobbuches, Theol St. 103, Zürich 1970.

---, Altes und Neues zum Buch Hiob: EvTh 37 (1977) 284-304.

---, Die weisheitliche Lehrerzählung im AT und im AO, in:
    Welt des Orients, 1977, 77-98.

---, Das Hiobproblem. Seine Stellung und Entstehung im Al-
    ten Orient und im Alten Testament, Erträge der Forschung
    Bd. 84, Darmstadt 1978.

MUNCH, P.A., Die alphabetische Akrostichie in der jüdischen
    Psalmendichtung: ZDMG 90 (1936) 703-710.

NAEGELSBACH, C.W.E., Der Prophet Jeremia, THBW 15, Bielefeld,
    Leipzig 1868.

NICHOLSON, E.W., The Book of the Prophet Jeremiah. Chapters
    1-25, CNEB, Cambridge 1973.

NOETSCHER, F., Jeremias, EB III, Würzburg 1957.

---, Die Klagelieder, EB III, Würzburg 1957.

---, Gotteswege und Menschenwege in der Bibel und in Qumran, BBB 15, Vonn 1958.

NOTH, M., Geschichte Israels, Göttingen [6]1966.

---, Könige, BK IX/1, Neukirchen 1968.

OETTLI, S., Das Hohelied und die Klagelieder, Kurzgefaßter Kommentar zu den Schriften des Alten Testamentes, ed. H.STRACK und O.ZOECKLER, Nördlingen 1889.

OTTO, E., Der Vorwurf an Gott. Zur Entstehung der ägyptischen Auseinandersetzungsliteratur (Vorträge der orientalischen Tagung in Marburg 1950, Fachgruppe: Ägyptologie), Hildesheim 1951.

PAFFRATH, Th., Die Klagelieder des Jeremias, Die Heilige Schrift des Alten Testamentes VII/3, hg. von F.FELDMANN - H.HERKENNE, Bonn 1932.

PATRICK, D., Job's Adress of God: ZAW 91 (1979) 268-282.

PERDUE, L., Wisdom and Cult, Missoula 1977.

PERLES, F., Was bedeutet כמות Thr 1,20?: OLZ 23 (1920) 157-158.

PLATH, S., Furcht Gottes. Der Begriff   im Alten Testament, Arbeiten zur Theologie 2, Stuttgart 1964.

PLOEGER, J.G., Literarkritische, formgeschichtliche und stilkritische Untersuchungen zum Deuteronomium, BBB 26, Bonn 1967.

PLOEGER, O., Die Klagelieder, HAT I/18, Tübingen [2]1969.

PRAETORIUS, F., Threni III, 5.16: ZAW (1895) 326.

PREUSS, H.D., Jahwes Antwort an Hiob und die sogenannte Hiobliteratur des alten vorderen Orients, in: Beiträge zur alttestamentlichen Theologie, FS W.ZIMMERLI, hg. von H.DONNER - R.HANHART und R.SMEND, Göttingen 1977, 323-343.

PRITCHARD, J.B., The Ancient Near East in Pictures Relating to the Old Testament (AOP), Princeton, New Jersey 1954.

RAD G. VON, Das theologische Probelm des alttestamentlichen Schöpfungsglaubens: BZAW 66 (1936) 138-147.

---, Weisheit in Israel, Neukirchen 1970.

---, Gerichtsdoxologie, Gesammelte Studien zum Alten Testament II, ThB 48, München 1973, 245-254.

(RAD G. VON) ---, Theologie des Alten Testamentes I: Die Theologie der geschichtlichen Überlieferungen Israels, München [7]1978; II: Die Theologie der prophetischen Überlieferungen Israels, München [6]1975.

RENDTORFF, R., Weisheit und Geschichte im Alten Testament. Zu einer offenen Frage im Werk Gerhard von Rads: EK 9 (1976) 216-218.

REVENTLOW, H. GRAF, Liturgie und prophetisches Ich bei Jeremia, Gütersloh 1963.

RICHTER, H., Erwägungen zum Hiobsproblem: EvTh 18 (1958) 302-324.

RICHTER, W., Die sogenannten vorprophetischen Berufungsberichte, Göttingen 1970.

RINGGREN, H., Einige Schilderungen des göttlichen Zorns, in: FS A.WEISER, 1965, 107-113.

ROBINSON, H.W., The Hebrew Conception of Corporate Personality: BZAW 66 (1936) 49-61.

ROBINSON, Th.H., Notes on the Text of Lamentations: ZAW 51 (1933) 255-259; 52 (1934) 308-311.

---, Anacrusis in Hebrew Poetry: BZAW 66 (1936) 37-40.

ROSE, M., Der Ausschließlichkeitsanspruch Jahwes. Deuteronomische Schultheologie und die Volksfrömmigkeit in der späten Königszeit, BWANT 106, Stuttgart 1975.

RUDOLPH, W., Das Buch Ruth. Das Hohe Lied. Die Klagelieder, KAT XVII/1-3, Gütersloh 1962.

---, Jeremia, HAT 12, Tübingen [3]1968.

---, Micha, KAT XIII/3, Gütersloh 1975.

RUPPERT, L., Der leidende Gerechte. Eine motivgeschichtliche Untersuchung zum Alten Testament und zwischentestamentlichen Judentum, fzb 5, Würzburg 1972.

RUPRECHT, E., Das Nilpferd im Hiobbuch: VT 21 (1971) 209-231.

---, Leiden und Gerechtigkeit bei Hiob: ZThK 73 (1976) 424-445.

SCHMID, H., Jahwe und die Kulttraditionen von Jerusalem: ZAW 67 (1955) 168-197.

SCHMIDT, H., Hiob. Das Buch vom Sinn des Leidens, Tübingen 1927.

SCHMIDT, L., De Deo. Studien zur Literarkritik und Theologie
  des Buches Jona, des Gespräches zwischen Abraham. und Jahwe
  in Gen 18,22ff. und von Hi 1: BZAW 143 (1976).

SCHMIDT, P., Sinnfrage und Glaubenskrise. Ansätze zu einer kri-
  tischen Theologie der Schöpfung im Buch Ijob: GuL 45 (1972)
  348-363.

SCHMIDT, W.H., Einführung in das Alte Testament, Berlin, New
  York 1979.

SCHNEEDORFER, L., Das Buch Jeremias, des Propheten Klagelie-
  der und das Buch Baruch, Kurzgefaßter Wissenschaftlicher
  Commentar zu den Heiligen Schriften des Alten Testamentes
  III/2, Wien 1903.

SCHREINER, J., Unter der Last des Auftrages. Aus der Verkündigung des Propheten Jeremias: Jer 11,18-12,6: BiLe 7
  (1966) 180-192.

SEEBASS, H., Artikel אחרית , in: ThWBAT I, Stuttgart 1973,
  224-228.

SEIDEL, H., Das Erlebnis der Einsamkeit im Alten Testament,
  Theologische Arbeiten 29, Berlin 1969.

SEITZ, G., Redaktionsgeschichtliche Studien zum Deuteronomium,
  BWANT 93, Stuttgart 1971.

SELLIN, E. - FOHRER, G., Einleitung in das Alte Testament,
  Heidelberg [12]1979.

SIEVERS, E., Metrische Studien I, Studien zur hebräischen
  Metrik, Leipzig 1901.

SMEND, R., Die Entstehung des Alten Testamentes, Theologische
  Wissenschaft 1, Stuttgart 1978.

SPEISER, E.A., A Note on Alphabetic Origins: BASOR 121 (1951)
  17-20.

STADE, B., Geschichte des Volkes Israel, Berlin 1887.

STAMM, J.J., Das Leiden des Unschuldigen in Babylon und
  Israel, AThANT 10, Zürich 1946.

---, Artikel גאל , in: THAT I, München [2]1975, 383-394.

STECK, O.H., Friedensvorstellungen im alten Jerusalem, Zürich
  1973.

---, Israel und das gewaltsame Geschick der Propheten. Untersuchungen zur Überlieferung des deuteronomistischen Geschichts-

(STECK, O.H.), bildes im Alten Testament, Spätjudentum und
    Urchristentum, WMANT 23, Neukirchen 1967.

STEIGER, L., Die Wirklichkeit Gottes in unserer Verkündigung,
    in: FS H.DIEM, hg. von M.HONECKER und L.STEIGER, München
    1965, 143-177.

STEINTHAL, H., Zu Bibel und Religionsphilosophie, Berlin
    1890.

STOEBE, H.J., Die Bedeutung des Wortes häsäd im Alten Te-
    stament: VT 1-2 (1951/52) 244-254.

---, Seelsorge und Mitleiden bei Jeremia. Eine exegetischer
    Versuch: WuD 4 (1955) 116-134.

---, Artikel חסד , in: THAT I, München [2]1975, 600-621.

---, Artikel רחם , in: THAT II, München 1976, 761-768.

---, Artikel רפא , in: THAT II, München 1976, 803-809.

STOLZ, F., Artikel ישע , in: THAT I, München [2]1975, 785-790.

---, Artikel ציון , in: THAT II, München 1976, 543-551.

THENIUS, O., Die Klagelieder, KEH 16/17, Leipzig 1855.

THIEL, W., Die deuteronomistische Redaktion von Jeremia
    1-25, Neukirchen 1973.

THOMPSON, J.A., Israel's "Lovers": VT 27 (1977) 475-481.

TRÈVES, M., Conjectures sur les Dates et les Sujets des La-
    mentations: Bulletin du Cercle E. Renan 95 (1963) 1-4.

VATKE, W., Historisch-kritische Einleitung in das Alte Te-
    stament, Bonn 1886.

VAUX, R. De, Das Alte Testament und seine Lebensordnungen
    I-II, Freiburg 1960.

VOLZ, P., Das Buch Hiob (SAT), Göttingen 1911.

---, Studien zum Text des Jeremia, BWAT 25, Leipzig 1920.

---, Der Prophet Jeremia, KAT 10, Tübingen [2]1928.

WANKE, G., Die Zionstheologie der Korachiten in ihrem tradi-
    tionsgeschichtlichen Zusammenhang: BZAW 97 (1966).

---, Artikel שטן , in: THAT II, München 1976, 821-823.

WEISER, A., Klagelieder, ATD 16/2, Göttingen 1958.

---, Das Buch Hiob, ATD 13, Göttingen [5]1968.

---, Das Buch Jeremia, ATD 20/21, Göttingen [6]1969.

WESTERMANN, C., Struktur und Geschichte der Klage im Alten
    Testament: ZAW 66 (1954) 44-80.

(WESTERMANN, C.) ---, Jeremia und die Klagelieder, Stuttgart
    1956.

---, Das Hoffen im Alten Testament, ThB 24, München 1964,
    219-265.

---, Sinn und Grenze religionsgeschichtlicher Parallelen, in:
    Forschung am Alten Testament, Gesammelte Studien II, ThB 55,
    München 1974, 84-95.

---, Die Rolle der Klage in der Theologie des AT, in: For-
    schung am Alten Testament, Gesammelte Studien II, ThB 55,
    München 1974, 250-268.

---, Artikel עבד , in: THAT II, München 1976, 182-200.

---, Der Aufbau des Buches Hiob. Mit einer Einführung in die
    neuere Hiobforschung von J. Kegler, CTM 6, Stuttgart 1977.

---, Boten des Zorns. Der Begriff des Zornes Gottes in der Pro-
    phetie, in: Die Botschaft und die Boten, FS H.W.WOLFF, Neu-
    kirchen 1981, 147-156.

WIESMANN, H., Das dritte Kapitel der Klagelieder, Zeitschrift
    für Katholische Theologie 50 (1926) 515-543.

---, Der planmäßige Aufbau der Klagelieder des Jeremias: Bibl 7
    (1926) 146-161.

---, Der Zweck der Klagelieder des Jeremias: Bibl 7 (1926)
    412-428.

---, Die Bedeutung der Klagelieder des Jeremias: Pastor Bonus
    38 (1927) 167-182.

---, Der dichterische Wert der Klagelieder des Jeremias: Theo-
    logie und Glaube 19 (1927) 365-403.

---, Zur Charakteristik der Klagelieder des Jeremias: Bonner
    Zeitschrift 5 (1928) 97-118.

---, Widersprechen die Klagelieder dem Geist Jeremias?: ThPQ
    81 (1928) 328-337.498-510.717-726.

---, Die literarische Art der Klagelieder des Jeremias: ThQ
    110 (1929) 381-428.

---, Der Verfasser des Büchleins der Klagelieder - ein Augen-
    zeuge der behandelten Ereignisse?: Bib 17 (1936) 71-84.

---, Die Klagelieder, Frankfurt 1954.

WILDBERGER, H., Jesaja II, BK X/2, Neukirchen 1978.

WILLIAMS, J.G., "You have not spoken the Truth of me".
Mystery and Irony in Job: ZAW 83 (1971) 231-254.

WOLFF, H.W., Obadja - ein Kultprophet als Interpret:
EvTh 3 (1977) 273-284.

WOUDE, A.S. VAN DER, Artikel ‏י‏, in: THAT I, München
^{2}1975, 667-674.

ZIMMERLI, W., Weissagung und Erfüllung: EvTh 12 (1952)
34-59.

---, Grundriß der alttestamentlichen Theologie, Theologische Wissenschaft Bd 3, Stuttgart 1972.

---, Jeremia, der leidtragende Verkünder: JkZ 4 (1975)
97-111.

---, Ezechiel I, BK XIII/1, Neukirchen ^{2}1979.